Ειρήνη
Παθιάκη

Γιώργος
Σιμόπουλος

Γιώργος
Τουρλής

# Ελληνικά Β'

## Μέθοδος εκμάθησης της ελληνικής ως ξένης γλώσσας

Επιστημονική επιμέλεια
Σπύρος Α. Μοσχονάς

Εικονογράφηση
Χρήστος Παπανίκος

ΕΚΔΟΣΕΙΣ
ΠΑΤΑΚΗ

# Ευχαριστίες

Ευχαριστούμε θερμά τη συνάδελφο Αναστασία Αμπάτη για τη διάθεση που έδειξε να συζητήσει μαζί μας το περιεχόμενο του βιβλίου. Ευχαριστίες επίσης οφείλουμε στους: Αναστασία Αμπάτη, Δημήτρη Αργύρη, Ντίνα Δημακοπούλου, Χρήστο Δημητρόπουλο, Lafaw Kadir, Ιωάννα Κόρακα, Δήμητρα Λάββα, Γιώργο Λάμπο, Θανάση Μαρίνη, Μπάμπη Μισαηλίδη, Ζωή Μπαβαβέα, Νίκο Νικολούτσο, Χριστίνα Ντεμίρη, Μαίρη Παθιάκη, Αγλαΐα Παυλοπούλου, Μαρία Ράμπια, Κώστα Τουρλή, Παναγιώτη Χιώτη που συμμετείχαν εθελοντικά στην ηχογράφηση των CD.

*Οι συγγραφείς*

Ο εκδότης ευχαριστεί θερμά την κ. Γιούλικα Λακερίδου για την παραχώρηση της άδειας χρήσης έργου της στο εξώφυλλο του βιβλίου.

Θέση υπογραφής δικαιούχων δικαιωμάτων πνευματικής ιδιοκτησίας, εφόσον η υπογραφή προβλέπεται από τη σύμβαση.

Εκδόσεις Πατάκη - Βιβλία για την εκπαίδευση
Ειρήνη Παθιάκη, Γιώργος Σιμόπουλος, Γιώργος Τουρλής
   *Ελληνικά Β΄, Μέθοδος εκμάθησης της ελληνικής ως ξένης γλώσσας*
Επιστημονική επιμέλεια Σπύρος Α. Μοσχονάς
Εικονογράφηση Χρήστος Παπανίκος
Υπεύθυνος έκδοσης Άγγελος Κοκολάκης
DTP Χριστίνα Κωνσταντινίδου
Διορθώσεις Δήμητρα Αθανασοπούλου
Ηχογράφηση Χρήστος Σταματίου
Φιλμ – μοντάζ Γιώργος Κεραμάς
Copyright© Σ. Πατάκης Α.Ε.Ε.Δ.Ε. (Εκδόσεις Πατάκη), Ε. Παθιάκη, Γ. Σιμόπουλος, Γ. Τουρλής, 2011
Copyright© για την εικονογράφηση, Σ. Πατάκης Α.Ε.Ε.Δ.Ε. (Εκδόσεις Πατάκη), 2010
Πρώτη έκδοση από τις Εκδόσεις Πατάκη, Αθήνα, Φεβρουάριος 2012
Ακολούθησαν οι ανατυπώσεις Φεβρουαρίου 2015, Ιουνίου 2016, Σεπτεμβρίου 2017
Η παρούσα είναι η πέμπτη εκτύπωση, Σεπτέμβριος 2018
Κ.Ε.Τ. 5847 – Κ.Ε.Π. 726/18
ISBN 978-960-16-2816-5

ΕΚΔΟΣΕΙΣ
ΠΑΤΑΚΗ

ΠΑΝΑΓΗ ΤΣΑΛΔΑΡΗ (ΠΡΩΗΝ ΠΕΙΡΑΙΩΣ) 38, 104 37 ΑΘΗΝΑ
ΤΗΛ.: 210.36.50.000, 210.52.05.600, 801.100.2665 - FAX: 210.36.50.069
ΚΕΝΤΡΙΚΗ ΔΙΑΘΕΣΗ: ΕΜΜ. ΜΠΕΝΑΚΗ 16, 106 78 ΑΘΗΝΑ, ΤΗΛ.: 210.38.31.078
ΥΠΟΚΑΤΑΣΤΗΜΑ ΒΟΡΕΙΑΣ ΕΛΛΑΔΑΣ: ΚΟΡΥΤΣΑΣ (ΤΕΡΜΑ ΠΟΝΤΟΥ – ΠΕΡΙΟΧΗ Β΄ ΚΤΕΟ),
570 09 ΚΑΛΟΧΩΡΙ ΘΕΣΣΑΛΟΝΙΚΗΣ, Τ.Θ. 1213, ΤΗΛ.: 2310.70.63.54, 2310.70.67.15 - FAX: 2310.70.63.55
Web site: http://www.patakis.gr • e-mail: info@patakis.gr, sales@patakis.gr

# Πρόλογος

Η σειρά *Ελληνικά Α΄*, *Β΄*, *Γ΄* και *Δ΄* απευθύνεται σε όσους και όσες μαθαίνουν την ελληνική γλώσσα ως ξένη ή/και προετοιμάζονται για τις εξετάσεις ελληνομάθειας του Κέντρου Ελληνικής Γλώσσας (ΚΕΓ), της Γενικής Γραμματείας Διά Βίου Μάθησης, των πανεπιστημιακών Διδασκαλείων ή άλλων ιδρυμάτων που αναλαμβάνουν ή ενδέχεται να αναλάβουν τη διεξαγωγή παρόμοιων εξετάσεων.

Το *Ελληνικά Β΄* είναι το δεύτερο βιβλίο της σειράς. Στόχος του είναι να βοηθήσει τους σπουδαστές να αποκτήσουν τις δεξιότητες που απαιτούνται για το επίπεδο γλωσσομάθειας Β1 και να προετοιμαστούν για τις αντίστοιχες εξετάσεις. Το δεύτερο αυτό βιβλίο ανταποκρίνεται απολύτως στον νέο ορισμό των επιπέδων γλωσσομάθειας που θεσμοθετήθηκε με το Π.Δ. 60/30-6-2010 ΦΕΚ Α΄ 98.

Όπως και με το πρώτο βιβλίο της σειράς, αντλήσαμε ιδέες και εκπαιδευτικές δραστηριότητες από τα βιβλία προετοιμασίας για τις εξετάσεις του ΚΕΓ, από διαθέσιμα εγχειρίδια διδασκαλίας της ελληνικής σε ξένους, από το εκπαιδευτικό υλικό και τη μεθοδολογία του Προγράμματος Εκπαίδευσης Μουσουλμανοπαίδων, από επιστημονικά δημοσιεύματα διδακτικής.

Σε διάφορες εκδοχές, οι ενότητες του βιβλίου αυτού δοκιμάστηκαν για αρκετά χρόνια σε τάξεις προετοιμασίας ενηλίκων. Ιδέες και παρατηρήσεις όσων χρησιμοποίησαν το υλικό αυτό ενσωματώθηκαν στη σημερινή του εκδοχή, ενώ προσπαθήσαμε να αξιοποιήσουμε και την εμπειρία συναδέλφων και σπουδαστών από τη διδασκαλία του πρώτου βιβλίου της σειράς, *Ελληνικά Α΄*. Θέλουμε και από τη θέση αυτή να ευχαριστήσουμε θερμά όλους όσοι μας βοήθησαν με παρατηρήσεις, υποδείξεις και διορθώσεις.

Όσοι και όσες διδάξουν ή διδαχτούν αυτό το βιβλίο μπορούν να μας γράψουν τη γνώμη και τις υποδείξεις τους στην ηλεκτρονική διεύθυνση a.ellhnika@gmail.com. Τους ευχαριστούμε προκαταβολικά και τους υποσχόμαστε ότι θα λάβουμε υπόψη τις παρατηρήσεις τους σε μελλοντική αναθεώρηση του βιβλίου.

*Οι συγγραφείς*
*Ο επιμελητής*

# Περιεχόμενα

# περιεχόμενα

# Αφήστε το μήνυμά σας

- Ποιος τη ζητάει παρακαλώ;
- Αφήστε το μήνυμά σας.
- Η οικογένειά μου.
- Αυτό είναι για σένα.
- Αυτούς θα τους πάρω εγώ.
- η οδός

# Ποιος τη ζητάει, παρακαλώ;

 **A1** *στο τηλέφωνο*

**Ένας κύριος:** Παρακαλώ.
**Παναγιώτης:** Καλημέρα σας. Μπορώ να μιλήσω με την κυρία Μπροκάι;
**Ένας κύριος:** Ποιος τη ζητάει, παρακαλώ;
**Παναγιώτης:** Ο Παναγιώτης ο Οικονόμου πείτε της.
**Ένας κύριος:** Μισό λεπτό να τη φωνάξω.

.............................................................

**Αρλέτα:** Λέγετε;
**Παναγιώτης:** Έλα, Αρλέτα. Συγνώμη που σε ενοχλώ στη δουλειά, αλλά το κινητό σου ήταν κλειστό.
**Αρλέτα:** Δεν υπάρχει πρόβλημα. Πες μου.
**Παναγιώτης:** Κοίτα. Ο Φοίβος, ο γιος μου, πήρε το πτυχίο του και το γιορτάζουμε το Σάββατο το βράδυ στο καφενείο. Αν δεν έχετε άλλο πρόγραμμα, περάστε να σας δούμε.
**Αρλέτα:** Α, ωραία! Συγχαρητήρια! Δεν ξέρω για τον Ερβίν, αλλά εγώ θα έρθω σίγουρα.
**Παναγιώτης:** Εντάξει. Τα λέμε τότε, λοιπόν. Φιλιά.
**Αρλέτα:** Ευχαριστώ για την πρόσκληση. Γεια χαρά.

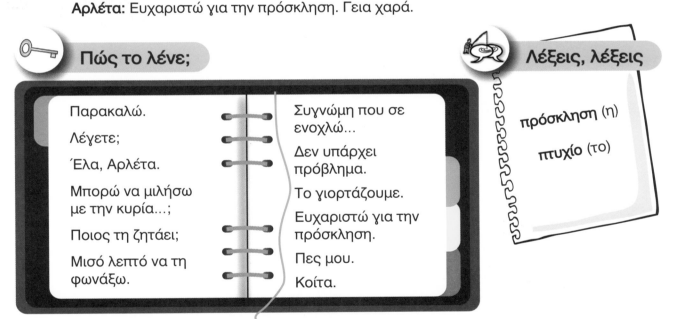

## Πώς το λένε;

| | |
|---|---|
| Παρακαλώ. | Συγνώμη που σε ενοχλώ... |
| Λέγετε; | Δεν υπάρχει πρόβλημα. |
| Έλα, Αρλέτα. | Το γιορτάζουμε. |
| Μπορώ να μιλήσω με την κυρία...; | Ευχαριστώ για την πρόσκληση. |
| Ποιος τη ζητάει; | Πες μου. |
| Μισό λεπτό να τη φωνάξω. | Κοίτα. |

## Λέξεις, λέξεις

πρόσκληση (η)
πτυχίο (το)

**1 Σωστό ή λάθος;**

Σωστό — Λάθος

1. Ο Παναγιώτης τηλεφωνεί στην Αρλέτα. ✓
2. Η Αρλέτα είναι στο σπίτι της.
3. Η Αρλέτα δεν έχει κινητό.
4. Ο Φοίβος είναι ο γιος του Παναγιώτη.
5. Ο Φοίβος και ο Παναγιώτης κάνουν πάρτι το Σάββατο.
6. Το πάρτι γίνεται επειδή ο Φοίβος βρήκε δουλειά.
7. Ο Ερβίν θα πάει σίγουρα στο πάρτι.

# Λάθος πήρατε

 *στο τηλέφωνο*

**Μια κυρία:** Εμπρός;
**Φοίβος:** Καλημέρα. Τη Σοφία θα ήθελα, παρακαλώ.
**Μια κυρία:** Λάθος πήρατε, κύριε. Δεν υπάρχει καμία Σοφία εδώ.
**Φοίβος:** Οχ, συγνώμη!
**Μια κυρία:** Δεν πειράζει.

*(στο κινητό)*

**Σοφία:** Έλα. Πού βρίσκεσαι;
**Φοίβος:** Γεια σου, Σοφία. Είμαι στο σπίτι και ετοιμάζω το πάρτι που είπαμε.
**Σοφία:** Τέλεια! Τι κανονίζεις;
**Φοίβος:** Λέω να καλέσω μερικούς φίλους το Σάββατο το βράδυ στο καφενείο του πατέρα μου. Το έκλεισα μόνο για εμάς.
**Σοφία:** Μια χαρά! Στον Αντρέα και στην Όλγα το είπες;
**Φοίβος:** Όχι, εσένα πήρα πρώτη.
**Σοφία:** Άσε, αυτούς θα τους πάρω εγώ.
**Φοίβος:** Λοιπόν, το καφενείο είναι στην οδό Μάρκου Μπότσαρη 16, στο Κουκάκι. Να πούμε κατά τις εννιά;
**Σοφία:** Οκέι. Τα λέμε πάλι. Φιλάκια.

## 🔑 Πώς το λένε;

Εμπρός;
Τη Σοφία θα ήθελα, παρακαλώ.
Λάθος πήρατε.

Έλα. Πού βρίσκεσαι;
Τι κανονίζεις;
Μια χαρά!
Τα λέμε πάλι.

 *αυτόματος τηλεφωνητής*

**Αυτόματος τηλεφωνητής:** Καλέσατε το 210 7282537. Αφήστε το μήνυμά σας μετά τον χαρακτηριστικό ήχο και θα επικοινωνήσω μαζί σας το συντομότερο δυνατόν.
**Φοίβος:** Έλα, Νίκο. Ο Φοίβος είμαι. Τα έμαθες; Τελείωσα τη Σχολή! Πήρα πτυχίο. Σε περιμένουμε στο καφενείο το Σάββατο το βράδυ. Θα γίνει χαμός! Α, και πού 'σαι... Πες το και στον Πάμπλο και στ' άλλα παιδιά... Θα σε ξαναπάρω το βράδυ. Μπάι!

 **Πώς το λένε;**

 **Λέξεις, λέξεις**

Καλέσατε το 210 7282537.
Αφήστε το μήνυμά σας.

Θα επικοινωνήσω μαζί σας
το συντομότερο δυνατόν.

Θα σε ξαναπάρω
το βράδυ.

Τα έμαθες;
Θα γίνει χαμός!

Α, και πού 'σαι...

επικοινωνώ

**2** Συμπληρώνω:

Ο Φοίβος είναι στο ___σπίτι___ και _____ ένα πάρτι. Ψάχνει πρώτα τη φίλη του, _____ , αλλά παίρνει _____ τηλέφωνο. Τη βρίσκει στο _____ και της λέει ότι το πάρτι θα γίνει _____ στο _____ . Μετά _____ στον Νίκο και _____ στον τηλεφωνητή. Τον καλεί στο πάρτι και του ζητάει να _____ .

 **Η σειρά μου τώρα**

**3** Απαντάω:

Σε ποιους τηλεφωνείς συνήθως; Πόσο συχνά;
Ποιοι σε παίρνουν τηλέφωνο συνήθως;
Χρησιμοποιείς συχνά το κινητό; Πιο πολύ μιλάς ή στέλνεις μηνύματα;
Πόση ώρα μιλάς στο τηλέφωνο;
Ποιο είναι το «ρεκόρ» σου στο τηλέφωνο; Πόση ώρα; Με ποιον/ποια; Γιατί;
Αφήνεις μηνύματα σε τηλεφωνητή;

 **Παίζω έναν ρόλο**

**4** Αυτή τη στιγμή δεν είναι εδώ.

**Ρόλος Α**
Παίρνω τηλέφωνο μια φίλη / έναν φίλο μου στη δουλειά. Δεν είναι εκεί και αφήνω ένα μήνυμα.

**Ρόλος Β**
Απαντάω στο τηλέφωνο. Ένας κύριος / μια κυρία ζητάει μια/έναν συνάδελφό μου. Εκείνη τη στιγμή δεν μπορεί να μιλήσει. Ρωτάω αν θέλει να αφήσει κάποιο μήνυμα.

## Για δες

### Στο τηλέφωνο

Παρακαλώ;

Εμπρός;

Λέγετε;

Ορίστε;

Αφήστε μήνυμα και
θα επικοινωνήσω
μαζί σας.

Θα ήθελα να μιλήσω στον
κύριο Οικονόμου, παρακαλώ.

Μπορώ να μιλήσω στον
κύριο Οικονόμου;

Μου δίνετε τον Φοίβο, σας
παρακαλώ;

Μήπως είναι εκεί ο Φοίβος;

Περιμένετε ένα λεπτό, παρακαλώ.
Μισό λεπτό να σας συνδέσω.
Μια στιγμή, παρακαλώ.
Ποιος τον/τη ζητά;
Μισό λεπτό να δω αν είναι εδώ.
Ένα λεπτό να τον/τη φωνάξω.

Δεν είναι εδώ αυτή τη στιγμή.
Θέλετε ν' αφήσετε ένα μήνυμα;
Θέλετε να του πω κάτι;

Λάθος πήρατε. Δεν υπάρχει κύριος
Οικονόμου εδώ.
Μάλλον κάνατε λάθος.

Ο κύριος Οικονόμου;
Η κυρία Αντωνοπούλου;

Ο ίδιος.
Η ίδια.

Ναι;
Έλα. Πού
βρίσκεσαι;

Έλα, Φοίβο.
Η Σοφία είμαι.

Ναι; Με ακούτε;
Ναι; Μ' ακούς;

Δε σας ακούω καλά.
Έλα, Κώστα. Εσύ είσαι;

## Γράψε-σβήσε

**5** Γράφω δύο δικά μου μηνύματα για τον αυτόματο τηλεφωνητή μου.

*Phoebus is sleeping.*
*I am his answering machine.*
*Who are you?*

• Στο σπίτι

_____
_____
_____
_____
_____

• Στη δουλειά

_____
_____
_____
_____
_____

Ο ΦΟΙΒΟΣ ΚΟΙΜΑΤΑΙ.
ΕΙΜΑΙ Ο ΤΗΛΕΦΩΝΗΤΗΣ ΤΟΥ.
ΕΣΥ ΠΟΙΟΣ ΕΙΣΑΙ;

**Είμαι όλος αυτιά**

 A4

**6** Σωστό ή λάθος; Ακούω τα μηνύματα στον τηλεφωνητή του Νίκου και συμπληρώνω τον πίνακα, όπως στο παράδειγμα.

| | Σωστό | Λάθος |
|---|---|---|
| 1. Ο Νίκος έχει τέσσερα μηνύματα στον τηλεφωνητή του. | ✓ | ☐ |
| 2. Το επώνυμο του Νίκου είναι Προκοπίου. | ☐ | ☐ |
| 3. Το πρώτο μήνυμα το άφησε η Κική. | ☐ | ☐ |
| 4. Η Κική θα είναι στο μαιευτήριο μέχρι την Κυριακή. | ☐ | ☐ |
| 5. Η Στέση θα είναι στο γραφείο το Σάββατο το πρωί. | ☐ | ☐ |
| 6. Μπορούν να δουν τη φίλη τους και το μωρό ό,τι ώρα θέλουν. | ☐ | ☐ |
| 7. Ο Νίκος μπορεί να πάρει μια πιστωτική κάρτα χωρίς να πληρώσει τίποτα στην Τράπεζα Ωμέγα. | ☐ | ☐ |
| 8. Με την καινούρια του κάρτα ο Νίκος θα έχει έκπτωση σε όλα τα μαγαζιά. | ☐ | ☐ |
| 9. Μαζί με την κάρτα ο Νίκος κερδίζει και ένα μεγάλο δώρο. | ☐ | ☐ |
| 10. Ο Νίκος πρέπει να πληρώσει 260 ευρώ για το αυτοκίνητό του. | ☐ | ☐ |
| 11. Η μπαταρία του αυτοκινήτου δεν ήταν σε καλή κατάσταση. | ☐ | ☐ |
| 12. Ο κύριος Γιακουμάκης άλλαξε το ρολόι του αυτοκινήτου. | ☐ | ☐ |
| 13. Ο Φου δεν πήγε στο μάθημα, γιατί η κόρη του ήταν άρρωστη. | ☐ | ☐ |
| 14. Στις ειδήσεις είπαν ότι αύριο δε θα γίνουν μαθήματα. | ☐ | ☐ |
| 15. Αύριο έχουν απεργία μόνο τα λεωφορεία. | ☐ | ☐ |

**Παίζω έναν ρόλο**

**7** Λάθος κάνετε.

**Ρόλος Α**
Παίρνω τηλέφωνο και ζητάω έναν φίλο / μια φίλη. Μου λένε ότι πήρα λάθος, αλλά είμαι σίγουρος/σίγουρη ότι έχω τον σωστό αριθμό.

**Ρόλος Β**
Μια κυρία / Ένας κύριος παίρνει τηλέφωνο στο σπίτι μου και ζητάει κάποιον. Της/του εξηγώ ότι έκανε λάθος.

# Τι να σας κεράσω;

στο καφενείο

 Φοίβος  Σοφία  Παναγιώτης  Αρλέτα

 Ερβίν  Μελέκ  Νίκος  Φου

 Λι  Πάμπλο  Όλγα  Αντρέας

## Πώς το λένε;

Αυτός είναι ο Παναγιώτης. Από 'δώ η Σοφία.
Καλώς τα παιδιά. Περάστε.
Συγχαρητήρια. Καλή σταδιοδρομία.
– Αυτό είναι για σένα. – Ευχαριστώ. Δεν ήταν ανάγκη.
– Να σου συστήσω τη Μελέκ. – Χαίρομαι που σε γνωρίζω.
– Θυμάσαι τον Φου και τη Λι;
Ό,τι επιθυμείς.

### Λέξεις, λέξεις

γνωρίζω
κερνάω
σταδιοδρομία (η)
συγχαρητήρια (τα)
συστήνω

## 8 Σωστό ή λάθος;

|  | Σωστό | Λάθος |
|---|---|---|
| 1. Ο Παναγιώτης δε γνωρίζει τη Σοφία. | ☑ | ☐ |
| 2. Ο Φοίβος ξέρει τη Σοφία από τη δουλειά. | ☐ | ☐ |
| 3. Η Αρλέτα και ο Ερβίν κάνουν δώρο στον Φοίβο. | ☐ | ☐ |
| 4. Ο Νίκος είναι καθηγητής. | ☐ | ☐ |
| 5. Ο Πάμπλο δεν ξέρει τον Φοίβο. | ☐ | ☐ |
| 6. Ο Πάμπλο και η Μελέκ ήταν μαθητές του Νίκου. | ☐ | ☐ |
| 7. Ο Φου και η Λι πρώτη φορά βλέπουν τον Φοίβο. | ☐ | ☐ |
| 8. Η θεία του Φοίβου είναι κτηνίατρος. | ☐ | ☐ |

## Η σειρά μου τώρα

### 9 Απαντάω:

Έκανες καινούριους φίλους φέτος; Πώς τους γνώρισες;
Όταν γνωρίζεις κάποιον ή συναντάς έναν γνωστό / μια γνωστή σου,
του/της δίνεις το χέρι ή τον/την φιλάς;
Πώς γιορτάζεις συνήθως;
Όταν κάνεις μια επίσκεψη ή πηγαίνεις σε μια γιορτή, κάνεις δώρα;

### 10 Τι θέλω να πω; Διαλέγω το σωστό, όπως στο παράδειγμα.

1. **Έλα**, Γιώργο. Φτάσατε; Πώς ήταν το ταξίδι σας;
   α. Γιώργο, έλα εδώ.
   β. _Γεια σου, Γιώργο._

2. Οχ, ξύπνησε το μωρό. Πρέπει να κλείσω.
   **Α και πού 'σαι**! Μην ξεχάσεις να πάρεις τηλέφωνο τη γιατρό το απόγευμα.
   α. Α ναι. Έχω να σου πω κάτι ακόμα.
   β. Ε, πού είσαι; Δε σε ακούω.

3. **Καλώς την Ελένη**.
   α. Γεια σου, Ελένη.
   β. Είσαι πολύ καλή, Ελένη.

4. Κρίμα που δεν ήρθες στο πάρτι. **Έγινε χαμός**.
   α. Έγιναν πολλά πράγματα.
   β. Δεν έγινε τίποτα.

5. **Κοίτα**. Θα προσπαθήσω να του μιλήσω, αλλά δεν είμαι σίγουρη ότι θα με ακούσει.
   α. Άκουσέ με.
   β. Βλέπεις εκεί;

Για δες

## Η οικογένειά μου

**Μανόλης** — Παππούς της Μαρίνας και του Παναγιώτη.

**Μαρία** — Γιαγιά της Μαρίνας και του Παναγιώτη.

**Σωτήρης** — Παππούς της Μαρίνας και του Παναγιώτη.

**Παρασκευή** — Γιαγιά της Μαρίνας και του Παναγιώτη.

**Δημήτρης** — Αδερφός της Ιωάννας, θείος της Μαρίνας και του Παναγιώτη.

**Ιωάννα** / **Παντελής** — Γονείς της Μαρίνας και του Παναγιώτη.

**Βασιλική** — Αδερφή του Παντελή, θεία της Μαρίνας και του Παναγιώτη, μητέρα της Αγγελικής.

**Μαρίνα** — Κόρη της Ιωάννας και του Παντελή, εγγονή του Μανόλη, της Μαρίας, του Σωτήρη και της Παρασκευής, αδερφή του Παναγιώτη, ανιψιά του Δημήτρη και της Βασιλικής, ξαδέρφη της Αγγελικής.

**Παναγιώτης** — Γιος της Ιωάννας και του Παντελή, εγγονός του Μανόλη, της Μαρίας, του Σωτήρη και της Παρασκευής, αδερφός της Μαρίνας, ανιψιός του Δημήτρη και της Βασιλικής, ξάδερφος της Αγγελικής.

**Αγγελική** — Κόρη της Βασιλικής, ξαδέρφη της Μαρίνας και του Παναγιώτη και ανιψιά του Παντελή και της Ιωάννας.

### 1.1 Βρίσκω τη λέξη.

1. Ο άντρας της γιαγιάς μου.  *Ο παππούς μου.*
2. Ο αδερφός της μητέρας μου.  _____
3. Η μητέρα της μητέρας μου.  _____
4. Τα παιδιά του παιδιού μου.  _____
5. Ο γιος του θείου μου.  _____
6. Η κόρη της αδερφής μου.  _____

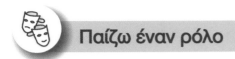

## Παίζω έναν ρόλο

**1 2** Τι κάνει η οικογένεια;

**Ρόλος Α**
Συναντάω μια φίλη / έναν φίλο μετά από χρόνια. Λέμε τα νέα της οικογένειάς μας. Τώρα τα παιδιά μου είναι παντρεμένα και έχω δύο εγγόνια.

**Ρόλος Β**
Συναντάω μια φίλη / έναν φίλο μετά από χρόνια. Λέμε τα νέα της οικογένειάς μας. Ο γιος μου είναι τώρα παντρεμένος και περιμένει παιδί. Η κόρη μου έχει έναν γιο εκτός γάμου.

## Γράψε-σβήσε

**1 3** Παρουσιάζω σε κάποιον την οικογένειά μου.

_____
_____
_____
_____
_____
_____

## Για δες

| Ονομαστική | Αιτιατική |
|---|---|
| Η **Αρλέτα** δουλεύει σε ένα γυμναστήριο.<br>Ο **Πάμπλο** είναι **φωτογράφος**.<br>Ο **Νίκος** μένει **μόνος** του.<br>Υπάρχει **ένας καθηγητής** στην παρέα.<br>**Τους** αρέσει **η μουσική**. | Ξέρεις **τον Παναγιώτη**;<br>Μιλάω με **τον Φοίβο** συχνά.<br>Γνώρισα τη Μαρίνα **τον Ιανουάριο**. |

| | | | | | | |
|---|---|---|---|---|---|---|
| ο φίλ**ος** | τον φίλ**ο** | η γυναίκ**α** | τη γυναίκ**α** | το βιβλί**ο** | το βιβλί**ο** |
| ο άντρ**ας** | τον άντρ**α** | η φίλ**η** | τη φίλ**η** | το παιδ**ί** | το παιδ**ί** |
| ο μαθητ**ής** | τον μαθητ**ή** | η λέ**ξη** | τη λέ**ξη** | το μάθημα | το μάθημα |
| οι φίλ**οι** | τους φίλ**ους** | οι γυναίκ**ες** | τις γυναίκ**ες** | τα βιβλί**α** | τα βιβλί**α** |
| οι άντρ**ες** | τους άντρ**ες** | οι φίλ**ες** | τις φίλ**ες** | τα παιδ**ιά** | τα παιδ**ιά** |
| οι μαθητ**ές** | τους μαθητ**ές** | οι λέ**ξεις** | τις λέ**ξεις** | τα μαθήμ**ατα** | τα μαθήμ**ατα** |

## Θηλυκά σε -ος

| η οδός | η είσοδος | η οδός | ο, η γιατρός | η Μύκονος |
|---|---|---|---|---|
| της οδού | της εισόδου | η είσοδος | ο, η δικηγόρος | η Πάρος |
| την οδό | την είσοδο | η έξοδος | ο, η μηχανικός | η Νάξος |
| | | η λεωφόρος | ο, η οδηγός | η Ζάκυνθος |
| οι οδοί | οι είσοδοι | | ο, η πρόεδρος | η Κόρινθος |
| των οδών | των εισόδων | | | η Αίγυπτος |
| τις οδούς | τις εισόδους | | | η Βηρυτός |

Ο Στέφανος μένει **στην οδό** Ιπποκράτους, κοντά **στη λεωφόρο** Αλεξάνδρας.
Έχεις το τηλέφωνο αυτής **της δικηγόρου**;
Είναι από τον Λίβανο και μένει **στη Βηρυτό**.

## Φωνή-γραφή

| | | | |
|---|---|---|---|
| το | + ο, α | ➔ τ' | το όνομα = τ' όνομα<br>το αγόρι = τ' αγόρι |
| τα | + α | ➔ τ' | τα αγόρια = τ' αγόρια |
| του | + ου | ➔ τ' | του ουρανού = τ' ουρανού |

## Η σειρά μου πάλι

**1 4**  Ποιους κάλεσε ο Φοίβος; Συνεχίζω, όπως στο παράδειγμα.

η Σοφία, η Όλγα, ο Αντρέας, ο Νίκος, οι μαθητές του Νίκου, οι φίλοι του πατέρα του,
οι θείοι και οι θείες του, μερικοί φίλοι και μερικές φίλες από τη Σχολή, δύο καθηγητές του,
οι ξάδερφοί του και οι ξαδέρφες του

*Ο Φοίβος κάλεσε στο πάρτι τη Σοφία.* _____
_____
_____
_____

**1 5**  Ο Φοίβος είδε ένα άσχημο όνειρο: ότι τίποτα δεν πήγε καλά στο πάρτι.
Φτιάχνω τις προτάσεις.

1. Παναγιώτης / δε χαιρέτησε / Σοφία      *Ο Παναγιώτης δε χαιρέτησε τη Σοφία.*
2. Σοφία / ήρθε με / ένας φίλος της _____ .
3. Όλγα / μάλωσε με / Αντρέας _____ .
4. ο ξάδελφός του / δε βρήκε / η οδός Μπότσαρη _____ .
5. Αντρέας / έφυγε από το πάρτι χωρίς / Όλγα _____ .
6. Νίκος / δεν κάλεσε / Πάμπλο _____ .
7. Αρλέτα / έχασε / τσάντα της _____ .
8. η θεία του / δεν έφερε / τούρτα _____ .
9. γείτονες / φώναξαν / αστυνομία _____ .
10. Παναγιώτης / πήρε τηλέφωνο / η δικηγόρος του _____ .

**1 6** Διαλέγω το σωστό, όπως στο παράδειγμα.

1. Μίλησες με ___τους φίλους σου;___ Σε ζήτησαν το πρωί στο τηλέφωνο.
   α. τους φίλους        β. οι φίλοι        γ. οι φίλες

2. Μου αρέσει _____ , αλλά προτιμώ _____ για διακοπές.
   α. Αύγουστο – τον Σεπτέμβριο        β. ο Αύγουστος – ο Σεπτέμβριος
          γ. ο Αύγουστος – τον Σεπτέμβριο

3. Πότε θα ετοιμάσεις _____ για την εφορία; Περνάει ο καιρός.
   α. στις δηλώσεις        β. τις δηλώσεις        γ. οι δηλώσεις

4. Θα σε περιμένω _____ του καφενείου κατά τις εννιά. Εντάξει;
   α. στον είσοδο        β. στην είσοδο        γ. η είσοδος

5. – _____ σου το είπε; – Όχι. Το έμαθα από _____ .
   α. Η Μαρίνα – οι φίλες της    β. Τη Μαρίνα – τις φίλες της    γ. Η Μαρίνα – τις φίλες της

6. _____ θα αλλάξω σπίτι. Βρήκα μια καλή ευκαιρία.
   α. Τον άλλο μήνα        β. Ο άλλος μήνας        γ. Στον άλλο μήνα

7. Συνάντησα _____ μου στο μετρό και πήγαμε μαζί στη συναυλία.
   α. τους φίλους        β. οι φίλοι μου        γ. των φίλων

8. Δεν μπορώ άλλο! Αυτές _____ είναι πολύ δύσκολες.
   α. η άσκηση        β. οι ασκήσεις        γ. τις ασκήσεις

9. Μπορείς να φέρεις ψωμί το μεσημέρι; Υπάρχει _____ απέναντι από τη δουλειά σου, νομίζω.
   α. ένας φούρνος        β. έναν φούρνο        γ. κανένας φούρνος

10. Ο Δημήτρης και η Αναστασία είναι _____ .
    α. φίλους        β. φίλες        γ. φίλοι

11. Σ' αυτό το μαγαζί δουλεύουν _____ .
    α. ευγενικούς πωλητές        β. ευγενικοί πωλητές        γ. ευγενικές πωλητές

12. Ξέρω _____ που δουλεύει σ' αυτό το νοσοκομείο. Θέλεις να της μιλήσω;
    α. έναν γιατρό        β. μια γιατρός        γ. μια γιατρό

**Για δες**

| η ▶ -η | οι ▶ -οι |
|--------|----------|
| η φίλη | οι φίλοι |

| ουσιαστικό ή επίθετο | ρήμα |
|----------------------|------|
| ο ▶ -ος<br>το ▶ -ο | ▶ -ω |
| ο φίλος<br>το τηλέφωνο | τηλεφωνώ |

| ουσιαστικό ή επίθετο | ρήμα |
|----------------------|------|
| ο ▶ -ης<br>τον ▶ -η<br>η/την ▶ -η | ▶ -εις<br>▶ -ει |
| ο φοιτητής<br>τον φοιτητή<br>η/τη φίλη | σπουδάζεις<br>σπουδάζει |

**1.7** Βρίσκω το λάθος, όπως στο παράδειγμα.

1. Όλοι ~~η φίλη~~ μου έχουν facebook. Κάθονται ώρες μπροστά στον υπολογιστή. Τι μανία είναι αυτή;

   _οι φίλοι_

2. Μπορείτε να με καλέσετε αργότερα, γιατί αυτή τη στιγμή οδηγώ;

   _____ .

3. Πολύ γλυκό το εγγονάκι σας, κυρία Ιωάννα. Και πρέπει να είναι καλό παιδί.

   _____

4. Όταν μπεις στο λεωφορείο, ρώτησε τον οδηγώ ποια είναι η στάση Καμάρα.

   _____ , _____

5. – Στάθη, ψάχνω το τηλέφωνω της θείας Βούλας. Μήπως το έχεις μαζί σου;
   – Ναι, το έχω. Γράφης;

   _____ , _____

6.

Σας καλό στη γιορτή που κάνω για τα γενέθλιά μου το Σάββατο το βράδυ. Ελάτε με τα ποτά και την παρέα σας. Η διεύθυνσεί μου είναι Κονίτσης 11, Ηλιούπολη, στον δεύτερο όροφω.

_____ ,

_____ ,

_____ .

7.

Αγαπητοί μου αδερφή, είναι καιρώς τώρα που δεν έχω νέα σας. Κάθε μέρα ρωτάο τον ταχυδρόμω. Τίποτα. Ελπίζω να είστε καλά εκεί στην Αμερική. Σας γράφο αυτό το γράμμα με τα νέα της οικογένειάς μας. Έχουμε τον πρώτο μας ανιψιώ. Η Ειρηνούλα μας γέννησε πριν από λίγες μέρες!

_____ , _____ ,

_____ , _____ ,

_____ , _____ .

 **Φωνή-γραφή**

| -ν + π ➤ [mb] | τον Πέτρο | [to(m)bétro] |
| | δεν παίζω | [δe(m)bézo] |
| -ν + τ ➤ [nd] | τον Τάσο | [to(n)dáso] |
| | δεν το ξέρω | [δé(n)dokséro] |
| -ν + κ ➤ [ng] | την Κατερίνα | [ti(n)gaterína] |
| | δεν καταλαβαίνω | [δé(n)gatalavéno] |

**1 8** Ακούω και διαβάζω τις προτάσεις.  A6

1. Σοφία, ξέρεις <u>τον Παναγιώτη</u>, <u>τον πατέρα</u> μου;
2. – Μπορείς να έχεις έτοιμο το κείμενο μέχρι <u>την Τρίτη</u>;
   – Θα προσπαθήσω.
3. Ξέρεις ότι ο κύριος Αντρέας είναι από <u>την Κρήτη</u>;
4. Γεια σας. Μπορώ να μιλήσω με <u>τον κύριο</u> Παπαδημητρίου;
5. Παιδιά, <u>την Τετάρτη</u> δεν έχουμε μάθημα, γιατί είναι γιορτή. Αλλά <u>την Παρασκευή</u> θα κάνουμε κανονικά.
6. Γιατί <u>δεν τρως</u> κάτι; Δουλεύεις από το πρωί.
7. Θέλω να ταξιδέψω σε όλον <u>τον κόσμο</u>.
8. Γιατί <u>δεν κάθεσαι</u>; Τι να σε κεράσω;
9. <u>Την Κλειώ</u> θα ήθελα, παρακαλώ.
10. Έλα να σου γνωρίσω <u>τον καθηγητή</u> μου.

 **Για δες**

| Προσωπικές αντωνυμίες (αιτιατική) | |
|---|---|
| Χαίρομαι που **σε** γνωρίζω. <br> Συγνώμη που **σε** ενοχλώ. <br> Ποιος **τη** ζητάει, παρακαλώ; <br> Μισό λεπτό να **τη** φωνάξω. <br> Θέλω να **τη** γνωρίσω. <br> Περάστε να **σας** δούμε. <br> Και βέβαια **τους** θυμάμαι. | Ο Πάμπλο **μάς** μίλησε για **(ε)σένα**. <br> Το έκλεισα μόνο για **εμάς/μας**. <br> – Στον Αντρέα και στην Όλγα το είπες; <br> – Όχι, **εσένα** πήρα πρώτη. <br> – Άσε, **αυτούς** θα τους πάρω εγώ. |

| | αδύνατος τύπος | | | δυνατός τύπος | |
|---|---|---|---|---|---|
| εγώ | Με | ζήτησες; | Εμένα | ζήτησες; | (ή τον Νίκο;) |
| εσύ | Σε | ζήτησα. | Εσένα | ζήτησα. | (όχι τον Νίκο) |
| αυτός | Τον | ζήτησαν στο τηλέφωνο. | Αυτόν | ζήτησαν στο τηλέφωνο. | (τον Νίκο, όχι τον Ερβίν) |
| αυτή | Τη(ν) | ζήτησαν στο τηλέφωνο. | Αυτή(ν) | ζήτησαν στο τηλέφωνο. | (τη Μαρίνα, όχι τη Μελέκ) |
| αυτό | Το | ζήτησε η Αρλέτα. | Αυτό | ζήτησε η Αρλέτα. | (όχι το άλλο) |
| εμείς | Μας | ζήτησαν; | Εμάς | ζήτησαν; | (ή εσάς;) |
| εσείς | Σας | ζήτησαν. | Εσάς | ζήτησαν. | (όχι εμάς) |
| αυτοί | Τους | ζήτησε ο Αντώνης. | Αυτούς | ζήτησε ο Αντώνης. | (όχι τους άλλους) |
| αυτές | Τις | ζήτησε ο Αντώνης. | Αυτές | ζήτησε ο Αντώνης. | (όχι τις άλλες) |
| αυτά | Τα | ζήτησε ο Αντώνης. | Αυτά | ζήτησε ο Αντώνης. | (όχι τα άλλα) |

– Ποιον περιμένεις;
– **Εσένα**.
– ~~Σε.~~

– Ποιον θέλουν;
– **Εσένα** θέλουν. (: όχι κάποιον άλλον)
– ~~Σε θέλουν.~~

*This gift is from me to you*

**από εμένα** **για εσένα**

Αυτό το δώρο είναι **από εμένα** για εσένα.
Αυτό το δώρο είναι ~~από με για σε~~.

*we have been living with them since ...*

Μένουμε **με αυτούς** από το 2007.
Μένουμε ~~με τους~~ από το 2007.

**με αυτούς**

*Everyone is afraid of me*
**Εμένα** με φοβούνται όλοι.
**Εσένα** σε θυμάμαι. *I remember you*
**Αυτήν** την ξέρω καλά. *I know her well*
**Αυτό** δεν **το** ήξερα. *I did not know that/it*

Σε περιμένουν.
**Εσένα** περιμένουν.
Περιμένουν **εσένα**.

Δε σε περιμένουν.
~~Δεν εσένα περιμένουν~~.
Δεν περιμένουν **εσένα**.
*They are not waiting for you*

**1 δε**  **2 σε περιμένουν**  **3 δεν περιμένουν εσένα**

*They are/not waiting for you*

από εμένα για εσένα ➡ από **μένα** για **σένα**

## Φωνή-γραφή

| με, σε | + | φωνήεν | ➡ | μ', σ' | – **Με** ακούς = **Μ'** ακούς; *Can you hear me?* |
|---|---|---|---|---|---|
| το | + | α, ο | ➡ | τ' | – **Σε** ακούω = **Σ'** ακούω. *I hear you* |
| το | + | α, ο | ➡ | τ' | **Το** άνοιξες το δώρο; = **Τ'** άνοιξες το δώρο; |
| τα | + | α | ➡ | τ' | **Τα** άνοιξες τα δώρα; = **Τ'** άνοιξες τα δώρα; |

*My turn again*

## Η σειρά μου πάλι

*You opened the presents*

**19** Απαντάω:

1. – Ποιον περιμένεις; – _Εσένα_ . (εσύ)
2. – Ποιον ήθελαν στο τηλέφωνο; *who did they want on the phone?*
   – _Εμένα_ . (εγώ)
3. – Εμένα ζήτησες; *Did you ask me?*
   – Ναι, _εσένα_ . (εσύ)
4. – Ποιους είδες χτες το βράδυ; Τους φίλους σου από το μάθημα; *who did you see last night?*
   – Ναι, _αυτούς_ . (αυτοί)
5. – Ποιον φοβάσαι, καλέ; Τον Μιχάλη; *who are you afraid of?*
   – Ναι, _αυτόν_ . (αυτός)
6. – Ποια συνάντησες; Την Κατερίνα, την παλιά σου μαθήτρια; *which one did you meet? Katerina, your old student?*
   – Ναι, _αυτήν_ . (αυτή)

**20** Συμπληρώνω:

1. Αυτά τα λουλούδια είναι για _εσένα_ . (εσύ)
2. Το δώρο είναι από _αυτούς_ . (αυτοί)
3. Θα έρθεις με _εμάς_ (εμείς) ή θα πας με _αυτές_ ; (αυτές) *You'll come with us I'm sure you can.*
4. Είμαι σίγουρη ότι μπορείτε. Πιστεύω σε _σ'εσάς_ . (εσείς) *I believe in you.*
5. Αγόρασα τον υπολογιστή μου από _αυτό_ . (αυτός) *I bought my computer from*
6. Δεν το έκανα για _εμένα_ (εγώ). Για _εσάς_ (εσείς) το έκανα. *I did not do it for myself/me. I did it for you.*
7. Για _αυτήν_ (αυτή) τα ελληνικά είναι δύσκολα, αλλά για _εμένα_ (εγώ) τα αραβικά είναι πιο δύσκολα. *Arabic is more difficult*
8. Βγαίνω με _αυτούς_ (αυτοί) συχνά. Είναι πολύ καλή παρέα.

**21** Φτιάχνω προτάσεις, όπως στο παράδειγμα.

1. με φώναξαν / δε σε φώναξαν ➡ _Εμένα φώναξαν, όχι εσένα._
2. τον σκέφτομαι / δεν τη σκέφτομαι ➡ _____
3. σε ακούω / δεν τους ακούω ➡ _____
4. την κάλεσα / δεν τον κάλεσα ➡ _____
5. θέλω να σας βοηθήσω / δε θέλω να τις βοηθήσω ➡ _____
6. μας ρώτησαν / δε σας ρώτησαν ➡ _____

*leave your message*

## 2.2 Διαλέγω το σωστό, όπως στο παράδειγμα.

*You did not call/phone me yesterday*

1. Δε __με__ πήρες τηλέφωνο χτες.
   - α. εμένα
   - β. με ✓
   - γ. μένα

2. Τη γάτα μου __την__ αγαπάω πολύ.   *I love my cat (her) very much*
   - α. αυτή
   - β. αυτήν
   - γ. την ✓

3. __Αυτόν__ τον λένε Παναγιώτη.
   - α. Αυτός
   - β. Αυτόν ✓
   - γ. Τον

4. Δεν τους θυμάσαι __αυτούς__;
   - α. αυτούς ✓
   - β. τους
   - γ. αυτοί

5. Πού είναι τα κλειδιά μου; Οχ, νομίζω ότι __τα__ ξέχασα στο σπίτι!   *where are my keys?*
   - α. αυτά
   - β. τα ✓
   - γ. τους

6. Με λένε Καρίμ. __Εσένα__;
   - α. Εσένα ✓
   - β. Εσύ
   - γ. Σε

7. Τι κάνουν η Ελένη και η Σοφία; Δεν __τις__ είδα καθόλου αυτές τις μέρες.   *what are Eleni and Sofia doing?*
   - α. αυτές
   - β. τους
   - γ. τις ✓

8. Κάλεσε όλη την παρέα και δεν κάλεσε __εμάς__;
   - α. μας
   - β. εμείς
   - γ. εμάς ✓

9. __Εμένα__ δε με ρώτησε κανένας αν μπορώ να έρθω.
   - α. Αυτός
   - β. Εμένα ✓
   - γ. Εγώ

10. Πώς του μιλάς έτσι; Δεν __τον__ λυπάσαι καθόλου;   *How do you talk to him like that? Do you not feel sorry for him at all?*
    - α. τον ✓
    - β. αυτόν
    - γ. σε

## 2.3 Διαβάζω το κείμενο και συμπληρώνω τον πίνακα, όπως στο παράδειγμα.

### Τα κινητά κι εμείς

Στο τέλος του 2009 υπήρχαν στην Ελλάδα 18.850.000 κινητά τηλέφωνα. Μέσα σε πέντε χρόνια το ποσοστό των κινητών σε σχέση με τον πληθυσμό της χώρας έφτασε από το 76% (το πρώτο τρίμηνο του 2005) στο 168%· δηλαδή, κάθε κάτοικος της χώρας (από τα μωρά μέχρι τους παππούδες και τις γιαγιάδες) έχει 1,7 κινητά! Μερικά χρόνια πιο πριν, το 1996, κινητό είχαν μόνο οι 5 στους 100.

Σύμφωνα με τα τελευταία στοιχεία, στέλνουμε 13,5 εκατομμύρια γραπτά μηνύματα μέσα σε μια μέρα, ενώ καθένας μας μιλάει στο κινητό γύρω στις 4 ώρες τον μήνα.  Πληρώνουμε για όλα αυτά 35 ευρώ περίπου τον μήνα. Μία στις οχτώ οικογένειες στην Ελλάδα έχει μόνο κινητό και όχι σταθερό τηλέφωνο, ενώ στη Λιθουανία, σύμφωνα με στοιχεία της Eurostat, το ποσοστό των οικογενειών που έχουν μόνο κινητό και όχι σταθερό είναι 48% και στη Φινλανδία 47%.

Εν τω μεταξύ, η συζήτηση για το αν τα κινητά τηλέφωνα βλάπτουν την υγεία συνεχίζεται εδώ και αρκετά χρόνια. Πολλοί επιστήμονες πιστεύουν ότι η ηλεκτρομαγνητική ακτινοβολία των κινητών δημιουργεί προβλήματα, όπως κούραση, πονοκεφάλους, δυσκολίες στον ύπνο, ακόμα και σοβαρές ασθένειες, όπως είναι ο καρκίνος.

Από την άλλη μεριά, οι εταιρείες κινητής τηλεφωνίας αλλά και αρκετοί επιστήμονες λένε πως τα κινητά είναι ακίνδυνα. Μια έρευνα στη Δανία σε 400.000 χρήστες κινητού και μια ακόμη στην Ιαπωνία φτάνουν στο ίδιο συμπέρασμα: δεν υπάρχει σχέση ανάμεσα στη χρήση κινητού και στον καρκίνο.

Αν και κυκλοφορεί με δύο κινητά στην τσέπη, το 86% των Ελλήνων ανησυχεί για τα προβλήματα που μπορεί να προκαλεί η κινητή τηλεφωνία στην υγεία.

Ειδικά για τα παιδιά, είναι πολλοί οι επιστήμονες που προτείνουν να χρησιμοποιούν το κινητό όσο το δυνατόν λιγότερο και μόνο όταν είναι μεγάλη ανάγκη. Περίπου ένας στους δύο γιατρούς στην Ελλάδα λέει ότι προτιμά το παιδί του να μη μιλά στο κινητό. Όμως, σύμφωνα με βρετανική έρευνα σε 1.000 παιδιά το 2001, το 90% των παιδιών κάτω των 16 ετών χρησιμοποιεί κινητό τηλέφωνο και 1 στα 10 παιδιά περνάει 45 λεπτά την ημέρα χρησιμοποιώντας το.

Οι ειδικοί, τέλος, μας προτείνουν:

- Να μη χρησιμοποιούμε για πολλή ώρα το κινητό: όχι πάνω από έξι λεπτά τη μέρα και όχι πάνω από ένα λεπτό για κάθε τηλεφώνημα. Αν χρειαζόμαστε να μιλήσουμε περισσότερο, να το κάνουμε από σταθερό τηλέφωνο.
- Να προτιμάμε ειδικά ακουστικά, τύπου hands free.
- Να μη μιλάμε στο κινητό μέσα στο αυτοκίνητο ή στο ασανσέρ, γιατί η ακτινοβολία είναι πιο μεγάλη εκεί.
- Να μην κρατάμε το κινητό πάνω στο σώμα μας, αλλά μακριά από αυτό.

(Στοιχεία από: *Καθημερινή*, 03/02/2008, και *Τα Νέα, 07/05/2009*)

| | |
|---|---|
| α. Τα κινητά στην Ελλάδα είναι | 1. είχε κινητό το 5%. |
| β. Το 1996 στην Ελλάδα | 2. πιο λίγα από τους κατοίκους. |
| γ. Στέλνουμε περίπου | 3. δεν έχουν όλοι την ίδια γνώμη για τα προβλήματα από τη χρήση κινητών τηλεφώνων. |
| δ. Το ποσοστό των Ελλήνων που έχουν μόνο κινητό και όχι σταθερό | 4. προτιμούν να μη μιλάνε τα παιδιά τους στο κινητό. |
| | 5. είχε κινητό το 76%. |
| ε. Το κινητό μπορεί να βλάπτει την υγεία | 6. μακριά από το σώμα μας. |
| στ. Οι επιστήμονες | 7. πιστεύουν σχεδόν 9 στους 10 Έλληνες. |
| ζ. Τα παιδιά πρέπει να χρησιμοποιούν κινητό | 8. να χρησιμοποιούμε το κινητό ένα λεπτό τη μέρα. |
| η. Οι μισοί γιατροί στην Ελλάδα | 9. 13.500.000 μηνύματα τη μέρα. |
| θ. Σύμφωνα με μια έρευνα στη Βρετανία, | 10. πρέπει να προτιμάμε ειδικά ακουστικά. |
| | 11. πιο πολλά από τους κατοίκους. |
| ι. Οι ειδικοί μάς προτείνουν | 12. συμφωνούν όλοι ότι τα κινητά δημιουργούν σοβαρά προβλήματα. |
| ια. Μέσα στο αυτοκίνητο | 13. κινητό χρησιμοποιούν 9 στα 10 παιδιά. |
| ιβ. Πρέπει να κρατάμε το κινητό | 14. είναι πιο μεγάλο από το ποσοστό των Φινλανδών που έχουν μόνο κινητό. |
| | 15. η ακτινοβολία από το κινητό είναι πιο μεγάλη. |
| | 16. μόνο όταν είναι ανάγκη. |
| | 17. 1 στα 10 παιδιά χρησιμοποιεί κινητό. |
| | 18. να χρησιμοποιούμε το κινητό μέχρι έξι λεπτά τη μέρα. |
| | 19. είναι πιο μικρό από το ποσοστό των Λιθουανών που έχουν μόνο κινητό. |

α 11

 **Γράψε-σβήσε**

**2.4** Γράφω ένα άρθρο σε μια σχολική εφημερίδα και εξηγώ τι πιστεύω για τα κινητά και ιδιαίτερα για τη χρήση τους από τα παιδιά (150 λέξεις περίπου).

*Αγαπητή «ΕΦΗΜΕΡΙΔΑ»,*

*Ευχαριστώ για την πρόσκληση που μου κάνατε να γράψω τη γνώμη μου για τη χρήση των κινητών τηλεφώνων. Διαβάζω κι εγώ πολλά τον τελευταίο καιρό γι' αυτό το θέμα και δε νομίζω ότι είναι εύκολο να πούμε: «αυτό είναι το σωστό». Πρέπει να πω ότι έχω ένα παιδί στο σχολείο σας και ότι ο γιος μου / η κόρη μου έχει / δεν έχει κινητό τηλέφωνο.*

_____
_____
_____
_____
_____
_____
_____
_____
_____

*Σας ευχαριστώ και πάλι και εύχομαι*
*καλή συνέχεια στην εφημερίδα σας*

_____

**Για θυμήσου**

**2.5** Διαλέγω τη σωστή λέξη, όπως στο παράδειγμα.

1. – Η κυρία Παναγιωτοπούλου; – H ίδια.
   α. Ο ίδιος.                    β. Η ίδια.
2. – Παρακαλώ, μου δίνετε τον κύριο Αναστασιάδη;
   – _____ .
   α. Μισό λεπτό να τη φωνάξω.   β. Ποιος τον ζητάει παρακαλώ;
3. – Αφήστε το μήνυμά σας μετά τον χαρακτηριστικό ήχο και
   _____ μαζί σας.
   α. θα καλέσω                  β. θα επικοινωνήσω
4. – Συγνώμη που σε ενοχλώ αυτή την ώρα.
   – _____ .
   α. Δεν υπάρχει πρόβλημα       β. Μάλλον κάνατε λάθος
5. _____ . Ελάτε, καθίστε.
   α. Καλώς τα παιδιά           β. Καλώς τη Σοφία
6. Περάσαμε τέλεια στο πάρτι του Φοίβου! Ήταν όλη η παρέα εκεί και _____ .
   α. έγινε χαμός               β. είπαμε ένα «γεια»

**2.6** Γράφω τις λέξεις που έμαθα.

_____
_____
_____
_____
_____
_____
_____
_____

# Σπίτι μου σπιτάκι μου

- Το σπίτι βγάζει προβλήματα.
- Ποιανού είναι το σπίτι;
- Εμένα μου αρέσει. Εσένα;

- ο/η/το, ένας/μία/ένα
- δικός μου / δική μου / δικό μου

# Το σπίτι βγάζει προβλήματα

 *στο τηλέφωνο*

**Κώστας:** Παρακαλώ.
**Μελέκ:** Γεια σας. Μπορώ να μιλήσω στον κύριο Κώστα;
**Κώστας:** Ο ίδιος.
**Μελέκ:** Καλημέρα. Είμαι η Μελέκ.
**Κώστας:** Α, τι κάνεις Μελέκ; Όλα καλά;
**Μελέκ:** Ναι... Σας παίρνω για τα υδραυλικά. Νομίζω ότι αυτή τη φορά υπάρχει σοβαρό πρόβλημα.
**Κώστας:** Τι έγινε πάλι;
**Μελέκ:** Μάλλον έσπασε ένας σωλήνας στον τοίχο της κουζίνας.
**Κώστας:** Τι λες; Και πώς έγινε αυτό;
**Μελέκ:** Δεν ξέρω. Ίσως με το κρύο... Όμως στο σημείο αυτό είχε πάντα υγρασία. Χρειάζεται να έρθει μάστορας.
**Κώστας:** Μελέκ, το συμβόλαιο λέει ότι εσύ πρέπει να φτιάξεις τη ζημιά.
**Μελέκ:** Μα τι λέτε, κύριε Κώστα; Το σπίτι είναι παλιό και βγάζει προβλήματα. Εγώ δεν έκανα τίποτα.
**Κώστας:** Ε, όχι! Εσύ μένεις στο σπίτι, εσύ πρέπει να το φτιάξεις.
**Μελέκ:** Κύριε Κώστα, δεν έχετε δίκιο. Ξέρετε πόσο προσέχω αυτό το σπίτι. Μου είναι δύσκολο να σας το πω, αλλά... αν δεν επισκευάσετε τη ζημιά, θα φύγω.
**Κώστας:** Κάνε ό,τι θέλεις. Εγώ πάντως δεν μπορώ να στείλω υδραυλικό.
**Μελέκ:** Λυπάμαι, κύριε Κώστα. Θα μιλήσω με τον Σύλλογο Ενοικιαστών και θα τα πούμε ξανά. Χαίρετε.
**Κώστας:** Όπως θέλεις. Γεια σου.

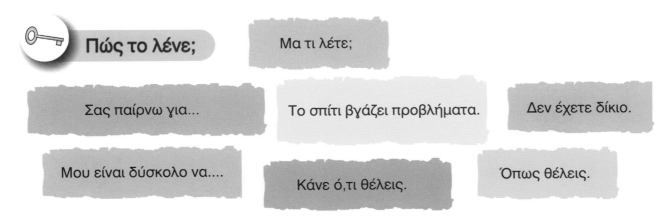

**Πώς το λένε;**

Μα τι λέτε;

Σας παίρνω για...

Το σπίτι βγάζει προβλήματα.

Δεν έχετε δίκιο.

Μου είναι δύσκολο να....

Κάνε ό,τι θέλεις.

Όπως θέλεις.

**1 Συμπληρώνω:**

Ο κύριος Κώστας είναι ο ___ιδιοκτήτης___ του _____ της _____ . Το σπίτι είναι παλιό και _____ προβλήματα. Αυτή τη φορά έσπασε ένας _____ στον τοίχο της _____ . Η Μελέκ ζητάει από τον κύριο Κώστα να επισκευάσει _____ , αλλά αυτός απαντάει ότι η Μελέκ πρέπει _____ . Στο τέλος η Μελέκ του λέει ότι θα μιλήσει _____ .

**Λέξεις, λέξεις**

επισκευάζω
ζημιά (η)
συμβόλαιο (το)
υγρασία (η)
υδραυλικά (τα)

 **Η σειρά μου τώρα**

**2** Απαντάω:

Νοικιάζεις σπίτι; Πώς είναι ο ιδιοκτήτης / η ιδιοκτήτρια του σπιτιού σου;
Είχες κανένα πρόβλημα με το σπίτι ή με τον ιδιοκτήτη / την ιδιοκτήτρια; Τι έκανες;
Είχες ποτέ πρόβλημα με τους γείτονές σου; Τι έγινε;

**3** Μιλάω για κάποιον:

Ένας φίλος μου έχει πολλά προβλήματα με το σπίτι του. Στην κουζίνα ...

 **Παίζω έναν ρόλο**

**4** Κανονίζω μια επισκευή.

**Ρόλος Α**

Μιλάω στο τηλέφωνο με τον ιδιοκτήτη / την ιδιοκτήτρια του σπιτιού μου, για να κανονίσουμε μια επισκευή. Πρέπει να συμφωνήσουμε ποια μέρα και ποια ώρα θα έρθει ο μάστορας (υδραυλικός/ηλεκτρολόγος) και ποιος θα τον πληρώσει.

**Ρόλος Β**

Με παίρνει τηλέφωνο ο ενοικιαστής / η ενοικιάστριά μου για μια ζημιά στο σπίτι. Ρωτάω τι ζημιά έγινε, πότε και πώς θα την επισκευάσουμε.

 **Για δες**

INDEFINITE ARTICLE 'A, AN' (general)
I met a Costa

ABSENCE OF ARTICLE

(specific)
DEFINITE ARTICLE 'THE'
Do you know Costa

GENITIVE

The gentleman you met yesterday called you

Τον γνώρισα βράδυ.

I met him at night

You will find I am wearing

| Οριστικό άρθρο | Αόριστο άρθρο | Απουσία άρθρου |
|---|---|---|
| Γνωρίζεις **τον Κώστα**; | Γνώρισα **έναν Κώστα**. | Τον λένε **Κώστα**. Γεια σου, **Κώστα**. |
| Φεύγω **στις** 8:00 / **την** Κυριακή / **τον** Σεπτέμβριο / **το** πρωί / **το** Πάσχα / **το** καλοκαίρι / **το** 2012. | Τη γνώρισα **ένα βράδυ** / **μια Κυριακή** / **ένα καλοκαίρι**. *I met her one night / Sunday / summer* | Τη γνώρισα **βράδυ**. *I met her tonight* |
| **Ο φίλος της Μαρίνας** ψάχνει για σπίτι. **Ο φίλος της** ψάχνει για σπίτι. | **Ένας φίλος της Μαρίνας** ψάχνει για σπίτι. **Ένας φίλος της** ψάχνει για σπίτι. | Ο ιδιοκτήτης του σπιτιού είναι **φίλος της**. *The owner of the house is* |
| Σου τηλεφώνησε **ο κύριος που γνώρισες** χτες. | Σου τηλεφώνησε **ένας κύριος**. | |
| Θα ήθελα **την άσπρη μπλούζα**, παρακαλώ. | Θα ήθελα **μια άσπρη μπλούζα**. | Θα με βρεις. Φοράω (μια) **άσπρη μπλούζα** και (ένα) **μαύρο σακάκι**. |
| Συνήθως πάω στη δουλειά με **το λεωφορείο**. | Ήρθα με **ένα λεωφορείο** πολύ παλιό. Δεν ξέρω πώς έφτασα. | Συνήθως πάω στη δουλειά με **λεωφορείο**. |

*DEFINITE ARTICLE*

**Οριστικό άρθρο**
**ο, η, το**

**Αυτό το διαμέρισμα** είναι καινούριο. *this apartment new*

**Εκείνη η κυρία** σε ψάχνει. *that lady looking for you*

**Όλος ο κόσμος** το ξέρει. *everyone knows that*

Μου αρέσει **ο καφές**.

Είναι φίλος μου. *He's a friend*

Είναι ο φίλος μου. *He's my friend*

*ABSENCE OF ARTICLE - EXAMPLES*

**Απουσία άρθρου**

Είναι ηλεκτρολόγος.
Έγινε γιατρός. *He became a doctor*
Τη **λένε** Ελένη.

Κοιμάμαι **σαν** πουλάκι. *Sleep like a bird*

Ένα ποτήρι νερό.
Ένα σπίτι από πέτρα. *A house made of stone*

άδεια οδήγησης *Driving licence*
οδός Δημοκρατίας *Street of Democracy*
Αριστοτέλειο Πανεπιστήμιο Θεσσαλονίκης

ΟΧΙ *GENITIVES*

άδεια ~~της~~ οδήγησης

οδός ~~της~~ Δημοκρατίας

Αριστοτέλειο Πανεπιστήμιο ~~της~~ Θεσσαλονίκης

Ακούω μουσική
Δεν τρώω κρέας.
Φοράω κόκκινο πουκάμισο. *shirt*
Έχω λεφτά.
Θέλω ψωμί.
Οδηγώ αυτοκίνητο.
Βλέπω τηλεόραση.
Έχω κέφι. *I'm in a good mood.*
Έχω δίκιο.
Έχω καιρό. *I have time*
Έχω πονοκέφαλο.
Έχω πυρετό.
Έχω μάθημα. *I have a lesson*
Κάνει ζέστη.
Κάνω μάθημα. *I do a lesson*
Κάνω βόλτα. *I take a walk*
Κάνω μπάνιο. *I take a shower/bath*
Παίζω πιάνο. *I play the piano*
Παίζω μπάλα.
Παίρνω τηλέφωνο.

 **Η σειρά μου πάλι**

**5** Συμπληρώνω με *ο/η/το* ή με *ένας/μία/ένα* ή με – όπου δεν χρειάζεται άρθρο.

? 1. __Το__ σπίτι της βγάζει συνεχώς __–__ ζημιές. *Her house brings out constantly damages*

2. Σου τηλεφώνησε __ένας__ κύριος, αλλά δεν άφησε __το__ όνομά του. *A gentleman called you but didn't leave his name*

3. __ο__ πατέρας του είναι __–__ υδραυλικός.

* 4. Θέλω να αλλάξω __–__ σπίτι. *NO 'THE'*

5. – Ξέρεις τι ώρα είναι; – Όχι, δεν έχω __–__ ρολόι.

* 6. Πού πηγαίνετε διακοπές κάθε __–__ καλοκαίρι;

? 7. __ο__ καφές τον πειράζει στο στομάχι. *Coffee bothers him in the stomach*

8. __ένα__ ποτήρι κρασί κάνει καλό στην καρδιά.

9. Δε μου αρέσει __το__ σπίτι αυτό. *this house*

10. Βρήκα __ένα__ ρολόι στον δρόμο.

11. Πάλι δεν ήρθε __ο__ ηλεκτρολόγος που κάλεσα; *Again the electrician I called did not come?*

12. – Θα πιεις κάτι; *drink*

– Όχι, ευχαριστώ. Μόνο ένα ποτηράκι __–__ νερό.

*Choose the right one*

**6** Διαλέγω το σωστό.

1. _ένα_ ωραίο πρωί, μου έκοψαν _το_ τηλέφωνο.
   α. – /το          β. το / το          (γ.) ένα / το

2. Είδα _μια_ ιρανική ταινία. Δε θυμάμαι τον τίτλο της, αλλά ήταν πολύ καλή.
   α. την          β. (μια)          γ. –

3. – Μα καλά, δεν ξέρεις ποια είναι η Χριστίνα Αλεξάνδρου; Όλος _ο_ κόσμος την ξέρει.
   Δε βλέπεις _____ τηλεόραση;
   α. – / την          (β.) ο / –          γ. – / –
   – Λυπάμαι. Δε μου αρέσει _η_ τηλεόραση. Όταν έχω _____ καιρό, ακούω _____
   μουσική.
   α. – / τον / την          β. η / – / την          (γ.) η / – / –

*This*
4. Αυτός _ο_ άνθρωπος χάνει συνέχεια _τα_ κλειδιά του.
   α. ο /–          *carpenter*    β. – / τα          (γ.) ο / τα

5. Βρήκα _έναν_ καλό μάστορα, αλλά έχασα _το_ κινητό του.
   α. τον / το          (β.) έναν / το          γ. έναν / –

*I suffered*
6. Έπαθα _μια_ ζημιά στο σπίτι, αλλά _ο_ ιδιοκτήτης δεν την επισκευάζει. *repair it* Μάλλον θα
   αλλάξω _____ σπίτι.
   α. τη / ένας / το          (β.) μια / ο / –          γ. η / ο / –

7. – Παίζεις _____ ποδόσφαιρο; – Όχι, αλλά βλέπω _____ ποδόσφαιρο στην τηλεόραση.
   α. το / το          β. ένα / –          (γ.) – / –

8. Έψαξα _____ σπίτι σε όλο _το_ κέντρο, αλλά δε βρίσκω τίποτα καλό.
   (α.) – / το          β. το / το          γ. – / –

**Γράψε-σβήσε**

**7** Κοιτάζω τα σκίτσα και γράφω την ιστορία.

*Μετά το τηλεφώνημα στον κύριο Κώστα, η Μελέκ
αποφάσισε*

_____
_____
_____
_____
_____
_____
_____
_____
_____
_____
_____

Είμαι όλος αυτιά      A8

**8** Η Μελέκ βλέπει πέντε σπίτια που ενοικιάζονται. Ακούω τους διαλόγους με τους ιδιοκτήτες *with the owners* και *complete* συμπληρώνω τον πίνακα, όπως στο παράδειγμα. Οι απαντήσεις που πρέπει να δώσω είναι 7 χωρίς το παράδειγμα.

| | 1ο σπίτι | 2ο σπίτι | 3ο σπίτι | 4ο σπίτι | 5ο σπίτι |
|---|---|---|---|---|---|
| 1. Από το παράθυρο του διαμερίσματος βλέπεις την Ακρόπολη. *From the window of the flat you can see the Acropolis* | | | | X | |
| 2. Το διαμέρισμα είναι κατάλληλο για τη Μελέκ, μόνο αν δεν έχει ζώα. *is suitable only if she had no animals.* | | | ✓ | | |
| 3. Το διαμέρισμα θα έχει μάλλον πολύ θόρυβο. *The flat will probably be very noisy* | | | | | ✓ |
| 4. Η Μελέκ πιστεύει ότι το διαμέρισμα είναι μικρό. *believes that the flat is small.* | ✓ | | | | |
| 5. Για τη Μελέκ είναι ακριβό το ενοίκιο. *For M the rent is expensive* | | ✓ *she asks for better price* | | ✓ | |
| 6. Η θέση του διαμερίσματος είναι πολύ κεντρική. *The location of the flat is very central* | | | | | ✓ |
| 7. Δε χρειάζεται να βάψει το διαμέρισμα. *No need to paint the flat* | *If you paint the flat it will look bigger* | | | | ◯ |
| 8. Της Μελέκ τής φαίνεται παλιό το διαμέρισμα. *melek's flat appears old* | | *she asks how old* ✓ | | | |
| 9. Ο ιδιοκτήτης νοικιάζει πάντα σε φοιτητές. *The owner always rents to students* | | | X | | |

# Στο γραφείο μεταφορών

*At the transport office*

**Μελέκ:** Καλημέρα.

**Υπάλληλος:** Καλημέρα σας. Πώς μπορώ να βοηθήσω; *How can I help?* — *Employee*

**Μελέκ:** Θα μετακομίσω και θέλω να μου δώσετε κάποιες πληροφορίες. *I will be moving and I want you to give me some info...*

**Υπάλληλος:** Βεβαίως. Από πού θα γίνει η μετακόμιση; *From where will the move take place?* *you to tell me prices*

**Μελέκ:** Από Κυψέλη στου Ζωγράφου. Μα θα ήθελα να μου πείτε τιμές.

**Υπάλληλος:** Για την τιμή παίζουν ρόλο πολλά. Ο όροφος, το πακετάρισμα... Αυτό που κοστίζει πιο πολύ είναι το κουβάλημα, γιατί, αν είναι σε όροφο, χρειαζόμαστε γερανό. *For the price many play a role* *the floor, storey* *the packaging* *That which costs most is the carrying, because if it is on the floor we need a crane.*

**Μελέκ:** Κατάλαβα. Το παλιό μου σπίτι είναι στον δεύτερο όροφο και το καινούριο διαμέρισμα στον τρίτο. Τα πράγματα δεν είναι πάρα πολλά. Φοιτήτρια είμαι. *Understood* *I'm a student.* *so as you tell me* *the things are not too many* *it will go from 400 - 600*

**Υπάλληλος:** Κοιτάξτε, έτσι όπως μου τα λέτε, θα πάει από 400 έως 600 €.

**Μελέκ:** Τόσο ακριβά; Δεν μπορείτε να μου κάνετε καλύτερη τιμή; *So expensive? What can I say?*

**Υπάλληλος:** Τι να σας πω, εγώ υπάλληλος είμαι. Το αφεντικό θα είναι εδώ το απόγευμα. Όπως καταλαβαίνω, εσάς σας χρειάζεται ένα μικρό φορτηγό και αν πακετάρετε τα πράγματα μόνη σας, η τιμή θα είναι πολύ πιο χαμηλή. *As I understand it you need a small truck and if you pack things yourself the price will be much lower.*

**Μελέκ:** Εντάξει, θα σας τηλεφωνήσω αργότερα.

**Υπάλληλος:** Το τηλέφωνό μας είναι στην κάρτα. Μπορείτε να μας καλέσετε και στο κινητό. *Can you call us on the mobile.*

## 🔑 Πώς το λένε;

Πώς μπορώ να βοηθήσω;

Παίζουν ρόλο πολλά.

Δεν μπορείτε να (μου) κάνετε καλύτερη τιμή;

Τι να σας πω;

**9** Αντιστοιχίζω:

1. Η Μελέκ βρίσκεται
2. Θα μετακομίσει
3. Τώρα μένει στον
4. Το πακετάρισμα
5. Η Μελέκ δε χρειάζεται
6. Η Μελέκ θα πάρει τηλέφωνο στο γραφείο μεταφορών

α. στου Ζωγράφου.
β. ανεβάζει την τιμή στη μετακόμιση.
γ. ένα μεγάλο φορτηγό.
δ. τρίτο όροφο.
ε. στο γραφείο μεταφορών.
στ. ένα μικρό φορτηγό.
ζ. στην Κυψέλη.
η. το κουβάλημα, αν το σπίτι είναι σε όροφο.
θ. δεύτερο όροφο.
ι. για να ζητήσει καλύτερη τιμή.

| | |
|---|---|
| 1 | ε |
| | |
| | |
| | |
| | |
| | |

##  Η σειρά μου πάλι

**10** Απαντάω:

Πόσες φορές μετακόμισες στη ζωή σου; Ήταν δύσκολο; Πήγες σε γραφείο μεταφορών; Ποιος σε βοήθησε; Αν μετακομίσεις, θα πας σε γραφείο μεταφορών ή θα ζητήσεις βοήθεια από τους φίλους σου;

## ✏️ Λέξεις, λέξεις

μετακομίζω
μετακόμιση (η)

 **Για δες**

### Προσωπικές αντωνυμίες (γενική)

| εγώ | Μου | έδωσε το τηλέφωνό του. | Εμένα | μου | έδωσε το τηλέφωνό του. Εσένα; |
|---|---|---|---|---|---|
| εσύ | Σου | μίλησε ο Νίκος; | Εσένα | σου | μίλησε. Εμένα γιατί δε μου μίλησε; |
| αυτός | Του | | Αυτού/Αυτουνού | του | |
| αυτή | Της | άρεσε το σπίτι. | Αυτής/Αυτηνής | της | άρεσε το σπίτι. Εμένα όχι. |
| αυτό | Του | | Αυτού | του | |
| εμείς | Μας | ήρθε μεγάλος λογαριασμός. | Εμάς | μας | ήρθε μεγάλος λογαριασμός. Εσάς; |
| εσείς | Σας | πάει το κόκκινο. | Εσάς | σας | πάει το κόκκινο. Εμένα καθόλου. |
| αυτοί | Τους | | Αυτών | τους | |
| αυτές | Τους | αρέσει αυτή η γειτονιά. | Αυτών | τους | αρέσει αυτή η γειτονιά. Εμάς |
| αυτά | Τους | | Αυτών | τους | δε μας αρέσει. |

| | |
|---|---|
| **Μου** αρέσει το σπίτι.<br>**Μου** αρέσει **εμένα.**<br>**Εμένα** δε μου αρέσει αυτό το σπίτι. | **Εμένα** μου αρέσει αυτό το σπίτι.<br>**Δε** μου αρέσει καθόλου αυτό το σπίτι.<br>**Δε** μου αρέσει **εμένα.** |

Μου έδωσε το κλειδί. **Μου το** έδωσε.
– Δώσε **μου** το κλειδί.
– Δώσε **μού** το.
– Δώσ' **μου** το. Σου το έδωσα. / Σ' το έδωσα. / Σ' το 'δωσα. / Σου το 'δωσα.
– Δώσ' **το μου.**

 **Η σειρά μου πάλι**

**1.1** Γράφω προτάσεις, όπως στο παράδειγμα.

1. Εγώ / φωνάζει συνέχεια / Εσύ / μιλάει ευγενικά
   *Εμένα μου φωνάζει συνέχεια. Εσένα σου μιλάει ευγενικά.*

2. Εμείς / αρέσει αυτή η μουσική / Εσείς / δεν αρέσει;
   _____

3. Εγώ / μίλησαν άσχημα / Εσύ;
   _____

4. Εμείς / κόστισε ακριβά η μετακόμιση / Εσείς;
   _____

5. Αυτός / αρέσουν τα διαμερίσματα / Αυτή / αρέσουν οι μονοκατοικίες
   _____

6. Αυτοί / αγόρασε δώρο / Εμείς / όχι
   _____

7. Αυτή / έδωσα το τηλέφωνό σου / Αυτός / δεν το έδωσα
   _____

8. Εσύ / χρειάζεται το αυτοκίνητο σήμερα / Εμείς / όχι
   _____

# Με λίγη βοήθεια από τους φίλους...

**A10**

**Μελέκ:** Ουφ! Κοντεύουμε. Αυτή είναι η τελευταία κούτα με βιβλία. *We are getting closer* *This is the last box of books*

**Φου:** Πού τη βάζω; *where do I put it?* *where else?*

**Μελέκ:** Ε, πού αλλού; Στο δωμάτιό μου.

**Αρλέτα:** Ευτυχώς, Μελέκ, είσαι πολύ *Fortunately* *you are very* οργανωμένη. Πάω κι εγώ την κούτα με τα κουζινικά μέσα και τελειώσαμε. Αλήθεια, πόσο σου πήγε η μετακόμιση; *I also go to the kitchen utensils' box and we're done* *Really, how much did it cost to move?*

**Μελέκ:** Τελικά μου κόστισε 200 €. Μόνο το φορτηγάκι πλήρωσα. Κι αυτό επειδή βοηθήσατε εσείς, αλλιώς ... άς' τα. Φτηνά τη γλίτωσα! Να 'στε καλά! *It finally cost me* *Only the small van I paid for* *And that's because you helped* *otherwise ... leave it at that* *I saved it cheaply*

**Αρλέτα:** Έλα τώρα, δεν κάναμε και τίποτα. Ωραίο σπιτάκι βρήκες, πάντως. Μ' αρέσει. Εσένα, Φου; *Come on, we did nothing.* *You found a nice house anyway*

**Φου:** Είναι τέλειο. *It's perfect.*

**Μελέκ:** Κι εμένα μ' αρέσει πολύ. Είναι ευρύχωρο, βαμμένο πρόσφατα και δεν έχει πολλά κοινόχρηστα. Είναι και καινούριο. Αρκετά προβλήματα είχα με το άλλο. Βέβαια, τώρα έχω συγκάτοικο, αλλά έτσι μοιραζόμαστε τα έξοδα. Είμαι πολύ ευχαριστημένη. *Me too* *It is spacious, painted recently and does not have a lot of utilities* *I had several problems with the other.* *Of course, now I have a roommate, but this is how we share the expenses.* *v. happy.*

**Αρλέτα:** Αλήθεια, πότε θα δούμε κι εμείς αυτήν τη μυστήρια συγκάτοικο; Πώς την είπες; *Really, when will we see this mysterious room-mate?* *How did you say her?*

**Μελέκ:** Αιμιλία. Ωραίο όνομα δεν έχει;

**Φου:** Είναι κι αυτή φοιτήτρια; *Is she also a student?*

**Μελέκ:** Όχι. Είναι συγγραφέας! Γυρίζει όλον τον κόσμο και γράφει ιστορίες. Λείπει συχνά. *She is a writer.* *She travels the world and writes stories.* *She is often missing.*

**Φου:** Το σπίτι ποιανού είναι; *whose house is it?* *τίνος*

**Μελέκ:** Της Αιμιλίας.

**Αρλέτα:** Α, είναι δικό της; *It's hers?*

**Μελέκ:** Ναι. Αποφάσισε να το νοικιάσει, γιατί θέλει κάποιον εδώ, όσο λείπει. Γι' αυτό και το ενοίκιο είναι τόσο χαμηλό. Είμαι πολύ τυχερή, δε νομίζετε; Όμως θα μου λείψει και το παλιό μου σπιτάκι. Ήμασταν και γείτονες, Φου... *She decided to rent it, because she wants someone here, while she is away. That's why the rent is so low* *but I will also miss my old house.* *We were also neighbours, Fou*

**Φου:** Ε, καλά τώρα. Εμείς δε χανόμαστε, φίλοι είμαστε. *Well, well now. We are not lost, we're friends.*

**Μελέκ:** Παιδιά, σας ευχαριστώ για όλα. Όταν τακτοποιήσω τα πράγματα, θα σας κάνω το τραπέζι. *when I arrange things, I will do dinner for you.*

## Πώς το λένε;

Κοντεύουμε.
Πόσο σου πήγε;
Αλλιώς ... άσ' τα!
Φτηνά τη γλίτωσα.
Δεν κάναμε και τίποτα.
Μοιραζόμαστε τα έξοδα.

Ωραίο όνομα δεν έχει;
Γυρίζει όλον τον κόσμο.
...., δε νομίζετε;
Καλά τώρα.
Εμείς δε χανόμαστε...
Θα (σας) κάνω το τραπέζι.

## 1.2 Σωστό ή λάθος;

Σωστό ✓ Λάθος

1. Η Μελέκ θα μείνει μόνη της στο νέο διαμέρισμα. ☐ ☑
2. Στη μετακόμιση βοήθησε μόνο ο Φου. ☐ ☐
3. Η μετακόμιση κόστισε ακριβά στη Μελέκ. ☐ ☐
4. Της Αρλέτας τής αρέσει πολύ το νέο διαμέρισμα της Μελέκ. ☐ ☐
5. Το καινούριο σπίτι της Μελέκ είναι μεγάλο και φτηνό. ☐ ☐
6. Η Αιμιλία ταξιδεύει συχνά. ☐ ☐
7. Η Αιμιλία είναι η ιδιοκτήτρια του διαμερίσματος. ☐ ☐
8. Τώρα η Μελέκ και ο Φου είναι γείτονες. ☐ ☐
9. Της Μελέκ θα της λείψει το παλιό της σπίτι. ☐ ☐
10. Η Μελέκ θέλει να αγοράσει ένα τραπέζι. ☐ ☐

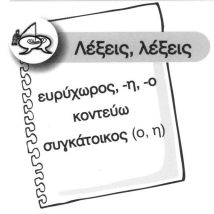

## Λέξεις, λέξεις

ευρύχωρος, -η, -ο
κοντεύω
συγκάτοικος (ο, η)

## Η σειρά μου πάλι

### 1.2 Απαντάω:

Μένεις μόνος/μόνη σου ή με συγκάτοικο;
Έμεινες ποτέ στο ίδιο σπίτι με άλλους;
Πώς είναι όταν μένεις με κάποιον άλλο;

## Παίζω έναν ρόλο

### 1.3 Οι συγκάτοικοι

**Ρόλος Α**
Μετακομίζω σε καινούριο σπίτι. Μιλάω με τον/τη συγκάτοικό μου και ζητάω πληροφορίες για το σπίτι και τα οικονομικά.

**Ρόλος Β**
Μιλάω με την/τον καινούρια/καινούριο μου συγκάτοικο. Δίνω πληροφορίες για το σπίτι, εξηγώ ποιες είναι οι συνήθειές μου και προσπαθώ να δω αν ταιριάζουμε.

Για δες

Κτητικές αντωνυμίες

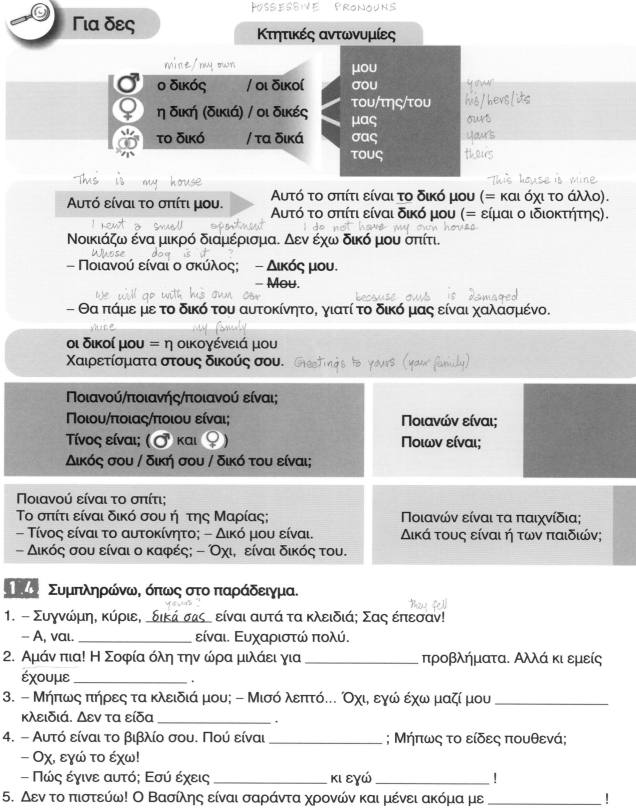

*mine/my own*

| | |
|---|---|
| ♂ | ο δικός / οι δικοί |
| ♀ | η δική (δικιά) / οι δικές |
| ⚥ | το δικό / τα δικά |

μου
σου *your*
του/της/του *his/hers/its*
μας *ours*
σας *yours*
τους *theirs*

*This is my house*

Αυτό είναι το σπίτι **μου**.

*This house is mine*

Αυτό το σπίτι είναι **το δικό μου** (= και όχι το άλλο).
Αυτό το σπίτι είναι **δικό μου** (= είμαι ο ιδιοκτήτης).

*I rent a small apartment*    *I do not have my own house*

Νοικιάζω ένα μικρό διαμέρισμα. Δεν έχω **δικό μου** σπίτι.

*Whose dog is it?*

– Ποιανού είναι ο σκύλος;    – **Δικός μου**.
                       – ~~Μου~~.

*We will go with his own car*      *because ours is damaged*

– Θα πάμε με **το δικό του** αυτοκίνητο, γιατί **το δικό μας** είναι χαλασμένο.

*mine*        *my family*

**οι δικοί μου** = η οικογένειά μου
Χαιρετίσματα **στους δικούς σου**. *Greetings to yours (your family)*

*you and yours*

Ποιανού/ποιανής/ποιανού είναι;
Ποιου/ποιας/ποιου είναι;
Τίνος είναι; (♂ και ♀)
Δικός σου / δική σου / δικό του είναι;

Ποιανών είναι;
Ποιων είναι;

Ποιανού είναι το σπίτι;
Το σπίτι είναι δικό σου ή της Μαρίας;
– Τίνος είναι το αυτοκίνητο; – Δικό μου είναι.
– Δικός σου είναι ο καφές; – Όχι, είναι δικός του.

Ποιανών είναι τα παιχνίδια;
Δικά τους είναι ή των παιδιών;

**1.4** Συμπληρώνω, όπως στο παράδειγμα.

*yours?*

1. – Συγνώμη, κύριε, <u>δικά σας</u> είναι αυτά τα κλειδιά; Σας έπεσαν! *they fell*
 – Α, ναι. _____ είναι. Ευχαριστώ πολύ.

2. Αμάν πια! Η Σοφία όλη την ώρα μιλάει για _____ προβλήματα. Αλλά κι εμείς
 έχουμε _____ .

*For crying out loud!*

3. – Μήπως πήρες τα κλειδιά μου; – Μισό λεπτό... Όχι, εγώ έχω μαζί μου _____
 κλειδιά. Δεν τα είδα _____ .

4. – Αυτό είναι το βιβλίο σου. Πού είναι _____ ; Μήπως το είδες πουθενά;
 – Οχ, εγώ το έχω!
 – Πώς έγινε αυτό; Εσύ έχεις _____ κι εγώ _____ !

5. Δεν το πιστεύω! Ο Βασίλης είναι σαράντα χρονών και μένει ακόμα με _____ !

6. Προτίμησε να πάρει _____ αυτοκίνητο, γιατί ήθελε να ταξιδέψει μόνη της.

## Για δες

Γενική

| ♂ | | ♀ | | ⚥ | |
|---|---|---|---|---|---|
| ο φίλος | του φίλου | η γυναίκα | της γυναίκας | το βιβλίο | του βιβλίου |
| ο άντρας | του άντρα | η φίλη | της φίλης | το παιδί | του παιδιού |
| ο μαθητής | του μαθητή | η λέξη | της λέξης | το μάθημα | του μαθήματος |

| | | | | | |
|---|---|---|---|---|---|
| οι φίλοι | των φίλων | οι γυναίκες | των γυναικών | τα βιβλία | των βιβλίων |
| οι άντρες | των αντρών | οι φίλες | των φίλων | τα παιδιά | των παιδιών |
| οι μαθητές | των μαθητών | οι λέξεις | των λέξεων | τα μαθήματα | των μαθημάτων |

## Η σειρά μου πάλι

**1 5** Συμπληρώνω τον σωστό τύπο.

Οι γονείς μας χώρισαν πριν από τρία χρόνια και τώρα μένουν σε δύο διαφορετικά σπίτια.
Δηλαδή ο μπαμπάς έχει _το δικό του_ (ο δικός μου) σπίτι και η μαμά έχει _____
(ο δικός μου), ο μπαμπάς έχει _____ (ο δικός μου) πράγματα και η μαμά
_____ (ο δικός μου). Για εμένα και την αδερφή μου ποιο είναι
_____ (ο δικός μου) σπίτι; Το σπίτι _____ (το Σαββατοκύριακο)
ή το σπίτι _____ (η υπόλοιπη εβδομάδα); Μερικές φορές ξεχνάμε
πού είναι τα πράγματά μας. Τα βιβλία _____ (η αδερφή μου) είναι στο σπίτι
_____ (η μαμά) ενώ _____ (ο δικός μου) είναι στο σπίτι
_____ (ο μπαμπάς) και _____ (η καινούρια γυναίκα) του. Καμιά
φορά, μάλιστα, ο Βασίλης παίρνει _____ (ο δικός μου) παιχνίδια κι εμείς
θυμώνουμε. Ποιος είναι ο Βασίλης; Ο γιος _____ (ο καινούριος άντρας)
της μαμάς.

**1 6** Συμπληρώνω, όπως στο παράδειγμα.

1. – Γιάννη, _ποιανού_ (ποιος) είναι αυτά τα χαρτιά;
   – Είναι _της Ειρήνης_ (η Ειρήνη).
2. – Παιδιά, _____ (ποιος) είναι τα βιβλία; Δικά σας;
   – Όχι, δεν είναι _____ (δικός μου). Είναι _____ (ο Κώστας)
   και _____ (ο Πέτρος).
3. – _____ (ποιος) είναι το κόκκινο αυτοκίνητο μπροστά στο γκαράζ μας;
   – Μάλλον _____ (ο γείτονας).
4. – Γιώργο, _____ (ποιος) είναι αυτό το ποίημα; Δικό σου;
   – Όχι, βέβαια! Είναι _____ (ο Καβάφης).
5. – _____ (ποιος) ήταν αυτή η ιδέα;
   – _____ (ο γιος) μου. Καλή, ε;

**Φωνή-γραφή**

| | | |
|---|---|---|
| σ/ς + β/γ/δ/λ/μ/ν/ρ/μπ/ντ ➔ [z] | | |

Αυτός ο αναπτήρας είναι δικό**ς** **μ**ου;
[z]

| μου, σου, του + α, ο, ου ➔ μ', σ', τ' | – **Μου** αρέσει = **Μ'** αρέσει;<br>– **Σου** αρέσει = **Σ'** αρέσει; |
|---|---|
| μου, σου, του + [e/i] ➔ μου '-<br>σου '-<br>του '- | Μου έδωσε το κλειδί. = **Μου** 'δωσε το κλειδί. |

**1.7** Πότε ακούω [z] ; Διαβάζω και υπογραμμίζω, όπως στο παράδειγμα.

1. Ο δικηγόρο**ς** **μ**ου πιστεύει ότι έχουμε δίκιο.
2. Η Μελέκ περπατάει στους δρόμους της καινούριας της γειτονιάς.
3. – Γνώρισες τους γείτονές μας;
   – Ναι, τους γνώρισα. Φαίνονται πολύ συμπαθητικοί άνθρωποι.
4. – Πόσο ενοίκιο πληρώνουν για το διαμέρισμά τους;
   – Δεν τους ρώτησα.
5. – Έχεις χαιρετίσματα από τη Μαίρη και τον Μάνο.
   – Αλήθεια; Πότε μιλήσατε;
   – Χτες. Μένουμε κοντά και τους βλέπω πολύ συχνά.
6. Ουφ! Είμαι πολύ κουρασμένη... Τα επόμενα 10 χρόνια δε θα μετακομίσω ξανά!

**1.8** Διαβάζω το κείμενο και συμπληρώνω από τον πίνακα, όπως στο παράδειγμα.

### Μερικές συμβουλές για καλύτερη και πιο αρμονική συγκατοίκηση

Η συγκατοίκηση δεν είναι πάντα εύκολη υπόθεση. Μπορεί να γίνει όμως πιο αρμονική, αν ακολουθούμε κάποιους κανόνες.

**1. Καθαριότητα**
Πάντα πλένουμε τα πιάτα και __1__ που χρησιμοποιούμε. Η _____ του σπιτιού μπορεί να γίνεται μια φορά τη βδομάδα από έναν/μια συγκάτοικο κάθε φορά ή και από τους δύο μαζί, ανάλογα με το τι θα συμφωνήσουμε. Ωστόσο, προσέχουμε ιδιαίτερα _____ και τον αφήνουμε πάντα καθαρό.

**2. Λογαριασμοί**
Φροντίζουμε να πληρώνουμε το δικό μας μέρος των λογαριασμών έγκαιρα και πριν από _____ . Οι καλοί λογαριασμοί κάνουν _____ !

**3. Τι γίνεται με τον λογαριασμό του τηλεφώνου;**
Το ιδανικό θα ήταν _____ , αλλά, αν δεν γίνεται αυτό, τότε μία είναι η λύση: κάνουμε τηλεφωνήματα _____ και έχουμε το σταθερό μόνο για να μας τηλεφωνούν.

### 4. Σεβασμός

Σεβόμαστε τον/τη συγκάτοικό μας και δεν κάνουμε πάρτι _____ την επόμενη μέρα. Δεν κάνουμε ό,τι δε θα θέλαμε να μας κάνουν οι άλλοι. Μπορούμε να βρούμε μια μέση λύση, συμφωνώντας, για παράδειγμα, ότι κάποιες μέρες της εβδομάδας _____ .

### 5. Τρόπος ζωής

Προσπαθούμε να μην επιλέξουμε έναν/μια συγκάτοικο με πολύ διαφορετικό στιλ ζωής, γιατί _____ στην οργάνωση της καθημερινότητας.

### 6. Κατανόηση

Καταλαβαίνουμε _____ όταν έχει «τις μαύρες του». Συμβαίνουν και αυτά. Είναι όλα μέρος της συγκατοίκησης.

### 7. Πώς οργανώνουμε το ψυγείο;

Η πιο απλή και διαδεδομένη λύση είναι να πάρει ο καθένας το ράφι του. Επίσης, μπορούμε να έχουμε ένα κοινό ράφι _____ .

### 8. Μπορούμε να μελετάμε, εάν συγκατοικούμε;

Φυσικά _____ ! Αλλά πρέπει _____ να ξεκαθαρίσουμε μερικά πράγματα με τον/τη συγκάτοικό μας. Ποιες μέρες απαγορεύονται τα πάρτι, ποιες είναι οι μέρες διαβάσματος... Το ιδανικό είναι να _____ έναν/μια συγκάτοικο με παρόμοιο χαρακτήρα με εμάς...

(http://sigkatoikoi.com/)

| | |
|---|---|
| 1. | τα ποτήρια |
| 2. | τους καλούς φίλους |
| 3. | τον/τη συγκάτοικό μας |
| 4. | τον χώρο της τουαλέτας |
| 5. | να έχει ο καθένας δική του τηλεφωνική γραμμή |
| 6. | είναι μέρες διαβάσματος |
| 7. | από την αρχή |
| 8. | από το κινητό μας |
| 9. | γενική καθαριότητα |
| 10. | για τα κοινά τρόφιμα |
| 11. | επιλέξουμε |
| 12. | την ημερομηνία λήξης τους |
| 13. | και μπορούμε |
| 14. | θα έχουμε σοβαρές δυσκολίες |
| 15. | όταν έχει εξετάσεις |

# 2 ενότητα

## ✏️ Γράψε-σβήσε

**1.9** Μετακόμισα πριν από λίγο καιρό, γιατί στο παλιό μου σπίτι είχα πολλά προβλήματα με τους γείτονες. Γράφω ένα γράμμα σε έναν φίλο / μια φίλη μου. Εξηγώ γιατί αποφάσισα να αλλάξω σπίτι, περιγράφω τη μετακόμιση, το καινούριο μου σπίτι και τι ένιωσα όταν άφησα το παλιό. (150 λέξεις περίπου)

_____
_____
_____
_____
_____
_____
_____
_____
_____
_____
_____

## 👌 Για θυμήσου

**2.0** Διαλέγω από τον πίνακα και συμπληρώνω, όπως στο παράδειγμα.

✓ *what are you talking about?*

**μα τι λέτε;**

*come on* ✓

**έλα τώρα**

*as you think* ✓

**όπως νομίζεις**

*what can I say* ✓

**τι να σας πω**

**δε νομίζεις;**
✓
*do you not think?*

**άσ' τα**
*leave it!* ✓

**πάντως**
*anyway / in any case / at any rate* ✓

1. – Τι έγινε; Βρήκες καινούριο διαμέρισμα; *what happened? You found a new apartment?*
   – _Άσ' τα_ ! Ακόμα ψάχνω. *I'm still looking.*

2. Δεν ξέρω τι θα κάνεις εσύ. Εγώ ___πάντως___ φεύγω. *I don't know what you will do. I, at any rate, I leave*

3. – Αν θέλεις, μπορείς να μείνεις για φαγητό μαζί μας. *If you want, you can stay for dinner with us.*
   – Ευχαριστώ, αλλά πρέπει να γυρίσω στο σπίτι. *Thanks, but I have to go home. As you think.*
   – _όπως νομίζεις_ .

4. – Είσαι πολύ μικρή για να μείνεις μόνη σου, ___δεν νομίζεις;___ *You are too young to be alone, don't you think!?*
   – ___έλα τώρα___ , μαμά! Θα είναι και οι φίλες μου μαζί. *Come on, mama! My friends will be with me*

5. – _Τι να σας πω_ , κυρία Άννα. Χίλια ευχαριστώ για τη βοήθεια. *Mrs Anna. 1000 thanks for your thanks*
   – _Μα τι λέτε;_ Τη δουλειά μου έκανα. *what are you talking about? I did my job*

**40** ΕΛΛΗΝΙΚΑ Β΄

πάτωμα – διαρροή νερού – θερμοπομπός | θόρυβος τρυπάνι δρόμου | διαρροή νερού στην οροφή

**2.1** Ποιο είναι το πρόβλημα; Τι πρέπει να κάνω; Βλέπω τις εικόνες και απαντάω.

η θέρμανση δεν δουλεύει – κρύο, κουβέρτα | ράφι είναι σπασμένο | οι γείτονες φωνάζοντας ο ένας στον άλλο και το κορίτσι που διαβάζει δεν μπορεί να ακούσει να σκέφτεται

**2.2** Διαλέγω το σωστό, όπως στο παράδειγμα.

1. Εσύ χάλασες _____τη_____ βρύση, εσύ πρέπει να φτιάξεις _____τη_____ ζημιά.
   α. μια / μια                    β. μια / τη                    γ. τη / τη

2. Μου αρέσει _____ μουσική. Παίζω _____ κιθάρα από παιδί.
   α. – / –                        β. η / –                       γ. η / την

3. – Ελεονόρα, ξέχασες τα κλειδιά σου.
   – Οχ! _____ .
   α. Μου τα έδωσε.               β. Δώσε μού τα.                 γ. Δώσε τής τα.

4. Εμένα μου άρεσε η παρέα τους. _____ ;
   α. Εσένα                        β. Σου                         γ. Σου άρεσε

5. Δε ζήτησα τη γνώμη του άντρα σου. Θέλω _____ γνώμη.
   α. η δική σου                   β. δική σου                    γ. τη δική σου

6. Μου δίνετε, σας παρακαλώ, ταυτότητα και άδεια _____ ;
   α. για οδήγηση                  β. της οδήγησης                γ. οδήγησης

**2.3** Γράφω τις λέξεις που έμαθα.

_____
_____
_____
_____
_____

# 3

## Είχε τέτοια κίνηση!

- Θα έρθω μόνη μου.
- Μήπως έχασες τον δρόμο;
- Διασχίζεις την οδό Δημοκρατίας και συνεχίζεις όλο ευθεία.

- Είχε τέτοια κίνηση!
- Δεν περίμενα να κάνω τόσες ώρες.

# Θα έρθω μόνη μου

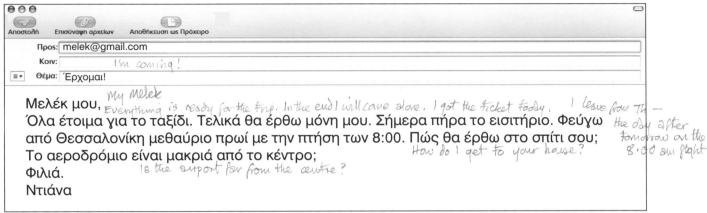

**Προς:** melek@gmail.com
**Κοιν:** *I'm coming!*
**Θέμα:** Έρχομαι!

Μελέκ μου, *my Melek*
Όλα έτοιμα για το ταξίδι. Τελικά θα έρθω μόνη μου. Σήμερα πήρα το εισιτήριο. Φεύγω
από Θεσσαλονίκη μεθαύριο πρωί με την πτήση των 8:00. Πώς θα έρθω στο σπίτι σου;
Το αεροδρόμιο είναι μακριά από το κέντρο;
Φιλιά.
Ντιάνα

*Everything is ready for the trip. In the end I will come alone. I got the ticket today. I leave from Th— the day after tomorrow on the 8:00 am flight. How do I get to your house? Is the airport far from the centre?*

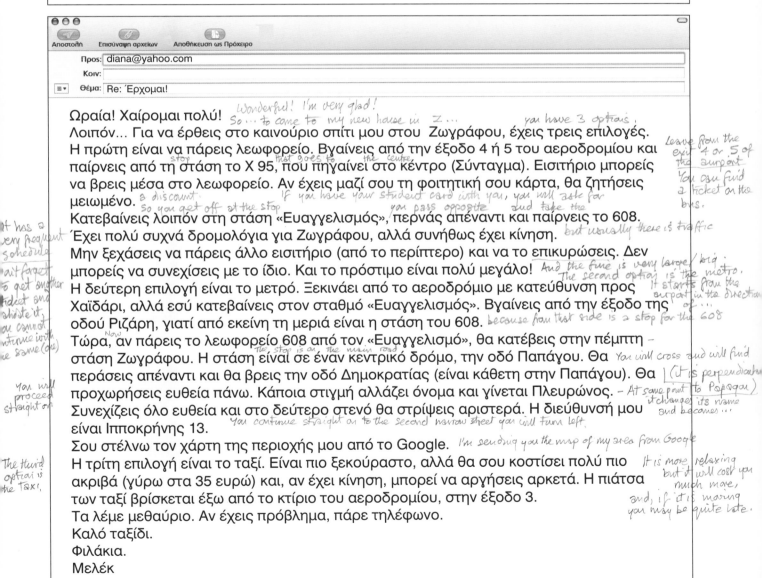

**Προς:** diana@yahoo.com
**Κοιν:**
**Θέμα:** Re: Έρχομαι!

Ωραία! Χαίρομαι πολύ! *Wonderful! I'm very glad!*
Λοιπόν... Για να έρθεις στο καινούριο σπίτι μου στου Ζωγράφου, έχεις τρεις επιλογές. *So... to come to my new house in Z... you have 3 options.*
Η πρώτη είναι να πάρεις λεωφορείο. Βγαίνεις από την έξοδο 4 ή 5 του αεροδρομίου και
παίρνεις από τη στάση το Χ 95, που πηγαίνει στο κέντρο (Σύνταγμα). Εισιτήριο μπορείς
να βρεις μέσα στο λεωφορείο. Αν έχεις μαζί σου τη φοιτητική σου κάρτα, θα ζητήσεις
μειωμένο. *a discount.*
Κατεβαίνεις λοιπόν στη στάση «Ευαγγελισμός», περνάς απέναντι και παίρνεις το 608.
Έχει πολύ συχνά δρομολόγια για Ζωγράφου, αλλά συνήθως έχει κίνηση. *but usually there is traffic*
Μην ξεχάσεις να πάρεις άλλο εισιτήριο (από το περίπτερο) και να το επικυρώσεις. Δεν
μπορείς να συνεχίσεις με το ίδιο. Και το πρόστιμο είναι πολύ μεγάλο! *And the fine is very large / big.*
Η δεύτερη επιλογή είναι το μετρό. Ξεκινάει από το αεροδρόμιο με κατεύθυνση προς
Χαϊδάρι, αλλά εσύ κατεβαίνεις στον σταθμό «Ευαγγελισμός». Βγαίνεις από την έξοδο της
οδού Ριζάρη, γιατί από εκείνη τη μεριά είναι η στάση του 608. *because from that side is a stop for the 608*
Τώρα, αν πάρεις το λεωφορείο 608 από τον «Ευαγγελισμό», θα κατέβεις στην πέμπτη —
στάση Ζωγράφου. Η στάση είναι σε έναν κεντρικό δρόμο, την οδό Παπάγου. Θα
περάσεις απέναντι και θα βρεις την οδό Δημοκρατίας (είναι κάθετη στην Παπάγου). Θα
προχωρήσεις ευθεία πάνω. Κάποια στιγμή αλλάζει όνομα και γίνεται Πλευρώνος.
Συνεχίζεις όλο ευθεία και στο δεύτερο στενό θα στρίψεις αριστερά. Η διεύθυνσή μου
είναι Ιπποκρήνης 13.
Σου στέλνω τον χάρτη της περιοχής μου από το Google. *I'm sending you the map of my area from Google*
Η τρίτη επιλογή είναι το ταξί. Είναι πιο ξεκούραστο, αλλά θα σου κοστίσει πολύ πιο
ακριβά (γύρω στα 35 ευρώ) και, αν έχει κίνηση, μπορεί να αργήσεις αρκετά. Η πιάτσα
των ταξί βρίσκεται έξω από το κτίριο του αεροδρομίου, στην έξοδο 3.
Τα λέμε μεθαύριο. Αν έχεις πρόβλημα, πάρε τηλέφωνο.
Καλό ταξίδι.
Φιλάκια.
Μελέκ

*The taxi rank is situated outside the airport building, at exit 3.*
*We'll speak the day after tomorrow.*

## Πώς το λένε;

Έχεις τρεις επιλογές.
Βγαίνεις από την έξοδο 4.
Κατεβαίνεις στη στάση..., περνάς απέναντι, παίρνεις το λεωφορείο...
Έχει συχνά δρομολόγια.
Θα κατέβεις στη στάση, θα περάσεις απέναντι, θα βρεις την οδό Δημοκρατίας.
Είναι κάθετη στην Παπάγου. Θα προχωρήσεις ευθεία πάνω. Συνεχίζεις όλο ευθεία και στο δεύτερο στενό θα στρίψεις αριστερά.

## Λέξεις, λέξεις

δρομολόγιο (το)
επικυρώνω εισιτήριο
επιλογή (η)
κατεύθυνση (η)
πρόστιμο (το)
πτήση (η)

**1** **Σωστό ή λάθος;**

| | Σωστό | | Λάθος |
|---|---|---|---|
| 1. Η Ντιάνα φεύγει από τη Θεσσαλονίκη με την παρέα της. | ☐ | | ☑ |
| 2. Η Ντιάνα πηγαίνει πρώτη φορά στο σπίτι της Μελέκ. | ☐ | | ☐ |
| 3. Τα ταξί βρίσκονται έξω από την έξοδο 4 ή 5 του αεροδρομίου. | ☐ | | ☐ |
| 4. Η Ντιάνα είναι φοιτήτρια. | ☐ | | ☐ |
| 5. Αν η Ντιάνα πάρει το λεωφορείο Χ 95, πρέπει να κατεβεί στο Σύνταγμα. | ☐ | | ☐ |
| 6. Τα λεωφορεία για Ζωγράφου περνάνε πολύ συχνά. | ☐ | | ☐ |
| 7. Το λεωφορείο 608 περνάει από την οδό Παπάγου. | ☐ | | ☐ |
| 8. Η Μελέκ πιστεύει ότι το ταξί είναι μια οικονομική και γρήγορη επιλογή. | ☐ | | ☐ |
| 9. Αν η Ντιάνα πάρει το μετρό, θα κατέβει στην πέμπτη στάση Ζωγράφου. | ☐ | | ☐ |
| 10. Η οδός Πλευρώνος είναι κάθετη στην οδό Δημοκρατίας. | ☐ | | ☐ |

## Η σειρά μου τώρα

**2** **Απαντάω:**

Πώς κυκλοφορείς μέσα στην πόλη; Χρησιμοποιείς τις συγκοινωνίες (λεωφορεία, μετρό...);
Ποιο μεταφορικό μέσο προτιμάς;
Είναι συχνά τα δρομολόγια των μέσων μεταφοράς στη γειτονιά σου;
Χρησιμοποιείς αυτοκίνητο; Ποδήλατο;
Ποια είναι η πιο συνηθισμένη διαδρομή που κάνεις;
Ποια είναι η αγαπημένη σου διαδρομή στην πόλη;

## Για δες

### Αόριστες αντωνυμίες

| ο ίδιος | η ίδια | το ίδιο |
|---------|--------|---------|

– Τον κύριο Παναγιωτίδη, παρακαλώ.
– **Ο ίδιος**.

Δεν μπορεί να πάει κανένας άλλος. Πρέπει να πάω **η ίδια**.
Έχουμε **τους ίδιους** καθηγητές.

– Τι νέα;
– Τίποτα ιδιαίτερο. **Τα ίδια και τα ίδια**.

| άλλος | άλλη | άλλο |
|-------|------|------|

Πρέπει να πάρεις **άλλο** εισιτήριο. Δεν μπορείς να συνεχίσεις με το ίδιο.
Η **άλλη** γειτονιά ήταν πιο ήσυχη από αυτή.
Δεν είχε λεωφορεία. Έτσι, **άλλοι** πήραν ταξί και **άλλοι** γύρισαν με τα πόδια.
Έχουν δύο ποδήλατα. Το **ένα** για τον γιο τους και το **άλλο** για την κόρη τους.
Τον **άλλο** μήνα θα ψάξω για καινούριο σπίτι.
Δε θα έρθει μαζί μας **κανένας άλλος**;

Θα ήθελα **ένα άλλο** ποτήρι.
← I would like another glass (different)

Θα ήθελα **άλλο ένα** ποτήρι.

Θα ήθελα **ένα άλλο** ποτήρι (= όχι αυτό).
Θα ήθελα **άλλο ένα** ποτήρι (= ένα ποτήρι ακόμα).

I would like one more (an extra one)

### μόνος, μόνη, μόνο

Είναι **ο μόνος** φούρνος στην περιοχή.
Είναι **τα μόνα** λεωφορεία που περνάνε από εδώ.

| | |
|---|---|
| μόνος, μόνη, μόνο | μου |
| μόνος, μόνη, μόνο | σου |
| μόνος | του |
| μόνη | της |
| μόνο | του |
| μόνοι, μόνες, μόνα | μας |
| μόνοι, μόνες, μόνα | σας |
| μόνοι, μόνες, μόνα | τους |

Η Μαρίνα μένει **μόνη της**.
Σήμερα το παιδί πήγε στο σχολείο **μόνο του**.
Τον βρήκε στο γραφείο **μόνο του**. Κανένας άλλος
δεν ήταν εκεί.
Δε χρειάζεται να έρθεις κι εσύ. Θα πάμε **μόνες μας**.

**Η σειρά μου πάλι**

**3** Επιλέγω εισιτήριο. Διαλέγω από τον πίνακα και συμπληρώνω, όπως στο παράδειγμα.

άλλο, το ίδιο, άλλο, μόνος / μόνη σας, άλλα, άλλο, το ίδιο

1. Ενιαίο εισιτήριο μιάμισης ώρας για λεωφορεία, τρόλεϊ, ηλεκτρικό, μετρό, τραμ και προαστιακό: Με ___το ίδιο___ εισιτήριο μπορείτε να μπείτε σε όλα τα μέσα μεταφοράς. Αλλά για να πάτε στο αεροδρόμιο, χρειάζεστε _____ εισιτήριο, πιο ακριβό.

2. Εισιτήρια αεροδρομίου με μετρό: Αν ταξιδεύετε _____ , παίρνετε το απλό εισιτήριο. Αν είστε δύο ή τρία άτομα, είναι πιο φτηνό το ομαδικό εισιτήριο. Με _____ εισιτήριο μπαίνετε και σε _____ μεταφορικά μέσα (λεωφορείο, τραμ, άλλη γραμμή του μετρό...).

3. Ημερήσιο εισιτήριο: Ισχύει για 24 ώρες για όλα τα μέσα, αλλά και πάλι, αν χρειάζεστε να πάτε στο αεροδρόμιο, πρέπει να βγάλετε _____ εισιτήριο.

4. Μηνιαία κάρτα για λεωφορεία, τρόλεϊ, ηλεκτρικό, μετρό, τραμ και αστική ζώνη προαστιακού: αν χρησιμοποιείτε καθημερινά όλα τα μέσα μεταφοράς, σας συμφέρει να βγάλετε μηνιαία κάρτα για όλες τις διαδρομές σας και δε χρειάζεστε τίποτα _____ .

**4** Φτιάχνω διαλόγους, όπως στο παράδειγμα.

1. έρχεται ο Πέτρος μαζί σου / όχι, πηγαίνω
   – _Θα έρθει ο Πέτρος μαζί σου;_____
   – _Όχι, θα πάω μόνος μου / μόνη μου._____

2. σας παίρνουν οι γονείς σας από το αεροδρόμιο / όχι, ερχόμαστε
   – _____
   – _____

3. ετοιμάζει η Αλίκη τις βαλίτσες των παιδιών / όχι, τις ετοιμάζουν
   – _____
   – _____

4. ταξιδεύεις κι εσύ με τις αδερφές σου / όχι, ταξιδεύουν
   – _____
   – _____

5. φεύγουμε με τον Κώστα και τον Γιάννη για την Πάτρα / όχι, αυτοί φεύγουν
   – _____
   – _____

# Είναι μακριά η στάση;

**A12**

**Ντιάνα:** Συγνώμη που ενοχλώ... Θέλω να κατέβω στον «Ευαγγελισμό». Είναι μακριά η στάση; *Sorry to bother you  I want to go down to  Is the stop far away?*

**Οδηγός:** Έχει δρόμο ακόμα. Καθίστε και θα σας πω εγώ πότε είναι. *It has a way to go still. Sit down and I will tell you when it is*

**Ντιάνα:** Μπορώ να σας ρωτήσω κάτι; Μήπως ξέρετε πού είναι η στάση του 608 για Ζωγράφου; *Can I ask you something? Do you know where the stop of 608 is for Z?*

**Ένας κύριος:** Βεβαίως. Είναι λίγο παρακάτω. Πηγαίνετε ίσια μέχρι το φανάρι και θα τη δείτε στην απέναντι πλευρά του δρόμου. *Of course. It's a little down. Go straight and you will see it on the opposite side of the road*

**Ντιάνα:** Ευχαριστώ πολύ. Να σας πω... Ξέρετε πού μπορώ να βρω εισιτήρια; *Let me say... Do you know where I can find tickets?*

**Ένας κύριος:** Ρωτήστε στο περίπτερο. Συνήθως έχουν εκεί. *They usually have there*

**Μελέκ:** Έλα, Ντιάνα. Πού είσαι; Έχασες τον δρόμο; *Hi Diana  where are you?  Have you lost your way?*

**Ντιάνα:** Όχι. Όλα καλά. Είμαι στο λεωφορείο για το σπίτι σου. Μόνο που έχει φοβερή κίνηση. *I'm on the bus to your house  Only that there is dreadful traffic*

**Μελέκ:** Εντάξει. Θα έρθω να σε πάρω από τη στάση.

**Ντιάνα:** Τα λέμε σε λίγο. *I will come to pick you up from the stop*

 **Πώς το λένε;**

Συγνώμη που ενοχλώ ... *Sorry to bother you*

Μπορώ να σας ρωτήσω κάτι; *Can I ask you something?*

Να σας πω ... *Let me tell you...*

Έχασες τον δρόμο; *Have you lost your way?*

Μόνο που έχει φοβερή κίνηση. *Only that there is dreadful traffic*

Μήπως ξέρετε πού είναι η στάση ...; *Perhaps you know where is  the stop?*

Πηγαίνετε ίσια. *Go straight*

# 3 ενότητα

**5** **Συμπληρώνω την ιστορία.**

Η Ντιάνα παίρνει <u>το λεωφορείο</u> από το αεροδρόμιο και _____ πού είναι η στάση «Ευαγγελισμός». Η οδηγός τής λέει να καθίσει και _____ . Όταν κατεβαίνει από το πρώτο λεωφορείο, ψάχνει _____ . Ένας κύριος της λέει να προχωρήσει μέχρι το φανάρι και _____ . Η Μελέκ παίρνει τηλέφωνο τη Ντιάνα στο κινητό, γιατί φοβάται _____ και της λέει ότι θα _____ .

## Για δες

| | |
|---|---|
| Με συγχωρείτε...<br>Συγνώμη...<br>Μια ερώτηση...<br>Να σας πω... <br>Μπορώ να (σας) ρωτήσω κάτι;<br>Μου λέτε... *Tell me*<br>Παρακαλώ... | Μήπως ξέρετε... |

*how can I go to Piraeus?*

| | |
|---|---|
| ...πώς μπορώ να πάω στον Πειραιά; | Με το τρένο/λεωφορείο/ταξί. |
| ...πώς πάνε στο ταχυδρομείο; | Παίρνεις το λεωφορείο..., κατεβαίνεις στη στάση... |

*how do I get to the post office?*

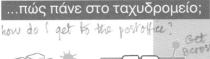

*Get across*

Πηγαίνεις ευθεία κάτω / όλο ευθεία / ίσια την οδό...
Περνάς απέναντι / Διασχίζεις την οδό... *you go straight down the street*
Στον πρώτο δρόμο *cross the street*
Στο δεύτερο στενό στρίβεις δεξιά. *at the second alley turn right*
Στο τρίτο τετράγωνο κάνεις αριστερά. *turn left*
Είναι κάθετη/παράλληλη στην Παπάγου. *it is vertical*
Στη γωνία θα δείτε το ταχυδρομείο.

*where is the stop?*

| | |
|---|---|
| ...πού είναι η στάση; | Στο αριστερό/δεξί σας χέρι θα δείτε τον σταθμό. |
| ...πού είναι ο σταθμός του μετρό; | Είναι αριστερά/δεξιά/ευθεία/απέναντι.<br>Είναι λίγο πιο πάνω / πιο κάτω / παρακάτω. *below / down* |
| ...πού μπορώ να βρω εισιτήρια; | Στον σταθμό. / Στο περίπτερο. / Στη στάση. |
| ...κάθε πότε περνάει το / έχει τρένο; | Κάθε είκοσι λεπτά. |

*How often does it pass?*
*How long does it take to get to the airport?*
*give or take*

| | |
|---|---|
| ...πόση ώρα κάνει μέχρι το αεροδρόμιο; | Μισή ώρα / Μια ώρα / Τρία τέταρτα περίπου/πάνω κάτω. |
| ...σε ποια στάση πρέπει να ανέβω;<br>να κατέβω; | Ανεβαίνεις στην αφετηρία. *Get on at the starting point*<br>Κατεβαίνεις στο τέρμα. *Get off at the terminus/end* |

*get on / get off*

| | |
|---|---|
| Υπάρχει καμία στάση εδώ κοντά; | Είναι εκατό μέτρα από 'δώ.<br>Είναι στα εκατό μέτρα.<br>Είναι στην οδό.... |

*Is there a stop nearby to here?*

*It's on the street...*

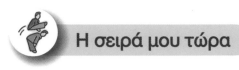 **Η σειρά μου τώρα**

**6** Ο Φου δίνει οδηγίες στον Πάμπλο και στην Αρλέτα πώς να πάνε στο σπίτι του, όπως στο παράδειγμα.

– Έλα, Πάμπλο. Διασχίζεις την πλατεία και παίρνεις την οδό _____
_____
_____
_____

– Έλα, Αρλέτα. _____
_____
_____
_____
_____

# 3 ενότητα

 **Παίζω έναν ρόλο**

**7** Θα δεις έναν κινηματογράφο στο δεξί σου χέρι.

**Ρόλος Α**
Μια φίλη / ένας φίλος μου έρχεται πρώτη φορά στο σπίτι μου. Με παίρνει τηλέφωνο από τον δρόμο και της/του δίνω οδηγίες πώς να έρθει.

**Ρόλος Β**
Πηγαίνω για πρώτη φορά στο σπίτι ενός φίλου / μιας φίλης και δε βρίσκω τον δρόμο. Παίρνω τηλέφωνο, λέω πού ακριβώς βρίσκομαι και ζητάω οδηγίες.

 **Λέξεις, λέξεις**

**Παίρνω**
> το λεωφορείο.
> ένα ταξί.

**Παίρνω**
> κάποιον από το αεροδρόμιο.
> την Ντιάνα από τη στάση.
> τα παιδιά από το σχολείο.

 To take, to get, to collect, move, gain

**παίρνω**

 I spend (time) pass by

**περνάω - περνώ**

**8** *Παίρνω* ή *περνάω*; Συμπληρώνω με το σωστό ρήμα στον σωστό τύπο, όπως στο παράδειγμα.

1. Πού ήσουν; Σε _παίρνω_ τηλέφωνο από το πρωί!
2. Δώδεκα και μισή. Πώς _____ η ώρα. Δώδεκα και μισή. Πώς _____ τα χρόνια[1].
3. Έλα κι εσύ μια φορά μαζί μας. Συνήθως _____ πολύ ωραία.
4. Γιατί δεν _____ το μετρό; Σίγουρα θα φτάσεις πιο γρήγορα.
5. Τα μικρά παιδάκια δεν _____ ποτέ τον δρόμο μόνα τους. Κατάλαβες; Είναι πολύ επικίνδυνο!
6. – Με συγχωρείτε, κάθε πότε _____ το λεωφορείο για Πειραιά;
   – Δεν έχω ιδέα. Κι εγώ αυτό περιμένω.
7. Συγνώμη, κύριε. _____ τη βαλίτσα σας από εδώ; Ενοχλεί.
8. – Θα _____ να σε _____ αύριο κατά τις 8:00, εντάξει;
   – Οκέι. Θα είμαι έτοιμος.
9. Αγγελική, αν πας στο ψιλικατζίδικο, μου _____ πέντε εισιτήρια;

---

[1] Κ. Καβάφης, «Απ' τες Εννιά». (*Ποιήματα. Ίκαρος*, 1984).

I did not expect to make/do/take so many hours/so long

# Δεν περίμενα να κάνω τόσες ώρες

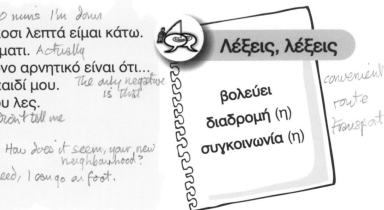

**A13** στο σπίτι της Μελέκ

**Μελέκ:** Εντάξει; Δεν είχες *(you had)* κανένα πρόβλημα; *(no problem)*

**Ντιάνα:** Όχι, κανένα. *(No, none)* Κάποια στιγμή βέβαια ένιωσα τόσο κουρασμένη, που αποφάσισα να πάρω ταξί. Σταμάτησε ένα, αλλά είχε κι άλλον πελάτη μέσα.

*At some point, of course, I felt so tired that I decided to take a taxi. He stopped but he had another customer inside*

**Μελέκ:** Έτσι γίνεται συνήθως. *(This is how it usually happens)*

**Ντιάνα:** Ξέρω, ξέρω. Αλλά δεν ήξερα αν η διαδρομή βολεύει και έτσι προτίμησα το λεωφορείο.

*But I didn't know if the route is convenient and so preferred the bus.*

**Μελέκ:** Καλά έκανες. Πάντως, δεν άργησες και τόσο. *(Well done. However, you were not so late.)*

**Ντιάνα:** Η αλήθεια είναι ότι δεν περίμενα να κάνω τόσες ώρες. Αλλά είχε τέτοια κίνηση! Α, ναι. Όταν ήμουν στη στάση, κάποιος με ρώτησε πώς πάνε στο Σύνταγμα. Είχε πολλή πλάκα. Του απάντησα ότι είναι η πρώτη φορά στη ζωή μου που βρίσκομαι στην Αθήνα!

*The truth is I didn't expect to do so many hours. But there was such traffic. Ah, yes. When I was at the stop someone asked me how to go to Sintagma.* *(it was funny)* *(I replied that it was the first time in my life that I am in Athens)*

**Μελέκ:** Άκου να δεις... *(Let me tell you / Well I never!)*

**Ντιάνα:** Λοιπόν, πώς σου φαίνεται η καινούρια σου γειτονιά; *(Well, how does your new neighbourhood appear to you?)*

**Μελέκ:** Μια χαρά. Το πιο σημαντικό είναι ότι είμαι κοντά στο Πανεπιστήμιο και δε χάνω πολλές ώρες στα λεωφορεία. Στην ανάγκη, μπορώ να πάω και με τα πόδια. Βέβαια, δεν είμαι πια στο κέντρο, αλλά τι να κάνουμε; Δεν μπορούμε να τα έχουμε όλα... Τουλάχιστον έχει συχνές συγκοινωνίες. Σε είκοσι λεπτά είμαι κάτω.

*The most important thing is that I'm close to the uni and I don't waste many hours on the bus. In case of need, I can also go on foot. Of course, I'm not in the centre any more, but what can we do? We cannot have it all/everything. At least it has frequent transport. In 20 mins I'm down/there.*

**Ντιάνα:** Πάντως φαίνεται πολύ ζωντανή περιοχή. *(However, it seems a very lively area)*

**Μελέκ:** Πράγματι. Μένουν πολλοί φοιτητές και τα έχει όλα: καφετέριες, μαγαζιά, τράπεζες. Το μόνο αρνητικό είναι ότι δεν υπάρχει κανένα πάρκο κοντά στο σπίτι μου.

*Indeed. Many students live here and it has it all: cafés, shops, banks. The only negative/drawback is there is no park near to my house.*

**Ντιάνα:** Έχεις δίκιο. Πολύ τσιμέντο η Αθήνα, βρε παιδί μου... Δε μου λες, τι σχέδια έχουμε για σήμερα;

*You were right. Athens (has) a lot of cement, my friend... You didn't tell me, what plans do we have for today?*

## 🔑 Πώς το λένε;

*That is how it is usually happens*
Έτσι γίνεται συνήθως.
Ξέρω, ξέρω. *I know, I know*
Καλά έκανες. *Well done!*
Πάντως, δεν άργησες και τόσο. *However you were not so late*
Δεν περίμενα να κάνω τόσες ώρες... *I did not expect to take so long*
Είχε πολλή πλάκα. *I was a lot of fun*
Άκου να δεις. *Hear to see*
Πώς σου φαίνεται η καινούρια σου γειτονιά; *How does it seem, your new neighbourhood?*
Στην ανάγκη, πάω και με τα πόδια. *In case of need, I can go on foot.*
Τουλάχιστον έχει συχνές συγκοινωνίες.
*At least it has frequent transport*

*In 20 mins I'm down*
Σε είκοσι λεπτά είμαι κάτω.
Πράγματι. *Actually*
Το μόνο αρνητικό είναι ότι... *The only negative is that*
Βρε παιδί μου.
Δε μου λες. *You didn't tell me*

## ☕ Λέξεις, λέξεις

βολεύει *convenient*
διαδρομή (η) *route*
συγκοινωνία (η) *transport*

**9** **Απαντάω:**

1. Γιατί η Ντιάνα δεν πήρε ταξί;

_____

_____

2. Γιατί είχε πλάκα η συνάντηση της Ντιάνας με τον κύριο;

_____

_____

3. Τι νομίζει η Μελέκ για τη γειτονιά της;

_____

_____

 **Η σειρά μου τώρα**

**10** **Απαντάω:**

Πόσο συχνά παίρνεις ταξί; Είχες ποτέ κανένα πρόβλημα ή καμία αστεία συζήτηση μέσα στο ταξί;

Πώς είναι τα ταξί και οι ταξιτζήδες στην πόλη σου;

Πώς είναι οι Έλληνες οδηγοί; Πώς οδηγεί ο κόσμος στη χώρα σου / στην περιοχή σου / στην πόλη σου;

 **Για δες**

Demonstrative Pronouns

## Δεικτικές αντωνυμίες

I want one

Θέλω ένα τέτοιο.

| τέτοιος (= όπως αυτός) | τέτοια (= όπως αυτή) | τέτοιο (= όπως αυτό) |
|---|---|---|
| *like him* / *such* | | |
| Πρώτη φορά γνωρίζω **τέτοιον** άνθρωπο. *The first time I met such a person* | **Τέτοια** δυσκολία δεν την περίμενα. *I did not expect such difficulty* | Θέλω ένα **τέτοιο**. Πρώτη φορά ακούω κάτι **τέτοιο**. *first time I hear such a thing* |
| **Τέτοιοι** οδηγοί είναι επικίνδυνοι. *such drivers are dangerous* | **Τέτοιες** γειτονιές μού αρέσουν πολύ. *I really like such neighbourhoods* | Είχα κι εγώ **τέτοια** προβλήματα. *I also had such problems* |
| **Τέτοιους** δρόμους που έχει η Αθήνα, πώς να μην έχει κίνηση! *Such streets that Athens has, how not to have traffic* | **Τέτοια** ώρα **τέτοια** λόγια! *such time such words* | Εμείς δεν κάνουμε **τέτοια** πράγματα. *We do not do such things* |

| τόσος *so much* | τόση | τόσο |
|---|---|---|
| Είχε **τόσο** κόσμο, που φύγαμε. *It was so crowded that we left* | Η κίνηση ήταν **τόση**, που έφτασα πολύ αργά. *The traffic was so great/much that I arrived late* | Δεν είχε και **τόσο** κρύο. *It wasn't so cold.* |
| Δεν περίμενα να συναντήσω **τόσους** γνωστούς. *I did not expect to meet so many acquaintances* | Πού ήσουν; Σε ψάχνω **τόσες** ώρες! *Where were you? I've been looking for you for so many hours* | Έχω **τόσα** πράγματα να κάνω! *I have so many things to do* |
| | – Πόση ζάχαρη θέλεις; | |
| | – **Τόση**. *How much sugar do you want? So much A lot* | |

**1.1** Συμπληρώνω με *τόσος, -η, -ο* ή *τέτοιος, -α, -ο* στον σωστό τύπο.

1. _Τόσα_ ταξί στον δρόμο και όλα ήταν γεμάτα.

2. _____ αυτοκίνητο θέλω να αγοράσω. Σου αρέσει;

3. Περίμενα _____ ώρα το λεωφορείο, που έχασα το ραντεβού με τον γιατρό.

4. Με _____ αυτοκίνητα παρκαρισμένα στα πεζοδρόμια, πώς να περπατήσεις;

5. Τι όμορφος ο Βόλος! _____ πόλεις μού αρέσουν.

6. Σου το είπα _____ φορές: _____ ώρα έχει πάντα κίνηση στο κέντρο.

7. Πώς να κάνει ποδήλατο κανείς σε _____ δρόμους με _____ αυτοκίνητα;

8. Είχε _____ κόσμο στη στάση, που δεν μπόρεσα να μπω στο λεωφορείο.

 **Για δες**

| Αόριστες αντωνυμίες | | |
|---|---|---|
| **κανένας/κανείς** **κανενός** **κανέναν** | Είναι **κανείς** ( = κάποιος) εδώ; Υπάρχει **κανένας** (= κάποιος) σταθμός του μετρό εδώ κοντά; Πρέπει να επικυρώσεις το εισιτήριό σου. Μπορεί να μπει **κανένας** (= ένας) ελεγκτής. Είναι **κανενός** αυτό το αυτοκίνητο; | **Κανένας** (= ούτε ένας) δεν ήταν στη στάση του λεωφορείου. |
| **καμία/καμιά** **καμίας/καμιάς** **καμία/καμιά** | Υπάρχει **καμία** (= κάποια) στάση εδώ κοντά; Πάρε **καμιά** (= μια) ασπιρίνη. | Όχι, δε βλέπω **καμία** (= ούτε μία). Δε βλέπω **καμία** (= ούτε μία) στάση εδώ κοντά. |
| **κανένα** **κανενός** **κανένα** | Βλέπεις **κανένα** (= κάποιο) ταξί; Πρέπει να αγοράσω **κανένα** (= ένα) εισιτήριο. | Όχι, δε βλέπω **κανένα** (= ούτε ένα). Δεν υπάρχει **κανένα** (= ούτε ένα) αυτοκίνητο στον δρόμο. |
| **τίποτα/τίποτε** | Θέλεις **τίποτα** (= κάτι) από το περίπτερο; Θέλετε **τίποτα** (=κάτι) **άλλο**; | Δε θέλω **τίποτα**. Εγώ δεν άκουσα **τίποτα τέτοιο**. Δεν αγόρασα **τίποτα καινούριο**. |

 Καμιά φορά πάμε με κανέναν φίλο σου πουθενά να φάμε τίποτα;

# 3 ενότητα

**1·2** **Συμπληρώνω με τα *κανένας – καμία – κανένα – τίποτα* στον σωστό τύπο.**

1. Στη γειτονιά μου υπάρχει ένα μεγάλο σούπερ μάρκετ, αλλά δεν υπάρχει *κανένα* περίπτερο.
2. Έχω πονοκέφαλο. Μου φέρνεις _____ ασπιρίνη;
3. Πώς είναι το καινούριο σου σπίτι; Γνώρισες _____ γείτονα;
4. Πάω στον φούρνο. Θέλεις _____ ;
5. Πείνασα. Γιατί δεν πήραμε μαζί μας _____ σάντουιτς; Και δε βλέπω _____ ταβέρνα εδώ κοντά.
6. Μιλήσαμε _____ ώρα, αλλά δε βρήκαμε _____ λύση στο πρόβλημά μας.

 **Για δες**

| Αόριστες αντωνυμίες | | |
|---|---|---|
| **κάποιος** (= ένας)<br>κάποιου<br>κάποιον | **κάποια** (= μια)<br>κάποιας<br>κάποια | **κάποιο** (= ένα)<br>κάποιου<br>κάποιο |
| κάποιοι<br>κάποιων<br>κάποιους | κάποιες<br>κάποιων<br>κάποιες | κάποια<br>κάποιων<br>κάποια |

| | | |
|---|---|---|
| **Κάποιος** σε ζητάει.<br>Περιμένετε **κάποιον**;<br>Θα πάμε με το αυτοκίνητο **κάποιων** φίλων.<br>Αύριο θα γνωρίσουμε **κάποιους** καινούριους συναδέλφους. | Θα έρθω **κάποια** στιγμή να σε δω.<br>Είναι το παιδί **κάποιας** γειτόνισσας.<br>**Κάποιες** ώρες η κίνηση στους δρόμους είναι μεγάλη. | – Ποιος χτύπησε την πόρτα;<br>– Μάλλον **κάποιο** παιδί από τη γειτονιά.<br>Ξύπνησα από τη μηχανή **κάποιου** αυτοκινήτου.<br>Έχει **κάποια** προβλήματα αυτό τον καιρό. |

| **κάτι** | Ήθελα να σου πω **κάτι**, αλλά δε θυμάμαι τι.<br>Ξέρεις **κάτι**; Θα έρθω μαζί σου τελικά.<br>Θέλετε **κάτι άλλο**;<br>Πρώτη φορά ακούω **κάτι τέτοιο**.<br>Αγόρασα **κάτι ωραίο**.<br>Αυτή η γειτονιά έχει **κάτι δρόμους**!<br>– Τι ώρα είναι;<br>– Πέντε **και κάτι**. |
|---|---|

| | |
|---|---|
| κάπ**οιος** | κάπ**οιοι** |
| τέτ**οιος** | τέτ**οιοι** |

**1.3** Κάποια πράγματα που έγιναν τον περασμένο χρόνο.
Φτιάχνω προτάσεις με τα *κάποιος – κάποια – κάποιο* στον σωστό τύπο.

1. γνώρισα / καινούριοι φίλοι: *Γνώρισα κάποιους καινούριους φίλους.*
2. είδα / πολύ καλές ταινίες: _____
3. διάβασα / ωραία βιβλία: _____
4. είχα πρόβλημα με / συνάδελφος: _____
5. ταξίδεψα / με φίλες μου: _____
6. γνωστοί μου / έχασαν τη δουλειά τους: _____
7. έκλεψαν το αυτοκίνητο / φίλων μου: _____
8. πήρε φωτιά / το σπίτι γείτονα: _____

## Παίζω έναν ρόλο

**1.4** Τα εισιτήριά σας, παρακαλώ.

**Ρόλος Α**
Είμαι μέσα στο μετρό και μπαίνει ελεγκτής. Δείχνω τη μηνιαία κάρτα μου, αλλά μου λέει ότι πρέπει να πληρώσω πρόστιμο. Είναι πρώτη του μήνα και εγώ έχω ακόμα την παλιά κάρτα!

**Ρόλος Β**
Είμαι ελεγκτής στο μετρό. Ένας κύριος / μια κυρία μού δείχνει μια κάρτα του προηγούμενου μήνα. Του/της λέω ότι πρέπει να πληρώσει πρόστιμο.

## Γράψε-σβήσε

**1.5** Ταξί! Ταξί! (140 λέξεις)

*Εκείνη τη μέρα αποφάσισα να πάρω ταξί, γιατί* _____

**1.6** Διαβάζω το κείμενο και συμπληρώνω τον πίνακα, όπως στο παράδειγμα.

## «Μέρα χωρίς αυτοκίνητο»

Εκατοντάδες μεγαλουπόλεις σε όλη την Ευρώπη γιορτάζουν στις 22 Σεπτεμβρίου την «Ημέρα χωρίς Αυτοκίνητο» και ανακοινώνουν:

- τα μέτρα που παίρνουν για τη λύση του κυκλοφοριακού προβλήματος
- διαφορετικούς τρόπους μετακίνησης των κατοίκων, πέρα από το αυτοκίνητο.

Στην Ελλάδα, και ειδικότερα στην Αθήνα, που έχει και το μεγαλύτερο πρόβλημα, η πολιτική είναι διαφορετική. Στις 22 Σεπτεμβρίου το Υπουργείο Μεταφορών «χαρίζει» στους πολίτες το εισιτήριο για τα Μέσα Μαζικής Μεταφοράς. Επίσης, ο Δήμος της Αθήνας «κλείνει» το κέντρο στα αυτοκίνητα για μια μέρα.

Ο κ. Γιάννης Γκόλιας, διευθυντής του Εργαστηρίου Κυκλοφοριακής Τεχνικής του Εθνικού Μετσόβιου Πολυτεχνείου, τονίζει τον διαφορετικό τρόπο με τον οποίο αντιμετωπίζει η Ελλάδα την «Ευρωπαϊκή Ημέρα χωρίς Αυτοκίνητο»: «Η μέρα αυτή είναι μια γιορτή για τις πόλεις, για να δείξουν τα μέτρα που πήραν για την αντιμετώπιση του κυκλοφοριακού. Η δωρεάν χρήση των Μέσων Μαζικής Μεταφοράς και το να κλείνουμε τους δρόμους για μια μέρα δε σημαίνουν τίποτα, όταν όλον τον υπόλοιπο χρόνο έχουμε τόσα αυτοκίνητα στην πόλη».

Η μέση ταχύτητα στην ελληνική πρωτεύουσα είναι 12-14 χιλιόμετρα την ώρα, ενώ ο ευρωπαϊκός μέσος όρος είναι 18-20 χιλιόμετρα την ώρα. Μεγάλη είναι, επίσης, η δυσκολία να βρει κανείς θέση στάθμευσης στην Αθήνα, καθώς χρειάζεται δύο ή τρεις φορές περισσότερο χρόνο για να παρκάρει απ' ό,τι σε άλλες πόλεις της Ευρώπης.

Μέτρα για λιγότερα αυτοκίνητα στο κέντρο της πόλης προτείνει ο κ. Γκόλιας. «Τέτοια μέτρα μπορεί να είναι, π.χ., η πεζοδρόμηση του κέντρου της πόλης ή τα διόδια. Να πληρώνει δηλαδή ο οδηγός που χρησιμοποιεί το αυτοκίνητό του για να μπει στο κέντρο».

Το κυκλοφοριακό πρόβλημα έχει όμως και αρκετά σημαντικό «κόστος»: χάνουμε χρόνο (χρειαζόμαστε δύο φορές περισσότερη ώρα για να πάμε στη δουλειά μας τις ώρες που υπάρχει κίνηση) και χρήμα (καίμε περισσότερη βενζίνη), ενώ τα καυσαέρια των αυτοκινήτων βλάπτουν την υγεία και καταστρέφουν το περιβάλλον.

Η ΕΛΠΑ υποστηρίζει ότι πρέπει να βρούμε διαφορετικούς τρόπους μετακίνησης, όπως είναι τα δίκυκλα και τα ποδήλατα, τα αυτοκίνητα νέας τεχνολογίας και τα Μέσα Μαζικής Μεταφοράς.

Οι μελέτες του Εργαστηρίου Κυκλοφοριακής Τεχνικής δείχνουν ότι στο μέλλον η κίνηση στους κεντρικούς δρόμους θα είναι πάρα πολύ δύσκολη: Κάθε χρόνο έχουμε 200.000 περισσότερα αυτοκίνητα στην Ελλάδα, και τα μισά από αυτά είναι στην Αττική.

(στοιχεία από το: *www.kathimerini.gr*, 23/09/2007)

α. Η «Ημέρα χωρίς Αυτοκίνητο» γιορτάζεται
β. Την ημέρα αυτή οι ευρωπαϊκές πόλεις ανακοινώνουν
γ. Στις 22 Σεπτεμβρίου το Υπουργείο Μεταφορών
δ. Ο κύριος Γκόλιας πιστεύει ότι
ε. Η μέση ταχύτητα των αυτοκινήτων στην Αθήνα

1. κλείνει το κέντρο της Αθήνας για τα αυτοκίνητα.
2. είναι μικρότερη από τον ευρωπαϊκό μέσο όρο.
3. στις 22 Σεπτεμβρίου μόνο στην Αθήνα.
4. 200.000 περισσότερα αυτοκίνητα στην Αττική.
5. χρειάζεσαι δύο ή τρεις φορές περισσότερο χρόνο απ' ό,τι στην Αθήνα για να βρεις πάρκινγκ.
6. μας κοστίζει σε χρόνο και οδηγεί στην καταστροφή του περιβάλλοντος.
7. δωρεάν εισιτήρια για τα λεωφορεία και το μετρό.

α 11
____
____
____
____
____
____

στ. Σε άλλες πόλεις της Ευρώπης

ζ. Μια πρόταση του κυρίου Γκόλια για λιγότερα αυτοκίνητα στο κέντρο της πόλης

η. Το κυκλοφοριακό πρόβλημα

θ. Κάθε χρόνο έχουμε

ι. Μία λύση που προτείνει η ΕΛΠΑ είναι

8. τα διόδια στο κέντρο της πόλης.

9. μέτρα για τη λύση του κυκλοφοριακού προβλήματος.

10. χρειάζεσαι περίπου τον μισό χρόνο για να παρκάρεις απ' ό,τι στην Αθήνα.

11. σε πολλές ευρωπαϊκές πόλεις.

12. είναι να πληρώνει διόδια ο οδηγός του αυτοκινήτου που μπαίνει στο κέντρο.

13. είναι μεγαλύτερη από τον ευρωπαϊκό μέσο όρο.

14. να χρησιμοποιούμε ποδήλατο στην πόλη.

15. οδηγεί σε αύξηση της τιμής της βενζίνης.

16. προσφέρει ελεύθερη είσοδο στα Μέσα Μαζικής Μεταφοράς.

17. το να κλείνουμε τους δρόμους για τα αυτοκίνητα αυτή τη μέρα είναι μια πολύ ωραία ιδέα.

18. 200.000 περισσότερα αυτοκίνητα στην Ελλάδα.

19. η Ελλάδα δεν έχει σωστή πολιτική για τη λύση του κυκλοφοριακού προβλήματος.

 **Παίζω έναν ρόλο**

**1.7** Ποδήλατο ή αυτοκίνητο;

**Ρόλος Α**

Μιλάω με μια φίλη / έναν φίλο για το πώς κυκλοφορούμε στην πόλη μας και εξηγώ γιατί προτιμώ το ποδήλατο από το αυτοκίνητο.

**Ρόλος Β**

Μιλάω με μια φίλη / έναν φίλο για το πώς κυκλοφορούμε στην πόλη μας. Εξηγώ ότι το ποδήλατο στην πόλη μας είναι επικίνδυνο και γι' αυτό εγώ προτιμώ το αυτοκίνητο.

**1.8** Γράφω 5 λόγους που προτιμώ το ποδήλατο ή 5 λόγους που δεν το προτιμώ.

επικίνδυνο – γρήγορο – εύκολο – οικονομικό – ευχάριστο – υγιεινό – κουραστικό

1. _____

2. _____

3. _____

4. _____

5. _____

## Είμαι όλος αυτιά  A14

**1.9** Οι δρόμοι της πόλης. Ακούω μια ραδιοφωνική εκπομπή και συμπληρώνω τον πίνακα που ακολουθεί, όπως στο παράδειγμα.

**Σωστό ή λάθος;** | | Σωστό | | Λάθος |
|---|:---:|:---:|:---:|
| 1. «Οι δρόμοι της πόλης» είναι μια εκπομπή στο ραδιόφωνο. | ☑ | | ☐ |
| 2. Η αγαπημένη διαδρομή του Δημήτρη Καταλειφού είναι από την πλατεία Εξαρχείων προς την οδό Ιπποκράτους. | ☐ | | ☐ |
| 3. Στην περιοχή των Εξαρχείων μπορεί να συναντήσει κανείς θερινούς κινηματογράφους. | ☐ | | ☐ |
| 4. Ο ηθοποιός και σκηνοθέτης Δημήτρης Καταλειφός ζει στα Εξάρχεια. | ☐ | | ☐ |
| 5. Το «Βοξ» είναι βιβλιοπωλείο, σινεμά και καφέ. | ☐ | | ☐ |
| 6. Ο κύριος Καταλειφός πηγαίνει στο «Βοξ» μόνο για επαγγελματικά ραντεβού. | ☐ | | ☐ |
| 7. Το Αιγάλεω είναι δέκα λεπτά από το κέντρο της Αθήνας με το λεωφορείο. | ☐ | | ☐ |
| 8. Αυτή την εποχή ο κύριος Καταλειφός πηγαίνει με το μετρό από τον Ευαγγελισμό στον Κεραμεικό. | ☐ | | ☐ |
| 9. Το θέατρο «Εμπρός» δεν υπάρχει πια. | | | |
| 10. Σύμφωνα με τον ηθοποιό, η περιοχή του Ψυρρή δεν έχει πια καμία ομορφιά. | ☐ | | ☐ |
| 11. Ο Δημήτρης Καταλειφός πίνει καμιά φορά τον καφέ του στην περιοχή του Ψυρρή. | ☐ | | ☐ |
| 12. Η απογευματινή πρόβα του είναι στην περιοχή του Ψυρρή. | ☐ | | ☐ |
| 13. Συνήθως πηγαίνει στο «Απλό Θέατρο» με τα πόδια. | ☐ | | |
| 14. Ο Δημήτρης Καταλειφός προγραμματίζει να ζήσει στο μέλλον μακριά από το κέντρο της πόλης. | ☐ | | ☐ |

## Φωνή-γραφή

| παράδειγμα | | όπως: |
|---|---|---|
| εισιτήρια, αεροδρόμιο | /i/ + /a/, /e/, /o/, /u/ → [ia], [ie], [io], [iu] | |
| ποια, ποιες, ποιοι ποιος, ποιους | /p/, /t/, /ts/, /f/, /θ/, /x/ /s/ + /i/ + /a/, /e/, /i/, /o/, /u/ → [x̃a], [x̃e], [x̃i], [x̃o], [x̃u] | χέρι, όχι |
| καινούρια, καινούριες, καινούριοι, καινούριο, καινούριους | /b/, /d/, /dz/, /v/, /δ/, /γ/, /z/, /r/ + /i/ + /a/, /e/, /i/, /o/, /u/ → [ja], [je], [ji],[jo], [ju] | Γερμανία, γεια |
| μια, ζημιές | /m/ + /i/ + /a/, /e/, /i/, /o/, /u/ → [mña], [mñe], [mñi], [mño], [mñu] | |
| γειτονιά, γειτονιές, νιώθω | /n/ + /i/ + /a/, /e/, /i/, /o/, /u/ → [ña], [ñe], [ñi], [ño], [ñu] | |
| παλιά, παλιές, παλιοί, παλιό, παλιούς | /l/ + /i/ + /a/, /e/, /i/, /o/, /u/ → [l̃a], [l̃e], [l̃i], [l̃o], [l̃u] | |

Μια πάπια μα ποια πάπια; Μια πάπια με παπιά.

**2.0** Υπογραμμίζω τη λέξη που ακούω πρώτη, όπως στο παράδειγμα.

1. μπανάνα – μπανανιά
2. πανί – πανιά
3. μανταρίνι – μανταρίνια
4. ένα – εννιά
5. χρόνοι – χρόνια
6. χαλί – χαλιά
7. γυαλί – γυαλιά
8. έλα – ελιά
9. γυάλα – γυαλιά
10. σκάλα – σκαλιά
11. σχολείο – σχολειό
12. γέλα – γέλια
13. σκύλοι – σκυλιά
14. καλά – κιάλια
15. άλλους – παλιούς
16. δουλεία – δουλειά
17. πορτοκάλι – πορτοκάλια
18. μήλα – μηλιά
19. φίλα – φιλιά
20. βιβλίο – βιβλία

**2.1** Ακούω και βάζω τις λέξεις στη σωστή στήλη ή στις σωστές στήλες, όπως στο παράδειγμα.

γυαλιά, τέτοιος, κάποιος, σπίτια, ίδιος, ίσια, μια, καμιά, νιώθω, μάτια, αλήθεια, μαγαζιά, γιατρός, άδειος, ήλιος, ελιά, γιαγιά, εννιά, μία, δυο, παιδιά, πιάνω, διώχνω, βιάζομαι, δρομολόγιο, δρομολόγια, σαλόνια, κτίριο, σχέδια, βιβλία, μεριά, Ντιάνα, διαδρομή, πόδια, δύο

| [i] | [x̃] | [j] | [ĩ] | [mñ] | [ñ] |
|---|---|---|---|---|---|
| | | γυαλιά | γυαλιά | | |

# 3 ενότητα

 **Γράψε-σβήσε**

**2.2** Στη γειτονιά μου υπάρχουν αρκετά προβλήματα (πολλά αυτοκίνητα, μικρά πεζοδρόμια, λίγες θέσεις στάθμευσης, σκουπίδια στους δρόμους...). Γράφω ένα γράμμα στη/στον Δήμαρχο για τα προβλήματα αυτά και προτείνω λύσεις. (130-150 λέξεις)

*Αξιότιμη κυρία / Αξιότιμε κύριε,*

_____

_____

_____

_____

_____

_____

_____

_____

*Με εκτίμηση,*

_____

**Για θυμήσου**

**2.3** Διαλέγω τη σωστή λέξη, όπως στο παράδειγμα.

1. Υπάρχουν <u>*δρομολόγια*</u> από Θεσσαλονίκη για Καβάλα κάθε μία ώρα.
   α. δρομολόγια                 β. διαδρομές

2. – Μα, κύριε, δε βρήκα εισιτήριο σε κανένα περίπτερο. Τι να κάνω; Να μην ανέβω στο λεωφορείο;
   – Λυπάμαι, κυρία μου. Πρέπει να πληρώσετε _____ .
   α. διόδια                 β. πρόστιμο

3. – Αν αποφασίσετε να έρθετε στο χωριό το Σαββατοκύριακο, είναι καλύτερα να φύγετε από το σπίτι νωρίς. Η _____ είναι μεγάλη.
   α. κατεύθυνση                 β. διαδρομή

4. Καλώς ήρθατε! Πώς ήταν η _____ σας;
   α. πτήση                 β. συγκοινωνία

5. – Σε _____ αύριο στις 12 στο γραφείο μου;
   – Ναι, μια χαρά. Τα λέμε εκεί.
   α. κάνει                 β. βολεύει

**2.4** Διορθώνω τα λάθη που είναι υπογραμμισμένα με τα *τόσος, άλλος, κάποιος, κανένας, μόνος, ίδιος, παίρνω* στον σωστό τύπο.

Ο <u>ίδιος</u> τρόπος για να φτάσεις στο σπίτι μου είναι με το λεωφορείο 112. Δεν υπάρχει <u>τέτοιο</u> μέσο συγκοινωνίας που να βολεύει. <u>Περνάς</u> λοιπόν το 112 από τον σταθμό του μετρό. Κανονικά χρειάζεσαι ένα τέταρτο μέχρι το τέρμα, αλλά αν είναι μεσημέρι <u>τόσες</u> φορές έχει <u>καμιά</u> κίνηση που μπορεί να κάνεις μισή ώρα. Ποτέ δεν είναι <u>το άλλο</u>. Δεν είναι κακή ιδέα να έχεις <u>άλλη</u> εφημερίδα μαζί σου (αν βέβαια βρεις <u>τόση</u> θέση να καθίσεις...). <u>Η ίδια</u> λύση είναι να πάρεις ταξί.

**2.5** Γράφω τις λέξεις που έμαθα.

_____

_____

_____

_____

_____

_____

_____

# Είναι πανάκριβα!

- Πώς σας φαίνεται;
- Μπορώ να το αλλάξω;

- φαρδύς, φαρδιά, φαρδύ
- καφετής, καφετιά, καφετί

## Να βοηθήσω;
*Can I help?*

**A17**  Σάββατο πρωί στο Μοναστηράκι

**Πωλητής:** Καλημέρα σας. Να βοηθήσω; *Can I help?*

**Μαρίνα:** Καλημέρα. Θα ήθελα ένα ζευγάρι αθλητικά παπούτσια. *sports shoes / trainers*

**Πωλητής:** Είδατε κάτι που σας άρεσε στη βιτρίνα;

**Μαρίνα:** Εκείνα εκεί αριστερά. Στην άκρη. *Those there on the left. On the edge*

**Πωλητής:** Α, μάλιστα. Κάνατε πολύ καλή επιλογή. Τι νουμεράκι να σας φέρω; *Certainly  You made a very good choice. What size should I bring?*

**Μαρίνα:** Συνήθως μου κάνει το τριάντα εφτά, αλλά μερικές φορές παίρνω και το τριάντα οχτώ. Εξαρτάται... *Usually 37 suits me but I also get 38. It depends.*

**Πωλητής:** Αυτά έχουν φαρδιά φόρμα. Νομίζω ότι το τριάντα εφτά θα είναι μια χαρά. Τι χρωματάκι θέλουμε; Το έχω σε μαύρο, άσπρο, καφετί... εμ... κόκκινο και πορτοκαλί. *These are a wide fitting  I think that the 37 will be fine.  Which colour do we want? I have it in —, —, brown  well, not orange.*

**Μαρίνα:** Ε, όχι και πορτοκαλί. Δεν είμαι και κανένα κοριτσάκι! Προτιμώ το μαύρο. Το συνδυάζεις με πολλά χρώματα. *I am not a little girl! You (can) combine it with many colours*

**Πωλητής:** Γιάννη, φέρε από την αποθήκη ένα τριάντα εφτά μαύρο για την κυρία! *bring from the warehouse/stockroom a 37 black*

**Γιάννης:** Αμέσως!

.........................................................................

**Πωλητής:** Πώς σας φαίνεται; *How does it feel? How does it appear to you?*

**Μαρίνα:** Μμμ... Δεν ξέρω. Δε με τρελαίνει. *I'm not crazy (about them)*

**Πωλητής:** Μα τι λέτε; Είναι πολύ ωραίο στο πόδι σας. *What are you talking about? They are very nice*

**Μαρίνα:** Μου δίνετε και το αριστερό; Για να τα περπατήσω λίγο. *Can you give me also the left one? To walk (with) them a little/bit*

**Πωλητής:** Ευχαρίστως. Σας στενεύουν; *Gladly. Are they tight (for you?)*

**Μαρίνα:** Όχι, το νούμερο είναι καλό. Πόσο κοστίζουν;

**Πωλητής:** Έχουν εκατόν δέκα ευρώ, αλλά για εσάς θα κάνουμε καλύτερη τιμή. Εκατό. *€110  but for you we will make a better price. 100.*

**Μαρίνα:** Πανάκριβα είναι! Αλλά τι να κάνουμε; Εδώ που φτάσαμε... Σήμερα όλα είναι ακριβά. Εντάξει. Θα τα πάρω. *It is very expensive  The way things are... [Here's where we reach]  Today everything is expensive*

**Πωλητής:** Πολύ ωραία. Θα πληρώσετε με κάρτα ή με μετρητά; Αν θέλετε, μπορούμε να σας κάνουμε και δόσεις. *Very nice  If you want, we can also give you pay by instalments*

**Μαρίνα:** Α πα πα πα! Ούτε να ακούω δε θέλω για δόσεις και κάρτες. Μετρητά και πάλι μετρητά. Κρατήστε εκατό ευρώ. *I do not even want to hear about instalments and credit cards. Save a hundred euros*

**Πωλητής:** Είναι πολύ καλής ποιότητας πάντως. Θα μείνετε ικανοποιημένη. Ελάτε μαζί μου στο ταμείο. Γιάννη, κόψε μια απόδειξη εκατό ευρώ για την κυρία. Σας ευχαριστούμε πολύ, κυρία μου. *They are very good quality anyway.  You will be satisfied  come with me to the cashier  make (cut) a receipt for €100 for the lady.*

**Μαρίνα:** Κι εγώ σας ευχαριστώ.

**Πωλητής:** Ορίστε τα παπούτσια σας. Και η απόδειξή σας. Με γεια σας. *Here are your shoes. And your receipt.*

## Πώς το λένε;

Να βοηθήσω;
— Κάνατε πολύ καλή επιλογή. *You made a very good choice*
— Εξαρτάται. *It depends*
Πώς σας φαίνεται; *How do they feel?*
Δε με τρελαίνει. *I'm not crazy about them*
Μα τι λέτε;

Ευχαρίστως. - *Gladly*
Για εσάς θα κάνουμε καλύτερη τιμή.
Πανάκριβα είναι!
Εδώ που φτάσαμε... *Here we are...*

Α πα πα πα!
Ούτε να ακούω δε θέλω... *I do not want to hear/listen even*
Μετρητά και πάλι μετρητά. *Cash and cash again*
Κρατήστε εκατό ευρώ.
Θα μείνετε ικανοποιημένη. *you will be satisfied*
Με γεια σας.

**1** Σωστό ή λάθος;

| | Σωστό | | Λάθος |
|---|---|---|---|

1. Η Μαρίνα είναι στο Μοναστηράκι για καφέ. ☐ ☑
2. Η Μαρίνα φοράει πάντα τριάντα εφτά νούμερο παπούτσι. ☐ ☑
3. Στη Μαρίνα αρέσει πολύ το πορτοκαλί χρώμα στα παπούτσια. ☐ ☑
4. Ο πωλητής κάνει στη Μαρίνα έκπτωση δέκα ευρώ. ☑ ☐
5. Η Μαρίνα πιστεύει ότι τα παπούτσια είναι πολύ ακριβά. ☐ ☑
6. Ο πωλητής λέει ότι όλα είναι ακριβά σήμερα. ☐ ☑
7. Στο κατάστημα αυτό μπορείς να ψωνίσεις με δόσεις. ☑ ☐
8. Η Μαρίνα ψωνίζει συχνά με κάρτα. ☐ ☑
9. Η Μαρίνα δεν παίρνει απόδειξη από το κατάστημα. ☐ ☑

 **Λέξεις, λέξεις**

απόδειξη (η)
→ δόση (η)
επιλογή (η)
ικανοποιημένος, -η, -ο
πληρώνω με κάρτα / με μετρητά
ποιότητα (η)
συνδυάζω

*[handwritten: installment / selection choice; satisfied content; quality; to combine, blend]*

**Η σειρά μου τώρα**

*[handwritten: Τώρα αγοράζω διαδικτυακά]*

**2** Απαντάω:

*[handwritten: Μου άρεσε να πηγαίνω]*
Σου αρέσει να πηγαίνεις για ψώνια; Τι αγοράζεις συνήθως;
Ξοδεύεις πολλά χρήματα;
Πληρώνεις με πιστωτική κάρτα ή με μετρητά;
Αγόρασες ποτέ κάτι με δόσεις; *[handwritten: Όχι ποτέ]*
Αγοράζεις ρούχα από συγκεκριμένα μαγαζιά; *[handwritten: specific stores?]*
Νομίζεις ότι είσαι δύσκολος πελάτης / δύσκολη πελάτισσα; Κουράζεις τους πωλητές / τις πωλήτριες;

*[handwritten: 'Οχι, αλλά ξέρω τι μου αρέσει. Are you tired of the sellers? 'Ημουν όταν ήμουν στην Κύπρο]*

 **Για δες**

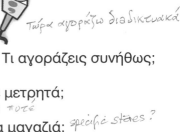
*[speech bubbles: Είναι πάμφθηνο. Είναι πανάκριβο.]*

| | |
|---|---|
| Πόσο κάνει/κοστίζει; | Κάνει/κοστίζει 32,50 (32 ευρώ και 50 λεπτά ή 32 και 50). |
| | Είναι πάμφθηνο! Είναι πανάκριβο! |
| | Είναι σε πολύ λογική τιμή. |
| | Είναι σχεδόν τσάμπα. |
| | Είναι δωρεάν. |
| Πόσο κάνουν/κοστίζουν; | Κάνουν/Κοστίζουν 29 ευρώ. |
| | Είναι φτηνά! Θα τα αγοράσω. |
| | Είναι πολύ ακριβά! Θα περιμένω τις εκπτώσεις. |
| Θα μου κάνετε καλύτερη τιμή; | Βεβαίως. Θα σας κάνουμε έκπτωση 10 ευρώ. |
| | Θα σας το/τα αφήσουμε 40 ευρώ από 45. |
| Θέλετε κάτι; Να (σας) βοηθήσω; | Ναι, θα ήθελα ένα πουκάμισο. |
| Θέλετε βοήθεια; | Όχι, ευχαριστώ! Τα καταφέρνω και μόνος/μόνη μου. |
| Πώς μπορώ να σας εξυπηρετήσω; | Έχετε αυτή την μπλούζα σε πράσινο χρώμα; |
| Τι θέλει η κοπέλα / ο νεαρός; | Θέλω / Θα ήθελα δύο ζευγάρια κάλτσες. |

*[handwritten annotations: v. cheap / v. expensive; v. reasonable price; it is almost a bunch / nearly; it's free; cheap. I will buy them; I expect / wait for the discounts; we will leave it to you €40 from €45; manage / I can do it alone; How can I serve/help you?; what does the girl want? young man]*

# Είναι πανάκριβα!

Δε σου πάει.

| Εσύ τι λες; | Είναι πολύ ωραίο πάνω σου / πάνω σας. |
|---|---|
| Πώς σου φαίνεται; | Σου/Σας πάει πολύ. |
| Εσείς τι λέτε; | Σου/Σας ταιριάζει. |
| Πώς το βλέπετε; | Είναι τέλειο. |
| Πώς σας φαίνεται; | Είναι φανταστικό. |
| | Είναι καλύτερο από το προηγούμενο. |
| | Αυτό μου αρέσει πιο πολύ. |
| | Δε σου/σας πάει πολύ. |
| | Δε μου αρέσει καθόλου. Είναι χάλια! |

 Παίζω έναν ρόλο

**3** Στα μαγαζιά.

**Ρόλος Α**

Θέλω να αγοράσω ένα τζιν παντελόνι. Μπαίνω σε ένα μοντέρνο κατάστημα ρούχων της γειτονιάς μου και ζητάω πληροφορίες για κάποια παντελόνια που είδα στη βιτρίνα (χρώμα, τιμή, μέγεθος). Στο τέλος δοκιμάζω και αγοράζω κάποιο από αυτά.

**Ρόλος Β**

Είμαι υπάλληλος σε ένα κατάστημα ρούχων. Απαντάω στις ερωτήσεις του πελάτη / της πελάτισσας και τονίζω πως τα ρούχα του καταστήματος έχουν πολύ καλή ποιότητα και λογικές τιμές.

**4** Τι νούμερο φοράτε;

**Ρόλος Α**

Βλέπω σε μια βιτρίνα ένα ζευγάρι παπούτσια που μου αρέσουν πολύ και μπαίνω στο μαγαζί για να τα αγοράσω. Δυστυχώς δεν έχουν το νούμερό μου, αλλά ο/η υπάλληλος μου δίνει να δοκιμάσω το πιο μικρό. Είναι στενό και δε μου κάνει. Δοκιμάζω και άλλα παπούτσια, αλλά στο τέλος δεν αγοράζω τίποτα.

**Ρόλος Β**

Είμαι υπάλληλος σε ένα κατάστημα. Μια κυρία / ένας κύριος ζητάει ένα ζευγάρι παπούτσια. Δεν έχουμε το νούμερό της/του, αλλά της/του δίνω να δοκιμάσει το πιο μικρό. Είναι στενό και δεν της/του κάνει. Της/του φέρνω να δοκιμάσει κάποια άλλα παπούτσια.

Για δες

| Επίθετα -ύς, -ιά, -ύ | | |
|---|---|---|
| ο φαρδύς | η φαρδιά | το φαρδύ |
| του φαρδιού / (του φαρδύ) | της φαρδιάς | του φαρδιού / (του φαρδύ) |
| τον φαρδύ | τη φαρδιά | το φαρδύ |
| οι φαρδιοί | οι φαρδιές | τα φαρδιά |
| των φαρδιών | των φαρδιών | των φαρδιών |
| τους φαρδιούς | τις φαρδιές | τα φαρδιά |

παχύς - παχιά - παχύ

Ο γάτος σας, κυρία μου, είναι πολύ **παχύς**. Πρέπει να αρχίσει δίαιτα αμέσως!

Η μπλούζα είναι τέλεια, αλλά η φούστα είναι **φαρδιά**. Μήπως έχετε ένα νούμερο πιο μικρό;

Στο σημείο αυτό το ποτάμι γίνεται πολύ **βαθύ**. Προσέξτε!

Μην ανησυχείς. Οι δρόμοι της περιοχής είναι αρκετά **φαρδιοί** και μπορείς να παρκάρεις εύκολα.

Το πιστεύεις; Όταν ήταν νέος, ο Άγγελος είχε **μακριά** σγουρά μαλλιά!

Ο παπάς ο παχύς έφαγε παχιά φακή.

Γιατί, παπά παχύ, έφαγες παχιά φακή;

Θεέ μου, να πάθει γλωσσοδέτη.

## Επίθετα -ής, -ιά, -ί

| | | |
|---|---|---|
| ο καφετής | η καφετιά | το καφετί |
| του καφετή / | της καφετιάς | του καφετιού |
| του καφετιού | | |
| τον καφετή | την καφετιά | το καφετί |
| οι καφετιοί | οι καφετιές | τα καφετιά |
| των καφετιών | των καφετιών | των καφετιών |
| τους καφετιούς | τις καφετιές | τα καφετιά |

βυσσινής – βυσσινιά – βυσσινί
θαλασσής – θαλασσιά – θαλασσί
κανελής – κανελιά – κανελί
πορτοκαλής – πορτοκαλιά – πορτοκαλί
σοκολατής – σοκολατιά - σοκολατί
σταχτής – σταχτιά – σταχτί
χρυσαφής – χρυσαφιά - χρυσαφί

Τίνος είναι αυτός ο **καφετής** σκύλος έξω από την πόρτα μας;

Η Χριστίνα αγόρασε για το μωρό μια ωραία, **θαλασσιά** φόρμα.

Εκείνο το **πορτοκαλί** κασκόλ μού αρέσει πολύ. Θα το αγοράσω.

### καφετής – καφετιά – καφετί = καφετί

Γιατί δε φοράς εκείνη την **καφετιά/καφετί** μπλούζα που σου αγόρασα πέρσι;

Μου αρέσουν τα ρούχα σε **καφετιούς/καφετί** τόνους.

Πού είναι τα **καφετιά/καφετί** μου παπούτσια;

Μου δανείζεις τις **πορτοκαλιές/πορτοκαλί** σου πιτζάμες;

Ο **βυσσινής/βυσσινί** σκούφος μου είναι στο συρτάρι.
Μου τον φέρνεις, σε παρακαλώ;

Πού αγόρασες αυτά τα μοντέρνα **χρυσαφιά/χρυσαφί** γάντια;

Σου πάνε πολύ αυτές οι **θαλασσιές/θαλασσί** κάλτσες.

## Η σειρά μου πάλι

5 Αντιστοιχίζω και συμπληρώνω:

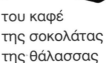

1. πορτοκαλής
2. χρυσαφής
3. σοκολατής
4. θαλασσής
5. καφετής
6. κανελής
7. βυσσινής

έχει το χρώμα

του καφέ
της σοκολάτας
της θάλασσας
του βύσσινου
του χρυσού
της κανέλας
του πορτοκαλιού

## 6  Το χρώμα...

1. της σοκολάτας είναι _σοκολατί_ .
2. της στάχτης είναι _____ .
3. του λεμονιού είναι _____ .
4. της μουστάρδας είναι _____ .
5. του μελιού είναι _____ .
6. του ασημιού είναι _____ .

## 7  Σχηματίζω προτάσεις:

| | | |
|---|---|---|
| Ο Φίλιππος φοράει συχνά τέτοιες | ξανθά, μακριά | νερά της Ιθάκης |
| Τα καλοκαίρια κολυμπάμε στα | τόσο βαθύ | αγελάδων |
| Η Δήμητρα αποφάσισε να κόψει τα | πλατύ | χαμόγελο |
| Στο πρόσωπό του είχε ένα | φαρδιές | μαλλιά της |
| Έβγαλε από την τσέπη της τον | βαθιά, πεντακάθαρα | αναπτήρα |
| Έφτιαξα ένα πολύ | πορτοκαλί | γλυκό. Θέλεις να δοκιμάσεις; |
| Δεν ξαναείδα ποτέ έναν | παχιών | μπλούζες |
| Τελείωσε η περίοδος των | ελαφρύ | ποταμό |

1. _Ο Φίλιππος φοράει συχνά τέτοιες φαρδιές μπλούζες._ _____
2. _____
3. _____
4. _____
5. _____
6. _____
7. _____
8. _____

## 8  Συμπληρώνω, όπως στο παράδειγμα.

1. Δε μου αρέσουν πολύ _οι φαρδιές_ (φαρδύς) φούστες. Προτιμώ τις στενές.
2. – Τι έγινε τελικά; Ψώνισες τίποτα;

   – Μπα... Μου άρεσε πολύ ένα _____ (θαλασσής) μαγιό, αλλά δεν το
   αγόρασα, γιατί ήταν αρκετά ακριβό.
3. Παιδιά, στο σημείο αυτό η θάλασσα είναι αρκετά _____
   (βαθύς). Να είστε προσεκτικοί!
4. Έχω πρόβλημα με το στομάχι μου, γι' αυτό προτιμώ _____
   (ελαφρύς) φαγητά.
5. Σας παρακαλώ, θα μπορούσα να δοκιμάσω ένα σακάκι πιο _____
   (μακρύς);
6. Οχ! Πονάει η μέση μου. Οι κούτες που κουβάλησα ήταν πολύ _____
   (βαρύς).

7. Μάλλον πρέπει να πάω για ψώνια. Με τη δίαιτα αυτή έχασα πολλά κιλά και όλα τα ρούχα μου είναι _____ (φαρδύς) τώρα.

8. – Πού το βρήκες αυτό _____ (σταχτής) γατάκι;
   – Έξω από το σπίτι μου. Δεν είναι πολύ γλυκό;

9. Κοίτα τι όμορφα που είναι! Η θάλασσα φαίνεται _____ (χρυσαφής) από τον ήλιο.

10. Δίπλα στο χωριό υπάρχει ένας αρκετά _____ (πλατύς) δρόμος που οδηγεί στο ποτάμι. Με το φορτηγό σου θα περάσουμε από εκεί χωρίς κανένα πρόβλημα.

11. Δεν ξανατρώω σε ταβέρνα στις 12 το βράδυ! Αυτή η μακαρονάδα ήταν πολύ _____ (βαρύς) και με πείραξε. Δεν έκλεισα μάτι όλη τη νύχτα.

12. – Αυτό το σκυλάκι με τις _____ (κανελής) βούλες δικό σου είναι;
   – Όχι, είναι αδέσποτο, αλλά το ταΐζω καμιά φορά.

## Λέξεις, λέξεις

ψηλός, -ή, -ό
κοντός, -ή, -ό

χοντρός, -ή, -ό
παχύς, -ιά, -ύ
λεπτός, -ή, -ό
αδύνατος, -η, -ο

μακρύς, -ιά, -ύ
κοντός, -ή, -ό

φαρδύς, -ιά, -ύ
στενός, -ή, -ό

καρό

με βούλες / με πουά

μονόχρωμος, -η, -ο

ριγέ

**9 Απαντάω:**

Τι είναι της μόδας φέτος; Οι κοντές ή οι μακριές φούστες; Οι φαρδιές ή οι στενές μπλούζες;
Προτιμάς τα φαρδιά ή τα στενά παντελόνια; Τα μακριά ή τα κοντά μπλουζάκια;
Φοράς ριγέ ή καρό πουκάμισα/μπλούζες ή προτιμάς τα μονόχρωμα;
Ποια χρώματα προτιμάς συνήθως σε ρούχα και παπούτσια;

**10 Περιγράφω τους ανθρώπους και τα ρούχα τους. Τους πάνε;**

# Φωτιά και λαύρα, Παναγιώτη μου!

A18

*Light / Fire and laurel, my Panayiotis*

**Μαρίνα:** Καλημέρα, Παναγιώτη!

**Παναγιώτης:** Καλώς τη Μαρίνα! Πώς από 'δώ; Σε χάσαμε.
*Welcome Marina, what are you doing here? We missed you.*

**Μαρίνα:** Πες μου τώρα ότι έχεις και παράπονο! Την περασμένη εβδομάδα δεν ήμουν εδώ με τη Βέρα και τη Μελέκ;
*Tell me now, you have a complaint! Last week was I not here with B...? I said it to wind you up*

**Παναγιώτης:** Καλά, μια κουβέντα είπα. Για να σε πειράξω. Λοιπόν, τι νέα;

**Μαρίνα:** Άσε τι έπαθα σήμερα. Πήγα στο Μοναστηράκι για ψώνια. Περίμενα ότι θα βρω καλές τιμές εκεί. Αλλά τελικά, φωτιά και λαύρα, Παναγιώτη μου! Έδωσα εκατό ευρώ για ένα ζευγάρι αθλητικά παπούτσια!
*Tell me what I suffered yesterday. I expected I would find good prices there. I gave €100*

**Παναγιώτης:** Άσ' τα, μην τα συζητάς καλύτερα. Χτες πήγα στο σούπερ μάρκετ, αγόρασα πέντε πράγματα και μου έφυγαν τριάντα ευρώ.
*Tell me about it, don't discuss them better. I lost €30*

**Μαρίνα:** Και μη χειρότερα!
*And not worse!*

**Παναγιώτης:** Θα κάτσεις; Να σου φτιάξω καφεδάκι;
*Will you sit down?*

**Μαρίνα:** Μπα. Είμαι πολύ βιαστική. Πρέπει ν' αγοράσω και τροφή για την Κούκλα.
*I'm in a hurry. I also have to buy food for the doll*

**Παναγιώτης:** Τι κάνει αυτή η ψυχή; Περνάει ζωή και κότα, ε;
*what is this soul doing? She's living the life and chicken eh?*

**Μαρίνα:** Μια χαρά είναι! Η καλύτερη παρέα. Λοιπόν, σε χαιρετώ, αδερφούλη. Τρέχω να προλάβω. Καλές δουλειές.
*The best company. Well I greet you brother. Running to catch up. Good work [wishing your work goes well]*

**Παναγιώτης:** Μπάι!
*Bye!*

ΚΤΗΝΙΑΤΡΕΙΟ *VET*

## 🔑 Πώς το λένε;

Σε χάσαμε.
Πες μου τώρα ότι έχεις και παράπονο!
Καλά, μια κουβέντα είπα. Για να σε πειράξω.
Άσε τι έπαθα σήμερα.

Τι κάνει αυτή η ψυχή;
Περνάει ζωή και κότα, ε;

Σε χαιρετώ.
Τρέχω να προλάβω.
Καλές δουλειές.
Μπάι!

Φωτιά και λαύρα!
Άσ' τα, μην τα συζητάς καλύτερα.
Μου έφυγαν τριάντα ευρώ.

Και μη χειρότερα!
Θα κάτσεις; Να σου φτιάξω καφεδάκι;

## Λέξεις, λέξεις

βιαστικός, -ή, -ό
παράπονο (το)
προλαβαίνω
ψώνια (τα)

**1.1** Απαντάω:

1. Πού βρίσκεται η Μαρίνα; _Η Μαρίνα βρίσκεται στο καφενείο του Παναγιώτη._

2. Η Μαρίνα έχει καιρό να δει τον Παναγιώτη;
_____

3. Από πού αγόρασε η Μαρίνα τα παπούτσια και πόσα χρήματα έδωσε;
_____

4. Η Μαρίνα πιστεύει ότι η τιμή των παπουτσιών ήταν λογική;
_____

5. Τι έκανε την προηγούμενη μέρα ο Παναγιώτης;
_____

6. Πόσο πλήρωσε για τα ψώνια του; _____
7. Γιατί είναι βιαστική η Μαρίνα; _____

## Η σειρά μου τώρα

**1.2** Απαντάω:

Ποια είναι η πιο ακριβή χώρα που γνωρίζεις; Ποια είναι η πιο φτηνή;
Πού βρίσκεις καλές τιμές συνήθως; Στη λαϊκή αγορά, στα μανάβικα, στα σούπερ μάρκετ, στα μεγάλα καταστήματα ή στα μαγαζιά της γειτονιάς;
Συνήθως ψωνίζεις την περίοδο των εκπτώσεων; Πού βρίσκεις πράγματα καλύτερης ποιότητας;

## Είμαι όλος αυτιά

A19

**1.3** Τι θέλει η κοπελιά;
Ακούω δύο (2) φορές τη συζήτηση στο μανάβικο του κυρ Νίκου και επιλέγω
Σωστό (Σ), Λάθος (Λ) ή Δεν Αναφέρεται (Δ.Α.) στον πίνακα που ακολουθεί.

| | Σ | Λ | Δ.Α. |
|---|---|---|---|
| 1. Ο κυρ Νίκος έχει μανάβικο στην περιοχή του Βοτανικού. | | | ✔ |
| 2. Ο κυρ Νίκος είναι στην αποθήκη, όταν μπαίνει η Βαγγελιώ στο μαγαζί. | | | |
| 3. Ο κυρ Νίκος λέει ότι τα άγρια χόρτα είναι ακριβά, γιατί είχε κακό καιρό. | | | |
| 4. Η Βαγγελιώ αγοράζει λίγα άγρια χόρτα. | | | |
| 5. Οι ντομάτες που πουλάει ο κυρ Νίκος είναι από την Κρήτη. | | | |
| 6. Η Βαγγελιώ αγοράζει δύο κιλά ντομάτες, που κάνουν 1,40 ευρώ το κιλό. | | | |
| 7. Ο κυρ Νίκος τής προτείνει να αγοράσει λάχανο και όχι μαρούλι. | | | |
| 8. Ο κυρ Νίκος λέει ότι τα πορτοκάλια είναι πολύ καλά. | | | |
| 9. Η Βαγγελιώ από φρούτα αγοράζει μπανάνες, πορτοκάλια, μανταρίνια και αχλάδια. | | | |
| 10. Η Βαγγελιώ έχει τρία παιδιά. | | | |
| 11. Την επόμενη μέρα η Βαγγελιώ έχει τραπέζι στους γονείς του άντρα της. | | | |
| 12. Η Βαγγελιώ θα πάει τα ψώνια στο σπίτι με το αυτοκίνητό της. | | | |
| 13. Ο κυρ Νίκος κάνει έκπτωση 1 ευρώ και 30 λεπτά στη Βαγγελιώ. | | | |
| 14. Η Βαγγελιώ δίνει 50 ευρώ στον κυρ Νίκο. | | | |
| 15. Ο κυρ Νίκος δεν έχει ψιλά για να δώσει ρέστα στη Βαγγελιώ. | | | |
| 16. Ο κυρ Νίκος δε δίνει απόδειξη στη Βαγγελιώ, αλλά εκείνη του ζητάει. | | | |

# 4 ενότητα

## Μπορώ να το αλλάξω;

**A20** Σε ένα πολυκατάστημα

**Πωλήτρια:** Καλημέρα σας. Θέλετε βοήθεια;

**Ερβίν:** Καλημέρα. Για μια αλλαγή ήρθα. Αγόρασα αυτό το κινητό από το κατάστημά σας πριν από δύο μέρες. Τοποθέτησα την κάρτα SIM και την μπαταρία, αλλά δε λειτούργησε. Μάλλον είναι ελαττωματικό. Μπορώ να το αλλάξω;

**Πωλήτρια:** Βεβαίως. Για να το δω λίγο. Ακολουθήσατε πιστά τις οδηγίες;

**Ερβίν:** Εννοείται! Πρώτη φορά αγοράζω κινητό;

.......................................................

**Πωλήτρια:** Μάλιστα... Τοποθέτησα κι εγώ την καρτούλα και την μπαταρία, αλλά τίποτα. Φαίνεται ότι έχει κάποιο πρόβλημα. Περίεργο. Δεν είχαμε ποτέ παράπονο από άλλον πελάτη γι' αυτό το μοντέλο. Θα το επιστρέψουμε στην εταιρεία. Έχετε μαζί σας την απόδειξη;

**Ερβίν:** Ασφαλώς. Ορίστε.

**Πωλήτρια:** Ωραία. Να σας φέρω το ίδιο μοντέλο ή θα διαλέξετε κάποιο άλλο;

**Ερβίν:** Το ίδιο. Ελπίζω βέβαια αυτή τη φορά να πάνε όλα καλά. Γιατί είμαι τρεις μέρες χωρίς κινητό και το χρειάζομαι, ξέρετε, για τη δουλειά μου.

**Πωλήτρια:** Μην ανησυχείτε. Έτυχε μία φορά. Ακολουθήστε με στο ταμείο, για να κάνουμε την αλλαγή.

**Ερβίν:** Σας ευχαριστώ πολύ! Είστε πολύ εξυπηρετική.

**Πωλήτρια:** Αλίμονο! Τη δουλειά μου κάνω.

### Πώς το λένε;

Για να το δω λίγο.
Ακολουθήσατε πιστά τις οδηγίες;
Εννοείται!
Ασφαλώς.
Αλίμονο!
Τη δουλειά μου κάνω.

### Λέξεις, λέξεις

αλλαγή (η)
ελαττωματικός, -ή, -ό
εξυπηρετικός, -ή, -ό
οδηγία (η)
παράπονο (το)

**1.4** Συμπληρώνω το κείμενο, όπως στο παράδειγμα.

Ο Ερβίν πηγαίνει σε _ένα πολυκατάστημα_ του κέντρου της Αθήνας για να αλλάξει _____
που αγόρασε πριν από δύο μέρες, γιατί μάλλον είναι _____ . Λέει στην πωλήτρια ότι
έβαλε την κάρτα SIM και _____ , αλλά το κινητό δε λειτούργησε. Η
πωλήτρια ελέγχει το κινητό, δέχεται ότι έχει _____ και του ζητάει την απόδειξη. Ο
Ερβίν τής τη δίνει και τότε η πωλήτρια τον ρωτάει αν θέλει το ίδιο _____ ή κάποιο
άλλο. Εκείνος απαντάει ότι θέλει το ίδιο και ελπίζει αυτή τη φορά να πάνε όλα _____ ,
γιατί χρειάζεται το κινητό για _____ του. Στο τέλος, πηγαίνει με την πωλήτρια
_____ για να κάνει _____ και την ευχαριστεί, γιατί ήταν πολύ _____ .

## Η σειρά μου τώρα

**1.5** Απαντάω:

Αγόρασες / Σου έφεραν ποτέ κάτι που ήταν ελαττωματικό;
Τι έκανες, όταν κατάλαβες το πρόβλημα;
Οι υπάλληλοι του καταστήματος ήταν ευγενικοί και εξυπηρετικοί μαζί σου;

## Γράψε-σβήσε

**1.6** Αγόρασα μέσω ίντερνετ έναν ηλεκτρονικό υπολογιστή. Δύο εβδομάδες μετά τον
περιμένω ακόμα. Επικοινώνησα πολλές φορές με το κατάστημα (με e-mail, τηλέφωνο και
φαξ) χωρίς κανένα αποτέλεσμα. Γράφω μια επιστολή παραπόνων στον διευθυντή / στη
διευθύντρια της εταιρείας, του/της περιγράφω το πρόβλημα και τις ενέργειες που έκανα
και ζητάω μια άμεση λύση. (120-150 λέξεις)

Αξιότιμε κύριε διευθυντά / Αξιότιμη κυρία διευθύντρια,

Ονομάζομαι _____ και πριν από δεκαπέντε μέρες _____
_____
Πλήρωσα για την αγορά αυτή _____
_____
_____
_____
_____
_____
_____
_____
_____

Σας ευχαριστώ εκ των προτέρων για το ενδιαφέρον σας.

Με εκτίμηση,

_____

**Παίζω έναν ρόλο**

**1.7** Για μια αλλαγή...

### Ρόλος Α
Μου έφεραν δώρο για τα γενέθλιά μου ένα πουκάμισο. Το δοκίμασα και είδα ότι δεν μου κάνει. Πηγαίνω στο κατάστημα και ρωτάω αν μπορώ να το αλλάξω και να πάρω κάτι άλλο. Έχω μαζί μου την κάρτα αλλαγής. Ζητάω πληροφορίες για άλλα ρούχα.

### Ρόλος Β
Είμαι υπάλληλος σε ένα κατάστημα ρούχων. Εξηγώ σε έναν πελάτη / σε μια πελάτισσα ότι μπορεί να αλλάξει το πουκάμισο. Ζητάω την κάρτα αλλαγής και απαντάω στις ερωτήσεις του/της.

**1.8** Σωστό ή λάθος; Διαβάζω το κείμενο για τις λαϊκές αγορές και συμπληρώνω τον πίνακα.

## Οι μπουτίκ πάνε... λαϊκή
### Όλο και περισσότεροι ψωνίζουν οικονομικά από τους πάγκους

Πάρτε, κόσμε! Όλα τσάμπα τα βάλαμε σήμερα! Το αφεντικό τρελάθηκε!

«Τώρα που πηγαίνω στις λαϊκές, έχω περισσότερους μόνιμους πελάτες και καλύτερο μεροκάματο από τότε που είχα μαγαζί. Οι περισσότεροι αγοράζουν τα καθημερινά τους ρούχα από τις λαϊκές. Πηγαίνω κάθε εβδομάδα στα βόρεια προάστια. Ακόμη και εκεί, ο κόσμος που έρχεται είναι μόνιμος και πολύς». Ο κύριος Δημήτρης τα τελευταία οκτώ χρόνια πουλάει ρούχα σε λαϊκές. Ανάμεσα σε μελιτζάνες, ντομάτες, πατάτες και ψάρια, σε κάθε γειτονιά που έχει λαϊκή αγορά στήνονται όλο και περισσότεροι πάγκοι με παντελόνια, μπλούζες, φορέματα και παπούτσια. Οι «μπουτίκ των λαϊκών» συγκεντρώνουν περισσότερους πελάτες, αφού οι τιμές τους είναι ιδιαίτερα χαμηλές.

«Υπάρχει έλλειψη χρημάτων και χρόνου. Αφού έρχομαι έτσι κι αλλιώς στη λαϊκή, κοιτάζω τα ρούχα και τα παπούτσια και ανάλογα μπορεί να διαλέξω ή πατάτες ή παντόφλες» λέει χαρακτηριστικά η κυρία Εύα, που ψώνισε χθες στη λαϊκή αγορά του Παπάγου. Όπως λέει, αποφασίζει από το σπίτι της πόσα χρήματα θα ξοδέψει κάθε φορά στη λαϊκή και φροντίζει να μην ξεπεράσει το ποσό αυτό. «Την προηγούμενη εβδομάδα, αντί για σταφύλια, πήρα μια μπλούζα».

«Άλλος είναι ο κόσμος που ψωνίζει ρούχα στη λαϊκή και άλλος αυτός που πάει στις μπουτίκ» λέει ο κύριος Γιάννης που πουλάει κυρίως αθλητικά ρούχα. «Παλαιότερα υπήρχαν ελληνικές βιοτεχνίες που έφτιαχναν ρούχα μόνο για εμάς. Τώρα οι αποθήκες που τα συγκέντρωναν στην οδό Αθηνάς έκλεισαν, αφού τα κινέζικα προϊόντα είναι πιο φτηνά και τα προτιμάει ο κόσμος. Σε εμένα έρχονται πολλοί και ψωνίζουν για τα παιδιά τους, αφού έχω πράγματα από 5 μέχρι 20 ευρώ. Τα περισσότερα ρούχα μου είναι εισαγωγής πια, από την Κίνα και την Τουρκία, αλλά και αρκετά πράγματα από μαγαζιά που κλείνουν».

Οι καταστηματάρχες βλέπουν απελπισμένοι τους πάγκους με τα ρούχα στις λαϊκές. «Για εμάς είναι σκληρός ανταγωνισμός» υποστηρίζει η κυρία Χρύσα, που έχει μπουτίκ με γυναικεία ρούχα σε εμπορικό κέντρο. «Στον δρόμο έξω από το εμπορικό κέντρο έχει κάθε εβδομάδα λαϊκή. Μερικοί λένε ότι είναι καλό, επειδή μαζεύεται κόσμος και μπορεί να έρθουν κάποιοι και σε εμάς. Δε συμφωνώ. Όταν μια γυναίκα μπορεί να ντυθεί με 20 ευρώ για να πάει στη δουλειά της, γιατί να ξοδέψει 100; Προτιμά να αγοράσει πέντε ή έξι διαφορετικά κομμάτια κι ας κρατήσουν λιγότερο λόγω κακής ποιότητας».

Υπάρχουν όμως και πάγκοι με ακριβότερα είδη. «Εγώ έχω μπουτίκ στη λαϊκή» λέει η κυρία Ζωή. «Ξεκίνησα πριν από τέσσερα χρόνια φέρνοντας αποκλειστικά ρούχα από την Ινδία. Τα περισσότερα είναι από βαμβάκι και μετάξι και υπάρχουν ορισμένα κομμάτια που ξεπερνούν τα 100 ευρώ. Οι πελάτισσές μου είναι πολλές και αρκετές παίρνουν ρούχα μόνο από εμένα» υποστηρίζει.

*(Τα Νέα, 29-09-2006, σ.16, με αλλαγές)*

### Σωστό ή λάθος;

| | Σωστό | Λάθος |
|---|:---:|:---:|
| 1. Οι κάτοικοι των βορείων προαστίων δεν ψωνίζουν ρούχα από τις λαϊκές αγορές. | ☐ | ☑ |
| 2. Ο κύριος Δημήτρης είναι ευχαριστημένος με τα χρήματα που κερδίζει στη λαϊκή. | ☐ | ☐ |
| 3. Είναι η πρώτη χρονιά που ο κύριος Δημήτρης πουλάει ρούχα σε λαϊκές. | ☐ | ☐ |
| 4. Ο κύριος Δημήτρης εκτός από ρούχα πουλάει και λαχανικά. | ☐ | ☐ |
| 5. Πολλοί ψωνίζουν ρούχα από τις λαϊκές, γιατί οι τιμές είναι αρκετά χαμηλές. | ☐ | ☐ |
| 6. Η κυρία Εύα αισθάνεται ότι κερδίζει χρόνο, όταν ψωνίζει ρούχα από τη λαϊκή. | ☐ | ☐ |
| 7. Η κυρία Εύα γνωρίζει πόσα περίπου λεφτά θα ξοδέψει, όταν πηγαίνει στη λαϊκή. | ☐ | ☐ |
| 8. Ο κύριος Γιάννης παίρνει τα ρούχα που πουλάει από ελληνικές βιοτεχνίες. | ☐ | ☐ |
| 9. Ο κύριος Γιάννης πουλάει ρούχα από μαγαζιά που κλείνουν στην Κίνα και στην Τουρκία. | ☐ | ☐ |
| 10. Οι καταστηματάρχες δεν έχουν πρόβλημα με τις «μπουτίκ των λαϊκών». | ☐ | ☐ |
| 11. Η κυρία Χρύσα δεν πιστεύει ότι η λαϊκή θα φέρει πελάτες στο μαγαζί της. | ☐ | ☐ |
| 12. Η κυρία Χρύσα πιστεύει ότι τα φτηνά ρούχα συνήθως δεν είναι καλής ποιότητας. | ☐ | ☐ |
| 13. Η κυρία Ζωή δουλεύει ως πωλήτρια σε ένα κατάστημα ρούχων. | ☐ | ☐ |
| 14. Στους πάγκους των λαϊκών μπορεί να βρει κανείς και ακριβά ρούχα. | ☐ | ☐ |
| 15. Η κυρία Ζωή έχει αρκετές σταθερές πελάτισσες. | ☐ | ☐ |

# ενότητα

 **Παίζω έναν ρόλο**

**1.9** Ρούχα από τη λαϊκή

**Ρόλος Α**
Ψωνίζω συχνά ρούχα από τη λαϊκή και είμαι πολύ ικανοποιημένος/ικανοποιημένη από τις τιμές και την ποιότητά τους. Συζητάω με έναν φίλο / μια φίλη που διαφωνεί.

**Ρόλος Β**
Ψωνίζω ρούχα μόνο από μεγάλα και γνωστά καταστήματα και ποτέ από τη λαϊκή αγορά, γιατί πιστεύω ότι δεν έχουν καλή ποιότητα. Συζητάω με μια φίλη / έναν φίλο που έχει αντίθετη γνώμη.

 **Φωνή-γραφή**

**2.0** (A21) **Βάζω σε κύκλο τις λέξεις που ακούω, όπως στο παράδειγμα.**

φαρδύ, (φαρδιά,) βυσσινιές, βυσσινιά, πορτοκαλιά, πορτοκαλιές, μακρύς, μακριές, παχιά, παχύ, πλατιές, πλατιούς, βαριά, βαριές

**2.1** (A22) **Ακούω τις λέξεις και τις βάζω στη σωστή στήλη, όπως στο παράδειγμα.**

μάτια, διαβάζω, μολύβια, εισιτήρια, ποτήρια, βαθιά, καμιά, πόδια, εστιατόρια, σπίτια, βαριά, βυσσινιά, κανελιά, παιδιά, πιάνω, κομπιούτερ, τραπέζια, πορτοκαλιές, γυμναστήρια

| [i] | [x̃] | [j] | [ĩ] | [mñ] | [ñ] |
|---|---|---|---|---|---|
| | μάτια | | | | |

**Για θυμήσου**

**2.2** Διαλέγω το σωστό, όπως στο παράδειγμα.

1. Θα πληρώσετε _με μετρητά_ ;
   α. με μετρητά                    β. τσάμπα

2. Ο καινούριος υπολογιστής μου βγάζει συνεχώς προβλήματα. Μήπως είναι
   _____ ;
   α. χαζός                         β. ελαττωματικός

3. Προτιμάτε να πληρώσετε σε 12 ή 24 _____ ;
   α. δόσεις                        β. αποδείξεις

4. Δεν πρέπει να χάσεις άλλα κιλά, Πόπη μου. Είσαι ήδη πολύ _____ .
   α. λεπτή                         β. στενή

5. Ελάτε στο παζάρι μας! Φέρτε παιχνίδια, ρούχα, βιβλία, CD που δε χρησιμοποιείτε και πάρτε
   ό,τι σας χρειάζεται. Είναι _____ .
   α. δωρεάν                        β. πανάκριβα

6. – Πώς σου φαίνεται, αγάπη μου; Μου πάει;
   – Δεν μου αρέσει καθόλου. Είναι _____ !
   α. χάλια                         β. τέλειο

7. Μήπως έχετε το μεγαλύτερο νούμερο; Αυτό μου είναι λίγο _____ .
   α. φαρδύ                         β. στενό

8. Είναι πανάκριβο! Θα μου _____ μια καλύτερη τιμή;
   α. κάνετε                        β. αφήσετε

9. Με βοηθάς λίγο να βγάλουμε το τραπέζι έξω; Δεν μπορώ μόνη μου. Είναι πολύ
   _____ .
   α. βαρύ                          β. βαριά

10. Φανταστική φωτογραφία. Ο ουρανός έχει ένα γλυκό, _____ χρώμα.
    α. χρυσαφής                     β. χρυσαφί

**2.3** Γράφω τις λέξεις που έμαθα.

_____

_____

_____

_____

_____

_____

_____

_____

# 5

## Πάμε πάλι!

**1** Συμπληρώνω τον σωστό τύπο.

Εδώ και τέσσερα χρόνια μένω στην περιοχή _τον Αγίου Παντελεήμονα_ (Άγιος Παντελεήμονας) και δουλεύω στη Βούλα. Κάθε μέρα κάνω _____ (ο ίδιος, η ίδια, το ίδιο) διαδρομή για να φτάσω στη δουλειά μου. Παίρνω το μετρό και το λεωφορείο και οι περισσότεροι άνθρωποι που συναντώ είναι _____ (εργάτης). Επειδή πηγαίνω _____ (ο ίδιος, η ίδια, το ίδιο) ώρα, συνήθως βλέπω _____ (ο ίδιος, η ίδια, το ίδιο) ανθρώπους. Έτσι, μπορώ να πω πως οι πιο πολλοί επιβάτες _____ (το λεωφορείο) είναι _____ (γνωστός, γνωστή, γνωστό) μου.

Ο δρόμος για τη δουλειά είναι _____ (μακρύς, μακριά, μακρύ) και κουραστικός, και πιο πολύ το καλοκαίρι με τη ζέστη. Περνάει από πολλές _____ (περιοχή): κέντρο, Αργυρούπολη, Γλυφάδα. Μέσα από το λεωφορείο δε βλέπεις _____ (τόσος, τόση, τόσο) διαφορές: δρόμοι, σπίτια, αυτοκίνητα. Αλλά _____ (η διαφορά) τη βλέπω και την ακούω όταν μπαίνω στο σπίτι _____ (το αφεντικό) μου και στο _____ (δικός μου, δική μου, δικό μου) σπίτι. Στο κέντρο ακούω φωνές σε _____ (όλη η γλώσσα) του κόσμου, τη φασαρία _____ (το αυτοκίνητο)... Καμιά φορά τα σκουπίδια είναι στον δρόμο για μέρες. Αλλά όταν βγαίνω στο μπαλκόνι _____ (το σπίτι) όπου δουλεύω, ακούω τα πουλιά, βλέπω _____ (ο ουρανός), τα πράσινα βουνά και μια θάλασσα _____ (πλατύς, πλατιά, πλατύ)... Και τα σκουπίδια τα μαζεύουν αμέσως – και _____ (ο χειμώνας) και το καλοκαίρι. Και δεν υπάρχει _____ (κανένας, καμία, κανένα) φασαρία. Όταν όμως τελειώνω τη δουλειά, _____ (ο μόνος, η μόνη, το μόνο) σκέψη μου είναι να φτάσω γρήγορα στο σπίτι.

(Από το: Τα Πίσω Θρανία – Δίκτυο Κοινωνικής Υποστήριξης Προσφύγων και Μεταναστών, *Ένας κόσμος που χωράει πολλούς κόσμους*, 2010, με αλλαγές)

**2** Διαβάζω τις οδηγίες για το καινούριο μου κινητό και συμπληρώνω ό,τι λείπει από τον πίνακα, όπως στο παράδειγμα. ΠΡΟΣΟΧΗ: Οι σωστές απαντήσεις είναι δώδεκα (12), χωρίς το παράδειγμα.

### Τοποθέτηση της κάρτας SIM και της μπαταρίας

Η κάρτα SIM μπορεί εύκολα να πάθει βλάβη. Για τον λόγο αυτό πρέπει ____12____ όταν την πιάνετε, την τοποθετείτε ή την αφαιρείτε. Το ίδιο ισχύει και _____ . Και μην ξεχνάτε: _____ κάρτες και μπαταρίες μακριά από μικρά παιδιά!

Για να αφαιρέσετε το πίσω κάλυμμα από το τηλέφωνο, πιέστε το κουμπί (δες εικόνα: 1) και _____ το κάλυμμα (δες εικόνα: 2).

Στη συνέχεια, τοποθετήστε την κάρτα SIM στη θήκη της, _____ σωστή θέση (δες εικόνα: 3).

78 ΕΛΛΗΝΙΚΑ Β΄

Μετά, βάλτε με προσοχή την μπαταρία στην _____ , όπως δείχνει η εικόνα 4. Πρέπει να χρησιμοποιείτε πάντα αυθεντικές μπαταρίες, για να _____ με τη συσκευή σας. _____ τις σχετικές πληροφορίες παρακάτω.

Τέλος, τοποθετήστε το κάλυμμα πάνω στη συσκευή _____ (δες εικόνα: 5) και σπρώξτε ελαφρά το κάτω μέρος του καλύμματος, για _____ (δες εικόνα: 6).

Αν υπάρξει _____ κατά την τοποθέτηση ή αν η συσκευή σας _____ , _____ από το οποίο αγοράσατε το κινητό.

| 1. | μην έχετε προβλήματα | 7. | σηκώστε | 13. | δε λειτουργεί |
|---|---|---|---|---|---|
| 2. | να κάνετε γρήγορα | 8. | την κάρτα | 14. | κάποιο πρόβλημα |
| 3. | μέχρι να έρθει στη | 9. | κατάλληλη θέση | 15. | μέχρι να φύγει |
| 4. | Φυλάξτε | 10. | λειτουργεί σωστά | 16. | για την μπαταρία |
| 5. | να κλείσει | 11. | του τηλεφώνου | 17. | έχετε προβλήματα |
| 6. | επικοινωνήστε με το κατάστημα | 12. | να είστε προσεκτικοί | 18. | Διαβάστε |

**3** Θέλω να ενοικιάσω ένα διαμέρισμα και διαβάζω ένα κείμενο του Συλλόγου Προστασίας Ενοικιαστών. Συμπληρώνω τις προτάσεις στον πίνακα που ακολουθεί, όπως στο παράδειγμα.

---

**Πριν από την ενοικίαση**

Όταν αρχίζουμε τη συζήτηση με τον ιδιοκτήτη του σπιτιού που θέλουμε να νοικιάσουμε, χρειάζεται μεγάλη προσοχή. Το συμφωνητικό μεταξύ ενοικιαστή και ιδιοκτήτη περιγράφει τις υποχρεώσεις αλλά και τα δικαιώματα και των δύο. Γι' αυτό καλό είναι ο ενοικιαστής να είναι ενημερωμένος και να γνωρίζει τα δικαιώματά του.

1. Δεν πρέπει να υπογράψουμε ένα συμβόλαιο, όταν υπάρχουν σημεία που δεν καταλαβαίνουμε και με τα οποία δε συμφωνούμε απόλυτα.

2. Η ενοικίαση κατοικίας ισχύει τουλάχιστον για τρία χρόνια, ακόμα κι αν συμφωνήσουμε μικρότερο χρονικό διάστημα (ένα ή δύο χρόνια, για παράδειγμα).

3. Μπορούμε να συμφωνήσουμε με τον ιδιοκτήτη να πληρώσει τις επισκευές ή το βάψιμο που μπορεί να χρειάζεται το σπίτι, πριν από τη μετακόμισή μας σε αυτό. Επίσης, μπορούμε να γράψουμε στο συμβόλαιο ποιες από τις ζημιές του σπιτιού θα επισκευάζει ο ιδιοκτήτης με δικά του έξοδα και ποιες εμείς. Γενικά, ας μην έχουμε παράλογες απαιτήσεις από τον ιδιοκτήτη. Έτσι, πρέπει να φροντίζουμε για τις απλές και καθημερινές φθορές (π.χ., αλλαγή πρίζας, αλλαγή κλειδαριάς), αλλά και για τις ζημιές που κάναμε οι ίδιοι.

4. Πριν υπογράψουμε το συμβόλαιο, πρέπει να μάθουμε ποιες άλλες υποχρεώσεις αναλαμβάνουμε (κοινόχρηστα, λογαριασμούς, δημοτικά τέλη κτλ.).

5. Ο ιδιοκτήτης θα μας ζητήσει να πληρώσουμε κάποια χρήματα ως εγγύηση, για να είναι σίγουρος ότι θα ενοικιάσουμε το σπίτι αυτό και δε θα αλλάξουμε γνώμη αργότερα. Είναι υποχρεωμένος να μας επιστρέψει τα χρήματα αυτά όταν αποφασίσουμε να αφήσουμε το σπίτι. Σύμφωνα με τον νόμο, η εγγύηση μπορεί να είναι ίση με ένα ή δύο ενοίκια και όχι παραπάνω. Αν δηλαδή πληρώνουμε 400 ευρώ ενοίκιο, δεν μπορούν να μας ζητήσουν 1.000 ευρώ. Καλό θα είναι πάντως να συμφωνήσουμε ότι η εγγύηση θα είναι το ενοίκιο ενός μήνα, κι αυτό γιατί:
   • Οι ιδιοκτήτες δεν επιστρέφουν πάντα την εγγύηση.
   • Τα χρήματα που δώσαμε στην αρχή δεν έχουν την ίδια αξία ύστερα από τρία ή περισσότερα χρόνια.

6. Τέλος, θα πρέπει κι εμείς ως ενοικιαστές να έχουμε σωστή συμπεριφορά: να πληρώνουμε το ενοίκιο στην ώρα του, να προσέχουμε το σπίτι και να μη δημιουργούμε προβλήματα στους άλλους ενοίκους της πολυκατοικίας στην οποία βρίσκεται το σπίτι που ενοικιάσαμε (π.χ., να τηρούμε το ωράριο κοινής ησυχίας).

Στοιχεία από: http://www.kepka.org/Grk/info/youth/you004_03.htm

a. Το συμβόλαιο ενοικίασης
β. Αν δε συμφωνούμε σε όλα τα σημεία του συμβολαίου,
γ. Η ενοικίαση κατοικίας ισχύει
δ. Το βάψιμο του σπιτιού πριν από τη μετακόμιση
ε. Ο ιδιοκτήτης του σπιτιού πρέπει να επισκευάζει με δικά του έξοδα
στ. Τις καθημερινές ζημιές του σπιτιού
ζ. Πληρώνουμε εγγύηση
η. Αν πληρώνουμε 500 ευρώ ενοίκιο,
θ. Για τον ενοικιαστή είναι καλύτερο
ι. Τους λογαριασμούς και τα κοινόχρηστα
ια. Ο σωστός ενοικιαστής

1. μπορούμε να συμφωνήσουμε να το πληρώσει ο ιδιοκτήτης.
2. όλες τις ζημιές που θα έχει το σπίτι.
3. τους πληρώνει ο ιδιοκτήτης.
4. τις επισκευάζει πάντα ο ιδιοκτήτης.
5. όταν αφήνουμε το σπίτι.
6. πρέπει να τις επισκευάζει ο ενοικιαστής.
7. η εγγύηση θα είναι το πολύ 1.000 ευρώ.
8. περιγράφει τις υποχρεώσεις και τα δικαιώματα μόνο του ιδιοκτήτη.
9. προσέχει το σπίτι και πληρώνει πάντα το ενοίκιο.
10. κάποια από τα προβλήματα που θα έχει το σπίτι (σύμφωνα με το συμβόλαιο).
11. δεν πρέπει να το υπογράψουμε.
12. όταν υπογράφουμε το συμβόλαιο ενοικίασης.
13. περιγράφει τις υποχρεώσεις και τα δικαιώματα ενοικιαστή και ιδιοκτήτη.
14. τους πληρώνει ο ενοικιαστής.
15. η εγγύηση θα είναι πάνω από 1.000 ευρώ.
16. για τρία ή περισσότερα χρόνια.
17. να πληρώσει ένα ενοίκιο ως εγγύηση.

a 13

 **Είμαι όλος αυτιά**  A23

**4** Δύο συμφοιτητές, η Στέλλα και ο Λεωνίδας, είναι στο τρόλεϊ. Μπαίνει ελεγκτής. Ακούω δύο (2) φορές τον διάλογο και επιλέγω Σωστό (Σ), Λάθος (Λ) ή Δεν Αναφέρεται (Δ.Α.) στον πίνακα που ακολουθεί.

|  | Σ | Λ | Δ.Α. |
|---|---|---|---|
| 1. Ο Λεωνίδας θα δώσει εξετάσεις για δίπλωμα οδήγησης αυτοκινήτου την επόμενη εβδομάδα. |  | ✓ |  |
| 2. Ο Λεωνίδας κάνει μαθήματα οδήγησης εδώ και έναν μήνα. |  |  |  |
| 3. Ο πατέρας του Λεωνίδα είπε ότι θα του αγοράσει αυτοκίνητο. |  |  |  |
| 4. Ο Λεωνίδας δείχνει στον ελεγκτή εισιτηρίων την κάρτα του. |  |  |  |
| 5. Η κάρτα του Λεωνίδα ισχύει μέχρι το τέλος Δεκεμβρίου. |  |  |  |
| 6. Ο Λεωνίδας χρησιμοποιεί κάρτα για τα μέσα μεταφοράς πολλά χρόνια. |  |  |  |
| 7. Η Στέλλα ακύρωσε το εισιτήριό της, όταν μπήκε στο τρόλεϊ, αλλά μετά το έχασε. |  |  |  |
| 8. Η Στέλλα έχει μαζί της τη φοιτητική της κάρτα. |  |  |  |
| 9. Ο ελεγκτής λέει ότι οι φοιτητές πληρώνουν πιο μικρό πρόστιμο από τους άλλους επιβάτες. |  |  |  |
| 10. Η Στέλλα πρέπει να πληρώσει το πρόστιμο μέσα στις επόμενες 5 ημέρες. |  |  |  |
| 11. Η Στέλλα δίνει την ταυτότητά της στον ελεγκτή. |  |  |  |
| 12. Το πρόστιμο είναι το 60πλάσιο της τιμής του κανονικού εισιτηρίου. |  |  |  |
| 13. Ο Λεωνίδας πληρώνει το πρόστιμο των 60 ευρώ στον ελεγκτή. |  |  |  |
| 14. Ο Λεωνίδας λέει στη Στέλλα να του επιστρέψει τα 60 ευρώ όποτε μπορεί. |  |  |  |
| 15. Η Στέλλα μετακόμισε πριν από λίγους μήνες στην Κυψέλη. |  |  |  |

**5** Ακούω μια ραδιοφωνική εκπομπή με οδηγίες για τη μετακόμιση και συμπληρώνω τις προτάσεις, όπως στο παράδειγμα.

A24

1. Θα φτιάξω μια λίστα με τις δουλειές που πρέπει να γίνουν. Θα σβήνω τις δουλειές που τελείωσαν, για να _ξέρω τι μένει να κάνω_ .

2. Δε θα πάρω στο καινούριο μου σπίτι _____ .

3. Θα πάρω προσφορές από διαφορετικά γραφεία μεταφορών, γιατί _____ .

4. Θα ζητήσω βοήθεια από _____ .

5. Θα γράψω πάνω στις κούτες με μαρκαδόρο, για να _____ .

6. Θα ξεχωρίσω τις κούτες με:
   α. _____
   β. _____

7. Αν οι κούτες με τα πράγματά μου μπουν από την αρχή στα σωστά δωμάτια, _____ .

8. Θα τακτοποιήσω αμέσως ένα δωμάτιο στο καινούριο μου σπίτι, για να _____ .

9. Θα ενημερώσω τους φίλους μου για _____ .

10. Θα γνωρίσω _____ .

## Γράψε-σβήσε

**6** Είμαι φοιτητής/φοιτήτρια και μένω μακριά από την οικογένειά μου. Ψάχνω για συγκάτοικο, γιατί το σπίτι μου είναι μεγάλο και τα έξοδα πολλά. Στέλνω ένα e-mail στην εφημερίδα του Πανεπιστημίου, δίνω πληροφορίες (περιγραφή σπιτιού, περιοχή, έξοδα, συγκοινωνίες) και ζητάω να μου απαντήσει όποιος φοιτητής ενδιαφέρεται για συγκατοίκηση.
(120-150 λέξεις)

Αποστολή    Επισύναψη αρχείων    Αποθήκευση ως Πρόχειρο

Προς: info@kapodistriako.gr
Κοιν:
Θέμα: συγκατοίκηση

Γεια σας. Είμαι ο/η και είμαι φοιτητής/φοιτήτρια _____
_____
_____
_____
_____
_____

Περιμένω απάντηση από όποιον ενδιαφέρεται.

**7** Την προηγούμενη εβδομάδα ψώνισα από γνωστό πολυκατάστημα της περιοχής. Όμως η εξυπηρέτηση δεν ήταν καλή και ένα από τα πράγματα που πήρα είναι ελαττωματικό. Στέλνω μια επιστολή προς τον διευθυντή του καταστήματος, περιγράφω τι έγινε και ζητάω εξηγήσεις. (120-150 λέξεις)

*Κύριε Διευθυντά,*

_____
_____
_____
_____
_____
_____
_____
_____

*Σας ευχαριστώ εκ των προτέρων για το ενδιαφέρον σας.*

*Με εκτίμηση,*

_____

## Έχω τον λόγο

**8** Απαντάω:

Μιλάτε πολύ στο τηλέφωνο; Πόση ώρα περίπου; Ξέρετε κάποιον/κάποια που μιλάει πάρα πολύ ή κάποιον/κάποια που δε μιλάει σχεδόν καθόλου;
Έχετε κινητό, σταθερό τηλέφωνο ή και τα δύο; Θεωρείτε το κινητό τηλέφωνο απαραίτητο; Πιστεύετε ότι τα παιδιά πρέπει να έχουν κινητό τηλέφωνο;
Πληρώνετε πολλά για τον λογαριασμό του τηλεφώνου;

Είχατε ποτέ προβλήματα με τους γείτονές σας; Τι ακριβώς έγινε; Ξέρετε κάποια/κάποιον που είχε σοβαρά προβλήματα με γείτονες; Τι έκανε;
Θυμάστε την τελευταία φορά που μετακομίσατε; Πώς ήταν; Ποιοι σας βοήθησαν;

Πώς είναι τα μέσα μεταφοράς στην πόλη σας; Τι χρησιμοποιείτε συνήθως;
Ξέρετε κάποια πόλη που δεν έχει κυκλοφοριακό πρόβλημα; Τι μπορούμε να κάνουμε για να λύσουμε το κυκλοφοριακό πρόβλημα στην πόλη μας;

Είστε δύσκολος πελάτης/πελάτισσα; Τι προσέχετε όταν αγοράζετε ρούχα, παπούτσια, ηλεκτρικές συσκευές;
Πιστεύετε ότι η ζωή είναι ακριβή σήμερα;

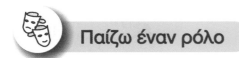

## Παίζω έναν ρόλο

**9** Πάντα τρέχετε τόσο;

### Ρόλος Α

Οδηγώ το αυτοκίνητό μου στην εθνική οδό. Τρέχω παραπάνω από ό,τι πρέπει και με σταματά η αστυνομία. Η/Ο αστυνομικός είναι πολύ θυμωμένη/θυμωμένος. Προσπαθώ να εξηγήσω ότι είχα κάποιο πρόβλημα και έπρεπε να τρέξω γρήγορα και ότι συνήθως οδηγώ με μεγάλη προσοχή.

### Ρόλος Β

Είμαι τροχονόμος στην εθνική οδό. Σταματάω μια κυρία / έναν κύριο που τρέχει πιο πολύ από ό,τι επιτρέπεται. Του εξηγώ ότι αυτό που κάνει είναι πολύ επικίνδυνο και ότι πρέπει να του βάλω πρόστιμο.

**10** Φοβάμαι πολύ!

### Ρόλος Α

Τον άλλο μήνα πρέπει να κάνω ένα μεγάλο ταξίδι. Το αεροπορικό εισιτήριο δεν είναι πολύ ακριβό, αλλά εγώ προτιμώ να πάω με τρένο ή λεωφορείο. Φοβάμαι πολύ τα αεροπλάνα. Συζητώ με έναν φίλο / μια φίλη μου και του/της εξηγώ το σχέδιο και το πρόβλημά μου.

### Ρόλος Β

Ένας φίλος / μια φίλη μου θα ταξιδέψει τον άλλο μήνα. Βρήκε φτηνά αεροπορικά εισιτήρια, αλλά σκέφτεται να πάει με το λεωφορείο ή το τρένο, γιατί φοβάται τα αεροπλάνα. Για μένα το αεροπλάνο δεν είναι μόνο γρήγορος και άνετος τρόπος ταξιδιού, αλλά και το πιο σίγουρο μεταφορικό μέσο.

# Φάγαμε, ήπιαμε...

- Να παραγγείλουμε;
- Μια κράτηση θα ήθελα να κάνω.
- Μαμάδες και μπαμπάδες στην κουζίνα.
- Φάγαμε, ήπιαμε, γελάσαμε

# Έχουμε πολύ κόσμο σήμερα...

*we have a lot of people today*

*shall we also order at last? finally*

**Παναγιώτης:** Να παραγγείλουμε κι εμείς επιτέλους; Τόση ώρα περιμένουμε...
*All this time we've been waiting*

*Waiter*
**Σερβιτόρος:** Καλησπέρα σας. Μας συγχωρείτε για την καθυστέρηση. Έχουμε πολύ κόσμο σήμερα και είμαστε μόνο δύο άτομα.
*Forgive us/Sorry for the delay. We have a lot of people today and we are only 2 people.*

**Παναγιώτης:** Καταλαβαίνω, αλλά... ήμασταν έτοιμοι να φύγουμε.
*I understand but... we were ready to leave*

**Σερβιτόρος:** Τι θα πάρετε; Έχουμε πολύ ωραίους μεζέδες, μαγειρευτά και της ώρας.
*What can I get you? We have very nice appetisers, stews and cooked to order*

**Μαρίνα:** Είδαμε τον κατάλογο. Τόση ώρα που περιμένουμε τον μάθαμε απ' έξω.
*We saw the menu. For so long we have been waiting that we learned it by heart.*

**Σερβιτόρος:** Αποφασίσατε; Πρέπει να σας πω ότι εκτός από τα φαγητά που είναι στον κατάλογο έχουμε επίσης γουρουνόπουλο στη σούβλα και κεφτέδες με κόκκινη σάλτσα.
*Have you decided? I must tell you that apart from the food on the menu we have also suckling pig on a skewer and meatballs with red sauce.*

**Μαρίνα:** Κατ' αρχάς θα μας φέρετε μια σαλάτα χωριάτικη, μία μερίδα χόρτα, μία πατάτες τηγανητές κι ένα σαγανάκι.
*Will you bring us country salad, a portion of herbs, fried potatoes a saganaki.*

**Σερβιτόρος:** Έχουμε και πολύ ωραία κολοκυθάκια τηγανητά, αν σας αρέσουν.
*We have also very nice fried zucchini, if you like!*

**Παναγιώτης:** Ωραία. Φέρε και μία κολοκυθάκια. Και μία μερίδα κοτόπουλο φούρνου με ρύζι για μένα.
*Great. Bring also a zucchini. And a portion of roast chicken with rice for me.*

**Μαρίνα:** Εγώ θα ήθελα μία μπριζόλα χοιρινή με πατάτες φούρνου, αν γίνεται.
*I would like a pork chop with baked potatoes if it is possible.*

**Σερβιτόρος:** Βεβαίως. Πώς δε γίνεται; *of course. How can it not be done?*

**Φοίβος:** Και για μένα μία κεφτέδες με κόκκινη σάλτσα και πουρέ.
*And for me, a meatballs with red sauce and mash.*

**Σερβιτόρος:** Ο πουρές δυστυχώς μας τελείωσε. Να σας βάλω πατατούλες τηγανητές; Πηγαίνουν ωραία με τη σάλτσα.
*We unfortunately ran out of mash? Let me give you some chips? They go well with the salsa.*

**Φοίβος:** Εντάξει. *OK*

**Μαρίνα:** Τα γεμιστά είναι με κιμά ή μόνο με ρύζι; *The stuffed veg are they with minced meat or only rice?*

**Σερβιτόρος:** Με κιμά. Μόλις τα βγάλαμε από τον φούρνο. *With minced meat. We just took them out of the oven.*

**Μαρίνα:** Ωραία. Φέρτε μας μία μερίδα. *Great. Bring us a portion*

**Σερβιτόρος:** Μάλιστα. Θα πιείτε κάτι; Έχουμε πολύ ωραίο κρασάκι χύμα. Είναι δικής μας παραγωγής. *Certainly. Would you like something to drink? We have a very nice local wine. (unbottled) It is our own production.*

**Παναγιώτης:** Βάλε μας ένα κιλό. *Give us a kilo.*

**Σερβιτόρος:** Κόκκινο, ροζέ ή λευκό; *Red, rosé or white.*

**Παναγιώτης:** Κόκκινο. Πάει καλύτερα με το κρέας. Ένα μπουκάλι νερό και μία σόδα.
*Red. It goes better with meat. A bottle of water and a soda.*

**Σερβιτόρος:** Μάλιστα. Κάτι άλλο; *Certainly. Anything else?*

**Παναγιώτης:** Όχι, φτάνουν αυτά για την ώρα. *No. That's enough for now.*

**Φοίβος:** Ελπίζω να μην περιμένουμε μέχρι αύριο. *I hope that we don't have to wait until tomorrow.*

**Σερβιτόρος:** Κάνουμε ό,τι καλύτερο μπορούμε. Σας ευχαριστώ.
*We do the best we can. Thank you.*

## Πώς το λένε;

Το κόκκινο κρασί πάει καλύτερα με το κρέας.

_Sorry for the delay_
– Μας συγχωρείτε για την καθυστέρηση.
– Ήμασταν έτοιμοι να φύγουμε.
_we were ready to leave_

Φτάνουν αυτά για
την ώρα. _That's enough for now._

Μάθαμε απ' έξω
τον κατάλογο.
_We learned the menu
by heart?_

– Θα ήθελα μία
μπριζόλα, αν γίνεται.
– Πώς δε γίνεται;

Κάνουμε ό,τι
καλύτερο
μπορούμε.
_we do the best we can._

## Λέξεις, λέξεις

καθυστέρηση (η)
κρασί χύμα (το), δικής
μας παραγωγής
μαγειρευτό φαγητό (το)
μαθαίνω κάτι απ' έξω
μεζές (ο)
μερίδα (η)
παραγγέλνω →
παραγγελία (η)
φαγητό της ώρας (το)

**1** Είμαι σερβιτόρος και παίρνω παραγγελία. Σημειώνω τι παραγγέλνουν η Μαρίνα, ο Παναγιώτης και ο Φοίβος, όπως στα παραδείγματα.

| ΤΑΒΕΡΝΑΚΙ | Ποσότητα | Τιμή |
|---|---|---|
| **Σαλάτες** | | |
| Χόρτα | | |
| | | |
| | | |
| **Ορεκτικά** | | |
| Πατάτες τηγανητές | | |
| | | |
| | | |
| | | |
| **Κυρίως πιάτα** | | |
| Κοτόπουλο φούρνου με ρύζι | | |
| | | |
| | | |
| | | |
| | | |
| **Ποτά / Αναψυκτικά** | | |
| | | |
| Σόδα | | |
| Σύνολο | | |

## 2 Σωστό ή λάθος;

|  | Σωστό | Λάθος |
|---|---|---|

1. Η παρέα τρώει σε μια πιτσαρία. ☐ ☑
2. Ο σερβιτόρος ζητάει συγνώμη για την καθυστέρηση. ☐ ☐
3. Το γουρουνόπουλο σούβλας δεν υπάρχει στον κατάλογο. ☐ ☐
4. Δεν παραγγέλνουν σαλάτα. ☐ ☐
5. Η Μαρίνα παραγγέλνει μια μπριζόλα μοσχαρίσια. ☐ ☐
6. Ο Φοίβος θα φάει κεφτέδες με πουρέ. ☐ ☐
7. Η Μαρίνα παραγγέλνει μια μερίδα γεμιστά μόνο με ρύζι. ☐ ☐
8. Θα πιουν μισό κιλό κρασί και νερό. ☐ ☐
9. Ο Παναγιώτης πιστεύει ότι το κόκκινο κρασί ταιριάζει καλύτερα με το κρέας. ☐ ☐
10. Ο Φοίβος ζητάει να μην αργήσουν να φέρουν τα φαγητά. ☐ ☐

## Η σειρά μου τώρα

### 3 Απαντάω:

Μαγειρεύεις; Σου αρέσει το μαγείρεμα;
Βγαίνεις συχνά έξω για φαγητό;
Ποια φαγητά σού αρέσουν περισσότερο; Υπάρχουν κάποια φαγητά που δε σου αρέσουν καθόλου;
Δοκίμασες ποτέ την ελληνική κουζίνα; Μοιάζει με την κουζίνα του τόπου σου;

## Παίζω έναν ρόλο

### 4 Στο εστιατόριο...

**Ρόλος Α**

Ζω μόνος/μόνη μου και τρώω συχνά σε ένα εστιατόριο της γειτονιάς. Ζητάω τον κατάλογο και παραγγέλνω. Στο τέλος ζητάω τον λογαριασμό, πληρώνω, ευχαριστώ τον σερβιτόρο / τη σερβιτόρα και φεύγω.

Γκαρσόν, έρχεσαι μισό λεπτό.

**Ρόλος Β**

Είμαι σερβιτόρος/σερβιτόρα σε ένα εστιατόριο. Δίνω τον κατάλογο σε κάποιον πελάτη / κάποια πελάτισσα που μου τον ζητάει και παίρνω παραγγελία. Στο τέλος πηγαίνω τον λογαριασμό, δίνω τα ρέστα και τον/την ευχαριστώ.

### 5 Τι θα πιείτε;

**Ρόλος Α**

Είμαι σε μια καφετέρια και περιμένω μια φίλη / έναν φίλο μου που άργησε στο ραντεβού μας. Κοιτάζω τον κατάλογο και παραγγέλνω. Γίνεται λάθος και μου φέρνουν κάτι άλλο από αυτό που παράγγειλα. Ζητάω να μου το αλλάξουν.

**Ρόλος Β**

Είμαι σερβιτόρος/σερβιτόρα σε μια καφετέρια. Παίρνω παραγγελία από έναν πελάτη / μία πελάτισσα. Γίνεται λάθος και του/της πηγαίνω κάτι άλλο από αυτό που ζήτησε. Δέχομαι ότι έγινε λάθος και ζητώ συγνώμη.

ΕΛΛΗΝΙΚΑ Β΄ 87

**Για δες**

Αρσενικά ουσιαστικά σε | -άς/-άδες |
-ης/-ηδες |
-ής/-ήδες |
-ές/-έδες |
-ούς/-ούδες

| | | |
|---|---|---|
| ο μπαμπ**άς** | οι μπαμπ**άδες** | (ο) ψαράς, παπάς, χαλβάς, μπακλαβάς, καβγάς, βοριάς, νοτιάς, υπναράς, περιπτεράς |
| του μπαμπ**ά** | των μπαμπ**άδων** | *Δεν μπορώ άλλο τους* **καβγάδες** *σας! Γιατί δε* |
| τον μπαμπ**ά** | τους μπαμπ**άδες** | *συμφωνείτε ποτέ σε κάτι;* |
| ο καφ**ές** | οι καφ**έδες** | (ο) κεφτές, μεζές, πουρές, καναπές |
| του καφ**έ** | των καφ**έδων** | *Καλά, πόσους* **καφέδες** *ήπιες* |
| τον καφ**έ** | τους καφ**έδες** | *σήμερα;* |
| ο μαν**άβης** | οι μαν**άβηδες** | (ο) μπακάλης, χασάπης, τσαγκάρης, σπιτονοικοκύρης |
| του μαν**άβη** | των μαν**άβηδων** | *Ξέρεις τι μ' αρέσει στη λαϊκή; Όλη* |
| τον μαν**άβη** | τους μαν**άβηδες** | *αυτή η φασαρία, οι φωνές των* **μανάβηδων**... |
| ο καφετζ**ής** | οι καφετζ**ήδες** | (ο) ψιλικατζής, παλιατζής, ταξιτζής, φορτηγατζής, μπογιατζής, σουβλατζής |
| του καφετζ**ή** | των καφετζ**ήδων** | *Ξέρεις κανέναν καλό* **μπογιατζή**; *Θέλουμε* |
| τον καφετζ**ή** | τους καφετζ**ήδες** | *να βάψουμε το σπίτι μετά το καλοκαίρι.* |
| ο παππ**ούς** | οι παππ**ούδες** | *Πήρες τηλέφωνο τον* **παππού** *να δεις* |
| του παππ**ού** | των παππ**ούδων** | *τι κάνει; Ήταν λίγο άρρωστος χτες.* |
| τον παππ**ού** | τους παππ**ούδες** | |

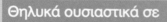

Θηλυκά ουσιαστικά σε | -ά/-άδες |
-ού/-ούδες

| | | |
|---|---|---|
| η μαμ**ά** | οι μαμ**άδες** | (η) γιαγιά |
| της μαμ**άς** | των μαμ**άδων** | *– Πού είναι το μωρό σας; Δεν το φέρατε μαζί;* |
| τη μαμ**ά** | τις μαμ**άδες** | *– Όχι, έμεινε στο σπίτι με τις* **γιαγιάδες** *του.* |
| η μαϊμ**ού** | οι μαϊμ**ούδες** | (η) αλεπού |
| της μαϊμ**ούς** | των μαϊμ**ούδων** | *Επιτέλους! Μετά από τόση ώρα στο βουνό* |
| τη μαϊμ**ού** | τις μαϊμ**ούδες** | *είδαμε δύο* **αλεπούδες**. |

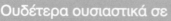

Ουδέτερα ουσιαστικά σε | -ας |
-ατα

| | | |
|---|---|---|
| το κρέ**ας** | τα κρέ**ατα** | *Πρέπει να μαγειρέψω κάτι χωρίς* **κρέας** *για το* |
| του κρέ**ατος** | των κρε**άτων** | *βράδυ, γιατί ο Δημήτρης είναι χορτοφάγος.* |
| το κρέ**ας** | τα κρέ**ατα** | |

| | | |
|---|---|---|
| το γάλ**α** | τα γάλ**ατα** | *Η γεύση* **του γάλατος** *ήταν λίγο περίεργη, γι' αυτό δεν το ήπια.* |
| του γάλ**α(κ)τος** | – | *Δε χρησιμοποιώ συχνά* **κρέμα γάλακτος** *και βούτυρο. Προτιμώ τα ελαφριά φαγητά.* |
| το γάλ**α** | τα γάλ**ατα** | *Για το κέικ χρειάζεστε ζάχαρη, αλεύρι, βούτυρο, αυγά και* **σοκολάτα γάλακτος**. |

## Η σειρά μου πάλι

**6** Διαλέγω και συμπληρώνω το σημείωμα, όπως στο παράδειγμα.

ψαράς, υπναράς, παππούς, μανάβης, χασάπης, σπιτονοικοκύρης,
μπακλαβάς, κρέας, τσαγκάρης, ψιλικατζής, γιαγιά

Γιάννη,

Πάω στη Βάσια και στον Σπύρο για το Σαββατοκύριακο.

Μην ξεχάσεις να κάνεις τις δουλειές που είπαμε. Το

Σάββατο πρέπει να πάρεις _κρέας_ (1) από τον

_____ (2)

και ψάρια από τον _____ (3) που είναι δίπλα

στον φούρνο. Έχει τα πιο φρέσκα. Αν θέλεις φρούτα ή

λαχανικά, δεν έχουμε. Αλλά ο _____ (4)

ξέρεις πού είναι. Έχουμε όμως γλυκό! Ένα ταψί

_____ (5). Την Κυριακή μην ξεχάσεις να

αγοράσεις την εφημερίδα από τον κυρ Αποστόλη,

τον _____ (6) και να την πας στον

_____ (7). Κι αν μπορείς, πέρασε το Σάββατο

να πάρεις τα παπούτσια της _____ (8) από

τον _____ (9). Α, και το πιο σημαντικό! Μην

ξεχάσεις να δώσεις αύριο το νοίκι στους

_____ (10) – τα λεφτά είναι στο γραφείο μου.

Επειδή ξέρω ότι είσαι λίγο _____ (11), θα σε

πάρω το πρωί τηλέφωνο, για να προλάβεις να τα κάνεις

όλα! Καλά να περάσεις, αδελφούλη. Όπως

βλέπεις, όλα έτοιμα σου τα άφησα...

Φιλιά,

Αντιγόνη

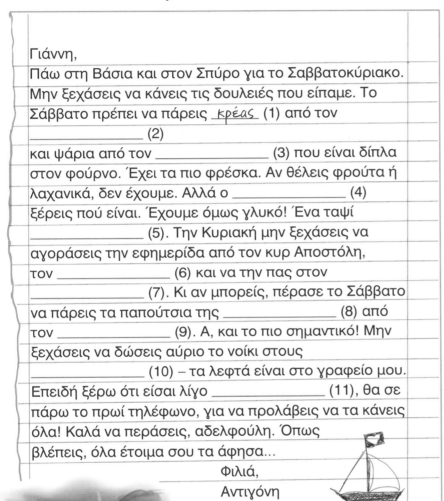

**7** Συμπληρώνω με τον σωστό τύπο, όπως στο παράδειγμα.

1. – Τι έγινε πάλι; Ποιος φωνάζει τέτοια ώρα;
   – Δύο _ταξιτζήδες_ (ταξιτζής) μαλώνουν μπροστά στο σπίτι μας. Μάλλον τράκαραν.
2. Η έκθεση φωτογραφίας του Γιάννη Μπεχράκη για τους _____ (ψαράς) του Μεσολογγίου θα είναι ανοικτή μέχρι τις 30 Οκτωβρίου.
3. Χριστίνα, πήγες χτες βόλτα με τον _____ (παππούς) σου στην παραλία; Νομίζω ότι σας είδα από μακριά, αλλά δεν είμαι σίγουρος.
4. Αυτό το ουζερί έχει πολύ καλούς _____ (μεζές). Τι λέτε; Καθόμαστε για ένα ουζάκι;
5. Έσπασε το τακούνι μου! Ξέρεις κανέναν καλό _____ (τσαγκάρης) στη γειτονιά;
6. Βάλε τα _____ (γάλα) στο ψυγείο. Θα χαλάσουν.
7. Με τόσους _____ (κεφτές) που έφαγες θα πονέσει το στομάχι σου!
8. Ξέρεις πού είναι το μπλε πουκάμισο του _____ (μπαμπάς); Από το πρωί το ψάχνει και δεν μπορεί να το βρει.
9. – Ψώνισες; Πώς είναι οι τιμές στην αγορά;
   – Κοίτα. Οι τιμές των _____ (κρέας) είναι λογικές. Τα φρούτα όμως και τα λαχανικά είναι πανάκριβα αυτή την εποχή.
10. Έκλεισε και το μπακάλικο στη γωνία. Θυμάσαι πόσους _____ (μπακάλης) είχαμε παλιά στη γειτονιά;
11. Είμαι χάλια. Θέλω να γυρίσω στο σπίτι, να ξαπλώσω στον _____ (καναπές) και να μην κάνω τίποτα.
12. Ο διευθυντής του σχολείου κάλεσε χτες το απόγευμα όλους τους γονείς, για να τους μιλήσει. Ξέρεις πόσοι ήρθαν; Μόνο τέσσερις _____ (μαμά).
13. Στον ζωολογικό κήπο περάσαμε τέλεια, γιαγιά! Είδαμε λιοντάρια, πολλές _____ (μαϊμού), _____ (αλεπού) και άγρια πουλιά.
14. Α, μην ξεχάσεις να πάρεις και μια κρέμα _____ (γάλα). Θέλω να φτιάξω τούρτα αύριο.
15. Αύριο πέφτει η θερμοκρασία. Θα έχουμε κρύο και δυνατούς _____ (βοριάς).
16. Έχουμε γλυκό πορτοκάλι και _____ (χαλβάς). Τι προτιμάτε;

# Το τι τραβήξαμε δε λέγεται!

*what we went through is indescribable*

A26

*Hi My Myrtle!*

Γεια σου, Μυρτώ μου! *Sorry for the late reply, but these days I'm running late and I can't manage*
Συγγνώμη που άργησα να σου απαντήσω, αλλά αυτές τις μέρες τρέχω και δε φτάνω. Εσύ πώς τα περνάς; Ωραία η φοιτητική ζωή μακριά από το σπίτι, ε; Πρέπει να έρθω καμιά φορά στη Θεσσαλονίκη να φάμε καλά και φτηνά, γιατί στην Αθήνα δε λέει...

Να, χτες είπαμε να βγούμε έξω με τον πατέρα μου. Πήγαμε σε μια ταβέρνα να μας κεράσει η θεία μου η Μαρίνα για τα γενέθλιά της. Το τι τραβήξαμε δε λέγεται! Κατ' αρχάς, αργήσαμε να φτάσουμε, γιατί είχε κίνηση, και με το ζόρι βρήκαμε ένα μικρό τραπεζάκι στη γωνία. Μετά, είχε πολύ κόσμο και περιμέναμε μια ώρα μέχρι να παραγγείλουμε. Και το φαγητό; Άσ' τα να πάνε! Το κρέας ήταν σχεδόν άψητο, τα ορεκτικά κρύα... Οι κεφτέδες που πήρα εγώ ήταν για πέταμα. Μόνο η σαλάτα ήταν καλή. Και στο τέλος, κοίταξα τη θεία μου όταν της έφεραν τον λογαριασμό. Έχασε το χρώμα της! Δε θέλησα να τη ρωτήσω πόσο πλήρωσε...

Βλέπεις δεν είμαστε όλοι τυχεροί, όπως μερικοί μερικοί που ζούνε στη Θεσσαλονίκη και τρώνε στα ουζερί της αγοράς Μοδιάνο... Σε ζηλεύω. Καλά να περνάς!

*You, how are you doing? Nice student life away from home, eh? I must come to Thessaloniki sometime to eat well and cheaply, because in Athens it is not... So yesterday we said to go out with my father. We went to a taverna to be treated by my aunt Marina for her birthday. What we went through is indescribable.*

Φιλιά πολλά,
Φοίβος

*First of all, we arrived late because there was traffic, and we only just/barely found a small table in the corner.*

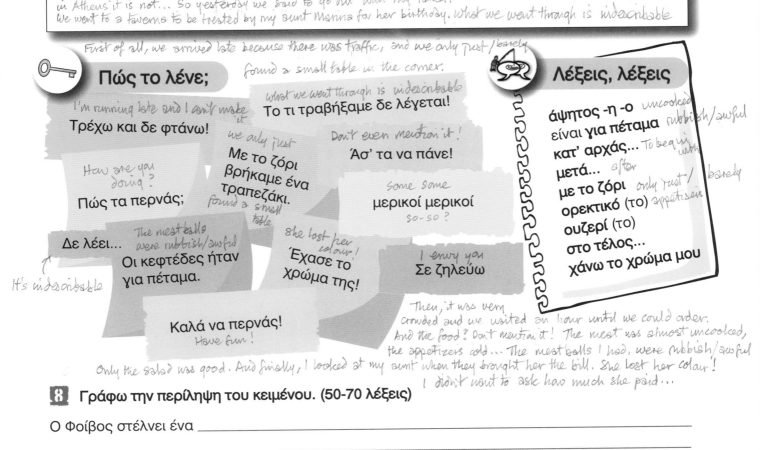

## Πώς το λένε;

*I'm running late and I can't make it*
Τρέχω και δε φτάνω!

*we only just* found a small table
Με το ζόρι βρήκαμε ένα τραπεζάκι.

*How are you doing?*
Πώς τα περνάς;

*The meatballs were rubbish/awful*
Δε λέει... *It's indescribable*
Οι κεφτέδες ήταν για πέταμα.

*what we went through is indescribable*
Το τι τραβήξαμε δε λέγεται!

*Don't even mention it!*
Άσ' τα να πάνε!

*Some some / so-so?*
μερικοί μερικοί

*she lost her colour!*
Έχασε το χρώμα της!

*I envy you*
Σε ζηλεύω

Καλά να περνάς!
*Have fun!*

## Λέξεις, λέξεις

άψητος -η -ο *uncooked*
είναι για πέταμα *rubbish/awful*
κατ' αρχάς... *To begin with*
μετά... *after*
με το ζόρι *only just / barely*
ορεκτικό (το) *appetiser*
ουζερί (το)
στο τέλος...
χάνω το χρώμα μου

*Then, it was very crowded and we waited an hour until we could order. And the food? Don't mention it! The meat was almost uncooked, the appetizers cold... The meatballs I had, were rubbish/awful*

*Only the salad was good. And finally, I looked at my aunt when they brought her the bill. She lost her colour! I didn't want to ask how much she paid...*

**8** Γράφω την περίληψη του κειμένου. (50-70 λέξεις)

Ο Φοίβος στέλνει ένα _____
_____
_____

*You see, we are not all lucky, like some who live in Thessaloniki and they eat at the ouzeri of the Modiano market... I envy you. Have fun! Many kisses Foivos*

 **Η σειρά μου τώρα**

**9 Απαντάω:**

Πηγαίνεις συχνά έξω για φαγητό;
Σου αρέσουν περισσότερο οι παραδοσιακές ταβέρνες ή τα εστιατόρια;
Πήγες ποτέ σε ελληνική ταβέρνα ή εστιατόριο;
Είχες ποτέ πρόβλημα με την εξυπηρέτηση, τις τιμές, την ποιότητα των φαγητών; Έκανες παράπονα στον σερβιτόρο / στη σερβιτόρα; Τι έγινε μετά;

 **Παίζω έναν ρόλο**

**10 Αυτό δεν τρώγεται με τίποτα...**

**Ρόλος Α**

Πηγαίνω στο ζαχαροπλαστείο της γειτονιάς μου, κάθομαι σε ένα τραπεζάκι και παραγγέλνω ένα γλυκό. Ο σερβιτόρος / η σερβιτόρα μού το φέρνει, αλλά, όταν το δοκιμάζω, καταλαβαίνω ότι δεν είναι φρέσκο. Φωνάζω τον/την υπάλληλο, ζητάω να το πάρει πίσω και να μου φέρει κάτι άλλο.

**Ρόλος Β**

Είμαι σερβιτόρος/σερβιτόρα σε ένα ζαχαροπλαστείο. Ένας πελάτης / μια πελάτισσα παραγγέλνει ένα γλυκό. Του/της το πηγαίνω, αλλά, όταν το δοκιμάζει, με φωνάζει, λέει ότι το γλυκό δεν είναι φρέσκο και ζητάει να το πάρω πίσω και να του/της φέρω κάτι άλλο. Ζητάω συγνώμη και του/της προτείνω ένα άλλο γλυκό.

 **Γράψε-σβήσε**

**11** Πριν από λίγες μέρες έφαγα σε ένα εστιατόριο, αλλά οι τιμές ήταν πολύ ακριβές, το φαγητό δεν ήταν νόστιμο και η εξυπηρέτηση καθόλου καλή. Στέλνω μια επιστολή παραπόνων στον υπεύθυνο / στην υπεύθυνη του καταστήματος, περιγράφω τι έγινε και προτείνω λύσεις. (130-150 λέξεις)

Αξιότιμε κύριε / Αξιότιμη κυρία,
Με αυτή την επιστολή θα ήθελα να εκφράσω τα παράπονά μου για _____

_____

Πιο συγκεκριμένα, στις _____

_____

_____

_____

Νομίζω ότι πρέπει _____

_____

_____

Περιμένω την απάντησή σας και σας ευχαριστώ εκ των προτέρων για το ενδιαφέρον σας.

Με εκτίμηση,

_____

 **Για δες**

Αόριστος

| αγοράζω | α - **γό** - ρα - σα |
|---|---|
| γυρίζω | **γύ** - ρι - σα |
| αγαπάω | α - **γά** - πη - σα |
| μπορώ | **μπό** - ρε - σα |
| γράφω | **έ** - γρα - ψα |
| | 3' - 2 - 1 |

| | Τύπος Α | | Τύπος Β1 (-άω) / Β2 (-ώ) | |
|---|---|---|---|---|
| -νω | | πληρώνω – πλήρω**σα** | | μιλάω – μίλη**σα** |
| -ζω | ➤ **-σα** | αγοράζω – αγόρα**σα** | **-ησα** | τηλεφωνώ – τηλεφώνη**σα** |
| -θω | | νιώθω – ένιω**σα** | | ζω – έζη**σα** |
| -ζω | | κοιτάζω – κοίτα**ξα** | | γελάω – γέλα**σα** |
| -γω | | ανοίγω – άνοι**ξα** | **-ασα** | διψάω – δίψα**σα** |
| -χω | ➤ **-ξα** | τρέχω – έτρε**ξα** | | ξεχνάω – ξέχα**σα** |
| -χνω | | φτιάχνω – έφτια**ξα** | | φοράω – φόρε**σα** |
| -κω | | μπλέκω – έμπλε**ξα** | **-εσα** | καλώ – κάλε**σα** |
| -σκω | | διδάσκω – δίδα**ξα** | | μπορώ – μπόρε**σα** |
| -εύω | | δουλεύω – δούλε**ψα** | | πηδάω – πήδη**ξα** |
| -πω | | λείπω – έλει**ψα** | **-ηξα** | τραβάω – τράβη**ξα** |
| -φω | ➤ **-ψα** | γράφω – έγρα**ψα** | | φυσάω – φύση**ξα** |
| -βω | | ανάβω – άνα**ψα** | | βουτάω – βούτη**ξα** |
| -πτω | | βλάπτω – έβλα**ψα** | **-αξα** | κοιτάω – κοίτα**ξα** |
| | | | | πετάω – πέτα**ξα** |
| | | | | φυλάω – φύλα**ξα** |

βουτάω

βούτηξα

| αγόρα**σα** | έγρα**ψα** | τράβη**ξα** | πέτα**ξα** |
|---|---|---|---|
| αγόρα**σες** | έγρα**ψες** | τράβη**ξες** | πέτα**ξες** |
| αγόρα**σε** | έγρα**ψε** | τράβη**ξε** | πέτα**ξε** |
| αγορά**σαμε** | γρά**ψαμε** | τραβή**ξαμε** | πετά**ξαμε** |
| αγορά**σατε** | γρά**ψατε** | τραβή**ξατε** | πετά**ξατε** |
| αγόρα**σαν** | έγρα**ψαν** | τράβη**ξαν** | πέτα**ξαν** |
| (αγορά**σανε**) | (γρά**ψανε**) | (τραβή**ξανε**) | (πετά**ξανε**) |

| | | |
|---|---|---|
| ανεβαίνω – ανέβηκα | καταλαβαίνω – κατάλαβα | |
| αρρωσταίνω – αρρώστησα | κατεβαίνω – κατέβηκα | πέφτω – έπεσα |
| βάζω – έβαλα | κλαίω – έκλαψα | πηγαίνω/πάω – πήγα |
| βγάζω – έβγαλα | λέω – είπα | πίνω – ήπια |
| βγαίνω – βγήκα | μαθαίνω – έμαθα | πλένω – έπλυνα |
| βλέπω – είδα | μένω – έμεινα | στέλνω – έστειλα |
| βρίσκω – βρήκα | μεθάω – μέθυσα | τρώω – έφαγα |
| δίνω – έδωσα | ξέρω – ήξερα | φέρνω – έφερα |
| είμαι – ήμουν | μπαίνω – μπήκα | φεύγω – έφυγα |
| έχω – είχα | παθαίνω – έπαθα | γίνομαι – έγινα |
| θέλω – ήθελα/θέλησα | παίρνω – πήρα | έρχομαι – ήρθα |
| καίω – έκαψα | πεθαίνω – πέθανα | κάθομαι – κάθισα/έκατσα |
| κάνω – έκανα | περιμένω – περίμενα | |

## Φωνή-γραφή

| με, σε | + | φωνήεν | ➔ | μ', σ' | με άκουσε = μ' άκουσε |
|--------|---|--------|---|--------|----------------------|
| το | + | ο, α | ➔ | τ' | σε έπιασε = σ' έπιασε |
| τα | + | α | ➔ | τ' | το άκουσα / τα άκουσα = τ' άκουσα |

| μου, σου, του<br>το, τα | + | [e-, i-] | ➔ | μου '-<br>σου '-<br>του '-<br>το '-<br>τα '- | μου είπε = μου 'πε<br>σου έδωσα = σου 'δωσα<br>το είπαμε = το 'παμε<br>το έφαγα = το 'φαγα<br>τα ειπαμε = τα 'παμε<br>τα έμαθα = τα 'μαθα |

## Η σειρά μου πάλι

**1.2** Συμπληρώνω τους διαλόγους με Αόριστο, όπως στο παράδειγμα.

### Νυχτερινό μπάνιο

**Όλγα:** Πώς ___πέρασες___ (περνάω) χτες, Θοδωρή; _____ (βγαίνω) τελικά;

**Θοδωρής:** Ναι, _____ (πηγαίνω) στο σπίτι του Αντρέα το βραδάκι. _____ (είμαι) εκεί όλη η παρέα. _____ (περνάω) τέλεια! _____ (ακούω) μουσική, _____ (χορεύω), _____ (πίνω) λίγο και _____ (τρώω) τα μεζεδάκια μας. Κάποια στιγμή _____ (λέω) να πάμε στη θάλασσα για νυχτερινό μπάνιο.

**Όλγα:** Και _____ (έχω) τόσο ωραία βραδιά χτες! Ζηλεύω...

**Θοδωρής:** _____ (παίρνω) λοιπόν τα ποδήλατα, _____ (κατεβαίνω) στην παραλία και _____ (βουτάω) στη θάλασσα. Μόνο ο Ηλίας δε _____ (θέλω) να μπει, αλλά τον _____ (πετάω) μέσα με το ζόρι. Το νερό _____ (είμαι) υπέροχο και η παραλία άδεια από κόσμο.

**Όλγα:** Καλά, δεν _____ (παγώνω), όταν _____ (βγαίνω) έξω από τη θάλασσα;

**Θοδωρής:** _____ (ανάβω) φωτιά. Μετά η Μαρία _____ (φέρνω) την κιθάρα της και _____ (γίνομαι) χαμός.

**Όλγα:** Τι ωραία!

## Πάλι σουβλάκια;

**κ. Άννα:** Τι _____ (τρώω) χτες το βράδυ, παιδιά; Πάλι σουβλάκια _____ (αγοράζω);

**Σοφία:** Όχι, μαμά. Η Αναστασία _____ (περνάω) από την πιτσαρία μετά τη δουλειά και _____ (φέρνω) δυο πίτσες.

**κ. Άννα:** Σας το _____ (λέω) χίλιες φορές, βρε κορίτσια. Οι πίτσες και τα σουβλάκια δεν είναι σωστό φαγητό.

**Ντίνα:** Το ξέρω, ρε μαμά. Αλλά δε _____ (βρίσκω) χρόνο για να μαγειρέψω. Τι να κάνουμε; Να μείνουμε νηστικές;

**κ. Άννα:** Εντάξει, αλλά _____ (βλέπω) τι _____ (παθαίνω) ο ξάδελφός σας ο Γιάννης. Μετά τις εξετάσεις αίματος που _____ (κάνω) τον προηγούμενο μήνα _____ (κόβω) και τα γλυκά και το «γρήγορο» φαγητό.

**Σοφία:** Καλά, καλά! Θα είμαστε πιο προσεκτικές. Δε μου λες, τι _____ (μαγειρεύω) σήμερα;

**κ. Άννα:** Χτες _____ (φτιάχνω) σπανακόπιτα και την _____ (πηγαίνω) στη θεία σας, αλλά _____ (φυλάω) για σας μερικά κομμάτια. Σήμερα πρωί πρωί _____ (μαγειρεύω) ψάρι στον φούρνο και _____ (βράζω) πατάτες και κολοκυθάκια για σαλάτα. Ελάτε, καθίστε να σας σερβίρω.

## Πώς το λένε;

Ζηλεύω...

Λέω κάτι χίλιες φορές

Κόβω τα γλυκά.

παραλία άδεια από κόσμο

Γίνεται χαμός.

«γρήγορο» φαγητό

## Παίζω έναν ρόλο

**1.3** Γιατί δε φτιάχνεις μια μακαρονάδα;

### Ρόλος Α

Μια φίλη / ένας φίλος δε μαγειρεύει συχνά. Παραγγέλνει πίτσες και σουβλάκια απ' έξω σχεδόν κάθε μέρα. Της/του εξηγώ ότι το «γρήγορο» φαγητό κάνει κακό στην υγεία. Μου λέει ότι δεν έχει καθόλου ελεύθερο χρόνο για να μαγειρέψει. Της/του προτείνω κάποια απλά φαγητά που μπορεί να τα φτιάξει εύκολα και γρήγορα.

### Ρόλος Β

Δε μαγειρεύω συχνά. Τρώω πίτσες και σουβλάκια σχεδόν κάθε μέρα, γιατί δεν έχω καθόλου ελεύθερο χρόνο για μαγείρεμα. Μια φίλη / ένας φίλος μού εξηγεί ότι το «γρήγορο» φαγητό κάνει κακό στην υγεία. Μου προτείνει κάποια απλά φαγητά που μπορώ να τα φτιάξω εύκολα και γρήγορα. Κάνω ερωτήσεις και λέω ότι θα προσπαθήσω.

# 6 ενότητα

## Γράψε-σβήσε

**1 4** Μια/ένας συνάδελφος θέλει να κάνει το τραπέζι στην παρέα της/του για τα γενέθλιά της/του. Της/του γράφω ένα e-mail και προτείνω ένα πολύ καλό εστιατόριο, όπου πήγα με την παρέα μου πριν από λίγο καιρό. Περιγράφω τι παραγγείλαμε, πώς ήταν το φαγητό και τι μας άρεσε στην εξυπηρέτηση. (130-150 λέξεις)

_____
_____
_____
_____
_____
_____

## Είμαι όλος αυτιά    A27

**1 5** Ψησταριά «Ο Πανάγος». Καλησπέρα σας!
Ακούω δύο (2) φορές την Ανθή να τηλεφωνεί στην ψησταριά της γειτονιάς της και σημειώνω ένα ✓ κάτω από το ΝΑΙ για όσα προϊόντα παραγγέλνει ή κάτω από το ΟΧΙ για όσα δεν παραγγέλνει, όπως στο παράδειγμα.

| | ΝΑΙ | ΟΧΙ |
|---|---|---|
| 1. Πίτα με σουβλάκι | | ✓ |
| 2. Πίτα με γύρο | | |
| 3. Μπριζόλα μοσχαρίσια | | |
| 4. Μπριζόλα χοιρινή | | |
| 5. Κοτόπουλο φούρνου | | |
| 6. Κοτόπουλο σούβλας | | |
| 7. Μπιφτέκια | | |
| 8. Κεμπάπ | | |
| 9. Πατάτες τηγανητές | | |
| 10. Γεμιστά | | |
| 11. Φασολάκια | | |
| 12. Μουσακάς | | |
| 13. Παστίτσιο | | |
| 14. Χόρτα | | |
| 15. Χωριάτικη σαλάτα | | |
| 16. Σαλάτα του σεφ | | |
| 17. Κόκκινο κρασί | | |
| 18. Λευκό κρασί | | |
| 19. Μπίρα | | |
| 20. Αναψυκτικό | | |

 **Για δες**

## Όλα για το φαγητό!

**Πού τρώμε και πίνουμε;**

στο εστιατόριο, στην ταβέρνα, στην ψαροταβέρνα, στο μεζεδοπωλείο, στο ουζερί, στο ψητοπωλείο, στο σουβλατζίδικο, στην πιτσαρία, στο φαστφουντάδικο, στην μπιραρία, στο ζαχαροπλαστείο, στο καφενείο, στην καφετέρια, στο κλαμπ, στο μπαρ

**Ποιος δουλεύει εκεί;**

σεφ, μάγειρας/μαγείρισσα, ζαχαροπλάστης/ ζαχαροπλάστισσα, σερβιτόρος/σερβιτόρα, γκαρσόν (γκαρσόνι), καφετζής, μπάρμαν/μπαργούμαν

**Πώς μαγειρεύω;**

βράζω, ψήνω, τηγανίζω

 **Πού μαγειρεύω;**

στην κατσαρόλα, στον φούρνο, στα κάρβουνα, στη σχάρα, στην ψησταριά, στη σούβλα

**Τι φαγητό φτιάχνω;**

μαγειρευτό (βραστό, λαδερό, κοκκινιστό, λεμονάτο), του φούρνου, της ώρας (ψητό, τηγανητό)

 **Τι γλυκό υπάρχει;**

του ταψιού (π.χ., μπακλαβάς), του κουταλιού (π.χ., πορτοκάλι), τούρτα, πάστα, παγωτό, χαλβάς

**Στην κουζίνα...**

κατσαρόλα, ταψί, τηγάνι, μπρίκι, κουτάλα, σουρωτήρι, τρίφτης, ανοιχτήρι, τάπερ, ψυγείο, κουζίνα, φούρνος, απορροφητήρας, πλυντήριο πιάτων, τοστιέρα, καφετιέρα, μίξερ

**Στο τραπέζι...**

κουτάλι, μαχαίρι, πιρούνι (μαχαιροπίρουνα), πιάτο, πιατέλα, μπολ, ποτήρι, φλιτζάνι, κούπα, κανάτα, αλατιέρα, πετσέτα, χαρτοπετσέτα

*I read the text and write the recipe of a food.*

**1 6** Διαβάζω το κείμενο και γράφω τη συνταγή ενός φαγητού.

**Συνταγή** *Grandma's beans*

## Η φασολάδα της γιαγιάς

**Υλικά** *½ kilo of medium beans*
Μισό κιλό φασόλια μέτρια
2 μέτρια κρεμμύδια *2 average onions*
5-6 καρότα
1 κλωνάρι σέλινο *1 stalk celery*
200 γραμμάρια χυμό ντομάτας
2-3 ντομάτες *200g tomato juice*
λίγο ελαιόλαδο
1 1/2 λίτρο νερό
αλάτι, πιπέρι.

*The previous evening we put the beans in a basin with cold water and cover them.*
• Βάζουμε από το προηγούμενο βράδυ τα φασόλια μέσα σε μια λεκάνη με κρύο νερό και τα σκεπάζουμε.
• Την επόμενη μέρα βράζουμε τα φασόλια σε νερό για 10 λεπτά, τα σουρώνουμε και πετάμε το νερό. *The next day, boil the beans in water for 10 mins, strain and discard the water*
• Ψιλοκόβουμε τα κρεμμύδια και κόβουμε τα καρότα σε ροδέλες. *Finely chop the onions and cut the carrots into slices.*
• Ζεσταίνουμε και πάλι νερό. Μόλις βράσει, ρίχνουμε τα κρεμμύδια και τα καρότα. *We heat up again water. As soon as it boils, add the onions and the carrots.*
• Μετά από 2-3 λεπτά προσθέτουμε τα φασόλια και τα αφήνουμε να βράσουν όλα μαζί για περίπου μία ώρα. *After 2-3 minutes, add the beans and let them boil all together for about an hour.*
• Στη συνέχεια ρίχνουμε τον χυμό ντομάτας, τις ντομάτες ψιλοκομμένες, το σέλινο, το λάδι, το αλάτι και το πιπέρι και τα αφήνουμε να βράσουν για ακόμα 20 λεπτά περίπου. *Then add the tomato juice, chopped tomatoes, celery, oil, salt and pepper and let them boil for another 20 mins or so.*
• Σερβίρουμε τη φασολάδα ζεστή σε βαθύ πιάτο.
Καλή σας όρεξη! *Serve the beans hot in a deep dish. Bon appetite!*

## Η συνταγή μου

_____
_____
_____
_____
_____
_____
_____
_____
_____
_____

*I would like to made a resenstai...*

# Μια κράτηση θα ήθελα να κάνω...

**Υπάλληλος:** Κλαμπ Loft, καλησπέρα σας.
**Ερβίν:** Καλησπέρα. Μια κράτηση θα ήθελα να κάνω.
**Υπάλληλος:** Για πότε ενδιαφέρεστε;
**Ερβίν:** Γι' αυτό το Σάββατο. Έχει ελληνική βραδιά, αν
      δεν κάνω λάθος.
**Υπάλληλος:** Βεβαίως. Για πόσα άτομα;
**Ερβίν:** Πέντε. Πόσο πάει το μπουκάλι;
**Υπάλληλος:** Το ουίσκι και η βότκα έχουν 110 ευρώ,
      το κρασί 80. Για φρούτα ή ξηρούς καρπούς
      πληρώνετε έξτρα 20 ευρώ την πιατέλα. Κάνω λοιπόν
      κράτηση; Ένα τραπέζι για πέντε άτομα;
**Ερβίν:** Ναι, ναι.
**Υπάλληλος:** Σε ποιο όνομα;
**Ερβίν:** Ερβίν Μπροκάι.
**Υπάλληλος:** Μάλιστα. Ένα τηλέφωνο θα μου δώσετε;
**Ερβίν:** Βεβαίως. 6973554471. Τι ώρα ανοίγει το μαγαζί;
**Υπάλληλος:** Στις 11:00. Να είστε εδώ μέχρι τις 12:00 παρά, γιατί διαφορετικά θα
      δώσουμε το τραπέζι.
**Ερβίν:** Εντάξει. Θα έρθουμε στην ώρα μας. Τη διεύθυνσή μου δίνετε, σας παρακαλώ;
**Υπάλληλος:** Βεβαίως. Αγίας Ελεούσης 17, δίπλα στον σταθμό του μετρό στο Μοναστηράκι.
**Ερβίν:** Σας ευχαριστώ πολύ.
**Υπάλληλος:** Εγώ ευχαριστώ. Γεια σας.

## Πώς το λένε;

| | |
|---|---|
| Μια κράτηση θα ήθελα να κάνω. | Σε ποιο όνομα; |
| Για πότε ενδιαφέρεστε; | Τι ώρα ανοίγει το μαγαζί; |
| Αν δεν κάνω λάθος... | Να είστε εδώ μέχρι ..., γιατί |
| Για πόσα άτομα; | διαφορετικά θα δώσουμε |
| Πόσο πάει το μπουκάλι; | το τραπέζι. |
| Ένα τραπέζι για πέντε άτομα; | Θα έρθουμε στην ώρα μας. |

### Λέξεις, λέξεις

έξτρα
κάνω κράτηση
πιατέλα (η)

### 1.7 Σωστό ή λάθος;

| | Σωστό | | Λάθος |
|---|---|---|---|
| 1. Ο Ερβίν τηλεφωνεί σε ένα εστιατόριο στο Μοναστηράκι. | ☐ | | ☑ |
| 2. Το Σάββατο το βράδυ το μαγαζί έχει ελληνική βραδιά. | ☐ | | ☐ |
| 3. Ο Ερβίν θέλει να κλείσει ένα τραπέζι για πέντε άτομα. | ☐ | | ☐ |
| 4. Τα φρούτα και οι ξηροί καρποί είναι δωρεάν, αν πάρεις ποτό. | ☐ | | ☐ |
| 5. Ο Ερβίν κάνει την κράτηση στο όνομα της αδελφής του. | ☐ | | ☐ |
| 6. Ο υπάλληλος ζητάει από τον Ερβίν το τηλέφωνό του. | ☐ | | ☐ |
| 7. Ο Ερβίν λέει ότι θα πάνε στο μαγαζί μετά τις 12:00. | ☐ | | ☐ |
| 8. Το μαγαζί βρίσκεται κοντά στον σταθμό του μετρό στο Μοναστηράκι. | ☐ | | ☐ |

# ενότητα

**1.8** Διαβάζω τις διαφημίσεις σε ένα περιοδικό και παίζω έναν ρόλο.

## Τι θα κάνουμε απόψε;

### ΑΘΗΝΑΙΩΝ ΓΕΥΣΕΙΣ
Μεζεδοπωλείο με ζωντανή μουσική από Πέμπτη ως Κυριακή (μεσημέρι και βράδυ) με τον Γιώργο Γεωργόπουλο και την παρέα του σε έντεχνα, λαϊκά, ρεμπέτικα και νησιώτικα. Ποικιλία μεζέδων, ψητά της ώρας και κρασί χύμα. Φοιτητικό μενού με 10 ευρώ. Αλόπης 68 και Πυλάδου 1, τηλ. 210 3400001.

### DIVER
Η καλύτερη μπιραρία της πόλης με 136 ετικέτες μπίρας και εκπληκτικούς μεζέδες. Ζωντανές μουσικές βραδιές κάθε Παρασκευή και Σάββατο. Ανοιχτά καθημερινά από τις 12:00. Δαβάκη 65, πλατεία Δαβάκη (εντός του εμπορικού κέντρου), Καλλιθέα, τηλ. 210 5700001.

### Ο Νείλος
Ανατολίτικες γεύσεις από τη χώρα του Νείλου. Ανοιχτά καθημερινά από τις 18:00. Κυριακές και αργίες από το μεσημέρι. Ζωντανή μουσική και χορός oriental κάθε Παρασκευή και Σάββατο. 25ης Μαρτίου 19, Αργυρούπολη, τηλ. 210 9911111.

### IL SALOTTO
Όμορφος χώρος, ζεστό περιβάλλον και καταπληκτικά ιταλικά φαγητά φτιαγμένα από τα πιο φρέσκα υλικά. Σπεσιαλιτέ τα χειροποίητα ζυμαρικά. Δοκιμάστε και τα μοναδικά ιταλικά κρασιά. Ανοιχτά καθημερινά από τις 12:00. Μπότσαρη 13, Γλυφάδα, τηλ. 210 8966666.

### Ψησταριά Ο ΠΑΝΑΓΟΣ
Δοκιμάστε σε μας τον πιο νόστιμο γύρο της Αθήνας, τον γύρο του Πανάγου! Παραδοσιακές συνταγές, φαντασία στις γεύσεις και τα πιο φρέσκα και εκλεκτά κρέατα. Οι νοστιμιές μας στο σπίτι και στη δουλειά σας χωρίς καμία επιβάρυνση. Ανοιχτά καθημερινά από τις 5:30 μ.μ. ως τις 2:30 π.μ. Διανομή κατ' οίκον 6:00 μ.μ. ως 1:00 π.μ. Πλατεία Κυψέλης 2, τηλ. 210 8622122.

### CUBANITA
Με ζωντανή Latin μουσική από κουβανέζικα συγκροτήματα και με λατινοαμερικάνικη κουζίνα. Από τις 21:30 καθημερινά. Κάθε Δευτέρα μαθήματα χορού. Τις Τρίτες δε λειτουργεί το εστιατόριο. Καραϊσκάκη 28, Πλατεία Ψυρρή, τηλ. 210 3344445.

 **Παίζω έναν ρόλο**

**Ρόλος Α**
Θέλω να κεράσω τους φίλους μου για τα γενέθλιά μου. Διαβάζω στο περιοδικό τις παραπάνω διαφημίσεις. Επιλέγω μία από αυτές και τηλεφωνώ. Ζητώ πληροφορίες και κλείνω τραπέζι για οχτώ άτομα.

**Ρόλος Β**
Δουλεύω σε ένα από τα παραπάνω καταστήματα. Δίνω τις πληροφορίες που μου ζητάει ο πελάτης / η πελάτισσα. Τονίζω τα θετικά στοιχεία του μαγαζιού και κάνω την κράτηση για οχτώ άτομα.

**1.9** Συμπληρώνω το κείμενο, όπως στο παράδειγμα.

### Αφιέρωμα
### Διατροφή και υγεία

**Είσαι ό,τι τρως**

**Ωραίο μου ψυγείο**

Ζητήσαμε από κάποιους ανθρώπους να μας ανοίξουν τα ψυγεία τους. __9__ Το περιεχόμενό τους δείχνει πολλά για τις διατροφικές συνήθειες, τις αδυναμίες, τις γευστικές προτιμήσεις τους, αλλά και γενικότερα για τον τρόπο ζωής τους.

Και ο διαιτολόγος Χάρης Γεωργακάκης κρίνει, σχολιάζει και συμβουλεύει.
Ας δούμε τι μας είπε η Ελένη Καστάνη, γνωστή ηθοποιός:

### «Δεν αγοράζω κατεψυγμένα. Παίρνω φρέσκα και τα παγώνω εγώ»

Τρώμε υγιεινά και παραδοσιακά κρητικά. Μας στέλνουν συχνά τρόφιμα από το χωριό της μητέρας μου. Κάθε Σάββατο πηγαίνουμε στη λαϊκή και γεμίζω το ψυγείο με λαχανικά και φρούτα. Σαλάτες πολλές. Μαρούλια, λάχανα, πράσα, σπανάκι και χόρτα. Η ντομάτα δε λείπει ποτέ, ούτε τον χειμώνα. _____ Όπως βιολογικές είναι οι ντομάτες και οι φράουλες που ψωνίζω. Θα στύψω μία πορτοκαλάδα την ημέρα, αλλά παίρνω και αναψυκτικά από το σούπερ μάρκετ. Τώρα που κάνω δίαιτα προτιμώ τα λάιτ. Μου είπε ο γιατρός ότι έτσι αποφεύγω τη ζάχαρη.
Κάθε δέκα μέρες ψωνίζω στο σούπερ μάρκετ. Είμαι του κλασικού τυριού. Φέτα. Και τυρί για τοστ. Διαλέγω κάποιο που δεν έχει πολλά λιπαρά. _____ Είναι το μόνο τυρί που αγαπάμε όλοι στο σπίτι. Γάλα αγοράζω κάθε μέρα, με 2% λιπαρά. Γιαούρτια έχει πάντα το ψυγείο. Δεν τρελαίνομαι, αλλά, όταν κάνω δίαιτα, τα τρώω. _____ Ζαμπόν; Μόνο το λάιτ, αλλά όχι και πολύ. Να φανταστείς, στο σάντουιτς που ετοιμάζω για το παιδί βάζω μόνο τυρί και ντομάτα.
Η κατάψυξη είναι γεμάτη. Δεν παίρνω όμως κατεψυγμένα. _____ Από συσκευασμένα, λίγο αρακά μόνο. Αν μείνει κάτι, το ξαναμαγειρεύω. Τις φακές, για παράδειγμα, τις φτιάχνω μετά με ρύζι. Ο συνδυασμός τους είναι πάρα πολύ υγιεινός. Όπως και τα ρεβίθια με το ρύζι. Γεμίζω και ταπεράκια βέβαια. Δεν τα κρατάω όμως και πολύ. _____ Μετά ταΐζω τα ζωάκια της γειτονιάς. Κάποιες φορές πετάω πράγματα. Πιο συχνά φρούτα ή λαχανικά που τα ξεχνάω στο ψυγείο. Συχνά μου χαλάει και το τυρί.
Το παιδί επηρεάζει τη διατροφή της οικογένειας περισσότερο όταν είναι μικρό. _____ Μόνο αυγά έχω ειδικά γι' αυτόν, πάντα από χωριό. Ευτυχώς ο μικρός πίνει

γάλα και τρώει λαχανικά, φρούτα και σαλάτες. Τρελαίνεται για τη σοκολάτα. Δεν του αγοράζουμε απ' έξω «γρήγορο» φαγητό. Του έχουμε εξηγήσει ότι τα σουβλάκια, οι πίτσες και οι προτηγανισμένες πατάτες παχαίνουν και κάνουν κακό στην υγεία. Από πολύ μικρός συνήθισε να τρώει αρκετά μικρά γεύματα καθημερινά. _____ Κανένα φρούτο κι ένα ποτήρι γάλα. Αντίθετα εγώ, επειδή συνήθως τελειώνω αργά τη νύχτα από τη δουλειά μου, τρώω εξίσου αργά. Κι αυτό ξέρω ότι δε μου κάνει καλό.

## Η γνώμη του ειδικού

Η κυρία Καστάνη ακολουθεί μια διατροφή σε γενικές γραμμές σωστή. Περιέχει ποικιλία τροφίμων, όπως κρέας, σαλάτες, φρούτα, γαλακτοκομικά, όσπρια, λαδερά, ψάρια. Είναι έντονο το στοιχείο της παραδοσιακής διατροφής, με πολύ υγιεινές επιλογές, όπως τα όσπρια με το ρύζι. Προσπαθεί όσο μπορεί να χρησιμοποιεί λάιτ αναψυκτικά, τυριά και γαλακτοκομικά. Έτσι, στη διατροφή της θα δούμε και τα χαμηλά σε λιπαρά τυρί και γάλα και την πλούσια σε λίπος γραβιέρα. _____ Συμπερασματικά, βλέπουμε ότι ακολουθεί μια αρκετά ισορροπημένη, παραδοσιακή μεσογειακή διατροφή.

(Σταύρος Διοσκουρίδης, *Ταχυδρόμος*, 29-03-2008, με αλλαγές)

1. Αγγούρια παίρνω μόνο βιολογικά.
2. Κρεατικά, ψαρικά τα αγοράζω φρέσκα και τα παγώνω εγώ.
3. Το βράδυ τρώει πολύ ελαφριά.
4. Μου αρέσει πολύ το παραδοσιακό γιαούρτι, αλλά το αποφεύγω λόγω δίαιτας.
5. Από κίτρινο τυρί παίρνω τη γραβιέρα Κρήτης.
6. Σημαντικό μειονέκτημα είναι ότι τρώει αργά το βράδυ.
7. Ο δικός μου, που είναι οκτώμισι ετών, τρώει πια ό,τι τρώμε και οι μεγάλοι.
8. Μία δύο μέρες μόνο.
9. Οι περισσότεροι απόρησαν, αλλά δε μας είπαν «όχι».

**2.0 Απαντάω:**

Είχες ποτέ πρόβλημα με το βάρος σου; Τι έκανες γι' αυτό;

Πόσο συχνά τρως κρέας, ψάρι, όσπρια, τυριά, φρούτα, λαχανικά;

Πόσο συχνά πίνεις νερό, γάλα, αναψυκτικά, κρασί, μπίρα, ούζο;

Αγοράζεις βιολογικά προϊόντα; Γιατί;

Σου αρέσει το «γρήγορο» φαγητό; Γιατί;

Γνωρίζεις τη μεσογειακή διατροφή; Σου αρέσει;

 **Φωνή-γραφή**  A29

**2.1 Ποια λέξη ακούω πρώτη;**

| | | | | |
|---|---|---|---|---|
| 1. | πήρα | | πήγα | ✓ |
| 2. | άρχισα | | άργησα | |
| 3. | άναψα | | άνοιξα | |
| 4. | έδωσα | | έδιωξα | |
| 5. | έχασα | | ξέχασα | |
| 6. | έκλεψα | | έκλεισα | |
| 7. | φύλαξα | | φίλησα | |
| 8. | έβγαλα | | έβαλα | |
| 9. | πήγα | | πήρα | |
| 10. | ήπια | | είπα | |
| 11. | έφαγα | | έφυγα | |
| 12. | βγήκα | | βρήκα | |

## Για θυμήσου

**2.2** Διαλέγω το σωστό, όπως στο παράδειγμα.

1. Χάλια είναι το φαγητό εδώ. Η μπριζόλα μου είναι _άψητη_ .
   α. της ώρας            β. μαγειρευτή            γ. άψητη

2. Μία _____ για αύριο το βράδυ μπορώ να κάνω; Θα ήθελα ένα τραπέζι για τέσσερα άτομα. Κοντά στο παράθυρο, αν γίνεται.
   α. κράτηση             β. παραγγελία            γ. καθυστέρηση

3. Πιάσε την _____ και σέρβιρε το φαγητό, σε παρακαλώ. Έχω να ετοιμάσω τη σαλάτα.
   α. κανάτα              β. σχάρα                 γ. κουτάλα

4. Λυπάμαι, κύριε. Δεν ήρθατε _____ κι έδωσα το τραπέζι σε άλλους. Σας είπα στο τηλέφωνο να είστε εδώ πριν από τις 10:00.
   α. με το ζόρι          β. απ' έξω               γ. στην ώρα σας

5. Γιατί τρως κάθε μέρα πίτσες και σουβλάκια; Δεν ξέρεις ότι το _____ φαγητό κάνει κακό στην υγεία;
   α. βραστό              β. «γρήγορο»             γ. μαγειρευτό

6. – Θέλεις λίγο _____ ;
   – Όχι, ευχαριστώ. Δεν τρώω γλυκά.
   α. μπακλαβά            β. κεφτέ                 γ. πουρέ

7. – Τι έκανες τελικά τον παλιό καναπέ που ήθελες να πετάξεις;
   – Πέρασε προχτές ένας _____ και τον πήρε.
   α. παλιατζής           β. τσαγκάρης             γ. ψιλικατζής

**2.3** Γράφω τις λέξεις που έμαθα.

# Θυμάμαι ότι παίζαμε όλη μέρα...

- Εκείνα τα χρόνια τα παιδιά έπαιζαν στους δρόμους.
- Όταν εσύ σπούδαζες, εγώ δούλευα.
- Την ώρα που πήγαινα στη στάση, πέρασε το λεωφορείο.

## Μισή ώρα έψαχνα να παρκάρω...

**Αρλέτα:** Καλησπέρα. Συγνώμη που άργησα, αλλά...

**Μελέκ:** Δεν πειράζει. Εδώ, τα λέγαμε με τον κυρ Αντρέα.

**Αρλέτα:** Μα τι κατάσταση είναι αυτή; Μισή ώρα έψαχνα να παρκάρω. Αμάν πια αυτή η Αθήνα!

**κύριος Αντρέας:** Πώς αλλάζουν όλα! Όταν εγώ ήμουν παιδί, στην Αθήνα σχεδόν δεν υπήρχαν πολυκατοικίες. Αυτή εδώ η γειτονιά ήταν όλο μικρά σπιτάκια και χωράφια με λουλούδια.

**Μελέκ:** Αλήθεια, κύριε Αντρέα; Και τώρα δε βλέπεις ούτε μια πλατεία με λίγο πράσινο...

**κύριος Αντρέας:** Τα παιδιά έπαιζαν στους δρόμους...

**Αρλέτα:** Εμ, βέβαια! Τότε οι δρόμοι ήταν για τους ανθρώπους! Ενώ τώρα... Ακόμα και τα πεζοδρόμια είναι για τα αυτοκίνητα!

**κύριος Αντρέας:** Θυμάμαι ότι κάναμε βόλτα στο κέντρο και σπάνια έβλεπες αυτοκίνητα. Κάπου κάπου περνούσε το τραμ και άκουγες το καμπανάκι του.

**Αρλέτα:** Εκείνη ήταν εποχή για βόλτες... Άκουσα ότι κάποτε οι Αθηναίοι πήγαιναν για διακοπές το καλοκαίρι στην Κηφισιά και στο Φάληρο. Είναι δυνατόν;

**κύριος Αντρέας:** Αλήθεια είναι. Οι πλούσιοι όμως. Γιατί οι πιο φτωχοί πολλές φορές δεν είχαν λεφτά ούτε για τα ψώνια τους και αγόραζαν «βερεσέ» από τον μπακάλη.

**Μελέκ:** «Βερεσέ»; Αυτό είναι τούρκικη λέξη! Δηλαδή πλήρωναν όταν μπορούσαν;

**κύριος Αντρέας:** Ακριβώς.

**Αρλέτα:** Δύσκολη η ζωή και τότε λοιπόν...

**κύριος Αντρέας:** Δύσκολη, αλλά με όλα τα προβλήματά του ο κόσμος περνούσε ωραία. Θυμάμαι ότι τα καλοκαίρια δουλεύαμε όλη μέρα και το απόγευμα πηγαίναμε όλη η παρέα, τριάντα άνθρωποι, στη θάλασσα. Ξαπλώναμε στην παραλία, τρώγαμε, τραγουδούσαμε και χορεύαμε μέχρι αργά το βράδυ. Τότε διασκεδάζαμε πραγματικά.

**Αρλέτα:** Όχι όπως τώρα που...

**Μελέκ:** Αρλέτα, μάλλον δεν είναι η μέρα σου σήμερα. Όλα μαύρα τα βλέπεις. Έλα να πιούμε κάτι μήπως σου φτιάξει το κέφι. Κύριε Αντρέα, τι να σας κεράσουμε;

**Πώς το λένε;**

Εδώ, τα λέγαμε...

Μα τι κατάσταση είναι αυτή;

Αμάν πια!

Εμ, βέβαια!

Ακόμα και...

Άκουσα ότι...

Αλλά με όλα τα προβλήματά του...

Όχι όπως τώρα που...

Δεν είναι η μέρα σου σήμερα.

Όλα μαύρα τα βλέπεις.

Μήπως σου φτιάξει το κέφι.

Τι να σας κεράσουμε;

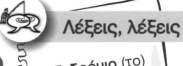 **Λέξεις, λέξεις**

πεζοδρόμιο (το)

πολυκατοικία (η)

πράσινο (το)

χωράφι (το)

**1** **Σωστό ή λάθος;**

| | Σωστό | Λάθος |
|---|---|---|
| 1. Η Μελέκ έχει ραντεβού με τον κύριο Αντρέα. | ☐ | ☑ |
| 2. Η Αρλέτα άργησε γιατί δε βρήκε εύκολα θέση για να παρκάρει. | ☐ | ☐ |
| 3. Η γειτονιά του κυρίου Αντρέα είναι γεμάτη μικρά σπιτάκια και χωράφια. | ☐ | ☐ |
| 4. Όταν ο κύριος Αντρέας ήταν μικρός, οι δρόμοι δεν είχαν πολλά αυτοκίνητα. | ☐ | ☐ |
| 5. Κάποτε όλοι οι Αθηναίοι έκαναν διακοπές στην Κηφισιά και στο Φάληρο. | ☐ | ☐ |
| 6. Τα παλιά χρόνια πολύς κόσμος δεν πλήρωνε τα ψώνια του αμέσως. | ☐ | ☐ |
| 7. Ο κύριος Αντρέας πιστεύει ότι παλιά οι άνθρωποι είχαν τα προβλήματά τους, αλλά διασκέδαζαν πολύ. | ☐ | ☐ |
| 8. Η Αρλέτα σήμερα έχει νεύρα. | ☐ | ☐ |

 **Η σειρά μου τώρα**

**2**  **Απαντάω:**

Άλλαξε η πόλη σου / το χωριό σου / η γειτονιά σου από τότε που ήσουν παιδί; Τι άλλαξε;

Τι θυμάσαι από τα παιδικά σου χρόνια; Πού έπαιζες;

Τι κάνατε τα καλοκαίρια;

Οι παππούδες, οι γιαγιάδες ή οι γονείς σου πού ζούσαν; Πώς ήταν η ζωή τους;

| Για δες | ΕΝΕΣΤΩΤΑΣ | ΠΑΡΑΤΑΤΙΚΟΣ παλιά: κάθε μέρα/συνέχεια | |
|---|---|---|---|
| | πηγαιν- | πηγαιν- | |
| | πηγαίνω | πήγαινα πήγαινες πήγαινε πηγαίναμε πηγαίνατε πήγαιναν/πηγαίνανε | |
| **Τύπος Α** | παιζ- | παιζ- | |
| | παίζω | έπαιζα έπαιζες έπαιζε παίζαμε παίζατε έπαιζαν/παίζανε | -α -ες -ε -αμε -ατε -αν(ε) |
| | ακου- | ακου- | |
| **Τύπος Α/Β** | ακούω καίω λέω κλαίω τρώω φταίω | άκουγα άκουγες άκουγε ακούγαμε ακούγατε άκουγαν/ακούγανε | |
| | περν- | περν- | |
| | περνάω | περνούσα          ή     πέρναγα περνούσες                πέρναγες περνούσε                  πέρναγε περνούσαμε              περνάγαμε περνούσατε              περνάγατε περνούσαν(ε)          πέρναγαν | -ούσα -ούσες -ούσε -ούσαμε -ούσατε -ούσαν(ε) |
| **Τύπος Β1 + Β2** | μπορ- | μπορ- | |
| | μπορώ | μπορούσα μπορούσες μπορούσε μπορούσαμε μπορούσατε μπορούσαν(ε) | |

| θέλω | ήθελα |
|---|---|
| ξέρω | ήξερα |
| υπάρχω | υπήρχα |

## ΠΑΡΑΤΑΤΙΚΟΣ

1. **Επανάληψη**  όταν ήμουν παιδί... / όταν ζούσα στη Γαλλία... / όταν πήγαινα στο σχολείο
   κάθε πότε; πάντα / συνήθως / συχνά / κάπου κάπου / σπάνια / κάθε καλοκαίρι ...
2. **Διάρκεια**    όλον τον καιρό / όλη την ημέρα / όλο το βράδυ... / συνέχεια / από... ως...

Όταν ήμουν παιδί, έπαιζα κάθε μέρα με τους φίλους μου.
Κάθε καλοκαίρι πηγαίναμε στο χωριό για διακοπές.
Το περασμένο καλοκαίρι πήγαινα για μπάνιο στη θάλασσα σχεδόν κάθε μέρα.
Όλη τη νύχτα πονούσε το στομάχι μου.
Από τις δύο ως τις έξι τα παιδιά διάβαζαν τα μαθήματά τους.

## Η σειρά μου πάλι

**3** Τι άλλαξε μέσα σε 100 χρόνια; Χρησιμοποιώ το ίδιο ρήμα στον Παρατατικό, όπως στο παράδειγμα.

1. Σήμερα πολλοί άνθρωποι μένουν σε πολυκατοικίες. Τότε *έμεναν* σε μικρά σπίτια με αυλές.
2. Σήμερα πολύς κόσμος ταξιδεύει με αεροπλάνο. Τότε _____ πιο πολύ με τρένο.
3. Σήμερα οι γυναίκες δουλεύουν σχεδόν παντού. Τότε οι πιο πολλές _____ στο σπίτι.
4. Σήμερα πολλοί άνθρωποι περπατάνε λίγο. Τότε _____ πολύ.
5. Σήμερα οι άνθρωποι δε βλέπουν τους φίλους τους πολύ συχνά . Τότε _____ τους φίλους τους σχεδόν κάθε μέρα.
6. Σήμερα πολλοί άνθρωποι αγοράζουν πράγματα με πιστωτική κάρτα. Τότε _____ με μετρητά ή βερεσέ.
7. Σήμερα πολύς κόσμος οδηγεί αυτοκίνητο. Τότε _____ ποδήλατο.
8. Σήμερα πολλοί άνθρωποι στέλνουν στους φίλους τους μηνύματα με το κινητό. Τότε _____ γράμματα.
9. Σήμερα πολλοί άνθρωποι τρώνε γρήγορο φαγητό. Τότε _____ σπιτικό φαγητό.
10. Σήμερα πολλά παιδιά παίζουν παιχνίδια στον υπολογιστή. Τότε _____ στον δρόμο.

**4** Πώς ήταν η ζωή τους πριν από 5 χρόνια; Φτιάχνω τις προτάσεις, όπως στο παράδειγμα.

1. ο Φοίβος / σπουδάζει / στο Πανεπιστήμιο
   *Ο Φοίβος σπούδαζε στο Πανεπιστήμιο.* _____
2. ο Πάμπλο / δουλεύει / στην Ισπανία
   _____
3. η Μελέκ / ζει / στην Τουρκία
   _____
4. η Αρλέτα / μαθαίνει / ιταλικά
   _____
5. ο Ερβίν / μιλάει / μόνο αλβανικά
   _____
6. η Μαρίνα / παίζει / τένις
   _____
7. ο Παναγιώτης / καπνίζει
   _____
8. ο Νίκος / βγαίνει έξω / κάθε βράδυ
   _____

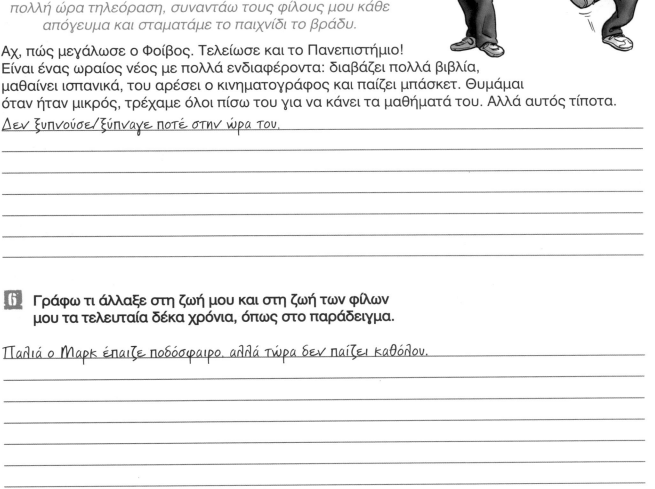

**5** Η γιαγιά του Φοίβου θυμάται.
Γράφω τι έκανε όταν ήταν παιδί, όπως στο παράδειγμα.

*δεν ξυπνάω ποτέ στην ώρα μου, δεν πίνω το γάλα μου, αργώ στο σχολείο, δεν ακούω τον πατέρα μου, μιλάω με τους φίλους μου στο μάθημα, γελάω με τους δασκάλους, δε διαβάζω τα μαθήματα, τρώω μόνο πίτσες και σουβλάκια, παίζω για ώρες ηλεκτρονικά παιχνίδια, βλέπω πολλή ώρα τηλεόραση, συναντάω τους φίλους μου κάθε απόγευμα και σταματάμε το παιχνίδι το βράδυ.*

Αχ, πώς μεγάλωσε ο Φοίβος. Τελείωσε και το Πανεπιστήμιο!
Είναι ένας ωραίος νέος με πολλά ενδιαφέροντα: διαβάζει πολλά βιβλία, μαθαίνει ισπανικά, του αρέσει ο κινηματογράφος και παίζει μπάσκετ. Θυμάμαι όταν ήταν μικρός, τρέχαμε όλοι πίσω του για να κάνει τα μαθήματά του. Αλλά αυτός τίποτα.

*Δεν ξυπνούσε/ξύπναγε ποτέ στην ώρα του,* _____

_____

_____

_____

_____

_____

_____

**6** Γράφω τι άλλαξε στη ζωή μου και στη ζωή των φίλων μου τα τελευταία δέκα χρόνια, όπως στο παράδειγμα.

*Παλιά ο Μαρκ έπαιζε ποδόσφαιρο, αλλά τώρα δεν παίζει καθόλου.* _____

_____

_____

_____

_____

_____

**7** Τι είδε ο Πάμπλο από το μπαλκόνι του σπιτιού του; Συμπληρώνω όπως στο παράδειγμα.

(μιλάει) μόνη της – (χορεύει) στη μέση του δρόμου – (κρατάει) στο στόμα του μια τσάντα –
(περπατάει) και (διαβάζει) το βιβλίο του. – (τρέχει) πίσω από έναν σκύλο –
(ψάχνει) κάτι στα σκουπίδια – (μπαίνει) στο λεωφορείο

1. Ένας σκύλος *κρατούσε / κράταγε στο στόμα του μια τσάντα.*
2. Μια γιαγιά _____ .
3. Ένας κύριος με γραβάτα και κοστούμι _____ .
4. Μια γάτα _____ .
5. Ένας νέος _____ .
6. Μια κοπέλα _____ .
7. Μια κυρία _____ .

**8** Γράφω πού ήμουν και τι έκανα χτες στις 9 το βράδυ, όπως στο παράδειγμα.

1. *Ήμουν στο σπίτι και διάβαζα ελληνικά.* _____ .
2. _____ .
3. _____ .
4. _____ .

**9** Ρωτάω τους φίλους μου και γράφω πού ήταν και τι έκαναν χτες στις 9 το βράδυ, όπως στο παράδειγμα.

*Η Ζαν ήταν στον δρόμο και γύριζε στο σπίτι της.*

_____

_____

_____

## Γράψε-σβήσε

**10** Περιγράφω τι έκανα κάθε καλοκαίρι όταν ήμουν παιδί. (150 λέξεις περίπου)

_____

_____

_____

_____

_____

_____

_____

_____

_____

_____

_____

_____

_____

## Φωνή-γραφή

| με, σε<br>το<br>τα | + | φωνήεν<br>ο, α<br>α | μ', σ'<br>τ'<br>τ' | με άκουγε = μ' άκουγε<br>σε έβλεπε = σ' έβλεπε |
|---|---|---|---|---|
| μου, σου, του, το, τα | + | [e-, i-] | μου '-<br>σου '-<br>του '-<br>το '-<br>τα '- | μου έλεγε = μου 'λεγε<br>σου έστελνε = σου 'στελνε<br>του έφερνε = του 'φερνε<br>το ήξερε = το 'ξερε<br>τα έδινε = τα 'δινε |

# 7 ενότητα

## Αγάπησα την Ελλάδα όταν σπούδαζα...

1. Η επιστροφή στην Ελλάδα για τον Βασίλη, τον άντρα μου, σήμαινε γυρισμό στην πατρίδα και στη μητρική του γλώσσα, ύστερα από πολλά χρόνια στο εξωτερικό. Για μένα όμως ήταν σαν μια επιστροφή στην πρώτη μου αγάπη. Αγάπησα την Ελλάδα όταν σπούδαζα, αλλά πάντα έμενα γι' αυτή μια ξένη.

2. Διάφοροι Αθηναίοι φίλοι μάς έλεγαν ότι είμαστε τρελοί που θέλαμε να μεγαλώσουμε τα παιδιά μας στον τόπο που μεγάλωναν αυτοί τα δικά τους. «Η Ελλάδα είναι καλή για διακοπές, όχι για να ζεις μόνιμα» έλεγαν. Είχα και αρκετούς Άγγλους φίλους που θεωρούσαν την Αθήνα μια βρόμικη, μολυσμένη πόλη.

3. Μόλις κατεβήκαμε από το φέρι μποτ στην Πάτρα και βγήκαμε στην εθνική οδό, μέσα στη ζέστη του μεσημεριού, είδαμε τα καμένα βουνά της Πελοποννήσου. Ήμασταν, λοιπόν, πάλι εδώ, στη χώρα που λατρεύαμε, και όμως τίποτα δεν έδειχνε να πηγαίνει καλά. «Φτάσαμε στη χώρα που γέννησε την τραγωδία» είπε ο Βασίλης. Στην εθνική οδό από την Πάτρα προς την Αθήνα ανοίξαμε το ραδιόφωνο. Μια βραχνή και βαριά αντρική φωνή τραγουδούσε με καημό:

   «Τα ψεύτικα τα λόγια τα μεγάλα
   μου τα 'πες με το πρώτο σου το γάλα...».

   Η Άννα και η Λάρα, οι κόρες μας, δεν μπορούσαν πια ούτε να γκρινιάξουν από την κούραση.

4. Ήταν βραδάκι πια όταν φτάσαμε στο καινούριο μας σπίτι, στη Βουλιαγμένη. Περάσαμε τη νύχτα στο άδειο ακόμα διαμέρισμα. Ήταν αρχές Ιουλίου, αλλά νόμιζες ότι ήταν Αύγουστος. Οι περισσότεροι Αθηναίοι φίλοι μας έλειπαν διακοπές και δεν προσπαθήσαμε να ψάξουμε τους υπόλοιπους. Εκείνες τις μέρες έκανε τόση ζέστη, που δεν μπορούσαμε να κάνουμε τίποτα. Τα μεσημέρια τα περνούσαμε στο κρεβάτι μέσα σε ένα σκοτεινό υπνοδωμάτιο. Αργά

το απόγευμα κατεβαίναμε στην παραλία να κολυμπήσουμε. Τα βράδια παραγγέλναμε πίτσες, τρώγαμε στη βεράντα και έπειτα πέφταμε για ύπνο. Μερικές φορές ξυπνούσα και έβρισκα τα πόδια του Βασίλη κοντά στο πρόσωπό μου – μου εξηγούσε ότι προσπαθούσε να πλησιάσει στο παράθυρο για να πάρει λίγο αέρα.

5. Τον Αύγουστο κάναμε ό,τι και οι περισσότεροι Αθηναίοι – τα μαζέψαμε και φύγαμε. Χιλιάδες άνθρωποι γέμιζαν το λιμάνι του Πειραιά, ενώ τα μαγαζιά στην πόλη κατέβαζαν τα ρολά και τα γραφεία έκλειναν. Στα μέσα Αυγούστου οι μόνοι που παρέμεναν στην πρωτεύουσα ήταν οι μετανάστες, οι τουρίστες, οι σερβιτόροι και οι κλέφτες. Όλοι οι άλλοι ήταν ήδη σε διακοπές ή έπαιρναν την άδειά τους και έφευγαν.

6. Οι βδομάδες που περάσαμε στην Πάτμο διόρθωσαν κάπως τα πράγματα. Στη διάρκεια της μέρας κολυμπούσαμε, διαβάζαμε και κόβαμε σύκα από τις συκιές. Τα βράδια συναντούσαμε φίλους και τρώγαμε σε ταβερνούλες της παραλίας. Μερικές φορές ξαπλώναμε για ύπνο έξω, στην ταράτσα, και κοιτάζαμε τα άστρα που έπεφταν.

7. Γυρίσαμε στη Βουλιαγμένη την 1η Σεπτεμβρίου. Είχα την ελπίδα ότι αυτή η δεύτερή μας άφιξη θα ήταν καλύτερη από την πρώτη.

Sofka Zinovieff, *Οδός Ευρυδίκης*, Διόπτρα, Αθήνα 2005 (με αλλαγές)

**11** Βάζω στη σειρά τους τίτλους των παραγράφων, όπως στο παράδειγμα.

| | |
|---|---|
| Καινούριες ελπίδες... | |
| Η Αθήνα αδειάζει. | |
| Επιτέλους, διακοπές! | |
| Κάτι δεν πάει καλά. | |
| Επιστροφή στην πρώτη μου αγάπη. | 1 |
| Μόνοι στο καινούριο μας σπίτι. | |
| Μας έλεγαν τρελούς... | |

 Η σειρά μου τώρα

**12** Απαντάω:

Έφυγες ποτέ για να ζήσεις σε άλλη χώρα / άλλον τόπο; Μήπως γνωρίζεις κανέναν που το έκανε; Πώς ήταν τον πρώτο καιρό εκεί; Τι έκανες/έκανε τις πρώτες μέρες; Άλλαξε κάτι μετά;

# 7 ενότητα

**1 3** Η Λι θυμάται τις πρώτες μέρες στην Ελλάδα.
Διαλέγω το σωστό, όπως στο παράδειγμα.

**It's all greek to me!**

**Λι:** Όταν <u>έφτασα</u> (έφτασα / έφτανα) στην Ελλάδα, στην αρχή, όλα ήταν αρκετά δύσκολα. Δεν ήξερα τη γλώσσα και δεν _____ (κατάλαβα / καταλάβαινα) τι μου _____ (είπαν / έλεγαν).

**Παναγιώτης:** Και μάλλον δε _____ (διάβασες / διάβαζες) ελληνικά...

**Λι:** Όχι, δεν _____ (μπόρεσα / μπορούσα) να διαβάσω κι έτσι είχα πολλά προβλήματα. Για παράδειγμα, πολλές φορές δεν _____ (βρήκα / έβρισκα) τον δρόμο που _____ (έψαξα / έψαχνα).

**Παναγιώτης:** Και πώς _____ (έμαθες / μάθαινες) το αλφάβητο;

**Λι:** Σιγά σιγά, μόνη μου. Την πρώτη φορά που _____ (διάβασα / διάβαζα) τον κατάλογο στην ταβέρνα ήμουν πολύ χαρούμενη! Μέχρι τότε, όταν _____ (πήγα / πήγαινα) στο εστιατόριο, _____ (έδειξα / έδειχνα) με το δάχτυλο το πιάτο που ήθελα.

**Παναγιώτης:** Ποπό! Όπως πέρσι το καλοκαίρι, όταν _____ (πήγα / πήγαινα) για διακοπές στην Αίγυπτο...

**Λι:** Αλλά και οι άνθρωποι ήταν πολύ διαφορετικοί από εμάς. Συνέχεια _____ (φώναξαν / φώναζαν) και έκαναν πολλές κινήσεις με τα χέρια τους.

**Παναγιώτης:** Ξέρεις, ακόμα το ίδιο κάνουν.

**Λι:** Τώρα το _____ (συνήθισα / συνήθιζα), τότε όμως _____ (πίστεψα / πίστευα) ότι όλοι ήταν θυμωμένοι!

 **Για δες**

Όταν εσύ πήγαιν εγώ γύριζα.

**ΠΑΡΑΤΑΤΙΚΟΣ + ΠΑΡΑΤΑΤΙΚΟΣ**

| Όταν... | Όταν εσύ πήγαινες, εγώ γύριζα. |
|---|---|
| Ενώ... | Ενώ η Αρλέτα έψαχνε να παρκάρει, η Μελέκ μιλούσε με τον κύριο Αντρέα. |
| Όση ώρα... | |
| Την ώρα που... | Όση ώρα ο Ερβίν μαγείρευε, η Αρλέτα ετοίμαζε το γλυκό. |

**ΠΑΡΑΤΑΤΙΚΟΣ + ΑΟΡΙΣΤΟΣ**

| Ενώ... | Ενώ ετοίμαζα τα πράγματα για το ταξίδι, άκουσα ότι ο καιρός θα χαλάσει. |
|---|---|
| Την ώρα που... | Την ώρα που πήγαινα στη στάση, πέρασε το λεωφορείο. |
| Καθώς... | Καθώς περπατούσα στον δρόμο, συνάντησα μια παλιά φίλη. |

ΕΛΛΗΝΙΚΑ Β′

## Η σειρά μου πάλι

**1 4** Διαλέγω το σωστό, όπως στο παράδειγμα.

1. Χθες όλη μέρα έβρεξε / _έβρεχε._ Ευτυχώς, γιατί φέτος τον χειμώνα δεν _έβρεξε_ / έβρεχε καθόλου.

2. Ο Μάνος δεν άκουσε / άκουγε ποτέ κλασική μουσική. Από τη μέρα όμως που άκουσε / άκουγε την _Ενάτη_ του Μπετόβεν, ακούει συνέχεια.

3. Ο Γιώργος δε φορούσε / φόρεσε ποτέ κοστούμι και γραβάτα. Το περασμένο Σάββατο όμως φόρεσε / φορούσε για πρώτη φορά, στον γάμο της αδερφής του.

4. Όλη τη χρονιά η Μαίρη πήρε / έπαιρνε το μετρό για να πάει στη δουλειά της. Τη Δευτέρα, που το μετρό είχε απεργία, πήρε / έπαιρνε το λεωφορείο και άργησε είκοσι λεπτά!

5. Σήμερα το τηλέφωνο χτύπησε / χτυπούσε συνέχεια. Την πέμπτη φορά που χτύπησε / χτυπούσε, δεν το σήκωσα.

**1 5** Τι έγινε την ώρα που...;

1. η Μαρίνα / δουλεύει / το σκυλί της, η Κούκλα / ανεβαίνει πάνω στο κρεβάτι της
   – _Τι έγινε την ώρα που η Μαρίνα δούλευε;_
   – _Το σκυλί της, η Κούκλα, ανέβηκε πάνω στο κρεβάτι της._

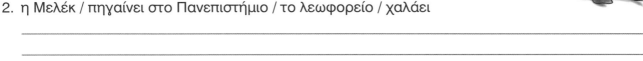

2. η Μελέκ / πηγαίνει στο Πανεπιστήμιο / το λεωφορείο / χαλάει
   _____
   _____

3. ο Πάμπλο / γυρίζει στο σπίτι / ένας αστυνομικός / τον σταματάει
   _____
   _____

4. ο Βόιτσεκ / αλλάζει τη λάμπα / πέφτει / από τη σκάλα
   _____
   _____

5. η Αρλέτα / φεύγει από τη δουλειά / βρίσκει ένα γατάκι στον δρόμο
   _____
   _____

**1 6** Παρατατικός ή Αόριστος; Συμπληρώνω:

1. Την ώρα που η Μαρίνα _περίμενε_ (περιμένω) το λεωφορείο, _____ (κοιτάζω) τα περιοδικά στο περίπτερο.
2. Κάθε φορά που ο Φοίβος _____ (μαγειρεύω), _____ (καίω) το φαγητό.
3. Καθώς η Βέρα _____ (πηγαίνω) στην τράπεζα, κάποιος της _____ (κλέβω) την τσάντα.
4. Την ώρα που η Μελέκ _____ (κάνω) μπάνιο, _____ (ακούω) έναν δυνατό θόρυβο στην κουζίνα. Έτρεξε αμέσως για να δει τι έγινε.
5. Την ώρα που η Αρλέτα _____ (διαβάζω), ο Ερβίν _____ (βλέπω) τηλεόραση.
6. Κάθε φορά που ο Νίκος _____ (πηγαίνω) σινεμά, _____ (αργώ).
7. Την ώρα που ο Πάμπλο _____ (στέλνω) το e-mail, _____ (σβήνω) ο υπολογιστής.
8. Καθώς ο Φου _____ (περπατάω) στον δρόμο, _____ (συναντάω) τον Βόιτσεκ από την τάξη των ελληνικών.

**1 7** Διορθώνω το λάθος.

1. Χτες το βράδυ πήγαινα σινεμά με την παρέα μου και είδαμε την καινούρια ταινία του Αγγελόπουλου.
   _Χτες το βράδυ πήγα σινεμά με την παρέα μου και είδαμε την καινούρια ταινία του Αγγελόπουλου._

2. Όταν πήγαινα στο σχολείο, πάντα διάβασα μόνη μου.
   _____

3. Στις διακοπές η Μαρία σπάνια είδε τηλεόραση. Προτιμούσε το διάβασμα και τη μουσική.
   _____

4. Χτες ο Παύλος έτρωγε αργά το βράδυ, γιατί είχε πολλή δουλειά.
   _____

5. Όταν πήγα στην Ελλάδα για πρώτη φορά, δεν μίλησα ελληνικά. Αργότερα έκανα μαθήματα και έμαθα τις πρώτες μου λέξεις.
   _____

6. Την ώρα που εγώ έπλυνα τα πιάτα, αυτός είδε τηλεόραση.
   _____

*I read the text and complete the table, as in the example*

**18** Διαβάζω το κείμενο και συμπληρώνω τον πίνακα, όπως στο παράδειγμα.

*The small yard*

## Η μικρή αυλή

Ήτανε μια μικρή αυλή με δωμάτια που μένανε διάφοροι, σε μια γειτονιά μακριά από το κέντρο της πόλης, στη βιομηχανική περιοχή. Η ατμόσφαιρα ήταν βαριά εκεί, όπως είναι πάντα στις βιομηχανικές περιοχές. Αυτοί που μένανε στην αυλή δουλεύανε, οι περισσότεροι, στα γύρω εργοστάσια. Ήτανε μερικές φαμίλιες κι ένας δημόσιος υπάλληλος, καμιά σαρανταπενταριά χρονών, που έμενε μόνος στο δωμάτιο δίπλα στην τουαλέτα.

Γύρω στην αυλή ήταν κι άλλες αυλές, κι άλλα σπίτια, ισόγεια κι αυτά και χαμηλά.

Οι γυναίκες την ασβεστώνανε τακτικά την αυλή. Είχανε και γλάστρες με λουλούδια.

Η αλήθεια είναι πως μύριζε η τουαλέτα, μα δεν μπορούσε να γίνει τίποτα.

Μπροστά από την αυλή περνάγανε ένα σωρό τροχοφόρα. Ήτανε τα εργοστάσια και γι' αυτό είχε μεγάλη κίνηση. Μόλις όμως έμπαινες στην αυλή, έμπαινες σ' έναν άλλο κόσμο.

Τα πρωινά, οι γυναίκες, όσες δε δουλεύανε σαν τους άντρες στα εργοστάσια, συγυρίζανε τα δωμάτια. Σκουπίζανε την αυλή. Βάζανε μπουγάδα, κι έβλεπες τότε ένα σωρό εσώρουχα, αντρικά, γυναικεία, παιδικά. Γιατί ήτανε και παιδιά στην αυλή. Μικρά παιδιά που παίζανε όλη μέρα ή άλλα που πηγαίνανε σχολείο ή δουλεύανε τα μεγαλύτερα.

*It was a small courtyard with separate rooms, in a neighborhood far away from the city centre, in the industrial area. The atmosphere was heavy there, as it always is in industrial areas. Most of those who live in the yard work in the*

*Antonis Samarakis 'The Wall' from*

Αντώνης Σαμαράκης, «Ο Τοίχος», από το *Ζητείται Ελπίς*, Αθήνα, Ελευθερουδάκης, 1982, σ. 26-27 (με αλλαγές)

*with changes*

α. Στην αυλή έμεναν *They lived in the yard...*
β. Ο αέρας στην περιοχή *The air in the area...*
γ. Στη γύρω περιοχή υπήρχαν *In the surrounding area there were...*
δ. Η βιομηχανική περιοχή ήταν *The industrial area was...*
ε. Ο κύριος που ζούσε μόνος του *The gentleman who lived alone...*
στ. Τα υπόλοιπα σπίτια της περιοχής *The rest of the houses in the area...*
ζ. Ο δρόμος μπροστά στην αυλή *The road in front of the yard...*
η. Μερικές από τις γυναίκες που ζούσαν στην αυλή *Some of the women who lived in the courtyard...*
θ. Τα μικρά παιδιά που έμεναν στην αυλή *The small children who lived in the courtyard...*

1. μόνο οικογένειες. *only families.*
2. ήταν άνεργος. *he was unemployed.*
3. στο κέντρο της πόλης. *in the centre of the city.*
4. δεν είχαν αυλές. *they had no yards.*
√5. διάφοροι εργαζόμενοι. *various workers.*
√6. εργοστάσια. *factories.*
7. ήταν καθαρός. *it was clean.*
√8. δεν έκαναν τίποτα. *they didn't do anything.*
√9. ήταν χαμηλά. *they were low.*
10. ήταν πολύ ήσυχος. *it was very quiet.*
√11. δούλευαν στα εργοστάσια. *they worked in the factories.*
√12. δεν ήταν καθαρός. *it was not clean.*
√13. είχε πολλή κίνηση. *it was very busy [traffic].*
14. πολυκατοικίες. *blocks of flats / apartment buildings.*
√15. μακριά από το κέντρο της πόλης. *far from the town centre.*
√16. έμενε στο δωμάτιο δίπλα στην τουαλέτα. *he lived in the room next to the toilet.*
√17. πήγαιναν σχολείο ή έπαιζαν όλη μέρα. *they went to school or played all day.*

| | |
|---|---|
| α | 5 |
| β | 12 |
| γ | 6 |
| δ | 15 |
| ε | 16 |
| στ | 9 ? |
| ζ | 13 |
| η | 11 |
| θ | 17 |

*surrounding factories. There were a few families and a civil servant, about 45-years-old, who lived alone in the room next to the toilet.*
*Around the courtyard there were other courtyards, and other houses, both ground floor and low.*
*The truth is that the toilet smelt, but nothing could be done.*
*A bunch of trucks were passing in front of the yard. It was the factories and that is why there was a lot of traffic.*
*However, as soon as you entered the courtyard, you entered another world.*
*In the mornings, the women, who did not work like the men in the factories, cleaned the rooms. They swept the courtyard. They were doing laundry, and then you saw a pile of men's, women's, children's underwear.*
*Because there were also children in the yard. Little children who played all day or who went to school or older ones who worked.*

**Είμαι όλος αυτιά**

**1 9** Ο Μίκης Θεοδωράκης μιλάει για τα παιδικά του χρόνια.
Συμπληρώνω τον πίνακα, όπως στο παράδειγμα.

|  | Σωστό | Λάθος |
|---|---|---|
| 1. Οι πρώτες αναμνήσεις του Μίκη Θεοδωράκη είναι από την Αθήνα. | ☐ | ☑ |
| 2. Η μητέρα του ήταν 25 χρονών όταν τον γέννησε. | ☐ | ☐ |
| 3. Ο Μίκης Θεοδωράκης διάβαζε συχνά, όταν ήταν παιδί, μαζί με τη μητέρα του. | ☐ | ☐ |
| 4. Του άρεσαν πολύ τα μαθήματα στο σχολείο. | ☐ | ☐ |
| 5. Συνήθως διάβαζε πρώτα τα μαθήματα του σχολείου και μετά έπαιζε με τους φίλους του. | ☐ | ☐ |
| 6. Στην Αθήνα δεν έμειναν πολύ καιρό. | ☐ | ☐ |
| 7. Στην Αθήνα ο πατέρας του του αγόρασε ένα ποδήλατο. | ☐ | ☐ |
| 8. Μια μέρα ο Μίκης Θεοδωράκης κάθισε στη μέση του δρόμου και δεν έφευγε, γιατί ήταν πολύ κουρασμένος. | ☐ | ☐ |
| 9. Ο Μίκης Θεοδωράκης είδε για πρώτη φορά αυτοκίνητα στην Αθήνα. | ☐ | ☐ |
| 10. Η Αθήνα ήταν πολύ διαφορετική από τη Σύρο και τη Μυτιλήνη. | ☐ | ☐ |
| 11. Στην οδό Πειραιώς κυκλοφορούσαν μόνο αυτοκίνητα. | ☐ | ☐ |
| 12. Τα αυτοκίνητα τότε έτρεχαν συνήθως με εξήντα χιλιόμετρα την ώρα. | ☐ | ☐ |

**Γράψε-σβήσε**

**2 0** Περιγράφω τον πρώτο καιρό που ήμουν στην Ελλάδα ή σε μια άλλη χώρα.
(150-170 λέξεις)

_____
_____
_____
_____
_____
_____
_____
_____
_____
_____
_____

 **Φωνή-γραφή**  A33

**2.1** Ακούω και συμπληρώνω τα γράμματα που λείπουν.

1. ____άνω
2. έψα____α
3. ____ομάδα
4. ____ρόμος
5. ____άδια
6. ____ούδαζα
7. ____ιάχνω

8. ____ες
9. ____αις
10. ____άνια
11. ____ολείο
12. ____όνια
13. ____ώνια
14. αι____άνομαι

 **Για θυμήσου**

**2.2** Παρατατικός ή Αόριστος; Βρίσκω 10 λάθη στο παρακάτω κείμενο.

Ήταν Κυριακή 1η Νοεμβρίου 2009, 10:00 το βράδυ, όταν άφησα το σπίτι μου και ~~έφευγα~~ έφυγα για την Ελλάδα. Τους πρώτους μήνες ένιωσα στενοχωρημένη. Δεν κατάλαβα ελληνικά. Δε μίλησα ελληνικά. Δεν ήθελα να μάθω τη γλώσσα. Κάθε μέρα τηλεφώνησα στη μαμά μου. Καμιά φορά έκλαψα. Το ρολόι του κινητού μου έδειξε ακόμα την ώρα της χώρας μου, μια ώρα πίσω. Τα πρώτα Χριστούγεννα πήγαινα ξανά στη χώρα μου και όταν γύριζα, ήμουν διαφορετική. Έπαιρνα ένα βιβλίο και έμαθα ελληνικά μόνη μου. Μετά έβρισκα δουλειά και δούλεψα για πέντε μήνες. Τώρα δε δουλεύω, γιατί πηγαίνω στο σχολείο των ελληνικών, και νιώθω καλύτερα.

**2.3** Γράφω τις λέξεις που έμαθα.

# Έχει ο καιρός γυρίσματα

# Ελπίζω ο καιρός να μας κάνει τη χάρη!

*I hope the weather will be kind to us!*

**Μελέκ:** Πάμπλο, έχεις κανένα σχέδιο για την Κυριακή; *Pablo, do you have any plans for Sunday?*

**Πάμπλο:** Δε νομίζω. Γιατί; *I don't think so. Why?*

**Μελέκ:** Θα πάω για περπάτημα στην Πεντέλη. Θέλεις να έρθεις; *I will go for a walk in Penteli. Do you want to come?*

**Πάμπλο:** Στην Πεντέλη; Πώς σου 'ρθε; *In Penteli? How did it come to you?*

**Μελέκ:** Θα πάω για πεζοπορία με έναν σύλλογο που οργανώνει εκδρομές στο βουνό. *I'm going hiking with a group that organises excursions in the mountains.* Έλα! Θα έρθει και η Βέρα. Θα είμαστε καλή παρέα. Θα περάσουμε τέλεια. *Come! Vera will come too. We'll be good company. We will have a great time.*

**Πάμπλο:** Δεν ξέρω... Τι ώρα θα φύγετε; *I don't know... What time will you leave?*

**Μελέκ:** Κατά τις 7:30. Πρέπει να είμαστε στις 8:15 στην κεντρική πλατεία της Πεντέλης. Από εκεί θα ξεκινήσουμε για το βουνό. *Around 7:30. We have be at 8:15 in the central square of Penteli. From there we will start out for the mountain*

**Πάμπλο:** Πολύ πρωί δεν είναι; *Very early in the morning isn't it?*

**Μελέκ:** Έλα τώρα... Καλό θα μας κάνει το πρωινό περπάτημα στη φύση. Θα κάνουμε τη γυμναστική μας, θα αναπνεύσουμε καθαρό αέρα... *Come now... A morning walk in nature will do us good. We will do our gymnastics (exercises) we will breathe clean air...*

**Πάμπλο:** Δεν είναι κακή ιδέα. Θα έρθω. Φέτος δεν πηγαίνω στο γυμναστήριο και νιώθω χάλια. Περπατάω λίγα μέτρα και κουράζομαι. *It's not a bad idea, I'll come. I'm not going to the gym this year and I feel bad. I walk a few metres and I get tired.*

**Μελέκ:** Άντε, ρε! Νομίζω ότι, αν αρχίσεις πάλι γυμναστική, θα νιώσεις πολύ καλύτερα. *Come on, hey! I think that if you start gymnastics again you will feel much better.*

**Πάμπλο:** Αλλά... ξέρεις τι καιρό θα κάνει; Άκουσα ότι το Σαββατοκύριακο θα έχει βροχές και αέρα. *But... do you know what the weather will be like? I heard that the weekend will be rainy and windy.*

**Μελέκ:** Αλήθεια; Κοίτα. Θα δούμε το δελτίο καιρού το Σάββατο το βράδυ. Αν ακούσουμε ότι θα βρέξει ή ότι η θερμοκρασία θα πέσει πολύ, δε θα πάμε. Θα κοιτάξω και στο ίντερνετ. *Really? Look. We will see the weather report on Saturday night. If we hear that it will rain, or that the temperature will drop a lot, we will not go. I will also look on the internet.*

**Πάμπλο:** Δε χρειάζεται. Θα ξυπνήσουμε την Κυριακή το πρωί και θα δούμε. Αν έχει κακοκαιρία, θα συνεχίσουμε τον ύπνο μας. *It's not needed. We will wake up Sunday morning and we will see. If there is bad weather we will continue our sleep.*

**Μελέκ:** Ελπίζω πάντως ο καιρός να μας κάνει τη χάρη. *I hope the weather will be kind to us.*

**Πάμπλο:** Θα το πω και στον Νίκο. Τι λες; Θα του τηλεφωνήσω το απόγευμα. *I will also tell Niko. What do you think? I'll call him this afternoon.*

**Μελέκ:** Εντάξει. Α, και να έχεις μαζί σου νερό. Εμείς θα φέρουμε φρούτα και κανένα σάντουιτς. *Okay. Oh, and have water with you. We will bring fruit and some sandwiches.*

**Πάμπλο:** Ωραία λοιπόν. Την Κυριακή στις 7:30 θα είμαι στο σπίτι σου. *Great then. On Sunday at 7:30 I will be at your house.*

**Μελέκ:** Δε θα ξεχάσεις να πάρεις μαζί σου τη φωτογραφική μηχανή, έτσι; *You won't forget to take the camera with you, will you?*

**Πάμπλο:** Όχι, βέβαια! *No, of course!*

## Πώς το λένε;

Έχεις κανένα σχέδιο;
Πώς σου 'ρθε;
Θα είμαστε καλή παρέα.
Έλα τώρα...
Καλό θα μας κάνει το πρωινό περπάτημα στη φύση.
Δεν είναι κακή ιδέα.
Νιώθω χάλια.
Άντε, ρε!
Η θερμοκρασία θα πέσει πολύ.
Ελπίζω ο καιρός να μας κάνει τη χάρη.

## Λέξεις, λέξεις

δελτίο καιρού (το)
η θερμοκρασία πέφτει / ανεβαίνει
κακοκαιρία (η)
οργανώνω
πεζοπορία (η)
περπάτημα (το)
φύση (η)

---

**1** Σωστό ή λάθος;

| | Σωστό | Λάθος |
|---|---|---|
| 1. Το Σάββατο η Μελέκ θα πάει για περπάτημα στο βουνό. | ☐ | ☑ |
| 2. Η Μελέκ λέει στον Πάμπλο να πάει μαζί της στην Πεντέλη. | ☐ | ☐ |
| 3. Ένας σύλλογος οργανώνει αυτήν την εκδρομή στην Πεντέλη. | ☐ | ☐ |
| 4. Θα ξεκινήσουν την πεζοπορία από την κεντρική πλατεία της Πεντέλης. | ☐ | ☐ |
| 5. Πρέπει να είναι στην πλατεία της Πεντέλης στις 7:30 το πρωί. | ☐ | ☐ |
| 6. Ο Πάμπλο ξεκίνησε γυμναστήριο πριν από λίγες ημέρες. | ☐ | ☐ |
| 7. Το Σαββατοκύριακο ο καιρός μπορεί να μην είναι καλός. | ☐ | ☐ |
| 8. Δε θα πάνε για περπάτημα, αν ανέβει η θερμοκρασία. | ☐ | ☐ |
| 9. Η Μελέκ θα τηλεφωνήσει στον Νίκο, για να τον καλέσει. | ☐ | ☐ |
| 10. Ο Πάμπλο πρέπει να φέρει νερό, φρούτα και σάντουιτς. | ☐ | ☐ |
| 11. Η Μελέκ θα πάρει μαζί της τη φωτογραφική μηχανή. | ☐ | ☐ |

---

 ## Η σειρά μου τώρα

**2** Απαντάω:

Σου αρέσει το περπάτημα; Πόση ώρα περπατάς καθημερινά;
Πηγαίνεις συχνά στο βουνό; Τι κάνεις εκεί συνήθως;
Προτιμάς να κάνεις γυμναστική στη φύση ή στο γυμναστήριο;
Πώς μαθαίνεις τι καιρό θα κάνει τις επόμενες ημέρες;

 **Για δες**

| Τι καιρό θα κάνει αύριο; | Θα κάνει / Θα έχει | ζέστη<br>καύσωνα<br>κρύο<br>ψύχρα<br>δροσιά<br>παγωνιά<br>καλό/ωραίο καιρό<br>κακό/άσχημο καιρό<br>κακοκαιρία<br>παλιόκαιρο | Θα έχει | ήλιο<br>λιακάδα<br>αέρα<br>άνεμο<br>συννεφιά<br>σύννεφα<br>βροχή<br>καταιγίδα<br>χιόνι<br>χιονόνερο<br>χαλάζι<br>ομίχλη<br>υγρασία |

 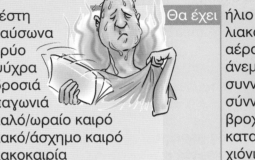

Πώς θα είναι
ο καιρός το
Σαββατοκύριακο;

Τι καιρό θα έχει
τη Δευτέρα;

| Ο καιρός θα είναι | ήπιος<br>καλός/κακός<br>ωραίος/άσχημος<br>βροχερός |

| Η θερμοκρασία | θα ανέβει<br>θα πέσει<br>θα φτάσει τους 18 °C<br>(τους 18 βαθμούς Κελσίου)<br>θα φτάσει τους -5 °C<br>(τους μείον 5 βαθμούς<br>Κελσίου / τους 5 βαθμούς<br>κάτω από το μηδέν) |

| Ο καιρός | θα φτιάξει<br>θα χαλάσει |

| Τι καιρό κάνει τώρα εκεί; | Βρέχει.<br>Ψιλοβρέχει.<br>Ψιχαλίζει.<br>Χιονίζει. Σε λίγο θα το στρώσει.<br>Ρίχνει χιόνι.<br>Ρίχνει χαλάζι.<br>Φυσάει.<br>Έχει αστραπές και βροντές/μπουμπουνητά.<br>Αστράφτει.<br>Βροντάει/Μπουμπουνίζει. |

| Τι καιρό είχατε χτες; | Έβρεχε συνέχεια. Ο δρόμος μπροστά στο σπίτι έγινε ποτάμι και η αποθήκη μας πλημμύρισε. Όλη τη νύχτα δεν μπορέσαμε να ησυχάσουμε από τις αστραπές και τις βροντές. Ένας κεραυνός έπεσε σε ένα δέντρο δίπλα στο σπίτι μας και το έκαψε. |

## Δελτίο καιρού

Ο καιρός αύριο θα είναι   ήπιος
                          αίθριος
                          άστατος

Την Κυριακή θα έχει  υψηλές/χαμηλές θερμοκρασίες
                     ηλιοφάνεια
                     ήλιο με αραιή συννεφιά
                     νεφώσεις (= συννεφιά)
                     βροχές και καταιγίδες
                     δυνατούς ανέμους
                     ανατολικό/δυτικό/βόρειο/νότιο άνεμο
                     βοριά/νοτιά (βοριάδες/νοτιάδες)
                     ανέμους 5 μποφόρ
                     ισχυρούς βόρειους ανέμους έντασης 9 μποφόρ

Τη Δευτέρα θα έχουμε άνοδο/πτώση της θερμοκρασίας.

ο/η μετεωρολόγος
Ε.Μ.Υ. = Εθνική Μετεωρολογική Υπηρεσία

Βορράς
Δύση    Ανατολή
Νότος

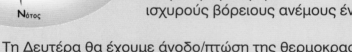

ΑΥΡΙΟ

## Παίζω έναν ρόλο

**3** Θα έρθεις στο γήπεδο;

**Ρόλος Α**
Έχω δύο εισιτήρια για έναν αγώνα ποδοσφαίρου που θα γίνει σήμερα το απόγευμα. Τηλεφωνώ σε έναν φίλο / μια φίλη μου και του/της λέω να έρθει μαζί.

**Ρόλος Β**
Σήμερα βρέχει από το πρωί. Μόλις γύρισα στο σπίτι μετά από μια δύσκολη μέρα στη δουλειά. Ένας φίλος / μια φίλη μού τηλεφωνεί και με καλεί στο γήπεδο για έναν αγώνα ποδοσφαίρου.

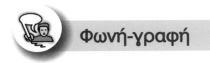 **Φωνή-γραφή**  B2

**4** Ακούω τις λέξεις και τις βάζω στον σωστό πίνακα.

κακός καιρός, Κυριακή, κάτοικος, καθαρός, κουράζομαι, θα κοιτάξω,

δυτικός, δυτική, καταιγίδα, κεραυνός, ακούω

μετεωρολόγος, γυμναστική, φεύγω, φεύγεις, πήγα, γελάω, απόγευμα,

αγώνας, βγάζω, βγαίνω, γήπεδο, σίγουρος, παγωνιά

χάλια, χιόνι, βροχή, έχω, έχει, χαλάει, αρχίζω, συνεχίζω, χαλάζι, χειμώνας,

ψιχαλίζει, δυστυχώς, χαμηλή, σχέδιο, εποχή

γκαράζ, Βαγγέλης, γκολ, ταγκό, Αγγελική, φεγγάρι, παραγγελία, παγκάκι, ανάγκη

| /k/ | [k̃] |
|---|---|
| κακός | καιρός |

| /γ/ | [j] |
|---|---|
| μετεωρολόγος | γυμναστική |

| /x/ | [x̃] |
|---|---|
| χάλια | χιόνι |

| /g/ | [g̃] |
|---|---|
| γκαράζ | Βαγγέλης |

# 8 ενότητα

 **Για δες**

| Ενεστώτας | Αόριστος | Απλός Μέλλοντας |
|---|---|---|
| | **Απλός Μέλλοντας** | |
| αγοράζω | **αγόρασα** | θα **αγοράσω** |
| δουλεύω | **δούλεψα** | θα **δουλέψω** |
| μιλάω | **μίλησα** | θα **μιλήσω** |
| πετάω | **πέταξα** | θα **πετάξω** |
| βάζω | **έβαλα** | θα **βάλω** |

### Τύπος Α

| | | |
|---|---|---|
| -νω | | πληρώ**νω** – θα πληρώ**σω** |
| -ζω | **-σω** | αγορά**ζω** – θα αγορά**σω** |
| -θω | | νιώ**θω** – θα νιώ**σω** |
| -ζω | | κοιτά**ζω** – θα κοιτά**ξω** |
| -γω | | ανοί**γω** – θα ανοί**ξω** |
| -χω | **-ξω** | τρέ**χω** – θα τρέ**ξω** |
| -χνω | | φτιά**χνω** – θα φτιά**ξω** |
| -κω | | μπλέ**κω** – θα μπλέ**ξω** |
| -σκω | | διδά**σκω** – θα διδά**ξω** |
| -εύω | | δουλ**εύω** – θα δουλ**έψω** |
| -πω | | λεί**πω** – θα λεί**ψω** |
| -φω | **-ψω** | γρά**φω** – θα γρά**ψω** |
| -βω | | ανά**βω** – θα ανά**ψω** |
| -πτω | | βλά**πτω** – θα βλά**ψω** |

### Τύπος Β1 / Β2

| | |
|---|---|
| **-ήσω** | μιλάω – θα μιλ**ήσω** |
| | τηλεφωνώ – θα τηλεφων**ήσω** |
| | ζω – θα ζ**ήσω** |
| **-άσω** | γελάω – θα γελ**άσω** |
| | διψάω – θα διψ**άσω** |
| | ξεχνάω – θα ξεχ**άσω** |
| **-έσω** | φοράω – θα φορ**έσω** |
| | καλώ – θα καλ**έσω** |
| | μπορώ – θα μπορ**έσω** |
| **-ήξω** | πηδάω – θα πηδ**ήξω** |
| | τραβάω – θα τραβ**ήξω** |
| | φυσάω – θα φυσ**ήξω** |
| | βουτάω – θα βουτ**ήξω** |
| **-άξω** | κοιτάω – θα κοιτ**άξω** |
| | πετάω – θα πετ**άξω** |
| | φυλάω – θα φυλ**άξω** |

☞
| | | |
|---|---|---|
| ανεβαίνω – **θα ανέβω** **θα ανεβώ** | καταλαβαίνω – **θα καταλάβω** | περιμένω – **θα περιμένω** |
| αρρωσταίνω – **θα αρρωστήσω** | κατεβαίνω – **θα κατέβω** **θα κατεβώ** | πέφτω – **θα πέσω** |
| βάζω – **θα βάλω** | κλαίω – **θα κλάψω** | πηγαίνω (πάω) – **θα πάω** |
| βγάζω – **θα βγάλω** | λέω – **θα πω** | πίνω – **θα πιω** |
| βγαίνω – **θα βγω** | μαθαίνω – **θα μάθω** | πλένω – **θα πλύνω** |
| βλέπω – **θα δω** | μένω – **θα μείνω** | στέλνω – **θα στείλω** |
| βρίσκω – **θα βρω** | μεθάω – **θα μεθύσω** | τρώω – **θα φάω** |
| δίνω – **θα δώσω** | ξέρω – **θα ξέρω** | φέρνω – **θα φέρω** |
| είμαι – **θα είμαι** | μπαίνω – **θα μπω** | φεύγω – **θα φύγω** |
| έχω – **θα έχω** | παθαίνω – **θα πάθω** | γίνομαι – **θα γίνω** |
| θέλω – **θα θελήσω** | παίρνω – **θα πάρω** | έρχομαι – **θα έρθω** |
| καίω – **θα κάψω** | πεθαίνω – **θα πεθάνω** | κάθομαι – **θα καθίσω** **θα κάτσω** |
| κάνω – **θα κάνω** | | |

| θα αγοράσω | θα γράψω | θα τραβήξω | θα πετάξω | θα πω |
|---|---|---|---|---|
| θα αγοράσεις | θα γράψεις | θα τραβήξεις | θα πετάξεις | θα πεις |
| θα αγοράσει | θα γράψει | θα τραβήξει | θα πετάξει | θα πει |
| θα αγοράσουμε | θα γράψουμε | θα τραβήξουμε | θα πετάξουμε | θα πούμε |
| θα αγοράσετε | θα γράψετε | θα τραβήξετε | θα πετάξετε | θα πείτε |
| θα αγοράσουν(ε) | θα γράψουν(ε) | θα τραβήξουν(ε) | θα πετάξουν(ε) | θα πουν / θα πούνε |

| | |
|---|---|
| Θα διαβάσουν την εφημερίδα. | Θα **τη** διαβάσουν. |
| Θα φέρετε σε εμάς παγωτό; | Θα **μας** φέρετε παγωτό; |
| Θα πω σε εσάς κάτι. | Θα **σας** πω κάτι. |
| – Θα **το** ανοίξουν το μαγαζί; | – Όχι. **Δε** θα **το** ανοίξουν. |

## Φωνή-γραφή

| | |
|---|---|
| θα αγοράσω = θ' αγοράσω | θα είμαι = θα 'μαι |
| θα ανάψω = θ' ανάψω | θα έχω = θα 'χω |
| θα ανέβω = θ' ανέβω | θα έρθω = θα 'ρθω / θα 'ρθώ |
| θα ανοίξω = θ' ανοίξω | |

## Η σειρά μου πάλι

**5** Συμπληρώνω τον διάλογο με Απλό Μέλλοντα, όπως στο παράδειγμα.

### Ο γύρος της Πελοποννήσου

**Μυρτώ:** _Θα έρθεις_ (έρχομαι) την Παρασκευή μαζί μου στα μαγαζιά; _____ (κοιτάω) για καινούρια τηλεόραση.

**Οδυσσέας:** Δυστυχώς, δεν μπορώ. Είπαμε με τα παιδιά από το μάθημα Φωτογραφίας ότι το τριήμερο _____ (φεύγω) και _____ (κάνω) τον γύρο της Πελοποννήσου.

**Μυρτώ:** Ωραία ιδέα! _____ (περνάω) τέλεια! Τι πρόγραμμα έχετε;

**Οδυσσέας:** Τίποτα συγκεκριμένο. _____ (βλέπω). Πάντως _____ (σταματάω) σε αρκετές πόλεις. Το πρώτο βράδυ _____ (μένω) στην Πάτρα, στο σπίτι μιας φίλης, και μετά βλέπουμε. _____ (ψάχνω) για φτηνά δωμάτια.

**Μυρτώ:** Τέτοια εποχή _____ (βρίσκω) σίγουρα. Όλα τα ξενοδοχεία _____ (είμαι) άδεια.

**Οδυσσέας:** Να δούμε τι καιρό _____ (κάνω). Ελπίζω να μη ρίξει χιόνι και δεν μπορούμε να επιστρέψουμε!

**Μυρτώ:** Σιγά, βρε Οδυσσέα! Σε λίγο θα μας πεις ότι _____ (ρίχνω) και χαλάζι... Στις ειδήσεις είπαν ότι η θερμοκρασία _____ (ανεβαίνω) πολύ. Βέβαια το Σάββατο _____ (βρέχει) στα ορεινά. Πάρε λοιπόν και ομπρέλα και μαγιό!

**6** Συμπληρώνω τον διάλογο με Απλό Μέλλοντα, όπως στο παράδειγμα.

Δεν άκουσες το δελτίο καιρού;

**Γρηγόρης**: Φεύγω. Πες στη μαμά ότι _θα αργήσω_ (αργώ) το βράδυ.

**Άρτεμη**: Τι; _____ (βγαίνω) με αυτό τον παλιόκαιρο;

**Γρηγόρης**: Γιατί όχι; Δε θα _____ (κάθομαι) στο σπίτι βέβαια Σάββατο βράδυ...

**Άρτεμη**: Καλά, δεν άκουσες ειδήσεις; Ο καιρός _____ (χαλάω) πολύ απόψε. Είπαν ότι _____ (χιονίζει) το βράδυ.

**Γρηγόρης**: Τέλεια! _____ (παίζω) και χιονοπόλεμο. Μην ανησυχείς. Δε _____ (παθαίνω) τίποτα. Εσύ τι θα κάνεις;

**Άρτεμη**: Μάλλον _____ (τηλεφωνώ) στην παρέα και _____ τους _____ (καλώ) στο σπίτι.

**Γρηγόρης**: Αν φτιάξεις και τη μακαρονάδα σου, _____ (μένω) κι εγώ μέσα.

**Άρτεμη**: Μπα! Δεν έχω κέφι για μαγείρεμα. _____ (παραγγέλνω) πίτσες και _____ (βλέπω) καμιά ταινία.

**Γρηγόρης**: Αν ψάξεις στο δωμάτιό μου, _____ (βρίσκω) πολλές ταινίες.

**Άρτεμη**: Οκέι. Ευχαριστώ. Καλά να περάσετε.

**7** Τι θα κάνω; Γράφω προτάσεις, όπως στο παράδειγμα.

Χιονίζει πολύ.
_Θα φορέσω γάντια και κασκόλ, θα παίξω χιονοπόλεμο, θα φτιάξω χιονάνθρωπο, δε θα πάω στη δουλειά ή στο σχολείο, δε θα κυκλοφορήσω με αυτοκίνητο, θα ανάψω το τζάκι..._

Βρέχει.
_____
_____

Έχει καύσωνα.
_____
_____

Έχει πολύ κρύο.
_____
_____

Φυσάει πολύ.
_____
_____

Έχει ομίχλη.
_____
_____

Ρίχνει χαλάζι.
_____
_____

## Παίζω έναν ρόλο

**8** Έρχεται καταιγίδα!

### Ρόλος Α

Βλέπω στο ίντερνετ ότι ο καιρός θα χαλάσει ξαφνικά το απόγευμα. Θα έχει καταιγίδα και πολύ δυνατούς ανέμους. Ξέρω ότι ένας φίλος / μια φίλη μου θα πάει για ψάρεμα με τη βάρκα. Του/της τηλεφωνώ και ενημερώνω για την αλλαγή του καιρού. Τον/τη συμβουλεύω να μην πάει για ψάρεμα.

### Ρόλος Β

Ένας φίλος / μια φίλη ξέρει ότι το απόγευμα θα πάω για ψάρεμα με τη βάρκα. Μου τηλεφωνεί και με ενημερώνει ότι ο καιρός θα χαλάσει ξαφνικά το απόγευμα. Θα έχει καταιγίδα και πολύ δυνατούς ανέμους.

## Γράψε-σβήσε

**9** Την επόμενη εβδομάδα θα πάω για λίγες μέρες στο εξωτερικό, για να παρακολουθήσω έναν αγώνα μπάσκετ της αγαπημένης μου ομάδας. Στέλνω ένα e-mail σε δύο φίλους/φίλες μου και τους/τις καλώ να έρθουν μαζί μου. Τους δίνω πληροφορίες για το ταξίδι, τον αγώνα, το πρόγραμμα της επίσκεψης, τον καιρό που θα κάνει εκείνες τις ημέρες. Τους ζητάω να μου απαντήσουν σε μια δυο μέρες αν θα έρθουν μαζί μου.
(130-150 λέξεις)

_____
_____
_____
_____
_____
_____
_____
_____
_____
_____
_____

# **8** ενότητα

 **Για δες**

---

### Υποθετικές προτάσεις (Τύπος Α)

Αν **βρέξει** αύριο, δε **θα πάμε** για περπάτημα στο βουνό.
Αν **αρχίσεις** γυμναστική, **θα νιώσεις** πολύ καλύτερα.

**Αν + Απλός Μέλλοντας** (χωρίς το θα) ➡ **Απλός Μέλλοντας**

Αν έρθεις, θα φάμε μαζί το μεσημέρι.
Αν διαβάσεις περισσότερο, θα περάσεις στις εξετάσεις.
Αν του τηλεφωνήσεις τώρα, θα τον βρεις.

---

**10** Απαντάω στις ερωτήσεις, όπως στο παράδειγμα.

**Τι θα κάνεις....**

1. αν ο καιρός είναι καλός την Κυριακή;
   *Αν ο καιρός είναι καλός την Κυριακή, θα πάω εκδρομή στο Σούνιο.*
2. αν μείνεις στο σπίτι σου απόψε; _____
3. αν δεις μια παλιά σου φίλη στον δρόμο; _____
4. αν σου κλέψουν το πορτοφόλι; _____
5. αν κερδίσεις 100.000 ευρώ στο λόττο; _____
6. αν χαλάσει το αυτοκίνητό σου; _____
7. αν σου χαμογελάσει κάποιος στον δρόμο; _____
8. αν μείνεις χωρίς δουλειά; _____
9. αν χάσεις το διαβατήριό σου; _____
10. αν βρεις 10 ευρώ στην παραλία; _____
11. αν έρθουν ξαφνικά κάποιοι φίλοι το βράδυ στο σπίτι σου; _____
12. αν μάθεις τέλεια ελληνικά; _____

**11** Συμπληρώνω τις προτάσεις, όπως στο παράδειγμα.

1. Δε θα της ξαναμιλήσω, αν *δε μου ζητήσει συγγνώμη.*
2. Θα φάμε μαζί το μεσημέρι, αν _____
3. Θα φύγω από το σπίτι νωρίς, αν _____
4. Αν δουλέψεις σκληρά, _____
5. Αν χιονίσει το βράδυ, _____
6. Αν πας στο γήπεδο αύριο, _____
7. Θα σου τηλεφωνήσω, αν _____
8. Αν του μιλήσεις ξανά άσχημα, _____
9. Δε θα πάω διακοπές, αν _____
10. Αν πάω στο βουνό το Σάββατο, _____

# Σε λίγο φτάνουμε!

*We'll be there soon!*

**B3**

**Πάμπλο:** Πότε θα φτάσουμε επιτέλους; Τρεις ώρες περπατάμε στο βουνό.

**Βέρα:** Σε λίγο φτάνουμε. Κάνε υπομονή.

**Πάμπλο:** Ναι, αλλά ο καιρός συνέχεια χειροτερεύει. Ψιχαλίζει και κάνει κρύο. Πού είναι η λιακάδα και οι «υψηλές για την εποχή θερμοκρασίες» που έλεγε στο ίντερνετ;

**Μελέκ:** Πώς κάνεις έτσι, βρε Πάμπλο! Άνοιξη είναι. Δε θα πάθουμε τίποτα με λίγες ψιχάλες.

**Πάμπλο:** Εγώ βλέπω ότι ο καιρός είναι χάλια. Δεν έπρεπε να έρθουμε στο βουνό. *What a complainer and lazy person he is*

**Μελέκ:** Τι παραπονιάρης και τεμπέλης που είσαι...

**Πάμπλο:** Κι εσύ είσαι πεισματάρα! *And you [also] are stubborn!*

**Βέρα:** Ελάτε, παιδιά! Μη μαλώνετε! Στις ειδήσεις χτες δεν είπαν ότι θα βρέξει. Και το πρωί η μέρα ήταν μια χαρά. Γι' αυτό ξεκινήσαμε. *Come on guys! Don't argue! In the news yesterday, they didn't say that it would rain. And in the morning it was fine. That's why we set out.*

**Μελέκ:** Εγώ νομίζω ότι σε λίγο θα φτιάξει ο καιρός. Θα ξαναβγεί ο ήλιος.

**Βέρα:** Ορίστε! Να τα πρώτα σπίτια. Φτάσαμε. *Here you go! Here are the first houses. We have arrived.*

**Πάμπλο:** Επιτέλους! Θα βρούμε κανένα ωραίο και ζεστό μέρος; *Finally! Will we find somewhere nice and warm?*

**Βέρα:** Πάμε σ' εκείνη την ταβέρνα δίπλα στην εκκλησία. Εκεί θα αλλάξουμε ρούχα και θα τσιμπήσουμε κάτι. *We'll go to that taverna next to the church. There we will change our clothes and have a bite to eat.*

**Μελέκ:** Ωραία ιδέα. Τι λες, Πάμπλο; *Good idea. What do you say, Pablo?*

**Πάμπλο:** Συμφωνώ. Πάμε γρήγορα, γιατί κρυώνω. *I agree. Let's go quickly, because I'm cold.*

*(margin notes, left column):*
*We walked the mountain for three hours. We'll be there soon. Be patient. ...but the weather keeps getting worse. It is drizzling and cold. Where is the sunshine and the "high for the season temperatures" that it said on the internet? How does it do that? ...bbl! It's open. ...won't get hurt/die ...a little drizzle. I see that the ...ther is bad. ...shouldn't have come ...he mountain. I think that the ...ther will improve in a little while. ...sun will come ...t again.*

---

 **Πώς το λένε;**

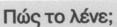 *Come on, guys! Don't argue!*

*How does it do that?*

Πώς κάνεις έτσι;
Τι παραπονιάρης που είσαι...

*what a complainer he is*

Ελάτε, παιδιά!
Μη μαλώνετε!

Επιτέλους!

*Finally!*

---

**Λέξεις, λέξεις**

λιακάδα (η) — *sunshine*
ο καιρός χειροτερεύει — *the weather is getting worse*
παραπονιάρης, -α, -ικο — *complainer*
πεισματάρης, -α, ικο — *stubborn*
τεμπέλης, -α, -ικο — *lazy*
υπομονή (η) — *patience*
υψηλή (για την εποχή) θερμοκρασία — *high (for the season) To*
ψιχαλίζει - ψιχάλα (η) — *drizzle*

**1 2** Γράφω την περίληψη του διαλόγου.

*Ο Πάμπλο, η Μελέκ και η Βέρα περπατάνε στο δάσος*

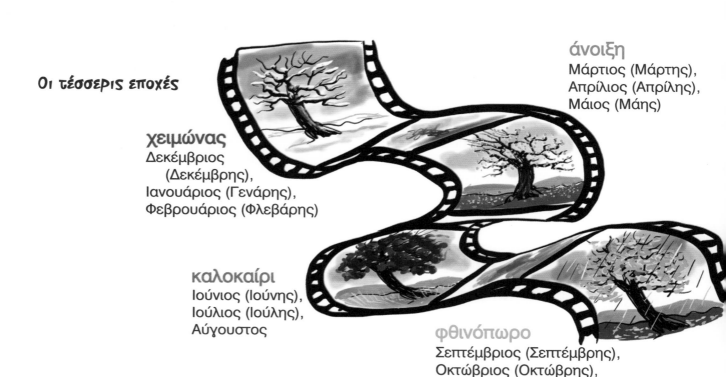

**Οι τέσσερις εποχές**

**χειμώνας**
Δεκέμβριος
(Δεκέμβρης),
Ιανουάριος (Γενάρης),
Φεβρουάριος (Φλεβάρης)

**καλοκαίρι**
Ιούνιος (Ιούνης),
Ιούλιος (Ιούλης),
Αύγουστος

**άνοιξη**
Μάρτιος (Μάρτης),
Απρίλιος (Απρίλης),
Μάιος (Μάης)

**φθινόπωρο**
Σεπτέμβριος (Σεπτέμβρης),
Οκτώβριος (Οκτώβρης),
Νοέμβριος (Νοέμβρης)

 **Η σειρά μου τώρα**

**1 3** Απαντάω:

Πώς είναι το κλίμα του τόπου σου; Ποιοι είναι οι πιο ζεστοί μήνες;
Πότε έχετε χειμώνα;
Ποια είναι η αγαπημένη σου εποχή και γιατί;

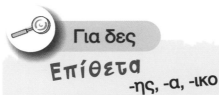

**Για δες**

**Επίθετα** -ης, -α, -ικο

γκρινιάρης
γκρινιάρα
γκρινιάρικο

| ο γκρινιάρης | η γκρινιάρα | το γκρινιάρικο |
|---|---|---|
| του γκρινιάρη | της γκρινιάρας | του γκρινιάρικου |
| τον γκρινιάρη | την γκρινιάρα | το γκρινιάρικο |
| οι γκρινιάρηδες | οι γκρινιάρες | τα γκρινιάρικα |
| των γκρινιάρηδων | – | των γκρινιάρικων |
| τους γκρινιάρηδες | τις γκρινιάρες | τα γκρινιάρικα |

ζηλιάρης, ζηλιάρα, ζηλιάρικο

κουτσομπόλης, κουτσομπόλα, κουτσομπόλικο

ναζιάρης, ναζιάρα, ναζιάρικο
ξεχασιάρης, ξεχασιάρα, ξεχασιάρικο

πεισματάρης
πεισματάρα
πεισματάρικο

παραπονιάρης
παραπονιάρα
παραπονιάρικο

τεμπέλης
τεμπέλα
τεμπέλικο

τσιγκούνης
τσιγκούνα
τσιγκούνικο

φοβητσιάρης
φοβητσιάρα
φοβητσιάρικο

πενηντάρης, πενηντάρα, πενηντάρικο
κοκκινομάλλης, κοκκινομάλλα, κοκκινομάλλικο
γαλανομάτης, γαλανομάτα, γαλανομάτικο
μικρούλης, μικρούλα, μικρούλικο (μικρούλι)

παιχνιδιάρης
παιχνιδιάρα
παιχνιδιάρικο

Ο Γιάννης πάλι δεν πλήρωσε τον λογαριασμό. Είναι πολύ **ξεχασιάρης**.
Η Κατερίνα είναι **σαραντάρα**, αλλά φαίνεται πολύ πιο νέα.
Τι **πεισματάρικο** παιδί, Θεέ μου! Δεν ακούει κανέναν.

**Η σειρά μου πάλι**

**1 4** Απαντάω, όπως στα παραδείγματα.

**Τι λέμε σε...**
αυτόν που γκρινιάζει συνέχεια;  *Είσαι γκρινιάρης!* _____
αυτήν που ξεχνάει συχνά; _____
αυτούς που ζηλεύουν; _____
αυτούς που κουτσομπολεύουν; _____
αυτόν που φοβάται; _____
ένα παιδί που κάνει νάζια; _____
αυτές που παραπονιούνται συνέχεια; _____

**Τι λέμε για...**
αυτόν που βαριέται τη δουλειά;  *Είναι τεμπέλης.* _____
αυτούς που είναι πενήντα χρονών; _____
αυτήν που έχει σγουρά μαλλιά; _____
τα παιδιά που γκρινιάζουν; _____
αυτές που είναι τριάντα χρονών; _____
αυτήν που έχει ξανθά μαλλιά; _____
το γατάκι που του αρέσουν τα παιχνίδια; _____

**1 5** Συμπληρώνω, όπως στο παράδειγμα (όπου χρειάζεται βάζω και άρθρο).

1. Είμαι ο πιο νέος στη δουλειά. Οι άλλοι είναι <u>πενηντάρηδες</u> (πενηντάρης), αλλά τα πάμε μια χαρά.

2. Δεν μπορώ άλλο! Αυτό το παιδί είναι πολύ _____ (γκρινιάρης).

3. Τι _____ (τσιγκούνης) άνθρωποι! Δεν κερνάνε ούτε νερό!

4. – Πού το βρήκες αυτό το σκυλάκι;
   – Στον δρόμο, κοντά στη δουλειά. Έκανε πολύ κρύο και το έφερα στο σπίτι. Είναι πολύ γλυκό και _____ (παιχνιδιάρης). Λέω να το κρατήσουμε.

5. Δεν είναι αστείο; Όλοι στην οικογένεια του Πέτρου είναι _____ (σγουρομάλλης) εκτός από αυτόν.

6. – Η Ελπίδα είναι πολύ μοντέρνος άνθρωπος.
   – Έχεις δίκιο. Είναι _____ (εξηντάρης), αλλά τα πηγαίνει πολύ καλά με τους φίλους και τις φίλες του γιου της.

7. Αυτό το παιδί από μικρό ήταν _____ (αρρωστιάρης). Κάθε βδομάδα τρέχαμε στους γιατρούς!

8. Οι γείτονές μας είναι πολύ _____ (κουτσομπόλης). Καλύτερα να κοιτάξουν τα σπίτια τους και να αφήσουν τους άλλους ήσυχους!

9. Μαργαρίτα, θυμάσαι όταν ήσουν _____ (μικρούλης) που πηγαίναμε συχνά βόλτα στη θάλασσα;

10. Πες στον _____ (ξεχασιάρης) φίλο μας να έρθει απόψε στο τραπέζι στις 10:00. Μην το ξεχάσει πάλι!

11. Χρόνια πολλά! Καλώς ήρθες στο γκρουπ των _____ (σαραντάρης)!

12. Τι θα κάνω με αυτούς τους δυο _____ (τεμπέλης); Βαριούνται να κάνουν το παραμικρό και τα θέλουν όλα έτοιμα στο χέρι.

## Παίζω έναν ρόλο

**1 6** Η θάλασσα είναι ζεστή ακόμα!

**Ρόλος Α**
Είναι φθινόπωρο, αλλά πηγαίνω ακόμα για μπάνιο στη θάλασσα. Καλώ μια φίλη / έναν φίλο να έρθει μαζί μου, γιατί πιστεύω ότι ο καιρός είναι καλός και η θάλασσα ζεστή ακόμα.

**Ρόλος Β**
Μια φίλη / ένας φίλος μου, που πηγαίνει κάθε μέρα για μπάνιο στη θάλασσα, με καλεί να πάω μαζί της/του. Δεν είμαι σίγουρος/σίγουρη, γιατί είναι Οκτώβρης και ο καιρός δεν είναι πολύ ζεστός.

 Είμαι όλος αυτιά

**1 7** Ακούω δύο (2) φορές το δελτίο καιρού και επιλέγω Σωστό (Σ), Λάθος (Λ) ή Δεν Αναφέρεται (Δ.Α.) στον πίνακα που ακολουθεί.

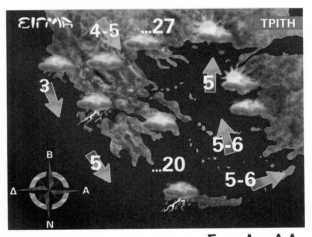

| | Σ | Λ | Δ.Α. |
|---|---|---|---|
| 1. Ακούμε το δελτίο καιρού του ραδιοφωνικού σταθμού «Σίγμα». | ☐ | ☐ | ✔ |
| 2. Την Τρίτη 17 Απριλίου θα έχει κακοκαιρία σε όλη τη χώρα. | ☐ | ☐ | ☐ |
| 3. Το μεσημέρι θα βρέξει στη δυτική Ελλάδα. | ☐ | ☐ | ☐ |
| 4. Τις απογευματινές ώρες θα έχει καταιγίδα στην Πάτρα. | ☐ | ☐ | ☐ |
| 5. Στα νησιά του Αιγαίου η θερμοκρασία δε θα ανέβει πάνω από τους 20 °C. | ☐ | ☐ | ☐ |
| 6. Στο Αιγαίο πέλαγος θα έχει νότιους ανέμους 5 με 6 μποφόρ. | ☐ | ☐ | ☐ |
| 7. Το Αιγαίο πέλαγος θα έχει πιο δυνατούς ανέμους από το Ιόνιο. | ☐ | ☐ | ☐ |
| 8. Στην Αττική το μεσημέρι θα έχει συννεφιά. | ☐ | ☐ | ☐ |
| 9. Το βράδυ στην Αττική θα φυσήξει και η θερμοκρασία θα πέσει. | ☐ | ☐ | ☐ |
| 10. Στη Θεσσαλονίκη η θερμοκρασία το μεσημέρι θα φτάσει τους 27 °C. | ☐ | ☐ | ☐ |
| 11. Οι άνεμοι στη Θεσσαλονίκη θα είναι βόρειοι 4 με 5 μποφόρ. | ☐ | ☐ | ☐ |
| 12. Το πρωί της Τετάρτης γύρω από τη Θεσσαλονίκη θα έχει ομίχλη. | ☐ | ☐ | ☐ |
| 13. Μπορεί να υπάρξουν προβλήματα στις πτήσεις προς το αεροδρόμιο «Μακεδονία». | ☐ | ☐ | ☐ |
| 14. Την Τετάρτη και την Πέμπτη ο καιρός θα είναι πιο καλός σε όλη τη χώρα. | ☐ | ☐ | ☐ |

**18** Επιλέγω και συμπληρώνω το κείμενο, όπως στο παράδειγμα.

# Καύσωνας: Τι πρέπει να κάνουμε
## για να προστατεύσουμε την υγεία μας

Στη χώρα μας, κατά τους καλοκαιρινούς μήνες, έχουμε συχνά υψηλές θερμοκρασίες. Αν η θερμοκρασία παραμείνει πάνω από τους 37 °C για τρεις τουλάχιστον συνεχείς ημέρες, τότε έχουμε καύσωνα. Στις μεγάλες πόλεις, _3_, οι υψηλές θερμοκρασίες μπορεί να δημιουργήσουν μεγαλύτερα προβλήματα. Και αυτό γιατί εκτός από την υπερβολική ζέστη υπάρχουν τα αυτοκίνητα, οι βιομηχανίες, _____ , η ατμοσφαιρική ρύπανση και ο θόρυβος· όλα αυτά κάνουν την κατάσταση δυσκολότερη.

Ο ανθρώπινος οργανισμός μπορεί να προσαρμόζεται στις θερμοκρασίες του περιβάλλοντος. Όταν καθόμαστε όμως στον ήλιο για

1. που παίρνουν φάρμακα
2. για να στείλουν ασθενοφόρο
3. όπως είναι η Αθήνα και η Θεσσαλονίκη
4. μέχρι τις 16:00
5. τα λαχανικά, το ψάρι
6. το τσιμέντο των πολυκατοικιών
7. νιώσουμε πόνο στο κεφάλι
8. όταν είμαστε στην παραλία
9. να κινδυνέψει
10. λευκό καπέλο και γυαλιά ηλίου
11. βότκα, μπίρα
12. να ξεπεράσει τους 50 °C
13. ή τον φαρμακοποιό μας
14. πολύ ελαφριά

πολλή ώρα ή όταν υπάρχει καύσωνας, ιδίως μαζί με υγρασία, είναι πιθανόν ο οργανισμός μας να μην μπορέσει να διατηρήσει τη θερμοκρασία του σώματος σε φυσιολογικά επίπεδα. Τότε η ζωή του ανθρώπου μπορεί _____ .

Όταν η θερμοκρασία είναι υψηλή (άνω των 37 °C), πιο ευαίσθητοι είναι:
- τα μωρά και τα παιδιά,
- οι ηλικιωμένοι,
- οι παχύσαρκοι,
- τα άτομα _____ ,
- όσοι κάθονται ή εργάζονται πολλές ώρες στον ήλιο.

Για να προστατεύσουμε τον εαυτό μας από τις υψηλές θερμοκρασίες και τον καύσωνα, πρέπει να πάρουμε απλά προληπτικά μέτρα:

- Δεν βγαίνουμε από το σπίτι χωρίς λόγο από τις 12:00 _____ .
- Όταν κυκλοφορούμε έξω, φοράμε ανοιχτόχρωμα, ελαφριά, άνετα βαμβακερά ή λινά ρούχα, _____ .
- Τρώμε λιγότερο φαγητό. Προτιμάμε τα φρούτα, _____ και αποφεύγουμε το κρέας και τα λίπη. Καταναλώνουμε πολλά μικρά γεύματα κατά τη διάρκεια της ημέρας. Τρώμε _____ το βράδυ (π.χ., ένα φρούτο ή ένα γιαούρτι).
- Πίνουμε άφθονο δροσερό νερό. Έχουμε μαζί μας πάντα ένα μπουκάλι ή καλύτερα ένα θερμός με νερό.
- Δεν καταναλώνουμε αλκοολούχα ποτά (ουίσκι, _____ κτλ.).
- Κάνουμε συχνά ντους με χλιαρό νερό.
- Χρησιμοποιούμε πάντα αντηλιακό, ειδικά _____ .
- Δεν αφήνουμε ποτέ μωρά, μικρά παιδιά ή κατοικίδια ζώα σε παρκαρισμένα αυτοκίνητα (ακόμα και με ανοιχτά τζάμια), γιατί η θερμοκρασία μέσα στο αυτοκίνητο μπορεί _____ μέσα σε λίγη ώρα.
- Όταν παίρνουμε φάρμακα, συμβουλευόμαστε τον γιατρό _____ .
- Αν _____ , ζαλάδα, ελαφρύ πυρετό, τάση για εμετό, θα πρέπει να πάμε αμέσως σε δροσερό μέρος, να βρέξουμε το πρόσωπό μας και τα χέρια μας και να πιούμε λίγο νερό.
- Αν το πρόβλημα παραμείνει, θα πρέπει να τηλεφωνήσουμε στο 166 _____ ή να επικοινωνήσουμε με τον προσωπικό μας γιατρό.

(από ενημερωτικό φυλλάδιο της Εθνικής Σχολής Δημόσιας Υγείας, με αλλαγές)

## Γράψε-σβήσε

**19** Σε λίγες μέρες θα έρθει στην πόλη μου ένας φίλος / μια φίλη μου που ζει στο εξωτερικό και θα μείνει για έναν χρόνο περίπου. Του/της στέλνω ένα e-mail με χρήσιμες πληροφορίες για την πόλη και το κλίμα της. Τονίζω τα χαρακτηριστικά του καιρού, για να φέρει μαζί του/της τα κατάλληλα ρούχα. (100-130 λέξεις)

_____
_____
_____
_____
_____
_____
_____
_____
_____
_____

**Για θυμήσου**

**2 0** **Διαλέγω τη σωστή λέξη, όπως στο παράδειγμα.**

1. – Χτες έμαθα ότι πήγατε για περπάτημα με τα παιδιά.
   – Ναι. Κάναμε <u>πεζοπορία</u> από το χωριό μέχρι την εκκλησία του Προφήτη Ηλία.
   α. πεζοπορία             β. πεζοί             γ. με τα πόδια

2. – Χιονίζει πολύ και έχει -3 °C. _____ σίγουρα.
   – Μακάρι! Για να παίξουμε και χιονοπόλεμο.
   α. Θα το απλώσει           β. Θα το στρώσει        γ. Θα το λιώσει

3. – Αύριο θα έχει _____ . Η θερμοκρασία θα φτάσει τους 40 °C.
   – Το άκουσα. Θα ανάψω το κλιματιστικό και θα μείνω στο σπίτι.
   α. παγωνιά             β. κακοκαιρία          γ. καύσωνα

4. Πάρε το μπουφάν σου. Απόψε έχει πολλή _____ .
   α. ψύχρα              β. λιακάδα            γ. θερμοκρασία

5. – Άκουσα ότι ο καιρός _____ από αύριο. Θα έχει ήλιο και ζέστη.
   – Ωραία. Πάω να βάλω πλυντήριο.
   α. θα φτιάξει            β. θα ανέβει           γ. θα ανάψει

6. – Μαμά, μην είσαι _____ . Δώσε μου λεφτά.
   – Κι άλλα; Χτες δε σου έδωσα;
   α. τεμπέλα             β. πενηντάρα         γ. τσιγκούνα

7. Δεν έπρεπε να του το πεις. Θα το μάθουν όλοι. Είναι μεγάλος _____ .
   α. πεισματάρης         β. κουτσομπόλης       γ. παραπονιάρης

**2 1** **Γράφω τις λέξεις που έμαθα.**

# Ο ΚΑΙΡΟΣ

...Ιωάννου του Χρυσοστόμου, Δαμασκ...
...λή: 07.03 Δύση: 17.15. Σελήνη: 1...

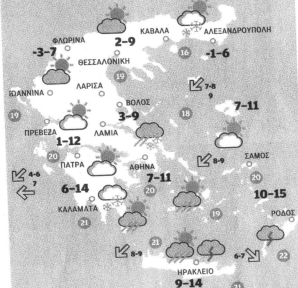

ΦΛΩΡΙΝΑ
-3-7
ΚΑΒΑΛΑ
2-9
ΑΛΕΞΑΝΔΡΟΥΠΟΛΗ
-1-6
16
ΘΕΣΣΑΛΟΝΙΚΗ
19
ΙΩΑΝΝΙΝΑ
ΛΑΡΙΣΑ
7-8 9
19
ΒΟΛΟΣ
3-9
18
7-11
ΠΡΕΒΕΖΑ
1-12
ΛΑΜΙΑ
ΣΑΜΟΣ
20
4-6 7
ΠΑΤΡΑ
6-14
ΑΘΗΝΑ
7-11
20
20
8-9
20
10-15
ΚΑΛΑΜΑΤΑ
21
21
19
ΡΟΔΟΣ
8-9
6-7
22
ΗΡΑΚΛΕΙΟ
9-14
21

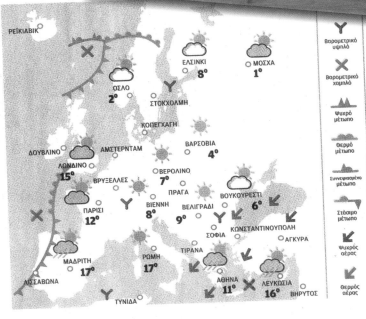

ΡΕΪΚΙΑΒΙΚ
ΕΛΣΙΝΚΙ 8°
ΜΟΣΧΑ 1°
ΟΣΛΟ 2°
ΣΤΟΚΧΟΛΜΗ
ΚΟΠΕΓΧΑΓΗ
ΒΑΡΣΟΒΙΑ 4°
ΔΟΥΒΛΙΝΟ
ΑΜΣΤΕΡΝΤΑΜ
ΛΟΝΔΙΝΟ 15°
ΒΕΡΟΛΙΝΟ 7°
ΒΡΥΞΕΛΛΕΣ
ΠΡΑΓΑ
ΒΟΥΚΟΥΡΕΣΤΙ 6°
ΠΑΡΙΣΙ 12°
ΒΙΕΝΝΗ 8°
ΒΕΛΙΓΡΑΔΙ 9°
ΚΩΝΣΤΑΝΤΙΝΟΥΠΟΛΗ
ΣΟΦΙΑ
ΑΓΚΥΡΑ
ΜΑΔΡΙΤΗ 17°
ΡΩΜΗ 17°
ΤΙΡΑΝΑ
ΛΙΣΣΑΒΟΝΑ
ΑΘΗΝΑ 11°
ΛΕΥΚΩΣΙΑ 16°
ΒΗΡΥΤΟΣ
ΤΥΝΙΔΑ

## Υπόμνημα συμβόλων

- Ηλιοφάνεια
- Λίγες νεφώσεις
- Διαστήματα ηλιοφάνειας
- Αραιές νεφώσεις
- Πυκνές νεφώσεις
- Βροχή
- Καταιγίδα
- Χιόνι
- Πάγος
- Ομίχλη
- 5-6 Διεύθυνση ανέμων
- Άπνοια
- θερμοκρασία θαλάσσης

- Υ Βαρομετρικό υψηλό
- Χ Βαρομετρικό χαμηλό
- Ψυχρό μέτωπο
- θερμό μέτωπο
- Συννεφιασμένο μέτωπο
- Στάσιμο μέτωπο
- Ψυχρός αέρας
- θερμός αέρας

## ΓΕΝΙΚΗ ΚΑΤΑΣΤΑΣΗ

Ο ισχυρός συνδυασμός των υψηλών πιέσεων στα Β. Βαλκάνια με τις χαμηλές πιέσεις στην Α. Μεσόγειο προκαλεί θυελλώδεις ΒΑ ανέμους εντάσεως 8 με 9 μποφόρ στην Α. Ελλάδα. Οι βοριάδες, οι χαμηλές θερμοκρασίες και οι τοπικές βροχές στις ανατολικές και νότιες περιοχές συνθέτουν εικόνα καθαρά χειμωνιάτικου καιρού. Στα παραπάνω πρέπει ασφαλώς να προστεθούν και οι χιονοπτώσεις σε ορεινές και ημιορεινές περιοχές. Σε ό,τι αφορά την εξέλιξη του καιρού, αύριο δεν ... αξιόλογη μεταβολή, αλλά από την Τρίτη οι βροχές ... χώρα, οι άνεμοι θα εξασθενήσουν ... νοδο. Ωστόσο, ... για

## ΑΝΑΛΥΤΙΚΑ

**Βόρεια Ελλάδα:**
Παροδικές νεφώσεις με τοπικές χιονοπτώσεις ή χιονόνερο στον Έβρο.
θερμοκρασία από -3 έως 9 βαθμούς.

**Δυτική Ελλάδα:**
Ηλιοφάνεια σχεδόν παντού. Άνεμοι Α-ΒΑ 5 με 7 μποφόρ.
θερμοκρασία από 0 έως 14 βαθμούς.

**Υπόλοιπη ηπειρωτική χώρα:**
Τοπικές νεφώσεις με παροδικές βροχές και χιονοπτώσεις.
θερμοκρασία από 2 έως 12 βαθμούς.

**Αιγαίο - Κρήτη - Δωδεκάνησα:**
Νεφώσεις με τοπικές βροχές κυρίως στην Κρήτη και τα Δωδεκάνησα.
θερμοκρασία από 8 έως 15 βαθμούς.

**Αττική:**
Νεφώσεις με παροδικές βροχές. Πρόσκαιρες χιονοπτώσεις στα ορεινά.
θερμοκρασία από 7 έως 11 βαθμούς.

**Θεσσαλονίκη:**
Πρόσκαιρες τοπικές νεφώσεις. Άνεμοι Β-ΒΑ 4 με 6 μποφόρ.
θερμοκρασία από 3 έως 9 βαθμούς.

# Αλλάζουμε συνήθειες

Δεν είμαι από την Ολλανδία η την Κίνα!

- Από σήμερα θα πηγαίνω στη δουλειά με το ποδήλατο.
From today! will go to work by bicycle

- Με ρώτησε αν μπορούμε να κάνουμε κάτι για το περιβάλλον.
He asked me if we could do something for the environment

*From tomorrow we will recycle*

# Από αύριο θα ανακυκλώνουμε

*Ervin, did you see the ΔΕΗ bill?*

**B5**

**Αρλέτα:** Ερβίν, είδες τον λογαριασμό της ΔΕΗ;

**Ερβίν:** Αμάν! 250 ευρώ; Πώς είναι δυνατόν; *How is that possible?*

**Αρλέτα:** Ξέρω 'γώ; Αλλά βέβαια... Άμα δε σβήνουμε τα φώτα και τις συσκευές...

**Ερβίν:** Ε, καλά τώρα. Δεν μπορεί να είναι απ' αυτό. Μάλλον έγινε κάποιο λάθος.

**Αρλέτα:** Όπως και να 'χει, δεν πάει άλλο αυτή η κατάσταση. Δε βγαίνουμε οικονομικά. *We don't make it financially.*

**Ερβίν:** Εμένα μου το λες; Ξέρεις πόσο μου ήρθε το τηλέφωνο;

**Αρλέτα:** Γιατί, εγώ που χαλάω ένα σωρό λεφτά για βενζίνη; Μου φαίνεται ότι από 'δώ και πέρα θα πηγαίνω στη δουλειά με τη συγκοινωνία.

**Ερβίν:** Και με τους λογαριασμούς του σπιτιού τι θα γίνει; Θα καθόμαστε στο σκοτάδι για να κάνουμε οικονομία;

**Αρλέτα:** Έτσι όπως πάμε... Πάντως σίγουρα πρέπει να αλλάξουμε κάποιες συνήθειες. Θα ανάβουμε το κλιματιστικό και τον θερμοσίφωνα λιγότερες ώρες, θα χρησιμοποιούμε λάμπες οικονομίας, θα πλένουμε με κρύο νερό...

*Here we go... We definitely have to change some habits. We will turn on the air conditioning and the heater fewer hours, we will do laundry with cold water...*

**Ερβίν:** Και θα ελπίζουμε να δούμε άσπρη μέρα... *And we will hope to see a bright day.*

**Αρλέτα:** Ε, τουλάχιστον κάτι θα εξοικονομούμε. Άσε που είναι και καλύτερο για το περιβάλλον. *Well, at lease we'll save something... Let's be better for the environment.*

**Ερβίν:** Σωστό κι αυτό. Οικονομία και οικολογία. Δύο σε ένα, που λένε. Να μη σου πω ότι από αύριο θα ανακυκλώνουμε κιόλας. *Two in one, as they say. Let me tell you that tomorrow we will already be recycling.*

**Αρλέτα:** Μια χαρά! Δε μου λες, είδες κανέναν κάδο ανακύκλωσης εδώ κοντά; *Fine! By the way, did you see any recycling bins around here?*

Left margin handwritten notes:

*I do not know? But of course... If we don't turn off the lights and the appliances...*

*Well now. It can't be that. Maybe something went wrong.*

*Be that as it may, there is no other way for this situation.*

*You're telling me? Do you know how much the phone came to?*

*Why? Am I wasting a lot of money on petrol? It seems to me that from now on I will go to work with my transport.*

*And with the bill for the house what will happen? We will sit in the dark to make savings?*

*That's right too. Economy and ecology.*

**ΔΕΗ =
Δημόσια
Επιχείρηση
Ηλεκτρισμού**

*Public Power Corporation*

| ΔΗΜΟΣΙΑ ΕΠΙΧΕΙΡΗΣΗ ΗΛΕΚΤΡΙΣΜΟΥ Α.Ε. | | Σελίδα 2 από 2 |

# ενότητα 9

## Πώς το λένε;

Αμάν!
Πώς είναι δυνατόν;
Ξέρω 'γώ;
Αλλά βέβαια...
Ε, καλά τώρα.

Όπως και να 'χει...
Δεν πάει άλλο.
Δε βγαίνουμε οικονομικά.
Εμένα μου το λες;
Εγώ που χαλάω ένα σωρό λεφτά;

Έτσι όπως πάμε...
Άσε που...
Σωστό κι αυτό.
Να μη σου πω ότι...
Μια χαρά!
Δε μου λες...

## Λέξεις, λέξεις

ανακυκλώνω
ανακύκλωση (η)
θερμοσίφωνας (ο)
κάδος (ο)
κάνω οικονομία
περιβάλλον (το)
σκοτάδι (το)
συγκοινωνία (η)
συνήθεια (η)

---

Άμα δε σβήνουμε τα φώτα και τις συσκευές... = Αν δε σβήνουμε τα φώτα και τις συσκευές...

---

**1** Σωστό ή λάθος;

|  | Σωστό | | Λάθος |
|---|---|---|---|
| 1. Ο Ερβίν δεν μπορεί να πιστέψει ότι πρέπει να πληρώσουν τόσα χρήματα για τη ΔΕΗ. | ☑ | | ☐ |
| 2. Η Αρλέτα λέει ότι ίσως πρέπει να πληρώσουν πολύ, επειδή δε σβήνουν τα φώτα και τις συσκευές. | ☑ | | ☐ |
| 3. Ο Ερβίν πρέπει να πληρώσει πολλά για το τηλέφωνο. | ☑ | | ☐ |
| 4. Για την Αρλέτα και τον Ερβίν η ζωή είναι πολύ ακριβή. | ☑ | | ☐ |
| 5. Η Αρλέτα πηγαίνει στη δουλειά της με το λεωφορείο. | ☐ | | ☑ |
| 6. Ο Ερβίν και η Αρλέτα δε θα ανάβουν πια κλιματιστικό. | ☐ | | ☑ |
| 7. Η Αρλέτα προτείνει να κάνουν οικονομία. | ☑ | | ☐ |
| 8. Μάλλον δεν υπάρχουν κάδοι ανακύκλωσης κοντά στο σπίτι του Ερβίν και της Αρλέτας. | ☑ | ? | ☐ |

---

## Η σειρά μου τώρα

**2** Απαντάω:

Ξοδεύεις πολλά χρήματα για νερό, φως, τηλέφωνο, βενζίνη; Προσπαθείς να κάνεις οικονομία;
Ανησυχείς για το περιβάλλον; Τι κάνεις γι' αυτό;
Κάνεις ανακύκλωση; Υπάρχουν κάδοι ανακύκλωσης στη γειτονιά σου; Οι φίλοι και οι γνωστοί
σου κάνουν ανακύκλωση;

## Φωνή-γραφή

Λέξη που τελειώνει σε φωνήεν **+**

| εγώ | 'γώ |
| εδώ | 'δώ |
| εκεί | 'κεί |

Ξέρω 'γώ; / Ξέρω εγώ;
Από 'δώ και πέρα / Από εδώ και πέρα
Από 'κεί / Από εκεί

 *Έλα **δώ** να **δω** τι πήρες.*

## Για δες

**μία φορά**

### ΑΟΡΙΣΤΟΣ

Χτες **διάβασα** εφημερίδα, αλλά σήμερα δεν είχα χρόνο.

### ΑΠΛΟΣ ΜΕΛΛΟΝΤΑΣ

Αύριο **θα διαβάσω** για το τεστ.

**συνέχεια / συχνά**

### ΠΑΡΑΤΑΤΙΚΟΣ

Παλιά **διάβαζα** εφημερίδα κάθε μέρα.

### ΣΥΝΕΧΗΣ ΜΕΛΛΟΝΤΑΣ

Από αύριο **θα διαβάζω** τρεις ώρες την ημέρα. Σε δύο μήνες είναι οι εξετάσεις.

**ΔΙΑΡΚΕΙΑ / ΕΠΑΝΑΛΗΨΗ**
Από αύριο
Από 'δώ και πέρα
Από 'δώ και στο εξής
Όσον καιρό θα είμαι εκεί
πάντα / συχνά / τακτικά / πολλές φορές
Από καιρό σε καιρό / κάπου κάπου
Σπάνια
Όλη τη μέρα / όλη την ώρα / συνέχεια

**+ ΣΥΝΕΧΗΣ ΜΕΛΛΟΝΤΑΣ**
θα ανακυκλώνω.
θα αγοράζω βιολογικά τρόφιμα.
θα παίρνω το τραμ.
θα πηγαίνω στη δουλειά με το ποδήλατο.
θα παίρνω το αυτοκίνητο.
θα πίνω καφέ.
θα διαβάζω.

ενότητα

**Η σειρά μου πάλι**

**3** Παίρνουμε αποφάσεις και αλλάζουμε συνήθειες. Συμπληρώνω με Συνεχή Μέλλοντα, όπως στο παράδειγμα.

1. – Νομίζω ότι πήρες 5-6 κιλά. Μήπως πρέπει να κάνεις δίαιτα;
   – Δε θα κάνω δίαιτα, γιατί δουλεύω πολύ αυτόν τον καιρό. Αλλά από σήμερα <u>θα προσέχω</u> (προσέχω) τι τρώω και _____ (γυμνάζομαι).

2. – Κοίταξε να δεις. Δεν μπορώ να κάνω εγώ όλες τις δουλειές του σπιτιού. Πρέπει να βάλουμε ένα πρόγραμμα. Για παράδειγμα, ο ένας _____ (μαγειρεύω) κι ο άλλος _____ (πλένω) τα πιάτα. Ο ένας _____ (πηγαίνω) για ψώνια στο σούπερ μάρκετ κι ο άλλος _____ (ψωνίζω) από τη λαϊκή. Σύμφωνοι;
   – Οκέι. Και ποιος _____ (καθαρίζω) το σπίτι;
   – Αυτός που το βρομίζει πιο πολύ. Τι λες; Δεν είναι πιο δίκαιο;

3. – Μήπως μιλάς πολύ στο κινητό; Κλείσ' το επιτέλους. Δε σκέφτεσαι την υγεία σου;
   – Η αλήθεια είναι ότι το χρησιμοποιώ πολύ τον τελευταίο καιρό. Λοιπόν. Από 'δώ και πέρα _____ (μιλάω) λιγότερο στο τηλέφωνο και _____ (συναντάω) τους φίλους μου πιο συχνά.
   – Έτσι μπράβο! Θα είναι και πιο οικονομικό.

4. Μαράκι, χαλάσαμε πολύ νερό αυτόν τον μήνα. Από 'δώ και πέρα _____ (προσέχω). Δε _____ (αφήνω) τη βρύση ανοιχτή την ώρα που πλένουμε ή κάνουμε μπάνιο και _____ (βάζω) πλυντήριο μόνο όταν είναι γεμάτο. Εντάξει;

**4** Χρησιμοποιώ φράσεις από τον πίνακα και γράφω τι θα κάνουν από 'δώ και πέρα:

| | |
|---|---|
| ~~τρώω λιγότερο~~<br>παίρνω τη συγκοινωνία<br>καπνίζω λιγότερο<br>τρώω σπιτικό φαγητό<br>προσέχω σε ποιον μιλάω | ακούω ειδήσεις<br>δουλεύω λιγότερο<br>διαβάζω / μελετάω περισσότερο<br>προσέχω / φοράω πιο χοντρά ρούχα<br>καθαρίζω το σπίτι πιο συχνά |

1. Ο Παύλος πήρε 10 κιλά. <u>Από 'δώ και πέρα θα τρώει λιγότερο.</u>

2. Η Δήμητρα δεν τα πηγαίνει καλά στο σχολείο.
   _____

3. Ο Βασίλης πηγαίνει παντού με το αυτοκίνητο.
   _____

4. Η Ελένη τρώει μόνο σάντουιτς και γλυκά.
   _____

5. Το σπίτι του Μιχάλη δεν είναι ποτέ καθαρό.
   _____

6. Ο Θανάσης δεν ξέρει τι γίνεται στον κόσμο.
   _____

7. Η Αλέξια είναι συχνά κρυωμένη.

8. Ο παππούς έχει πρόβλημα με την καρδιά του.

_____

9. Η Λίτσα δουλεύει πολύ τον τελευταίο καιρό.

_____

10. Ο Κώστας μίλησε στην Ελένη για το πρόβλημά του και την άλλη μέρα το ήξεραν όλοι.

_____

**5** Βάζω πρόγραμμα στη ζωή μου.

1. Από αύριο _____
2. Από τη Δευτέρα _____
3. Μία φορά τη μέρα _____
4. Κάθε Σαββατοκύριακο _____
5. Μία ή δύο φορές τον μήνα _____
6. Τακτικά _____
7. Πάντα _____

**6** Απλός ή Συνεχής Μέλλοντας; Διαλέγω το σωστό.
Ο Φοίβος θα προσέχει το σπίτι της Μαρίνας για λίγες μέρες. Η Μαρίνα τού δίνει οδηγίες.

**Μαρίνα:** Λοιπόν, Φοίβο. Θα προσέχεις / Θα προσέξεις την Κούκλα από τη Δευτέρα που θα λείπω / θα λείψω;

**Φοίβος:** Και βέβαια, θεία μου. Μην ανησυχείς. Θα έρχομαι / Θα έρθω κάθε μέρα, θα της βάζω / θα της βάλω φαγητό και θα την πηγαίνω / θα την πάω βόλτα.

**Μαρίνα:** Θα βλέπεις / Θα δεις και το γατάκι που είναι στο μπαλκόνι;

**Φοίβος:** Τι; Έχεις και γατάκι τώρα;

**Μαρίνα:** Ναι, το βρήκα στον δρόμο. Ήταν στα χάλια του. Αλλά τώρα είναι μια χαρά. Θα του βάζεις / Θα του βάλεις φαγητό και φρέσκο νερό κάθε μέρα. Και βέβαια θα το χαϊδεύεις / θα το χαϊδέψεις λίγη ώρα κάθε φορά.

**Φοίβος:** Οκέι. Κανένα πρόβλημα. Θέλεις να κάνω τίποτα άλλο;

**Μαρίνα:** Μμμ.... Δε νομίζω. Α, ναι. Θα ποτίζεις / Θα ποτίσεις τα λουλούδια του κήπου κάπου κάπου. Εντάξει;

**Φοίβος:** Φυσικά! Τι λες τώρα;  Αλλά...τη Δευτέρα θα φεύγεις / θα φύγεις τελικά;

**Μαρίνα:** Δε σου είπα ότι είχα πρόβλημα με το διαβατήριό μου; Αύριο θα παίρνω / θα πάρω το καινούριο.

**Φοίβος:** Μάλιστα. Λοιπόν, θα περνάω / θα περάσω την Κυριακή το απόγευμα, για να πάρω τα κλειδιά. Κατά τις 6:00 είναι καλά;

**Μαρίνα:** Δεν είναι ανάγκη. Θα τα αφήνω / Θα τα αφήσω στον Παναγιώτη. Θα μιλάμε / Θα μιλήσουμε την Κυριακή το βραδάκι;

**Φοίβος:** Ναι, αμέ. Μείνε ήσυχη, θεία.

**7** Γράφω τις προτάσεις, όπως στο παράδειγμα.

1. Η Μαρίνα λείπει / ο Φοίβος προσέχει το σπίτι της
   Όσο καιρό *η Μαρίνα θα λείπει, ο Φοίβος θα προσέχει το σπίτι της.*_____
2. Η Αιμιλία ταξιδεύει / η Μελέκ μένει μόνη της
   Όσο καιρό _____
3. Η Αρλέτα πλένει τα πιάτα / ο Ερβίν σιδερώνει
   Όση ώρα _____
4. Οι μαθητές γράφουν τεστ / ο καθηγητής διορθώνει ασκήσεις
   Την ώρα που _____
5. ψάχνω για δουλειά / αγοράζω εφημερίδα κάθε μέρα
   Όσο καιρό _____

**8** Συμπληρώνω με Απλό ή Συνεχή Μέλλοντα, όπως στο παράδειγμα.

1. Μην ανησυχείς. *Θα* σου *τηλεφωνήσω* (τηλεφωνώ) μόλις φτάσω.
2. Μην ανησυχείς. _____ σου _____ (τηλεφωνώ) συχνά και _____ σου _____ (λέω) τα νέα μου.
3. Δε _____ σε _____ (ξεχνάω) ποτέ. _____ σε _____ (θυμάμαι) πάντα.
4. Η Αρλέτα αποφάσισε ότι από 'δώ και πέρα _____ (προσέχω) τι αγοράζει.
5. Η Αφροδίτη είναι καταπληκτική ηθοποιός. Σου το λέω. Σε λίγο καιρό όλοι _____ (μιλάω) για το ταλέντο της.
6. – Κύριε Χριστοφορίδη, αν θέλετε να ζήσετε αρκετά χρόνια ακόμα, πρέπει να αλλάξετε τρόπο ζωής: _____ (κόβω) το κάπνισμα, _____ (περπατάω) τουλάχιστον μισή ώρα κάθε μέρα και _____ (προσπαθώ) να χάσετε μερικά κιλά. Επίσης, _____ (αποφεύγω) το κρέας, τα τηγανητά και τα γλυκά. _____ (τρώω) κυρίως φρούτα, λαχανικά, όσπρια και ψάρια και _____ (πίνω) ένα ποτηράκι κόκκινο κρασί την ημέρα.
   – Ευχαριστώ, γιατρέ. Να και κάτι καλό σε όλα αυτά!

**9** Συμπληρώνω με Απλό ή Συνεχή Μέλλοντα, όπως στο παράδειγμα.

Επιτέλους έφτασαν οι διακοπές! Αύριο *θα φύγω* ( φεύγω) για δύο εβδομάδες. _____ (πηγαίνω) σε ένα ήσυχο νησάκι. _____ (παίρνω) μαζί μου δυο τρία βιβλία και τα αγαπημένα μου cd. _____ (αφήνω) το κινητό μου στην Αθήνα και δε _____ (βλέπω) τηλεόραση ούτε μια φορά! Όλη μέρα _____ (κάθομαι) στην παραλία, _____ (κολυμπάω), _____ (διαβάζω) και _____ (ακούω) μουσική.

# Η ώρα της γης

 *Στο μάθημα των ελληνικών*

### Η Ώρα της Γης

Το Σάββατο 28 Μαρτίου στις 8:30 το βράδυ άνθρωποι σε όλο τον κόσμο θα σβήσουν τα φώτα τους για μία ώρα – την Ώρα της Γης. Γιατί η λύση στο πρόβλημα του κλίματος εξαρτάται και από εμάς. Καθένας μας μπορεί να φέρει την αλλαγή.

▮ Ρε, παιδιά, ωραίο ακούγεται όλο αυτό. Αλλά δε νομίζετε ότι για ένα τόσο σημαντικό θέμα δε φτάνει μια ώρα; Χρειάζεται να κάνουμε περισσότερα πράγματα.

▮ Εντάξει, μια συμβολική κίνηση είναι. Αλλά γιατί όχι; Γιατί να μην κάνουμε κάτι όλοι μαζί την ίδια στιγμή; Μπορεί να μη σώσουμε τον πλανήτη μέσα σε μια ώρα, είναι όμως μια αρχή. Μια ευκαιρία να ξεπεράσουμε τη νοοτροπία «Εγώ θα αλλάξω τον κόσμο;». Κι όμως. Μπορείς να τον αλλάξεις.

▮ «Εσύ καταστρέφεις τη γη... Εσύ πρέπει να τη σώσεις... Εσύ πρέπει να σβήσεις τα φώτα...». Τι λέτε, ρε παιδιά; Υπάρχουν τόσοι άνθρωποι στον πλανήτη που δεν έχουν καν ρεύμα. Αυτοί φταίνε; Ή μήπως εγώ με το σπίτι μου και το αυτοκίνητό μου; Δε φταίμε εμείς που ο πλανήτης έφτασε εκεί που έφτασε. Άλλοι αποφασίζουν ποια τεχνολογία θα χρησιμοποιούμε. Γι' αυτό, λοιπόν, όχι! Εγώ δεν τα σβήνω τα φώτα. Θα τα ανάψω όλα μάλιστα εκείνη την ώρα.

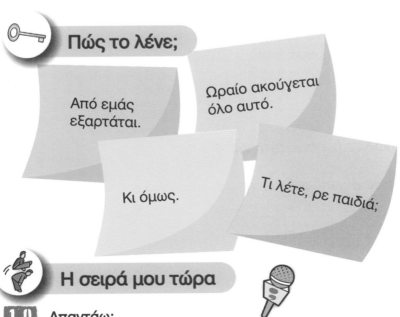

## Πώς το λένε;

Από εμάς εξαρτάται.

Ωραίο ακούγεται όλο αυτό.

Κι όμως.

Τι λέτε, ρε παιδιά;

## Λέξεις, λέξεις

ευκαιρία (η)
νοοτροπία (η)
ρεύμα (το)
σώζω
τεχνολογία (η)

## Η σειρά μου τώρα

 **Απαντάω:**

Εσύ τι πιστεύεις; Αν σβήσουν οι άνθρωποι τα φώτα και τις ηλεκτρικές τους συσκευές για μία ώρα, βοηθάνε τον πλανήτη;

**Παίζω έναν ρόλο**

**1 1** Για λίγη δροσιά...

**Ρόλος Α**

Είναι καλοκαίρι και σκέφτομαι να αγοράσω ένα κλιματιστικό. Ο φίλος / η φίλη μου δε συμφωνεί. Πιστεύει ότι δεν κάνει καλό στην υγεία και στο περιβάλλον. Εγώ νομίζω ότι όλα αυτά είναι υπερβολές και ότι εμείς δεν μπορούμε να κάνουμε κάτι με αυτό τον τρόπο για το οικολογικό πρόβλημα.

**Ρόλος Β**

Μια φίλη / ένας φίλος μου σκέφτεται να αγοράσει κλιματιστικό. Διαφωνώ, γιατί θεωρώ ότι βλάπτει την υγεία και το περιβάλλον. Πιστεύω ότι, αν καθένας από εμάς αλλάξει τις συνήθειές του, μπορούμε να σώσουμε τον πλανήτη από την οικολογική καταστροφή.

**1 2** Ο κόσμος μας μετά από μια οικολογική καταστροφή. Συμπληρώνω με Απλό ή Συνεχή Μέλλοντα, όπως στο παράδειγμα.

Η Αρλέτα πιστεύει ότι, αν δεν κάνουμε κάτι για να σώσουμε τον πλανήτη από την οικολογική καταστροφή, σε λίγα χρόνια το κλίμα _θα αλλάξει_ (αλλάζω) για πάντα: _____ (κάνω) πάρα πολλή ζέστη ή _____ (βρέχει) και _____ (χιονίζει) πολύ. Κάποια στιγμή οι πάγοι της Αρκτικής _____ (λιώνω) και η στάθμη της θάλασσας _____ (ανεβαίνει). Οι άνθρωποι _____ (ψάχνω) για νερό και φαγητό και δε _____ (χρησιμοποιώ) πια αυτοκίνητο, γιατί δε _____ (υπάρχει) πετρέλαιο. Ελπίζει όμως ότι ο κόσμος _____ (καταλαβαίνω) σύντομα πόσο σοβαρό είναι το πρόβλημα και _____ (βρίσκω) μια λύση.

**Γράψε-σβήσε**

**1 3** Ο κόσμος μας μετά από 20 χρόνια. (140 λέξεις περίπου)

_____
_____
_____
_____
_____
_____
_____
_____
_____
_____
_____
_____

**1 4** Διαλέγω από τον πίνακα και συμπληρώνω με τη σωστή φράση.

| Κι όμως | Ξέρω 'γώ; | Αμάν! | Άσε που | Μου φαίνεται ότι | Πώς είναι δυνατόν |
|---|---|---|---|---|---|

1. Αμάν! Έχασα το διαβατήριο. Και τώρα τι θα κάνω;
2. _____ να πεις κάτι τέτοιο για μένα;
3. – Τι ώρα θα φύγετε για το χωριό;
   – _____ Κατά τις εφτά εφτάμισι...
4. _____ δε θα περιμένω άλλο. Άργησαν 20 λεπτά.
5. – Τον τελευταίο καιρό πάω στη δουλειά με ποδήλατο.
   – Φτάνεις πιο γρήγορα;
   – Ναι, γιατί δεν ψάχνω για πάρκινγκ. _____ κάνω και γυμναστική.
6. Δεν υπάρχουν πάρκα στην Αθήνα; Έτσι νομίζεις; _____ υπάρχουν. Αλλά ο περισσότερος κόσμος δεν πηγαίνει συχνά.

 **Για δες**

| Ερωτήσεις | Πλάγιες Ερωτηματικές προτάσεις |
|---|---|
| **Αρλέτα:** Τι μπορώ να κάνω για το περιβάλλον; | Η Αρλέτα θέλει να μάθει τι μπορεί να κάνει για το περιβάλλον. |
| **Ερβίν:** Αρλέτα, πώς θα πηγαίνεις στη δουλειά σου; | Ο Ερβίν ρώτησε την Αρλέτα πώς θα πηγαίνει στη δουλειά της. |
| **Φοίβος:** Πότε φεύγεις, θεία; | Ο Φοίβος ρώτησε τη θεία του πότε φεύγει. |
| **Πάμπλο:** Νίκο, γιατί πετάς την εφημερίδα στα σκουπίδια; | Ο Πάμπλο ρώτησε τον Νίκο γιατί πετάει την εφημερίδα στα σκουπίδια. |
| **Νίκος:** Εεε... Πού υπάρχει κάδος ανακύκλωσης; | Ο Νίκος δεν ξέρει πού υπάρχει κάδος ανακύκλωσης. |
| **Πάμπλο:** Υπάρχει κανένας κάδος ανακύκλωσης στη γειτονιά; | Ο Πάμπλο ρώτησε αν υπάρχει κανένας κάδος ανακύκλωσης στη γειτονιά. |

**1 5** Πρόσφατα έγινα εθελοντής/εθελόντρια σε μια οικολογική οργάνωση. Τι με ρώτησαν οι φίλοι μου όταν το έμαθαν; Συμπληρώνω τις προτάσεις, όπως στο παράδειγμα.

**Άννα:** Πώς πήρες αυτή την απόφαση; _Η Άννα με ρώτησε πώς πήρα αυτή την απόφαση._

**Αντώνης:** Τι θα κάνεις ακριβώς; _____

**Σοφία:** Πόσες φορές τον μήνα θα πηγαίνεις; _____
_____

**Σερίφ:** Είναι ενδιαφέρον αυτό που θα κάνεις; _____
_____

**Αλίκη:** Πώς μπορώ να έρθω κι εγώ; _____

**Βαλεντίνα:** Είναι συμπαθητικοί οι άλλοι εθελοντές; _____
_____

**Χασάν:** Γιατί δε μου είπες να έρθω; _____

**Κάτια:** Θα γίνουν σεμινάρια για τους νέους εθελοντές; _____
_____

**Μίρνα:** Πότε θα ξεκινήσεις; _____

## Φωνή-γραφή

### Επιτονισμός

| | |
|---|---|
| Η Μελέκ είναι φοιτήτρια. | (= το ξέρω, είναι σίγουρο) |
| Η Μελέκ είναι φοιτήτρια; | (= πες μου, γιατί δεν ξέρω καθόλου) |
| Η Μελέκ είναι φοιτήτρια; | (= είναι αλήθεια; Τι έκπληξη!) |

### Επιτονισμός με έμφαση

Ο Νίκος θα έρθει με το ποδήλατο.
– Ο Πάμπλο θα έρθει με το ποδήλατο;
– **Ο Νίκος** θα έρθει με το ποδήλατο.          (= και όχι ο Πάμπλο)

– Ο Νίκος θα έρθει με το αυτοκίνητο;
– Ο Νίκος θα έρθει με το **ποδήλατο**.          (= και όχι με το αυτοκίνητο)

– Ο Νίκος δε θα έρθει με το ποδήλατο;
– **Θα έρθει** με το ποδήλατο.

| | |
|---|---|
| Η δασκάλα σας περιμένει. | (= η δική σας δασκάλα) |
| Η δασκάλα σάς περιμένει. | (= περιμένει εσάς) |

**1 6** Ακούω τις προτάσεις και βάζω . ; ! **B7**

1. Πλήρωσε τον λογαριασμό
2. Πλήρωσε τον λογαριασμό
3. Είναι μια χαρά
4. Είναι καλά
5. Υπάρχει κανένας κάδος ανακύκλωσης εδώ κοντά

6. Ανησυχεί για το περιβάλλον
7. Κάνεις ανακύκλωση
8. Πήρες κιλά Μήπως πρέπει να κάνεις δίαιτα
9. Τι λες Πάμε βόλτα με τα ποδήλατα
10. Τι λες Δεν το πιστεύω

# Αλλάζουμε συνήθειες

Συγνώμη, κύριε. Κάτι σας έπεσε.

Είμαι όλος αυτιά    B8

**1.7** Τι κάνεις εσύ για τον πλανήτη;
Βρήκα στο ίντερνετ μια έρευνα που έκανε μια εφημερίδα για τις οικολογικές συνήθειες των ανθρώπων. Ακούω τις απαντήσεις και συμπληρώνω τον πίνακα, όπως στο παράδειγμα.

| 1. Νίκη 45 ετών | 1. Νομίζει ότι η Παγκόσμια Ημέρα Περιβάλλοντος _είναι σημαντική για την ενημέρωση του κόσμου._<br>2. Πιστεύει ότι πολύς κόσμος δεν ξέρει τι είναι _____ .<br>3. Η ίδια και η οικογένειά της εδώ και αρκετό καιρό _____ συσκευασίες. |
|---|---|
| 2. Γιώργος 18 χρονών | 4. Πιστεύει ότι η Παγκόσμια Ημέρα Περιβάλλοντος είναι σημαντική για να _____ .<br>5. Ο Γιώργος λέει ότι ο ίδιος _____ για το περιβάλλον. |
| 3. Μαρία 39 ετών | 6. Βλέπει καθημερινά με λύπη της ότι οι Έλληνες γενικά δεν ενδιαφέρονται για το περιβάλλον, αφού:<br>α. δεν ανακυκλώνουν<br>β. _____<br>γ. όλοι πετάνε κάτω σκουπίδια. |
| 4. Σπύρος 35 χρονών | 7. Κατά τη γνώμη του, οι εταιρείες _____ _____<br>8. Προτείνει _____ . |
| 5. Ελένη 20 ετών | 9. Θεωρεί ότι σημαντικό ρόλο για την οικολογία μπορούν να παίξουν _____ και _____ . |
| 6. Τάσος 53 χρονών | 10. Πιστεύει ότι το μόνο που μπορούμε να κάνουμε είναι _____ . |
| 7. Αγγελική 28 ετών | 11. Δεν κάνει πολλά πράγματα για το περιβάλλον, γιατί _____ _____ .<br>12. Ωστόσο, προσπαθεί να μην πετάει σκουπίδια και να _____ _____ . |
| 8. Στέφανος 62 χρονών | 13. Θεωρεί ότι _____ για τα οικολογικά προβλήματα. |

**1.8** Απαντάω:

Με ποιον από όλους συμφωνείς; Γιατί;

**1 9** Τεστ διακοπών

# ΑΥΤΟ _____1_____ ΠΡΟΣΕΧΟΥΜΕ ΤΟ ΠΕΡΙΒΑΛΛΟΝ

**Εσύ πόσους πράσινους πόντους μπορείς να μαζέψεις;**

1. Ετοιμάζεσαι να φύγεις για διακοπές...
   _____ θα φτάσεις στον
   προορισμό σου;
   α. Με το αυτοκίνητό σου...
   _____
   β. Με τα μέσα μαζικής μεταφοράς.
   Θα είναι πιο οικονομικό και θα
   γνωρίσεις τον τόπο καλύτερα.

2. Όταν φτάνεις στον προορισμό σου,
   α. Νοικιάζεις αμέσως αυτοκίνητο ή
   μηχανάκι για τις βόλτες σου.
   β. _____ με τα πόδια ή με
   το ποδήλατο.

3. Φτάνεις στην παραλία. _____
   α. είναι πλαστική, από αυτές που είναι πολύ στη μόδα.
   β. είναι από ψάθα ή πάνινη. Δεν είναι μόνο οικολογική αλλά _____ .

4. Με τόση ζέστη είναι λογικό να διψάς πολύ.
   α. Πίνεις από το πλαστικό μπουκαλάκι σου, αλλά _____ .
   β. Ευτυχώς που έφερες το θερμός σου. _____ .

5. Ώρα για δράση και διασκέδαση.
   α. Νοικιάζεις jet ski. _____ .
   β. Δεν αντέχεις τον θόρυβο, γι' αυτό _____ , όπως κολύμπι ή θαλάσσιο
   ποδήλατο.

6. Ο ήλιος καίει. Ψάχνεις στην τσάντα σου το καινούριο σου αντηλιακό.
   α. Δεν έχεις ιδέα αν είναι πραγματικά καλό. Πάντως μυρίζει υπέροχα!
   β. Προέρχεται _____ . Έτσι, σε προστατεύει από τον ήλιο χωρίς να βλάπτει την
   υγεία σου.

7. Το mp3 ξαφνικά σταματάει.
   α. _____ .
   β. Ευτυχώς έχεις τον φορτιστή για τις επαναφορτιζόμενες μπαταρίες σου.

8. Η παραλία το βράδυ είναι γεμάτη έντομα που _____ .
   α. Δεν αντέχεις τα ζουζούνια!  Χρησιμοποιείς αμέσως ένα σπρέι
   που έχεις μαζί σου για τέτοιες ώρες. _____ .
   β. Δεν ανησυχείς ιδιαίτερα.  Υπάρχουν φυσικοί τρόποι για να τα
   αντιμετωπίσεις. Ο βασιλικός διώχνει τα κουνούπια και τις μύγες
   ενώ, αν κάψεις λίγο καφέ, διώχνεις τις σφήκες...

9. Φεύγοντας από την παραλία...
   α. _____ , γιατί άφησες πίσω σου ό,τι δε χρειάζεσαι πια.
   β. Μαζεύεις ακόμα και τα σκουπίδια των άλλων.

10. Το φως λιγοστεύει καθώς βραδιάζει.
   α. Ανάβεις όλα τα φώτα του δωματίου σου.
   β. _____ .

11. Ωραίο το καλοκαιράκι, αλλά αυτή τη ζέστη δεν την αντέχεις.
   α. _____ .
   β. Προτιμάς το αεράκι της θάλασσας ή του βουνού από το κλειστό δωμάτιο.

12. Έμαθες ότι στη διπλανή παραλία γεννάει το καλοκαίρι τα αυγά της η
   χελώνα καρέτα καρέτα
   α. Κάποιοι σου είπαν ότι βγαίνει το βράδυ στην άμμο. _____ .
   β. Μαθαίνεις τα πάντα για τις συνήθειές της και τις ανάγκες της. Δε
   θέλεις να κάνεις κάτι που θα την ανησυχήσει περισσότερο.

Μέτρησε έναν πράσινο πόντο για κάθε απάντηση β.

Αποτελέσματα:
1-4 Αρχάριος
Μη στενοχωριέσαι, το πρώτο βήμα είναι και το πιο σημαντικό. Του χρόνου καλύτερα.
5-9 Τα πας καλά, συνέχισε...
9-12 Πού ήσουν τόσον καιρό; Μήπως θέλεις να γίνεις εθελοντής στην οργάνωσή μας;

1. το καλοκαίρι
2. Η τσάντα που κρατάς
3. το νερό είναι κάπως ζεστό μετά από
   τόσες ώρες
4. Με ποιο μέσο
5. Τρέχεις στο κοντινότερο περίπτερο
   για καινούριες μπαταρίες
6. Προσπαθείς να ανακαλύψεις την
   ομορφιά του τόπου
7. Ώρα για φαγητό
8. Απολαμβάνεις τα αστέρια και το
   φεγγάρι από τη βεράντα σου
9. Τι πιο άνετο και βολικό;
10. Έχει πολλή πλάκα

11. Μυρίζει χάλια, βέβαια, αλλά κάνει
    καλή δουλειά
12. είναι και πρωτότυπη
13. Θα είσαι εκεί με τον φακό, για να τη
    δεις από κοντά
14. Η τσάντα σου είναι πιο ελαφριά
15. θα προτιμήσεις κάτι πιο ήσυχο
16. από φυσικές πρώτες ύλες
17. Ευτυχώς το δωμάτιο του
    ξενοδοχείου έχει κλιματιστικό
18. σε ενοχλούν
19. Λίγο δροσερό νερό είναι ό,τι
    χρειάζεσαι αυτή τη στιγμή

## Γράψε-σβήσε

**2 0** Στη γειτονιά μου έχουμε μεγάλο πρόβλημα με τα σκουπίδια: οι κάδοι είναι λίγοι και συχνά γεμάτοι, ενώ πολλές φορές οι σακούλες είναι ανοιχτές και τα σκουπίδια πεταμένα στους δρόμους. Επίσης, δεν υπάρχουν αρκετοί κάδοι ανακύκλωσης. Γράφω ένα γράμμα στον/στη δήμαρχο της πόλης μου. Λέω με λεπτομέρειες ποιο είναι το πρόβλημα και προτείνω λύσεις, για να ακολουθήσουν περισσότεροι πολίτες το πρόγραμμα ανακύκλωσης. (150 λέξεις περίπου)

### Χρήσιμες εκφράσεις για την ανακύκλωση

Η ανακύκλωση είναι πράξη ευθύνης για όλους – προστατεύουμε το περιβάλλον – βελτιώνουμε την ποιότητα ζωής μας – κάνουμε εξοικονόμηση ενέργειας – ετοιμάζουμε ένα καλύτερο μέλλον για τα παιδιά μας – πρέπει να στηρίξουμε όλοι το πρόγραμμα ανακύκλωσης – αξίζει τον κόπο – χρειάζεται ενημέρωση για την παρουσία των κάδων ανακύκλωσης και τον τύπο των συσκευασιών που μπορούμε να πετάξουμε σ' αυτούς (χαρτί, αλουμίνιο, σίδερο, γυαλί, πλαστικό)

Αξιότιμε κύριε δήμαρχε / Αξιότιμη κυρία δήμαρχε,

Ως κάτοικος αυτής της πόλης θα ήθελα να σας απευθύνω αυτή την επιστολή σχετικά με _____ .

Γνωρίζω ότι ο δήμος σας προσπαθεί να _____ . Όμως πρέπει να σας ενημερώσω ότι _____ .

Πήρα ήδη τηλέφωνο στην υπηρεσία καθαριότητας του δήμου, αλλά _____ .

Απευθύνομαι, επομένως, σε σας και ζητώ να _____ .

Με εκτίμηση

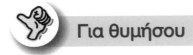

## Για θυμήσου

**2.1** Διορθώνω τα λάθη.

– Δεν πιστεύω ότι θα σώζω το περιβάλλον, αλλά θα προσπαθώ όσο μπορώ. Για παράδειγμα, από 'δώ και πέρα δε θα χρησιμοποιήσω κλιματιστικό και θα πάω στη δουλειά με το λεωφορείο.
– Ναι, ε; Το ξέρεις ότι αύριο έχουν απεργία τα λεωφορεία; Τι θα κάνεις; Θα πηγαίνεις με τα πόδια;
– Χμμ... Καλά. Αύριο θα παίρνω το αυτοκίνητο κι από μεθαύριο θα πηγαίνω με συγκοινωνία.

**2.2** Διαλέγω το σωστό.

1. Πήρα τηλέφωνο στον δήμο και ρώτησα _αν θα_ βάλουν κάδους ανακύκλωσης στην περιοχή.
   α. αν θα          β. πότε να
2. – Τι σου έλεγε τόση ώρα ο γείτονας;
   – Με ρωτούσε _____ θα καθαρίσουμε και φέτος την παραλία μας.
   α. πού          β. αν
3. Θέλω να μάθω _____ μπορώ να κάνω το σπίτι μου οικολογικό.
   α. πού          β. πώς
4. Πού μπορώ να ρωτήσω _____ υπάρχει βιολογική λαϊκή στην περιοχή μας;
   α. αν          β. πόσο

**2.3** Γράφω τις λέξεις που έμαθα.

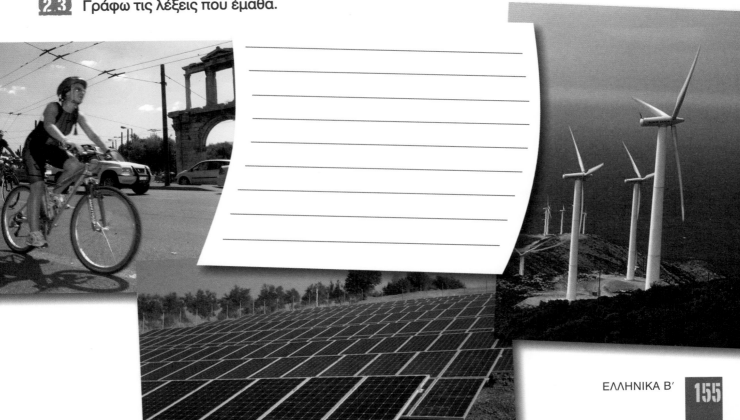

# Πάμε πάλι!

**1** Διαλέγω από τον πίνακα τη σωστή λέξη και συμπληρώνω στον σωστό τύπο, όπως στο παράδειγμα.

ακούω, καφές, κοιτάζω, αρχίζω, γάλα, πετάω, προσέχω, σπουδάζω, μιλάω, βρέχει

1. Ήρθα για πρώτη φορά όταν _σπούδαζα._
2. Συγνώμη, ξέχασα να αγοράσω την κρέμα _____ που μου ζήτησες.
3. Προτιμώ έναν χυμό. Σήμερα ήπια πολλούς _____ .
4. _____ στον χάρτη πού είναι η διεύθυνσή τους;
5. Την πρώτη φορά που ήρθα στην Ελλάδα, δε _____ ελληνικά.
6. Άκουσα ότι αύριο όλη μέρα θα _____ .
7. Θα _____ τις εφημερίδες της Κυριακής; Γιατί τις κρατάμε ακόμα;
8. Μη φύγεις τώρα. Θα _____ η βροχή σε λίγο.
9. Η Έλενα έχασε τα κλειδιά της. Από 'δώ και πέρα θα _____ περισσότερο.
10. _____ πολύ δυνατά μουσική κι έτσι δεν άκουσα το κουδούνι.

## Φωνή-γραφή

B9

**2** Υπογραμμίζω τη λέξη που ακούω πρώτη, όπως στο παράδειγμα.

1. γάτα – γιατί
2. γυαλί – Γάλλοι
3. γιαγιά – γυαλιά
4. γάλα – γυάλα
5. χονί – χιόνι
6. χάρη – χέρι
7. χαμός – χυμός

8. έχω – έχει
9. κόμμα – κι όμως
10. κουτί – κι ούτε
11. κακιά – κακά
12. κι άλλο – καλό
13. κιάλια – καλά

**3** Διαβάζω τις προτάσεις και διαλέγω την απάντηση που ταιριάζει, όπως στο παράδειγμα.

1. Το φαγητό δεν ήταν καλό.    α. Αλήθεια;    β. Ναι, πολύ.
2. Το φαγητό ήταν καλό;    α. Αλήθεια;    β. Ναι, πολύ.
3. Ο Ερβίν πήρε τηλέφωνο για κράτηση;    α. Δεν ξέρω.    β. Ναι;
4. Ο Ερβίν πήρε τηλέφωνο για κράτηση.    α. Δεν ξέρω.    β. Ναι;
5. Το Σαββατοκύριακο ο καιρός θα χαλάσει.    α. Δεν ξέρω.    β. Αλήθεια;
6. Το Σαββατοκύριακο ο καιρός θα χαλάσει;    α. Ναι;    β. Όχι πολύ.
7. Δεν υπάρχει κάδος ανακύκλωσης εδώ κοντά;    α. Δεν ξέρω.    β. Σοβαρά;
8. Δεν υπάρχει κάδος ανακύκλωσης εδώ κοντά.    α. Δεν ξέρω.    β. Σοβαρά;

 Είμαι όλος αυτιά  B10

**4** Καθώς ετοιμάζομαι για τη δουλειά μου, παρακολουθώ μια πρωινή εκπομπή στην τηλεόραση για τη διατροφή των παιδιών στα σχολεία. Ακούω τη συζήτηση δύο φορές και συμπληρώνω τον πίνακα (Σωστό, Λάθος, Δεν Αναφέρεται), όπως στο παράδειγμα.

|  | Σ | Λ | Δ.Α. |
|---|---|---|---|
| 1. Η Ελένη Βουτυράκη είναι η παρουσιάστρια της εκπομπής. | ☐ | ☑ | ☐ |
| 2. Οι μαθητές συνήθως παίρνουν κολατσιό από το σπίτι τους. | ☐ | ☐ | ☐ |
| 3. Μια πρόσφατη έρευνα έδειξε ότι συνήθως τα κυλικεία των σχολείων πουλάνε ανθυγιεινά τρόφιμα. | ☐ | ☐ | ☐ |
| 4. Το 74% των μαθητών αγοράζει συχνά τα ανθυγιεινά τρόφιμα που βρίσκει στο κυλικείο του σχολείου. | ☐ | ☐ | ☐ |
| 5. Στην Ελλάδα υπάρχει πρόβλημα παιδικής παχυσαρκίας. | ☐ | ☐ | ☐ |
| 6. Το μόνο πρόβλημα των τροφίμων που πουλάνε οι σχολικές καντίνες είναι ότι παχαίνουν. | ☐ | ☐ | ☐ |
| 7. Το υγιεινό κολατσιό είναι πιο οικονομικό. | ☐ | ☐ | ☐ |
| 8. Η συχνή κατανάλωση ανθυγιεινών σνακ μπορεί να προκαλέσει σοβαρά προβλήματα υγείας. | ☐ | ☐ | ☐ |
| 9. Δεν υπάρχει νόμος που ορίζει τι πρέπει να πουλάνε τα κυλικεία και τι όχι. | ☐ | ☐ | ☐ |
| 10. Οι καθηγητές και οι διευθυντές των σχολείων δεν ενδιαφέρονται για τη διατροφή των μαθητών. | ☐ | ☐ | ☐ |
| 11. Σύμφωνα με μία έρευνα, όλα τα τρόφιμα στα ράφια των κυλικείων ήταν χαλασμένα. | ☐ | ☐ | ☐ |
| 12. Τα κυλικεία δεν έχουν δικαίωμα να πουλάνε καφέ στους μαθητές. | ☐ | ☐ | ☐ |
| 13. Σύμφωνα με τη διατροφολόγο, οι γονείς πρέπει να ετοιμάζουν στα παιδιά ένα υγιεινό κολατσιό. | ☐ | ☐ | ☐ |
| 14. Για τη διατροφολόγο, το καλό παράδειγμα των γονιών είναι πολύ σημαντικό. | ☐ | ☐ | ☐ |

**5** Ακούω στις ειδήσεις συμβουλές για την οικολογική χρήση του ηλεκτρικού ρεύματος και κρατάω σύντομες σημειώσεις, όπως στο παράδειγμα. **B11**

αν ακολουθήσουμε τις συμβουλές της εκπομπής

1. Θα αποφύγουμε τον κίνδυνο μπλακ άουτ
2. _____
3. _____

τι προσέχουμε με το κλιματιστικό

1. _____
2. _____
3. _____
4. _____

τι προσέχουμε με τον θερμοσίφωνα

1. _____
2. _____

τι προσέχουμε με το πλυντήριο

1. _____
2. _____
3. _____

τι προσέχουμε με την κουζίνα

1. _____
2. _____

τι προσέχουμε με το σίδερο

_____

**6** Βάζω στη σωστή σειρά την παρακάτω ιστορία.

### Η περιπέτεια ενός μπλε κάδου

| | |
|---|---|
| 1. | Πολύ γρήγορα όμως οι κάτοικοι της περιοχής άρχισαν να πετούν στον μπλε κάδο της ανακύκλωσης ό,τι σκουπίδια είχαν. Όταν γέμιζε ο κάδος, με οτιδήποτε άλλο εκτός από ανακυκλώσιμα, δεν είχαν κανένα πρόβλημα να πετάξουν τα σκουπίδια τους έξω από αυτόν, στο πεζοδρόμιο. |
| 2. | Και στο καινούριο του, όμως, πόστο ο καημένος ο κάδος δεν είχε καλύτερη τύχη, αφού και εκεί σταματούσαν τα αυτοκίνητα (ακριβά όλα!) και οι οδηγοί άδειαζαν τα σκουπίδια τους. Όταν, πολύ γρήγορα, και αυτό το σημείο έγινε ένα βουνό από σκουπίδια, ο κάδος πήγε ακόμα πιο κάτω, στον ίδιο πάντα δρόμο. |
| 3. | Οι απολίτιστοι όμως δεν άκουγαν. Μέχρι που ο κάδος ο καημένος κοντεύει να φτάσει στα Μελίσσια από τους λίγους που δεν αντέχουν άλλο τη βρομιά των πολλών! |
| 4. | Ξέρετε τι εννοεί, με τέτοιες δικαιολογίες, ο κάθε καραγκιόζης; Ότι θα ήθελε έναν κάδο πριβέ. Δικό του. Έναν χώρο στάθμευσης δωρεάν και έξω από το σπίτι του. Κάποιον να του μαζεύει τα σκουπίδια που εκείνος ρίχνει έξω. Παρκαδόρους να του ανοίγουν την πόρτα και να τον αποκαλούν «κύριο» ή «κυρία». |
| 5. | Όταν κατάλαβε ότι με την κουβέντα δε βγαίνει τίποτα, πήρε την απόφαση και απομάκρυνε τον κάδο από το σπίτι της: τον έσπρωξε πιο κάτω, στην ίδια οδό. |

| | | |
|---|---|---|
| 6. | Οι άνθρωποι της εταιρείας ανακύκλωσης μας είπαν ότι καθημερινά τραβούν τα μαλλιά τους από τα πράγματα που βρίσκουν μέσα σ' αυτούς τους κάδους. Και ποια είναι η λύση; Να αρχίσουμε καμπάνια ενημέρωσης; Που να λέει τι; «Εδώ, παιδάκια, στον μπλε τον κάδο, ρίχνουμε μόνο συσκευασίες ανακύκλωσης. Όχι σκουπίδια. Ούτε ρούχα. Ούτε φαγητά». | |
| 7. | Γιατί ξέρει πολύ καλά ο καθένας τι δεν πρέπει να κάνει. Μόνο που δεν ενδιαφέρεται. Και βρίσκει, πάντα, εύκολες και φτηνές δικαιολογίες για τις πράξεις του. «Ας βάλουν» λέει «πιο πολλούς κάδους, για να χωράνε τα άλλα μας σκουπίδια, να μην τα ρίχνουμε σε εκείνους της ανακύκλωσης». Όπως λένε: «Ας φτιάξουν χώρους στάθμευσης, για να μην παρκάρω επάνω σε κάθε πεζοδρόμιο». | |
| 8. | Σε κάθε νέα θέση του, κάποιοι ευαίσθητοι κάτοικοι της περιοχής προσπαθούσαν να εξηγήσουν στους υπόλοιπους ότι αυτοί οι κάδοι, οι μπλε, είναι μόνο για ανακυκλώσιμες συσκευασίες και όχι για τα απομεινάρια από το φαγητό μας. | |
| 9. | Η ζωή του άρχισε πριν από περίπου 2 χρόνια, στην «κορυφή» της οδού Παναγίας Ελευθερώτριας στην Πολιτεία. Οι κάτοικοι αυτής της περιοχής είναι γενικά άνθρωποι με μια οικονομική άνεση και καλές σπουδές, με δύο λόγια αυτό που λέμε «καλλιεργημένοι» άνθρωποι. | *1* |
| 10. | Να το κάνουμε κι αυτό. Θα είμαστε ο μόνος λαός στον κόσμο που θέλει ιδιαίτερα μαθήματα για το πώς να χρησιμοποιεί τους κάδους ανακύκλωσης. Όμως, δε θα αλλάξει τίποτα. | |
| 11. | Σε αυτή, λοιπόν, τη γειτονιά, έβαλαν έναν μπλε κάδο ανακύκλωσης έξω από το σπίτι μιας κυρίας, που η ίδια το ζήτησε, γιατί έχει αυτό που λέμε «οικολογική ευαισθησία» και ήθελε με τον δικό της τρόπο να βοηθήσει στην προστασία του περιβάλλοντος. | |
| 12. | Η κυρία στην αρχή της Ελευθερώτριας έκανε ό,τι μπορούσε για να σταματήσει αυτό το φαινόμενο: περίμενε δίπλα στον κάδο και έκανε παρατηρήσεις σε όσους σταματούσαν εκεί και άδειαζαν οτιδήποτε άλλο εκτός από ανακυκλώσιμα υλικά. | |
| 13. | Τελικά, δεν ξέρω πού θα φτάσει ο καημένος ο κάδος. Κάπου θα τον συναντήσετε, είμαι σίγουρος. Φορτωμένο με όλη τη σύγχρονη ιστορία μας... | |

(Χρήστος Μιχαηλίδης, 27/11/2008, στο: *http://www.lifo.gr/content/x6/1611*, με αλλαγές)

**7** Διαβάζω ένα άρθρο στο ίντερνετ για το περπάτημα και διαλέγω τίτλους για τις παραγράφους από τον πίνακα που ακολουθεί, όπως στο παράδειγμα. Προσοχή: Υπάρχουν τίτλοι που δεν ταιριάζουν σε καμία παράγραφο.

| | |
|---|---|
| 1. | Όλοι οι ειδικοί συμφωνούν. Το περπάτημα είναι ένας από τους καλύτερους τρόπους άθλησης. Είναι εύκολο, όχι ιδιαίτερα κοπιαστικό, δε χρειάζεται ακριβό εξοπλισμό και μπορεί να γίνει οπουδήποτε και από όλους. Χαρίζει υγεία, μακροζωία, και μας βοηθά να χάσουμε τα περιττά κιλά. Το περπάτημα είναι ένας ιδιαίτερα καλός τρόπος για να αδυνατίσει κανείς, ιδίως όταν κάνει καθιστική ζωή. Είναι η απολύτως φυσική και αποτελεσματική μέθοδος για όσους δε θέλουν ή δεν μπορούν να τρέχουν στο γυμναστήριο. Είναι, επίσης, πολύ καλό για το μυαλό, αφού αυξάνει την κυκλοφορία του αίματος προς τον εγκέφαλο και μειώνει το άγχος. |
| 2. | Σίγουρα όλοι γνωρίζετε το πρόβλημα: Ξεκινά κανείς τη γυμναστική με κέφι, αλλά πολύ γρήγορα η όρεξή του μειώνεται και με την πιο μικρή δυσκολία εγκαταλείπει την προγραμματισμένη άθληση και επιστρέφει στον παλιό «καλό» τρόπο ζωής. Γι' αυτό πρέπει να ακολουθήσουμε μερικές απλές συμβουλές:  Το καλύτερο είναι να βρείτε κάποιον ή κάποια που θα περπατά μαζί σας. Η παρέα βοηθά πολύ να μείνετε σταθεροί στο πρόγραμμα που βάλατε. Επίσης, μπορείτε να χρησιμοποιήσετε κάποια φορητή συσκευή για να ακούτε μουσική ή να αλλάζετε συχνά τις διαδρομές σας για ποικιλία. |
| 3. | Έπειτα, πρέπει να προγραμματίζουμε το περπάτημα σε σταθερή βάση, έτσι ώστε, όσο περνάει ο καιρός, να γίνει συνήθεια. Μπορεί να γίνεται το πρωί πριν πάμε στη δουλειά, ή αμέσως μετά. Άλλοι πάλι ίσως προτιμούν το περπάτημα αργά το βράδυ. Το βασικό, όμως, είναι να έχουμε στόχους ρεαλιστικούς, που μπορούμε να πετύχουμε, ανάλογους με τις προσωπικές μας δυνατότητες. Αν, για παράδειγμα, είναι η πρώτη μέρα συστηματικού περπατήματος και  ο σκοπός σας είναι να περπατήσετε δέκα χιλιόμετρα, μάλλον θα έχετε πρόβλημα. |
| 4. | Ο καλύτερος τρόπος για να βάλουμε μόνιμα το περπάτημα στη ζωή μας είναι η συμμετοχή μας σε πεζοπορικές εκδρομές που γίνονται τα Σαββατοκύριακα. Οι εκδρομές αυτές μπορεί να είναι μονοήμερες ή διήμερες και συνήθως είναι μέτριας δυσκολίας. Είναι ένας εξαιρετικός τρόπος να γνωρίσετε πολλά όμορφα και άγνωστα μέρη της χώρας μας και να δείτε στην πράξη ότι το περπάτημα κάνει καλό, αλλά είναι και μια ευχάριστη ασχολία. |
| | **Τα πιο συνηθισμένα λάθη** |
| 5. | Ακατάλληλα παπούτσια (στενά ή πολύ φαρδιά, με σκληρή σόλα) μπορεί να σας δημιουργήσουν μικροτραυματισμούς ή ζημιά στα γόνατα. |
| 6. | Βηματισμός: όχι μεγάλα βήματα. Το πόδι «κυλά» στο έδαφος, πρώτα η φτέρνα, μετά το πέλμα και τελευταία τα δάχτυλα. |
| 7. | Δεν κρατάμε τα χέρια μας ακίνητα όταν περπατάμε ούτε τα κουνάμε χωρίς να τα λυγίζουμε. Τα έχουμε λυγισμένα σε ορθή γωνία και τα κινούμε μπρος πίσω χωρίς να τα σηκώνουμε πολύ. |

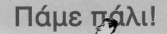

| | |
|---|---|
| 8. | Το σώμα δε γέρνει ούτε μπροστά ούτε πίσω. Η σωστή στάση είναι με το κορμί όρθιο, χαλαρούς τους ώμους και ψηλά το κεφάλι. |
| 9. | Ακατάλληλα ρούχα: δε φοράμε ούτε περισσότερα αλλά ούτε και λιγότερα από όσα χρειαζόμαστε, ανάλογα με τις καιρικές συνθήκες. Επίσης, φοράμε χρώματα που βοηθούν να μας βλέπουν οι άλλοι, ιδίως οι οδηγοί. |
| 10. | Καταναλώνουμε αρκετό νερό πριν από το περπάτημα, κατά τη διάρκειά του, αλλά και μετά. Καλό είναι να πίνουμε 10-12 ποτήρια νερό την ημέρα (ένα ποτήρι νερό την ώρα). Πίνουμε ένα ποτήρι νερό δέκα λεπτά πριν ξεκινήσουμε το περπάτημα και ένα ποτήρι νερό κάθε 20 λεπτά περπατήματος. Τα αναψυκτικά δεν είναι καλή ιδέα. Προκαλούν δίψα. |
| 11. | Δεν πρέπει να ξεχνάτε ότι το περπάτημα είναι ωφέλιμο ακόμα και σε μικρές δόσεις. Αν περπατάτε τέσσερις φορές την ημέρα από 15 λεπτά, είναι το ίδιο σαν να περπατάτε μια ώρα συνολικά. Ακόμα και 5 ή 10 λεπτά περπατήματος κάνουν καλό. Κάθε φορά που σας δίνεται η ευκαιρία, περπατάτε. Αν κάνετε καθιστική δουλειά, είναι καλύτερα να περπατάτε πριν ξεκινήσετε την εργασία σας. Με αυτό τον τρόπο βοηθάτε τον μεταβολισμό σας να «κάψει» περισσότερες θερμίδες από ό,τι συνήθως. Όπως και να έχει, πρέπει να συνηθίσουμε να περπατάμε 3 ή 4 φορές την εβδομάδα. |
| 12. | Αν ο καιρός είναι πολύ ζεστός, καλό είναι να επιλέξετε για το περπάτημά σας πρωινές ή βραδινές ώρες. Αν αυτό δε γίνεται, διαλέξτε διαδρομές που προσφέρουν σκιά. Όπου αυτό είναι δυνατόν, περπατάτε κοντά σε παραλία. Προσπαθήστε να αποφύγετε το περπάτημα για πολλή ώρα κάτω απ' τον ήλιο. Πιείτε αρκετά υγρά πριν, κατά τη διάρκεια, αλλά και μετά τη διαδρομή σας, ακόμα και αν δε νιώθετε δίψα. Αποφύγετε τα αναψυκτικά που περιέχουν ζάχαρη, καθώς και την καφεΐνη. Φορέστε καπέλο, ανοιχτόχρωμα ρούχα, γυαλιά ηλίου και χρησιμοποιήστε αντηλιακή κρέμα. |
| 13. | Το κρύο και η βροχή δεν αποτελούν πρόβλημα, αν είστε κατάλληλα ντυμένοι. Διαλέξτε παπούτσια που δε γλιστράνε και ένα καλό αδιάβροχο. Το σώμα πρέπει να είναι ζεστό και στεγνό. Δεν πειράζει αν στο ξεκίνημα κρυώνετε κάπως – σιγά σιγά θα ζεσταθείτε αρκετά. |

(*http://www.in.gr/agro/_spor/FTrekk/trek01.asp*, με αλλαγές)

| | | |
|---|---|---|
| Προσοχή στα παπούτσια. | | Συμβουλές για την κίνηση των χεριών. | |
| Γρήγορος βηματισμός. | | Το λίγο είναι καλύτερο από το τίποτα. | |
| Περπάτημα: κέρδος για τη ζωή μας. | 1 | Περπατάτε πάντα πρωί. | |
| Η σημασία της διατροφής. | | Πώς πρέπει να περπατάμε. | |
| Περπατήστε και γνωρίστε την Ελλάδα. | | Ακούστε μουσική. | |
| Περπάτημα στο κρύο. | | Η στάση του σώματος. | |
| Ντυνόμαστε ζεστά. | | Ρούχα κατάλληλα για περπάτημα. | |
| Προγραμματισμός και στόχοι. | | Κατανάλωση υγρών. | |
| Περπάτημα στη ζέστη. | | Απλοί τρόποι για να μη χάσετε το ενδιαφέρον σας. | |

**Έχω τον λόγο**

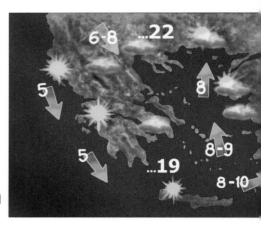

**8 Απαντάω:**

Τι σχέση έχετε με τη γυμναστική;
Ποια αθλήματα σας αρέσουν περισσότερο; Τα ατομικά ή τα ομαδικά;

Προτιμάτε ένα σπιτικό γεύμα ή το φαγητό στο εστιατόριο;
Τι σημαίνει για εσάς υγιεινή διατροφή; Τρώτε ό,τι σας αρέσει ή φροντίζετε να τρώτε υγιεινά; Περιγράψτε ένα υγιεινό γεύμα.

Ποια είναι η αγαπημένη σας εποχή του χρόνου; Γιατί;
Τι βλέπετε στην εικόνα; Περιγράψτε τι καιρό θα κάνει στη βόρεια Ελλάδα και στα νησιά.

Ποια είναι τα οικολογικά προβλήματα του τόπου σας; Εσείς κάνετε κάτι για την προστασία του περιβάλλοντος;

 **Παίζω έναν ρόλο**

**9 Ωραία εξυπηρέτηση!**

**Ρόλος Α**
Είμαι στο εστιατόριο με την παρέα μου, αλλά η εξυπηρέτηση δεν είναι καλή: άργησαν να πάρουν παραγγελία και να σερβίρουν, τα ποτήρια δεν ήταν καθαρά και το φαγητό ήταν χάλια. Κάνω τα παράπονά μου στον σερβιτόρο / στη σερβιτόρα.

**Ρόλος Β**
Είμαι σερβιτόρα/σερβιτόρος σε ένα εστιατόριο. Ένας πελάτης / μια πελάτισσα με φωνάζει και μου κάνει παράπονα για την εξυπηρέτηση και το φαγητό. Προσπαθώ να απαντήσω με ηρεμία.

**10** Άσκηση ή χαλάρωση;

**Ρόλος Α**

Είμαι αθλητικός τύπος και προσέχω πολύ τη διατροφή μου. Συζητάω με έναν φίλο / μια φίλη που τον τελευταίο καιρό πήρε μερικά κιλά και νιώθει συχνά άγχος και κούραση.

**Ρόλος Β**

Τον τελευταίο καιρό δουλεύω πολύ, έχω άγχος και νιώθω κουρασμένη/κουρασμένος. Συζητάω με έναν φίλο / μια φίλη μου που πιστεύει ότι η λύση είναι τα σπορ. Η γνώμη μου είναι ότι αυτό που χρειάζομαι πάνω απ' όλα είναι ελεύθερος χρόνος για ξεκούραση και ηρεμία. Όλη αυτή η μόδα με την καλή φυσική κατάσταση δε με ενδιαφέρει.

## Γράψε-σβήσε

**11** Στέλνω e-mail σε μια φίλη / έναν φίλο και περιγράφω ένα όνειρο που είδα στον ύπνο μου με αυτήν/αυτόν. (130-150 λέξεις)

_____

_____

_____

_____

_____

_____

_____

_____

_____

_____

**12** Στέλνω ένα γράμμα στο περιοδικό *Υγεία και Διατροφή* και ζητάω να γράψουν κάτι για τη διατροφή των παιδιών στο σπίτι και στο σχολείο. Περιγράφω το πρόβλημα, τονίζω τη σημασία του θέματος και ζητάω συγκεκριμένες ιδέες και προτάσεις για φαγητό. (130-150 λέξεις)

_____

_____

_____

_____

_____

_____

_____

_____

_____

# 11

## Πάμε διακοπές;

- Πού να πάμε διακοπές φέτος;
- Θέλουμε να χαλαρώσουμε κοντά στη θάλασσα.
- Ας έρθει μαζί μας στο χωριό, αν θέλει.
- Αν υπάρξει κάποιο άλλο πρόβλημ[...] να με ενημερώσετε.
- Αν και έχει πολύ κόσμο, περνάμε υπέροχα.

**B12**

Γεια σου, Νίκο!

Τι κάνεις; Όλα καλά; Είδα ότι πήγες στην Κίνα. Πανέμορφες φωτογραφίες! Υπέροχη φύση, εντυπωσιακά κτίρια... Είσαι τυχερός. Ένα τέτοιο ταξίδι είναι το όνειρό μου! Εγώ είμαι στη Μαδρίτη τώρα. Είναι δύσκολο να βρω κάποιον που να ξέρει ελληνικά εδώ. Διαβάζω, όμως, ελληνικές εφημερίδες και λογοτεχνικά βιβλία, όταν έχω ελεύθερο χρόνο. Δε θέλω να ξεχάσω τα ελληνικά μου. Τόσον κόπο έκανα να τα μάθω...

Σκεφτόμαστε με τον άντρα μου να έρθουμε στην Ελλάδα το καλοκαίρι και να περάσουμε ένα δεκαήμερο σε κάποιο νησί. Θέλουμε να χαλαρώσουμε κοντά στη θάλασσα, χωρίς να πληρώσουμε μια περιουσία. Ξέρω ότι εσύ πηγαίνεις συνήθως σε νησιά που δεν είναι πολύ τουριστικά. Κάτι τέτοιο ψάχνουμε κι εμείς. Κοίταξα στο ίντερνετ, πήρα και μερικά τηλέφωνα σε ξενοδοχεία, αλλά τον Αύγουστο οι τιμές των δωματίων ανεβαίνουν. Πού να πάμε; Έχεις κάτι να μας προτείνεις; Ξέρεις κανένα καλό και οικονομικό ξενοδοχείο; Σ' ευχαριστώ πολύ για όλα!

Πολλά φιλιά!

Γεια σου, Μαρία!

Καιρό είχαμε να τα πούμε... Είμαι σίγουρος ότι περνάς καλά στη Μαδρίτη. Εγώ είμαι μια χαρά, αλλά έχω πολλή δουλειά αυτή την περίοδο. Στην Κίνα ήταν τέλεια! Να πας, όποτε μπορέσεις. Αξίζει!

Χαίρομαι που θα έρθετε πάλι στην Ελλάδα αυτό το καλοκαίρι. Επιλογές υπάρχουν πολλές. Μπορείτε, για παράδειγμα, να διαλέξετε κάποιο από τα μικρά νησιά των Κυκλάδων, όπως τη Σίφνο, την Κίμωλο, τη Φολέγανδρο, τη Σίκινο, την Αμοργό, την Τζια... Το καλό με αυτά τα νησάκια είναι ότι έχεις τη δυνατότητα να μείνεις λίγες μέρες σε ένα από αυτά και μετά να πάρεις το πλοίο της γραμμής και να πας σε κάποιο άλλο κοντινό. Επίσης, έχεις την ευκαιρία να κάνεις μπάνιο σε ερημικές παραλίες, να πας για ψάρεμα, να οργανώσεις πεζοπορίες και εκδρομές. Είναι αλήθεια ότι οι τιμές των δωματίων είναι κάπως ακριβές το καλοκαίρι στα πιο πολλά ξενοδοχεία. Πάντα όμως μπορεί να βρει κανείς ευκαιρίες. Αν μάλιστα έρθετε τον Ιούνιο ή τον Ιούλιο (και όχι τον Αύγουστο), τότε σίγουρα θα βρείτε κάτι καλό και αρκετά οικονομικό. Βέβαια υπάρχει πάντα και η λύση του κάμπινγκ. Αν δε σας πειράζει που δε θα έχετε όλες τις ανέσεις, θα σας έρθει πολύ πιο φτηνά.

Να αποφασίσετε πάντως όσο το δυνατόν πιο γρήγορα. Αν κλείσετε αεροπορικά και ακτοπλοϊκά εισιτήρια νωρίς και κάνετε κράτηση δωματίου από τώρα, θα βρείτε προσφορές. Θα ψάξω στο ίντερνετ για πληροφορίες και θα σε ενημερώσω. Έχω κι έναν καλό τουριστικό οδηγό. Θα κοιτάξω κι εκεί. Πρέπει όμως πρώτα εσείς να επιλέξετε σε ποιο νησί θέλετε να πάτε. Περιμένω νέα σας σύντομα.

Πολλά φιλιά!

Καλησπέρα, Νίκο!

Μια χαρά περνάμε. Μόνο που έχει αρκετό κρύο αυτές τις μέρες στην Ισπανία. Μου λείπει η Αθήνα, αλλά κι εδώ είναι πολύ ωραία. Το συζητήσαμε με τον άντρα μου κι αποφασίσαμε να πάμε στη Σίφνο. Θα έχουμε άδεια τον Αύγουστο, το πρώτο δεκαπενθήμερο. Περιμένουμε τις συμβουλές σου. Θα τα πούμε πάλι.

Φιλάκια!

Καλησπέρα!

Η Σίφνος είναι από τα αγαπημένα μου νησιά. Πρόπερσι πήγα με την παρέα μου και περάσαμε τέλεια. Μείναμε έξι ημέρες σε ένα μικρό, οικονομικό, αλλά πολύ καθαρό ξενοδοχείο στις Καμάρες, στο λιμάνι του νησιού. Καλή λύση για διαμονή, εκτός από τις Καμάρες, είναι κι η Απολλωνία. Θα σας στείλω χρήσιμα τηλέφωνα και όσες πληροφορίες έχω για αξιοθέατα, διαμονή, φαγητό, διασκέδαση, δρομολόγια πλοίων και τοπικών λεωφορείων... Καλύτερα να έρθετε στην Ελλάδα 1 με 10 Αυγούστου. Έχει πιο λίγους τουρίστες. Τον Δεκαπενταύγουστο γίνεται χαμός στις Κυκλάδες. Δε βρίσκεις χώρο ούτε να καθίσεις. Τα λέμε!

## Πώς το λένε;

Ένα τέτοιο ταξίδι είναι το όνειρό μου!
Τόσο κόπο έκανα να τα μάθω...
Θέλουμε να χαλαρώσουμε, χωρίς να
πληρώσουμε μια περιουσία.
Καιρό είχαμε να τα πούμε.
Αξίζει!
Παίρνω το πλοίο της γραμμής.
Θα σας έρθει πολύ πιο φτηνά.
Να αποφασίσετε όσο το δυνατόν πιο
γρήγορα.
Μου λείπει η Αθήνα.
Είναι από τα αγαπημένα μου νησιά.
Τον Δεκαπενταύγουστο γίνεται χαμός.
Δε βρίσκεις χώρο ούτε να καθίσεις.

## Λέξεις, λέξεις

άδεια (η)
αεροπορικά εισιτήρια
→ αεροπλάνο
ακτοπλοϊκά εισιτήρια
→ πλοίο
άνεση (η)
αξιοθέατο (το)
δεκαήμερο (το) =
δέκα ημέρες /
δεκαπενθήμερο (το)
= δεκαπέντε
ημέρες
Δεκαπενταύγουστος (ο)
διαμονή (η)
διασκέδαση (η)
δρομολόγιο (το)
εντυπωσιακός, -ή, -ό

ερημικός, -ή, ό
ευκαιρία (η)
κάνω κράτηση
δωματίου
(≠ ακυρώνω την
κράτηση δωματίου)
κλείνω εισιτήρια
οι τιμές ανεβαίνουν
(≠ πέφτουν)
οικονομικός, -ή, -ό
οργανώνω πεζοπορία /
εκδρομή
πανέμορφος, -η, -ο
προσφορά (η)
τουριστικός οδηγός (ο)
υπέροχος, -η, -ο
χαλαρώνω

## 1 Σωστό ή λάθος;

Σωστό / Λάθος

1. Ο Νίκος θα ταξιδέψει στην Κίνα σε λίγες μέρες. — Λάθος ✓
2. Η Μαρία θέλει κι αυτή να ταξιδέψει στην Κίνα.
3. Η Μαρία δεν είναι εύκολο να βρει στη Μαδρίτη κάποιους που να ξέρουν ελληνικά.
4. Ο Νίκος λέει ότι στις Κυκλάδες μπορεί κάποιος να πάει αεροπορικώς από το ένα νησάκι στο άλλο.
5. Ο Νίκος τούς προτείνει να έρθουν για διακοπές στην Ελλάδα τον Ιούνιο ή τον Ιούλιο.
6. Ο Νίκος λέει ότι στο κάμπινγκ πληρώνεις πιο λίγο και έχεις όλες τις ανέσεις.
7. Ο Νίκος προτείνει να κάνουν σύντομα τις κρατήσεις, για να βρουν καλές τιμές.
8. Η Μαρία λέει ότι στην Ισπανία έχει καύσωνα αυτές τις μέρες.
9. Η Μαρία και ο σύζυγός της έχουν άδεια 1-10 Αυγούστου.
10. Ο Νίκος πήγε διακοπές στη Σίφνο με την παρέα του πριν από τρία χρόνια.
11. Ο Νίκος λέει ότι τον Δεκαπενταύγουστο στις Κυκλάδες έχει πάρα πολύ κόσμο.

 **Για δες**

| | |
|---|---|
| **Πού να πάμε διακοπές φέτος;** | Λέω να πάμε στη θάλασσα / στο βουνό / σε ένα νησί / στο χωριό μου / στο εξωτερικό.<br>Σκέφτομαι να κάνουμε κρουαζιέρα.<br>Προτείνω να μην πάμε πουθενά. Να κάνουμε οικονομία. |
| **Πώς θα πάμε;** | Μπορούμε να πάμε με αεροπλάνο / πλοίο (καράβι, φεριμπότ, δελφίνι) / τρένο / αυτοκίνητο / μηχανή / λεωφορείο / πούλμαν / ΚΤΕΛ.<br><br>Μπορούμε να ταξιδέψουμε αεροπορικώς (με αεροπλάνο) / ακτοπλοϊκώς (με πλοίο) / οδικώς (με αυτοκίνητο, μηχανή, λεωφορείο...) / σιδηροδρομικώς (με τρένο). |
| **Πού θα μείνουμε; Πρέπει να κλείσουμε / να κάνουμε κράτηση από τώρα.** | Προτιμώ να μείνουμε σε:<br>ξενοδοχείο δύο (τριών, τεσσάρων, πέντε) αστέρων /<br>ξενοδοχείο Α΄ (Β΄, Γ΄) κατηγορίας /<br>μονόκλινο (δίκλινο, τρίκλινο, τετράκλινο) δωμάτιο /<br>ενοικιαζόμενο δωμάτιο / πανσιόν / κάμπινγκ / σκηνή / ορεινό καταφύγιο.<br>Μπορεί να μας φιλοξενήσει η ξαδέρφη μου στο σπίτι της. |

| | |
|---|---|
| **Τι να πάρουμε μαζί μας;** | Προτείνω να πάρουμε μόνο τα απαραίτητα. Μια βαλίτσα φτάνει. |
| **Τηλεφώνησες για να μάθεις τα δρομολόγια των τρένων για τη Θεσσαλονίκη;** | Ναι, πριν από λίγο. Έχει τρένο στις 9:00 αύριο το πρωί. Να βγάλω εισιτήρια; |
| **Πότε θα φύγουμε; Τι έγινε;** | Η πτήση μας θα έχει καθυστέρηση μία ώρα. |
| **Με συγχωρείτε. Τι ώρα αναχωρεί η πτήση 920 για Λονδίνο;** | Η αναχώρηση της πτήσης είναι στις 5:40 μ.μ. και η άφιξη στο Λονδίνο στις 8:30 μ.μ. |

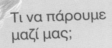 **Η σειρά μου τώρα**

**2** **Απαντάω:**

Πότε πήγες διακοπές τελευταία φορά;
Ποια εποχή του χρόνου προτιμάς για τις διακοπές σου;
Σου αρέσουν τα ταξίδια στο εξωτερικό;
Αν μπορέσεις να κάνεις διακοπές φέτος, θα προτιμήσεις μια τουριστική ή μια ήσυχη περιοχή;
Θα προτιμήσεις να μείνεις σε ξενοδοχείο, ενοικιαζόμενο δωμάτιο ή κάμπινγκ για τις διακοπές σου;

**ενότητα 11**

## Παίζω έναν ρόλο

**3** Ξενοδοχείο ή κάμπινγκ;

**Ρόλος Α**
Προτείνω σε έναν φίλο / μια φίλη μου να πάμε διακοπές μαζί το καλοκαίρι. Λέω να κλείσουμε δωμάτιο σε ένα καλό ξενοδοχείο. Δε θα μπορέσουμε να μείνουμε πολλές μέρες, αλλά θα περάσουμε υπέροχα.

**Ρόλος Β**
Ένας φίλος / μια φίλη μού προτείνει να πάμε μαζί διακοπές το καλοκαίρι και να μείνουμε σε ένα ακριβό ξενοδοχείο. Εγώ προτιμώ να πάμε σε κάμπινγκ. Θα είναι πιο οικονομικό και με τα ίδια λεφτά θα μείνουμε περισσότερες μέρες.

 **Για δες**

### Απλή Υποτακτική

**Θέλω / θα ήθελα** <u>να κάνω</u> ένα μεγάλο ταξίδι με τρένο.
**Πρέπει** <u>να ψάξουμε</u> για δωμάτιο. Το κάμπινγκ είναι γεμάτο.
**Πρόκειται** <u>να πάω</u> στην Ιαπωνία σύντομα.
**Μπορεί** <u>να μη βρούμε</u> εισιτήρια αυτή την εποχή.
Δεν **μπορώ** <u>να έρθω</u> μαζί σας στην εκδρομή.
**Μπορώ** <u>να αφήσω</u> εδώ τη βαλίτσα μου;
Αν θέλετε, **μπορείτε** <u>να αφήσετε</u> εδώ τις βαλίτσες σας.
**Μπορείτε** <u>να μου δώσετε</u> το διαβατήριό σας;
**Ελπίζω** <u>να έρθετε</u> μαζί μας.
**Κανόνισα** <u>να μείνουμε</u> όλοι στο ίδιο ξενοδοχείο.
**Λέω** <u>να πάω</u> διακοπές στη Νάξο αυτό το καλοκαίρι.
**Ντρέπομαι** <u>να ζητήσω</u> λεφτά από τους γονείς μου.
**Προσπαθώ** <u>να βρω</u> εισιτήρια, αλλά τίποτα.
**Προτιμώ** <u>να μη φάω</u> τώρα.
**Προτείνω** <u>να πάμε</u> στο Μαρόκο τον Δεκέμβριο.
**Πάω** <u>να δω</u> τι γίνεται έξω.
**Σκέφτομαι** <u>να κατέβω</u> στο χωριό το Σαββατοκύριακο.
**Σκοπεύω** <u>να μείνω</u> αρκετό καιρό.
Δε θα 'ρθω μαζί σας. **Έχω** <u>να ετοιμάσω</u> τις βαλίτσες για το ταξίδι.
**Χρειάζεται** <u>να προσπαθήσεις</u> περισσότερο για να τα καταφέρεις.

**Είναι ανάγκη** <u>να</u> σε <u>δω</u> σήμερα. Αύριο φεύγω πολύ πρωί.
**Είναι πιθανό** <u>να πάω</u> στην Αργεντινή αυτόν τον μήνα.
**Είναι ώρα** <u>να φύγω</u>.
Λυπάμαι, αλλά δεν **έχω τη δυνατότητα** <u>να</u> σε <u>βοηθήσω</u>.
Θα **είναι καλό** για σένα <u>να ζήσεις</u> λίγο καιρό στο εξωτερικό.
Δε θα σου **κάνει κακό** <u>να πιεις</u> ένα ποτηράκι κρασί.

Γιατί έκλεισες εισιτήρια **χωρίς** <u>να</u> με <u>ρωτήσεις</u>;

<u>Να πάτε</u> στο Εδιμβούργο, όταν μπορέσετε. Είναι υπέροχα!

<u>Να μου τηλεφωνήσεις</u>, όταν φτάσεις.

- <u>Να έρθει</u> κι η Πόπη μαζί μας στην εκδρομή;
- <u>Ας/να έρθει</u>, αν θέλει. / Όχι, <u>να μην έρθει</u>.

<u>Ας φύγει</u>. Δε με ενδιαφέρει.

<u>Ας πάμε</u> όλοι μαζί!

- <u>Να κλείσω</u> τα εισιτήρια;
- Όχι, <u>να μην τα κλείσεις</u> ακόμα. Ρώτησα και σ' ένα τουριστικό γραφείο.

- <u>Να πάρω</u> το αυτοκίνητό σου αυτό το Σαββατοκύριακο;
- Και βέβαια <u>να το πάρεις</u>. Καλά <u>να περάσετε</u>!

- Πού <u>να βρω</u> πληροφορίες για την Κύπρο;
- <u>Να ψάξεις</u> στο ίντερνετ ή στον τουριστικό οδηγό.

- Πώς <u>να πάω</u> στη δουλειά σήμερα; Δεν έχει συγκοινωνίες.
- <u>Ας περπατήσεις</u> λίγο. Δε θα σου κάνει κακό.

- <u>Να ζήσετε</u> ευτυχισμένοι!
- Σας ευχαριστούμε! <u>Να είστε</u> καλά!

| Τύπος Α | | | Τύπος Β1 / Β2 | |
|---|---|---|---|---|
| -νω | | πληρώνω – **να** πληρώ**σω** | | μιλάω – **να** μιλήσω |
| -ζω | **-σω** | αγοράζω – **να** αγορά**σω** | | ρωτάω – **να** ρωτήσω |
| | | γυρίζω – **να** γυρί**σω** | -ήσω | τηλεφωνώ – **να** τηλεφωνήσω |
| -θω | | νιώθω – **να** νιώ**σω** | | ζω – **να** ζήσω |
| -ζω | | κοιτάζω – **να** κοιτά**ξω** | | γελάω – **να** γελάσω |
| -γω | | ανοίγω – **να** ανοί**ξω** | | διψάω – **να** διψάσω |
| -χω | **-ξω** | τρέχω – **να** τρέ**ξω** | -άσω | ξεχνάω – **να** ξεχάσω |
| -χνω | | φτιάχνω – **να** φτιά**ξω** | | φοράω – **να** φορέσω |
| -κω | | μπλέκω – **να** μπλέ**ξω** | | καλώ – **να** καλέσω |
| -σκω | | διδάσκω – **να** διδά**ξω** | -έσω | μπορώ – **να** μπορέσω |
| | | | | πηδάω – **να** πηδήξω |
| | | | | τραβάω – **να** τραβήξω |
| -εύω | | δουλεύω – **να** δουλέ**ψω** | -ήξω | φυσάω – **να** φυσήξω |
| -πω | | λείπω – **να** λεί**ψω** | | βουτάω – **να** βουτήξω |
| -φω | **-ψω** | γράφω – **να** γρά**ψω** | | κοιτάω – **να** κοιτάξω |
| -βω | | ανάβω – **να** ανά**ψω** | | πετάω – **να** πετάξω |
| -πτω | | βλάπτω – **να** βλά**ψω** | -άξω | φυλάω – **να** φυλάξω |

| να αγοράσω | να γράψω | να τραβήξω | να πετάξω | να πω |
|---|---|---|---|---|
| να αγοράσεις | να γράψεις | να τραβήξεις | να πετάξεις | να πεις |
| να αγοράσει | να γράψει | να τραβήξει | να πετάξει | να πει |
| να αγοράσουμε | να γράψουμε | να τραβήξουμε | να πετάξουμε | να πούμε |
| να αγοράσετε | να γράψετε | να τραβήξετε | να πετάξετε | να πείτε |
| να αγοράσουν(ε) | να γράψουν(ε) | να τραβήξουν(ε) | να πετάξουν(ε) | να πουν / να πούνε |

### Ανώμαλα ρήματα

ανεβαίνω – **να ανέβω**
**να ανεβώ**
αρρωσταίνω – **να αρρωστήσω**
βάζω – **να βάλω**
βγάζω – **να βγάλω**
βγαίνω – **να βγω**
βλέπω – **να δω**
βρίσκω – **να βρω**
δίνω – **να δώσω**
είμαι – **να είμαι**
έχω – **να έχω**
καίω – **να κάψω**
κάνω – **να κάνω**

καταλαβαίνω – **να καταλάβω**
κατεβαίνω – **να κατέβω**
**να κατεβώ**
κλαίω – **να κλάψω**
λέω – **να πω**
μαθαίνω – **να μάθω**
μένω – **να μείνω**
μεθάω – **να μεθύσω**
ξέρω – **να ξέρω**
μπαίνω – **να μπω**
παθαίνω – **να πάθω**
παίρνω – **να πάρω**
πεθαίνω – **να πεθάνω**

περιμένω – **να περιμένω**
πέφτω – **να πέσω**
πηγαίνω (πάω) – **να πάω**
πίνω – **να πιω**
πλένω – **να πλύνω**
στέλνω – **να στείλω**
τρώω – **να φάω**
φέρνω – **να φέρω**
φεύγω – **να φύγω**
γίνομαι – **να γίνω**
έρχομαι – **να έρθω**
κάθομαι – **να καθίσω (να κάτσω)**

### άρνηση

Λέω να **μη** βγούμε έξω. Μπορούμε να δούμε μια ταινία στο σπίτι.
Σκέφτομαι να **μην** πάω πουθενά το καλοκαίρι.

**Δε** θέλω να φύγω.

### ίδιος τρόπος, άλλη σημασία

Ο Πάμπλο **μπορεί να ταξιδέψει** αύριο. (= ίσως ταξιδέψει)
Ο Πάμπλο **μπορεί να ταξιδέψει** αύριο.
(= μπορεί, έχει τα χρήματα, τον χρόνο...)
Ο Πάμπλο **μπορεί να ταξιδέψει** αύριο. (= έχει την άδεια)

| πριν | Έπρεπε **να φύγω.** |
|---|---|
| τώρα | Πρέπει **να φύγω.** |
| μετά | Θα πρέπει **να φύγω.** |

Ποιος; Δε θέλω να φύγω. (εγώ) Δε θέλω να φύγεις. (εσύ)

### άλλος τρόπος, ίδια σημασία

Οι φίλοι μας πρέπει να ψάξουν για δωμάτιο.
ή
Πρέπει να ψάξουν για δωμάτιο οι φίλοι μας.

**4** Τι σημαίνει η υπογραμμισμένη φράση; Διαλέγω το σωστό, όπως στο παράδειγμα.

1. – Θα έρθεις στην εκδρομή;
   – Ίσως να έρθω. Αν έχω λεφτά.
   α. Δεν μπορώ να έρθω.   β. Μπορεί να έρθω.
2. – Βρήκα αυτή την αγγελία. Να πάρω τηλέφωνο;
   – Και δεν παίρνεις; Τι έχεις να χάσεις;
   α. Είναι καλή ιδέα να πάρω τηλέφωνο;   β. Μου δίνεις την άδεια;
3. – Δεν έπρεπε να του μιλήσεις. Θα το πει σε όλους!
   – Ας το πει! Και τι έγινε;
   α. Θέλω να το πει.   β. Δε με ενδιαφέρει αν το πει.

4. – Δε θα πας να πάρεις εφημερίδα;
   – Άντε, <u>ας πάω</u>.
   α. Θέλω να πάω.                    β. Δε θέλω να πάω, αλλά θα το κάνω για σένα.
5. <u>Να μην ξεχάσεις το διαβατήριό σου!</u>
   α. Δεν πρέπει να το ξεχάσεις.     β. Καλό είναι να μην το ξεχάσεις.

**5** Τι να κάνω; Συμπληρώνω, όπως στο παράδειγμα.

1. – Μας κάλεσαν στο χωριό τους για το Σαββατοκύριακο, αλλά είναι πολύ μακριά. Τι να
   κάνουμε; <u>Να πάμε</u> (πηγαίνω) ή _____ (λέω) «όχι»;
   – Εγώ λέω _____ (δεν πηγαίνω). Θα έχει κακοκαιρία.
2. – Χάλασε η φωτογραφική μου μηχανή. Τι λες; Να τη φτιάξω ή _____ (παίρνω)
   καινούρια;
   – Προτείνω _____ (αγοράζω) καινούρια. Θα σου κοστίσει το ίδιο.
3. – Βρήκα πολύ φτηνά εισιτήρια για Πράγα στο ίντερνετ. Τι να κάνω;
   – Λέω _____ τα _____ (κλείνω). Δε νομίζω ότι θα βρεις άλλη ευκαιρία.
4. – Δεν έχουμε τίποτα έτοιμο για φαγητό. _____ (παραγγέλνω) κάτι απ' έξω ή
   _____ (μαγειρεύω); Τι λες;
   – Προτιμώ _____ (φτιάχνω) μια σαλάτα. Είναι η πιο γρήγορη λύση.
5. – Ανησυχώ λίγο. _____ (παίρνω) τηλέφωνο ή _____ (περνάω) από το
   σπίτι τους;
   – Καλύτερα _____ (τηλεφωνώ) αύριο. Είναι αργά τώρα. Ίσως τους ξυπνήσεις.

**6** Γράφω...

1. τι κανόνισα να κάνω αυτό το Σαββατοκύριακο
   <u>Αυτό το Σαββατοκύριακο κανόνισα να</u> _____
   _____

2. τι σκοπεύω να κάνω το καλοκαίρι
   <u>Το καλοκαίρι σκοπεύω να</u> _____
   _____

3. τι ελπίζω να κάνω αυτόν τον χρόνο
   <u>Αυτόν τον χρόνο ελπίζω να</u> _____
   _____

4. τι είναι ανάγκη να κάνω σήμερα
   <u>Σήμερα είναι ανάγκη να</u> _____
   _____

5. τι είναι καλό να κάνω απόψε
   <u>Απόψε καλό είναι να</u> _____
   _____

**7** Συμφωνείς;

1. μένουμε σε ξενοδοχείο / μένουμε σε κάμπινγκ
   – *Συμφωνείς να μείνουμε σε ξενοδοχείο:* _____
   – *Γιατί να μη μείνουμε σε κάμπινγκ:* _____
2. ταξιδεύουμε με λεωφορείο / πηγαίνουμε με το τρένο
   – Θέλεις _____ ;
   – Γιατί να μην _____ ;
3. ψάχνουμε εισιτήρια για Λατινική Αμερική / ταξιδεύουμε στην Αφρική
   – Σκέφτομαι να _____ .
   – Γιατί να μην _____ ;
4. κανονίζουμε κάτι αυτό το Σαββατοκύριακο / οργανώνουμε μια εκδρομή στο βουνό
   – Ας _____ .
   – Γιατί να μην _____ ;
5. νοικιάζουμε αυτοκίνητο στις διακοπές / παίρνουμε ποδήλατα
   – Ας _____ .
   – Γιατί να μην_____ ;

**8** Συμπληρώνω τον διάλογο, όπως στο παράδειγμα.

### Κλείσατε δωμάτιο;

**Βασίλης**: Θα πας πουθενά τις γιορτές;
**Χριστιάννα**: Λέμε με την αδελφή μου _να πάμε_ (πάω) στο Πήλιο.
**Βασίλης**: Ωραίο μέρος! Πήγα πέρσι με κάτι φίλους μου. Σκέφτεστε _____ (μένω) πολλές μέρες;
**Χριστιάννα**: Μπα! Η αδελφή μου πρέπει _____ (επιστρέφω) στη δουλειά της.
**Βασίλης**: Κλείσατε δωμάτιο σε ξενοδοχείο;
**Χριστιάννα**: Αύριο λέω _____ (τηλεφωνώ). Ελπίζω _____ (βρίσκω) κάτι καλό και σχετικά οικονομικό. Εσύ έχεις σκοπό _____ (κάνω) τίποτα αυτές τις μέρες;
**Βασίλης**: Σκέφτομαι _____ (κάθομαι) στο σπίτι και _____ (μελετάω). Είναι ευκαιρία _____ (τελειώνω) την εργασία μου.
**Χριστιάννα**: Πάντως αν θέλεις, μπορείς _____ (έρχομαι) μαζί μας.
**Βασίλης**: Ευχαριστώ, αλλά δεν είναι εύκολο _____ (φεύγω) αυτή την περίοδο. Τα οικονομικά μου δυστυχώς δεν είναι για ταξιδάκια στο Πήλιο.
**Χριστιάννα**: Κρίμα...

# Πάμε διακοπές;

**9** **Συμπληρώνω τον διάλογο.**

## Πώς ήταν το ταξίδι σου;

**Ντίνα:** Καλωσόρισες, Στέφανε!

**Στέφανος:** Καλώς σας βρήκα.

**Ντίνα:** Πώς ήταν το ταξίδι σου;

**Στέφανος:** Μια χαρά! Ήρθα πολύ άνετα.

**Ντίνα:** Θέλεις _____ (πίνω) κάτι; _____ (σου φτιάχνω) καφεδάκι;

**Στέφανος:** Άντε, ας _____ (πίνω) άλλον έναν καφέ. _____ (καθίσω) και _____ (τα λέμε) λιγάκι. Ο Μιχάλης δεν είναι εδώ;

**Ντίνα:** Έπρεπε _____ (πηγαίνω) στην Πάτρα _____ (βοηθάω) τον αδελφό του σε κάτι δουλειές. Ελπίζω _____ (δεν αργώ).

**Στέφανος:** Πού _____ (αφήνω) τις βαλίτσες μου; Α, και αυτά εδώ είναι για εσάς.

**Ντίνα:** Ευχαριστούμε, δεν ήταν ανάγκη. Ξένος είσαι; Να, μπορείς _____ (βάζω) τις τσάντες σου εκεί. Πάμε τώρα _____ (πίνω) και _____ (τρώω) κάτι. Είμαι σίγουρη ότι ο καθαρός αέρας σού άνοιξε την όρεξη.

**Στέφανος:** Αυτό θα πει φιλοξενία!

**10** **Γράφω προτάσεις, όπως στο παράδειγμα.**

## Τι πρέπει / Τι σκέφτομαι να κάνω;

1. Θα φύγω σε λίγες μέρες για διακοπές σε ένα νησί.
   _Πρέπει να αγοράσω αντηλιακό, να πάρω μαζί μου ομπρέλα για την_ _____
   _παραλία, να βρω έναν χάρτη του νησιού, να μην ξεχάσω το αγαπημένο μου βιβλίο._

2. Θα πάω διακοπές στο εξωτερικό τον άλλο μήνα.
   _____
   _____

3. Θα πάω για ένα τριήμερο στο βουνό τον χειμώνα.
   _____
   _____

4. Θα πάω διακοπές σε κάμπινγκ σε ένα νησί.
   _____
   _____

5. Θα κάνω το τραπέζι σε κάτι φίλους μου.
   _____
   _____

**1.1** Σωστό ή λάθος; Ο Νίκος στέλνει στη Μαρία πληροφορίες για τη Σίφνο από τουριστικούς οδηγούς. Διαβάζω το κείμενο και συμπληρώνω τον πίνακα, όπως στο παράδειγμα.

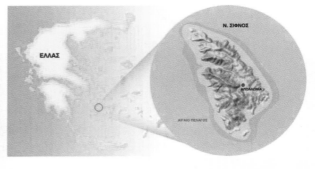

## ΣΙΦΝΟΣ

*Cyclades*

Η Σίφνος είναι ένα όμορφο νησί των Κυκλάδων, με ξεχωριστή αρχιτεκτονική. Είναι αρκετά τουριστικό, ιδίως την καλοκαιρινή περίοδο. Γι' αυτό, φροντίστε να κλείσετε δωμάτιο πριν φτάσετε στο νησί ή, ακόμα καλύτερα, προγραμματίστε τις διακοπές σας την άνοιξη ή το φθινόπωρο – αν και καλό είναι να έχετε υπόψη ότι τα περισσότερα μπαρ και τουριστικά καταστήματα δε θα είναι ανοιχτά. Οι τουριστικές υπηρεσίες της Σίφνου απευθύνονται κυρίως σε υψηλή πελατεία, οπότε το ελεύθερο κάμπινγκ απαγορεύεται, ενώ γυμνισμό μπορεί να κάνει κανείς μόνο σε απομονωμένες παραλίες. Αν θέλετε να ζήσετε την πραγματική φιλοξενία, καλό θα ήταν να αποφύγετε τα πολύ τουριστικά μέρη του νησιού.

Το μικρό μέγεθος του νησιού κάνει πολύ εύκολη την εξερεύνησή του. Οι συγκοινωνίες είναι εξαιρετικές και οι περισσότεροι δρόμοι σε καλή κατάσταση. Συχνά λεωφορεία συνδέουν την πρωτεύουσα του νησιού, Απολλωνία, με τις Καμάρες, το Κάστρο, το Βαθύ και τον Πλατύ Γιαλό. Επίσης, υπάρχει ένα δίκτυο μονοπατιών που ενώνουν τα χωριά του νησιού και κάνουν το περπάτημα στη Σίφνο μια εύκολη και ευχάριστη υπόθεση.

Ταξί μπορείτε να βρείτε γύρω από το λιμάνι του νησιού και την κεντρική πλατεία της Απολλωνίας. Αυτοκίνητα και μηχανές μπορείτε να νοικιάσετε στις Καμάρες και στην Απολλωνία.

Η Σίφνος είναι διάσημη για την κεραμική της και την ξεχωριστή κουζίνα της, αν και τα φαγητά που προορίζονται για τους τουρίστες είναι μάλλον μέτρια.

Πρέπει να ξέρετε για την Απολλωνία:
*Ξενοδοχεία:* Γ' κατηγορίας «Ανθούσα» (31431), 12 κλίνες, όλο τον χρόνο. «Απολλωνία» (31490), 18 κλίνες, Απρίλιος-Οκτώβριος. «Γαλήνη» (31011), 27 κλίνες, εστιατόριο, πάρκινγκ, Απρίλιος-Οκτώβριος. «Σίφνος» (31624), 18 κλίνες, τηλεόραση, εστιατόριο,

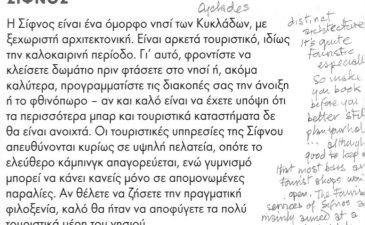

όλο τον χρόνο. «Σοφία» (31238), 22 κλίνες, Απρίλιος-Σεπτέμβριος.

***Ενοικιαζόμενα δωμάτια:* Α' κατηγορίας** «Αρχοντού» (31777), 20 κλίνες, κλιματισμός, τηλεόραση, θέρμανση, ψυγείο, πάρκινγκ, όλο τον χρόνο. **Γ' κατηγορίας** «Στούντιο Κατερίνα» (31794), 15 κλίνες, κλιματισμός, τηλεόραση, κουζίνα, ψυγείο, Ιούνιος-Σεπτέμβριος.

***Τοπικές εκδηλώσεις:*** Τον Ιούλιο και τον Αύγουστο γίνεται έκθεση έργων τέχνης (ζωγραφικής, γλυπτικής,

κεραμικής) στα Φυρόγια, μοναστήρι της περιοχής.

***Χρήσιμα Τηλέφωνα:*** Αστυνομία 31210, Ο.Τ.Ε. 33499, ΕΛ.ΤΑ. 31329.

***Δήμος:*** Δήμος Σίφνου 31345.

***Πρώτες βοήθειες:*** Αγροτικό Ιατρείο 31315, Φαρμακείο 33033.

***Γραφεία τουρισμού:*** «Θησαυρός του Αιγαίου» (τηλ.: 33151, φαξ: 32190): ενοικιάσεις καταλυμάτων, αυτοκινήτων–μηχανών, έκδοση εισιτηρίων και οργάνωση εκδρομών.

(Στοιχεία από: *The Rough Guide to Greece*, 2002 & *Διακοπές 2004*, με αλλαγές)

## Σωστό ή λάθος;

| | Σωστό | Λάθος |
|---|---|---|
| 1. Η Σίφνος είναι ένα όμορφο και αρκετά τουριστικό νησί των Κυκλάδων. | ☑ | ☐ |
| 2. Δεν είναι εύκολο να βρεις δωμάτιο στη Σίφνο το καλοκαίρι. | ☐ | ☐ |
| 3. Σύμφωνα με το κείμενο, η καλύτερη περίοδος για να πας στη Σίφνο είναι ο χειμώνας. | ☐ | ☐ |
| 4. Πολλοί τουρίστες κάνουν ελεύθερο κάμπινγκ στη Σίφνο. | ☐ | ☐ |
| 5. Σύμφωνα με το κείμενο, οι κάτοικοι της Σίφνου δεν είναι καθόλου φιλόξενοι. | ☐ | ☐ |
| 6. Μπορείς να γυρίσεις εύκολα το νησί με λεωφορείο. | ☐ | ☐ |
| 7. Μπορείς να γνωρίσεις το νησί με τα πόδια. | ☐ | ☐ |
| 8. Το φαγητό στις τουριστικές ταβέρνες της Σίφνου είναι πάρα πολύ καλό. | ☐ | ☐ |
| 9. Στην Απολλωνία δεν υπάρχουν ενοικιαζόμενα δωμάτια Α' κατηγορίας. | ☐ | ☐ |
| 10. Το καλοκαίρι στην Απολλωνία γίνεται έκθεση έργων τέχνης σε μοναστήρι της περιοχής. | ☐ | ☐ |
| 11. Στην Απολλωνία έχει νοσοκομείο και δύο φαρμακεία. | ☐ | ☐ |
| 12. Στο τουριστικό γραφείο της Απολλωνίας μπορεί κάποιος να νοικιάσει αυτοκίνητο. | ☐ | ☐ |

# 11 ενότητα

### Παίζω έναν ρόλο

**1 2** Μπορώ να κάνω μια κράτηση;

**Ρόλος Α**

Αποφάσισα να περάσω τις διακοπές μου στη Σίφνο. Τηλεφωνώ σε ένα από τα ξενοδοχεία της περιοχής, ζητώ πληροφορίες από την/τον υπάλληλο για το ξενοδοχείο και κάνω κράτηση.

**Ρόλος Β**

Δουλεύω ως υπάλληλος στη ρεσεψιόν ενός ξενοδοχείου της Σίφνου. Μια πελάτισσα / ένας πελάτης τηλεφωνεί και ζητάει πληροφορίες για το ξενοδοχείο. Απαντώ στις ερωτήσεις της/του και τονίζω τα θετικά στοιχεία του ξενοδοχείου. Στο τέλος κάνει κράτηση.

### Γράψε-σβήσε

**1 3** Η φίλη του Νίκου αποφάσισε να πάει διακοπές στη Σίφνο το καλοκαίρι. Διαλέγει ένα από τα ξενοδοχεία του οδηγού που της έστειλε ο Νίκος και στέλνει ένα φαξ για να ζητήσει πληροφορίες (γράφει τις ημερομηνίες άφιξης και αναχώρησης, ρωτάει αν θα έχουν δωμάτιο εκείνες τις μέρες, περιγράφει τι είδους δωμάτιο θα ήθελε, ρωτάει για την τιμή και ζητάει κράτηση). (150 λέξεις περίπου)

Από: _____

Προς: _____

_____

_____

_____

_____

_____

_____

_____

_____

_____

Με εκτίμηση,

_____

# Όλα εντάξει με το δωμάτιο;

*στη ρεσεψιόν του ξενοδοχείου*

**Μαρίνα**: Καλημέρα σας.

**Υπάλληλος**: Καλημέρα. Όλα εντάξει με το δωμάτιο; Είστε ικανοποιημένες;

**Μαρίνα**: Γι' αυτό σας έψαχνα. Το βράδυ είχαμε σοβαρό πρόβλημα με το κλιματιστικό. Δεν έβγαζε κρύο αέρα.

**Υπάλληλος**: Περίεργο! Χτες το μεσημέρι δούλευε κανονικά;

**Βέρα**: Ναι, μια χαρά. Αλλά όταν το ανοίξαμε το βράδυ, έκανε έναν περίεργο θόρυβο και μετά σταμάτησε.

**Υπάλληλος**: Μάλιστα. Πρέπει να το ελέγξουμε.

**Μαρίνα**: Αν και ανοίξαμε πόρτες και παράθυρα, δεν μπορέσαμε να κλείσουμε μάτι όλη τη νύχτα. Έκανε πολλή ζέστη.

**Υπάλληλος**: Μάλιστα, έχετε δίκιο. Θα καλέσω τον τεχνικό να το φτιάξει.

**Μαρίνα**: Και κάτι ακόμα. Στο διπλανό δωμάτιο μένει μια παρέα νεαρών. Κάνουν φασαρία όλη την ώρα. Βάζουν δυνατά τη μουσική, τραγουδάνε, χοροπηδάνε, δε σέβονται κανέναν.

**Υπάλληλος**: Καταλαβαίνετε... Νέα παιδιά είναι...

**Βέρα**: Ναι, αλλά κι εμείς θέλουμε την ησυχία μας. Τουλάχιστον το μεσημέρι να μπορούμε να ξαπλώσουμε μια δυο ωρίτσες.

**Υπάλληλος**: Μισό λεπτάκι. Έχω μια πρόταση. Υπάρχει ένα ελεύθερο δωμάτιο στον δεύτερο όροφο. Αν δε σας πειράζει, μπορώ να σας βάλω εκεί.

**Μαρίνα**: Κανένα πρόβλημα.

**Υπάλληλος**: Ωραία λοιπόν. Θα το φροντίσω αμέσως. Κατά τα άλλα, πώς σας φαίνεται το νησί μας; Περνάτε καλά;

**Βέρα**: Αν και η Σαντορίνη έχει πολύ κόσμο αυτή την εποχή, περνάμε υπέροχα.

**Υπάλληλος**: Χαίρομαι. Λοιπόν, όταν είστε έτοιμες, καλέστε με να μεταφέρουμε τα πράγματά σας. Και ό,τι άλλο χρειαστείτε είμαι στη διάθεσή σας. Καλή διαμονή σάς εύχομαι.

## Πώς το λένε;

Όλα εντάξει με το δωμάτιο; Είστε ικανοποιημένες;
Γι' αυτό σας έψαχνα.
Δεν μπορέσαμε να κλείσουμε μάτι όλη τη νύχτα.
Δε σέβονται κανέναν.
Εμείς θέλουμε την ησυχία μας.
Κατά τα άλλα...
Πώς σας φαίνεται το νησί μας;
Και ό,τι άλλο χρειαστείτε είμαι στη διάθεσή σας.
Καλή διαμονή σάς εύχομαι.

## Λέξεις, λέξεις

δεν κλείνω μάτι = δεν κοιμάμαι

ικανοποιημένος, -η, -ο

φασαρία (η) ≠ ησυχία (η)

**14** Απαντάω στις ερωτήσεις, όπως στο παράδειγμα.

1. Πού βρίσκονται η Μαρίνα και η Βέρα;
   <u>Βρίσκονται στη Σαντορίνη για διακοπές.</u>

2. Τι πρόβλημα είχαν με το δωμάτιό τους το προηγούμενο βράδυ;

   _____

3. Τι πρόβλημα έχουν η Μαρίνα και η Βέρα με την παρέα του διπλανού δωματίου;

   _____

4. Ποια λύση προτείνει ο υπάλληλος;

   _____

5. Η Μαρίνα και η Βέρα είναι ικανοποιημένες με τη Σαντορίνη;

   _____

 ## Η σειρά μου τώρα

**15** Απαντάω:

Αντιμετώπισες ποτέ προβλήματα στις διακοπές σε ξενοδοχεία, εστιατόρια, μπαρ;
Τι έκανες; Ποια ήταν η συμπεριφορά των υπαλλήλων;
Έκανες ποτέ διακοπές στην Ελλάδα; Αν ναι, πώς ήταν η εμπειρία σου;
Ποια περιοχή του τόπου σου είναι ωραία για να πάει κάποιος διακοπές;

 ## Παίζω έναν ρόλο

**16** Παράπονα...

**Ρόλος Α**
Νοικιάζω ένα δωμάτιο σε ένα ξενοδοχείο, αλλά δεν είναι καθαρό και το βράδυ έχει πολύ θόρυβο, γιατί από κάτω υπάρχει μια ταβέρνα με ζωντανή μουσική. Πηγαίνω στη ρεσεψιόν και κάνω τα παράπονά μου στην/στον υπάλληλο.

**Ρόλος Β**
Εργάζομαι στη ρεσεψιόν ενός ξενοδοχείου και μια πελάτισσα / ένας πελάτης μού κάνει παράπονα για την καθαριότητα του δωματίου και τον θόρυβο από την ταβέρνα του αφεντικού μου. Δείχνω ενδιαφέρον για το πρόβλημα και προσπαθώ να βρω λύση.

## Γράψε-σβήσε

**17** Πήγα μια οργανωμένη εκδρομή, αλλά δεν έμεινα ευχαριστημένος/ευχαριστημένη. Γράφω ένα γράμμα στον υπεύθυνο του τουριστικού γραφείου που οργάνωσε την εκδρομή, εξηγώ τα προβλήματα που αντιμετώπισα και εκφράζω τα παράπονά μου. (140-160 λέξεις περίπου)

Αξιότιμε κύριε / Αξιότιμη κυρία,

Με αυτή την επιστολή θα ήθελα να εκφράσω τα παράπονά μου για _____
_____

Πιο συγκεκριμένα, _____
_____
_____
_____
_____

Νομίζω ότι πρέπει _____
_____
_____

Περιμένω την απάντησή σας και σας ευχαριστώ εκ των προτέρων για το ενδιαφέρον σας.

Με εκτίμηση,

_____

## Για δες

| Υποθετικές προτάσεις (Τύπος Α) ▶ <u>Αν</u> |
| --- |
| **Αν + Απλός Μέλλοντας** (χωρίς το *θα*) ▶ **Απλός Μέλλοντας** |
| **Αν** *έρθετε* στην Ελλάδα τον Ιούνιο, *θα βρείτε* κάτι καλό και αρκετά οικονομικό. <br> **Αν** τη *δω*, *θα* της το *πω*. |
| **Αν + Απλός Μέλλοντας** (χωρίς το *θα*) ▶ **Απλή Υποτακτική** |
| **Αν** *έρθετε* στο νησί, *να σας φιλοξενήσουμε*. <br> **Αν** δε *βρείτε* δωμάτιο στην πόλη, *να ψάξετε* στα γύρω χωριά. |

**1 8** Συμπληρώνω, όπως στο παράδειγμα.

1. Αν _μείνουμε_ (μένω) σε ξενοδοχείο τεσσάρων αστέρων, δε θα μας φτάσουν τα λεφτά.
2. Αν _____ (έρχομαι – εσείς) μαζί μας στο χωριό, θα πάμε για περπάτημα στο βουνό.
3. Θα νοικιάσουμε αυτοκίνητο, αν δε _____ (φέρνω) το δικό σου.
4. Αν _____ (πηγαίνω) αεροπορικώς στη Θεσσαλονίκη, δε θα αργήσετε.
5. Δεν υπάρχει πρόβλημα. Θα μας φιλοξενήσουν οι φίλοι μας, αν δε _____ (βρίσκω) κάπου να μείνουμε.
6. Αν _____ (ανεβαίνω) κι άλλο ο πυρετός, θα καλέσω τον γιατρό.
7. Μην ανησυχείς! Δε θα ταξιδέψω απόψε, αν _____ (χαλάω) κι άλλο ο καιρός.
8. Αν μου _____ (μιλάω) ξανά έτσι, θα φύγω και δε θα με ξαναδείς.
9. Δε θα βρείτε φτηνά εισιτήρια, αν δεν _____ (ψάχνω) από τώρα στο ίντερνετ.
10. Αν _____ (μαθαίνω) κάτι για την εκδρομή, θα σου τηλεφωνήσω.

**1 9** Συμπληρώνω τις προτάσεις, όπως στο παράδειγμα.

1. Αν τη δεις, _να της πεις χαιρετίσματα._
2. Αν οδηγήσεις βράδυ, να _____
3. Αν δεν έχετε χρήματα για ταξί, να _____
4. Αν έρθεις νωρίς από τη δουλειά, να _____
5. Αν έχεις πονοκέφαλο, να_____
6. Αν βγείτε για φαγητό, να_____
7. Αν έχετε χρόνο, να _____

## Για δες

### Εναντιωματικές προτάσεις ➡ Αν και

**Αν και** η Σαντορίνη έχει πολύ κόσμο αυτή την εποχή, περνάμε υπέροχα.
**Αν και / Ενώ** δεν είχαν πολλά χρήματα μαζί τους, πέρασαν πολύ καλά στις διακοπές.

**2 0** Συμπληρώνω τις προτάσεις, όπως στο παράδειγμα.

1. Δεν έχασε το τρένο, αν και _άργησε πολύ να πάει στον σταθμό_ .
2. Δε βρίσκει δουλειά, αν και _____ .
3. Ενώ ήταν άρρωστος, _____ .
4. Αν και δε συμφωνώ μαζί σου, _____ .
5. Αν και περπατούσαμε δύο ώρες, _____ .
6. Δε μιλάει καλά ελληνικά, αν και _____ .
7. Δε θα το αγοράσω, αν και _____ .

**2.1** Συμπληρώνω με *αν* ή *αν και*, όπως στο παράδειγμα.

1. <u>Αν και</u> της είπα την αλήθεια, δε με πίστεψε.
2. _____ τους καλέσεις στην εκδρομή, εγώ δε θα έρθω μαζί σας.
3. Θα πάμε για πεζοπορία στο βουνό, _____ έχει καλό καιρό.
4. _____ τους κάλεσα πολλές φορές στο εξοχικό μου, δεν ήρθαν ποτέ.
5. _____ υπάρξει κάποιο πρόβλημα, να τηλεφωνήσετε στη ρεσεψιόν.
6. Θα πάω στη δουλειά, _____ είμαι άρρωστη. Έχω ένα πολύ σημαντικό ραντεβού σήμερα.
7. _____ σε ρωτήσει, να μην του πεις ότι με είδες.
8. Σε συγχωρώ, _____ με στενοχώρησες πολύ με αυτό που είπες.
9. _____ ταξιδεύαμε πέντε ώρες, δεν είμαι κουρασμένη. Η πτήση ήταν υπέροχη.
10. _____ πάρει τηλέφωνο, να του πεις ότι τον ψάχνω.

**Είμαι όλος αυτιά**   B14

ΑΡΚΤΟΥΡΟΣ
ΑΣΤΙΚΗ ΜΗ ΚΕΡΔΟΣΚΟΠΙΚΗ ΕΤΑΙΡΙΑ ΓΙΑ ΤΗΝ ΠΡΟΣΤΑΣΙΑ ΤΗΣ ΑΓΡΙΑΣ ΖΩΗΣ ΚΑΙ ΤΟΥ ΦΥΣΙΚΟΥ ΠΕΡΙΒΑΛΛΟΝΤΟΣ

**2.2** Καλοκαίρι εθελοντισμού...
Η Αναστασία συνομιλεί τηλεφωνικά με τον υπεύθυνο της οικολογικής οργάνωσης «Αρκτούρος» και ζητάει πληροφορίες. Ακούω δύο (2) φορές τον διάλογο και επιλέγω Σωστό (Σ), Λάθος (Λ) ή Δεν Αναφέρεται (Δ.Α.) στον πίνακα που ακολουθεί, όπως στο παράδειγμα.

| | Σ | Λ | Δ.Α. |
|---|---|---|---|
| 1. Η Αναστασία τηλεφωνεί στο Περιβαλλοντικό Κέντρο του «Αρκτούρου». | ☑ | ☐ | ☐ |
| 2. Ο «Αρκτούρος» προσπαθεί να σώσει την αρκούδα και τον λύκο στην Ελλάδα. | ☐ | ☐ | ☐ |
| 3. Ο «Αρκτούρος» έχει χιλιάδες εθελοντές σε όλη την Ελλάδα. | ☐ | ☐ | ☐ |
| 4. Δεν μπορεί να δουλέψει κάποιος στο Περιβαλλοντικό Κέντρο του «Αρκτούρου» τον χειμώνα. | ☐ | ☐ | ☐ |
| 5. Η Αναστασία θα δουλεύει στο Περιβαλλοντικό Κέντρο του «Αρκτούρου» 8 ώρες την ημέρα. | ☐ | ☐ | ☐ |
| 6. Το Περιβαλλοντικό Κέντρο του «Αρκτούρου» βρίσκεται στον Αετό της Φλώρινας. | ☐ | ☐ | ☐ |
| 7. Ο Αετός απέχει από τη Φλώρινα 26 χιλιόμετρα. | ☐ | ☐ | ☐ |
| 8. Η Αναστασία, αν δουλέψει για τον «Αρκτούρο», θα μείνει σε ένα ξενοδοχείο της περιοχής. | ☐ | ☐ | ☐ |
| 9. Η Αναστασία πρέπει να πληρώσει για τη διαμονή της, αλλά το φαγητό είναι δωρεάν στο Περιβαλλοντικό Κέντρο του «Αρκτούρου». | ☐ | ☐ | ☐ |
| 10. Η Αναστασία μπορεί να δουλέψει στο Περιβαλλοντικό Κέντρο μέχρι δέκα ημέρες. | ☐ | ☐ | ☐ |
| 11. Η Αναστασία πρέπει να πάρει μαζί της στο Περιβαλλοντικό Κέντρο τρόφιμα και φάρμακα. | ☐ | ☐ | ☐ |
| 12. Μια φίλη της Αναστασίας θέλει να πάει μαζί της στο Περιβαλλοντικό Κέντρο. | ☐ | ☐ | ☐ |
| 13. Η Αναστασία μπορεί να βρει την αίτηση για τον «Αρκτούρο» μόνο στο ίντερνετ. | ☐ | ☐ | ☐ |
| 14. Στο Περιβαλλοντικό Κέντρο του «Αρκτούρου» μπορούν να δουλέψουν και νέοι κάτω των 18 ετών. | ☐ | ☐ | ☐ |
| 15. Η Αναστασία και η φίλη της θα πάνε στον «Αρκτούρο» στις αρχές Αυγούστου. | ☐ | ☐ | ☐ |

## Παίζω έναν ρόλο

**23** Διαβάζω το φυλλάδιο του τουριστικού γραφείου και παίζω έναν ρόλο.

# Κοσμοδρόμιο

**Το δικό σου ταξιδιωτικό γραφείο**

Λυκαβηττού 14, Αθήνα
Τηλ.: 210-3649777
Φαξ: 210-3648555
www.cosmodromio.gr

## *Ταξίδια... ως την άκρη της γης*

■ **Βουκουρέστι – 3 ημέρες, αναχώρηση κάθε Παρασκευή, από 245 ευρώ**
Απευθείας πτήσεις με Ολυμπιακή, διαμονή σε ξενοδοχείο 5 αστέρων, πρωινό καθημερινά (μπουφέ), ξενάγηση στην πόλη, μεταφορές από και προς το αεροδρόμιο.

■ **Κωνσταντινούπολη – 4 ημέρες, κάθε Σάββατο, από 325 ευρώ**
Απευθείας πτήσεις με Ολυμπιακή, διαμονή σε επιλεγμένα ξενοδοχεία 4 αστέρων στην περιοχή Ταξίμ, πρωινό καθημερινά, ολοήμερες ξεναγήσεις, μεταφορές από και προς το αεροδρόμιο.

■ **Βουδαπέστη – 3 ημέρες, κάθε Δευτέρα, από 199 ευρώ**
Απευθείας πτήσεις με Aegean, διαμονή σε ξενοδοχεία 4 και 5 αστέρων, ημιδιατροφή, ξενάγηση στα ελληνικά, μεταφορές από και προς το αεροδρόμιο.

■ **Βρυξέλλες – 4 ημέρες, κάθε Παρασκευή, από 365 ευρώ**
Απευθείας πτήσεις με Ολυμπιακή, διαμονή σε κεντρικά ξενοδοχεία 4 αστέρων, πρωινό, ελληνόφωνη ξενάγηση στην πόλη, ολοήμερη εκδρομή σε Γάνδη και Μπρυζ, μεταφορές από και προς το αεροδρόμιο.

■ **Βόρεια Ινδία, Νεπάλ, Βομβάη, 15 ημέρες, αναχώρηση στις 8/2, από 1.850 ευρώ**
Διαμονή σε ξενοδοχεία πολυτελείας, πρωινό καθημερινά, Έλληνας ξεναγός-αρχηγός, μεταφορές από και προς το αεροδρόμιο.

■ **Νέα Υόρκη – 7 ημέρες, κάθε εβδομάδα, από 1.490 ευρώ**
Διαμονή σε ξενοδοχεία 4 αστέρων, πρωινό, Έλληνας ξεναγός, μεταφορές από και προς το αεροδρόμιο.

*Ζητήστε τα αναλυτικά μας προγράμματα.*
*Σας προσφέρουμε 12 άτοκες μηνιαίες δόσεις...*

**Σκέφτεστε ταξίδι;**
**Τηλεφωνήστε στο Κοσμοδρόμιο...**
*Σας συμφέρει!*

# Πάμε διακοπές;

### Ρόλος Α
Διαβάζω το διαφημιστικό φυλλάδιο ενός τουριστικού γραφείου. Τηλεφωνώ και ζητάω πληροφορίες από τον/την υπάλληλο για ένα από τα ταξίδια που προσφέρουν.

### Ρόλος Β
Δουλεύω σε ένα τουριστικό γραφείο. Ένας πελάτης / μια πελάτισσα τηλεφωνεί και ζητάει πληροφορίες για ένα από τα ταξίδια που προσφέρουμε. Δίνω πληροφορίες και τονίζω ότι το γραφείο μας οργανώνει φανταστικές εκδρομές σε πολύ καλές τιμές.

## 24 Έχασα τη βαλίτσα μου!

### Ρόλος Α
Έφτασα στο αεροδρόμιο με πτήση από το εξωτερικό, αλλά δε βρίσκω τη βαλίτσα μου. Πηγαίνω στην αρμόδια / στον αρμόδιο υπάλληλο της αεροπορικής εταιρείας, αναφέρω το πρόβλημα και κάνω παράπονα. Είμαι πολύ εκνευρισμένος/εκνευρισμένη. Ήρθα για ένα σεμινάριο και χρειάζομαι τα πράγματά μου τώρα!

### Ρόλος Β
Είμαι υπάλληλος σε μια αεροπορική εταιρεία. Μια πελάτισσα / ένας πελάτης έφτασε με πτήση από το εξωτερικό, αλλά δε βρίσκει τη βαλίτσα της/του. Προσπαθώ να την/τον ηρεμήσω. Της/του προτείνω να συμπληρώσει ένα έντυπο και να περιγράψει τη βαλίτσα και το περιεχόμενό της.

## 25 Έχουμε μια ώρα καθυστέρηση...

### Ρόλος Α
Θα πάω ένα ταξίδι με το τρένο. Περιμένω στον σταθμό, όμως υπάρχει καθυστέρηση μια ώρα. Πηγαίνω στον αρμόδιο / στην αρμόδια υπάλληλο, ρωτάω τι συμβαίνει και εκφράζω τα παράπονά μου.

### Ρόλος Β
Εργάζομαι στον σιδηροδρομικό σταθμό. Το τρένο έχει μία ώρα καθυστέρηση. Ένας ταξιδιώτης / μια ταξιδιώτισσα με ρωτάει τι συμβαίνει και εκφράζει τα παράπονά του/της. Ζητάω συγνώμη για την καθυστέρηση και του/της λέω ότι το τρένο θα φτάσει σε λίγο.

## Γράψε-σβήσε

**2.6** Πήγα διακοπές σε μια περιοχή της Ελλάδας, αλλά αντιμετώπισα πολλά προβλήματα με τις συγκοινωνίες (τοπικά λεωφορεία), την καθαριότητα, τον φωτισμό των δρόμων και την εξυπηρέτηση στο Γραφείο Τουρισμού του Δήμου. Στέλνω μια επιστολή στη/στον δήμαρχο της περιοχής και εκφράζω τα παράπονά μου. (150-170 λέξεις)

Αξιότιμε κύριε Δήμαρχε / Αξιότιμη κυρία Δήμαρχε,

Με αυτή την επιστολή θα ήθελα να εκφράσω τα παράπονά μου

_____

_____

Πιο συγκεκριμένα, _____

_____

_____

_____

_____

_____

Νομίζω ότι πρέπει _____

_____

_____

_____

Περιμένω την απάντησή σας και σας ευχαριστώ εκ των προτέρων για το ενδιαφέρον σας.

Με εκτίμηση,

_____

## Φωνή-γραφή

B15

**2.7** Τι ακούω; Διαλέγω το σωστό, όπως στο παράδειγμα.

1. α. <u>Σκεφτόμαστε να 'ρθούμε.</u>          β. Σκεφτόμαστε να δούμε.
2. α. Προτείνω να πάμε με τρένο.          β. Προτιμώ να πάμε με τρένο.
3. α. Λέω να βρω.                         β. Λέω να βγω.
4. α. Να το συζητήσουμε.                  β. Να το ζητήσουμε.
5. α. Τι να πω;                           β. Τι να πιω;
6. α. Λέω να μην πάω.                     β. Λέω να μην μπω.

 **Για θυμήσου**

**2.8** Διαλέγω το σωστό, όπως στο παράδειγμα.

1. Γιατί θέλεις να αγοράσεις σκηνή; Θα μείνετε σε _κάμπινγκ;_
   α. ξενοδοχείο        β. κάμπινγκ        γ. ενοικιαζόμενο δωμάτιο

2. – Αύριο έχει απεργία στα τρένα και στα αεροπλάνα. Δυστυχώς δεν μπορούμε να έρθουμε στη Θεσσαλονίκη.
   – Γιατί δεν έρχεστε _____ ; Σε πέντε ώρες θα είστε εδώ.
   α. αεροπορικώς        β. σιδηροδρομικώς        γ. οδικώς

3. Για να βρούμε δωμάτιο τον Αύγουστο στην Πάρο, πρέπει να _____ κράτηση από τώρα. Πάρε τηλέφωνο στο ξενοδοχείο.
   α. κάνουμε        β. βρούμε        γ. πάρουμε

4. Θα ήθελα να πάμε για πεζοπορία στον Όλυμπο και να περάσουμε τη νύχτα σε ορεινό _____ . Δε θα είναι υπέροχα;
   α. δωμάτιο        β. κάμπινγκ        γ. καταφύγιο

5. Ορίστε τα κλειδιά του δωματίου σας. Για ό,τι άλλο χρειαστείτε, _____ στη διάθεσή σας.
   α. έρχομαι        β. είμαι        γ. υπάρχω

6. Είχε πολύ θόρυβο! Δεν μπορέσαμε να κλείσουμε _____ όλη νύχτα.
   α. μύτη        β. αυτί        γ. μάτι

7. Λυπάμαι, αλλά η πτήση σας έχει _____ . Πρέπει να περιμένετε. Θα σας ενημερώσουμε, όταν μάθουμε κάτι.
   α. καθυστέρηση        β. άφιξη        γ. αναχώρηση

8. Ο Παρθενώνας και το Μουσείο της Ακρόπολης είναι από τα πιο σημαντικά _____ της Αθήνας. Να πάτε οπωσδήποτε!
   α. δρομολόγια        β. αξιοθέατα        γ. χωριά

**2.9** Γράφω τις λέξεις που έμαθα.

# Ένα ατύχημα στους δρόμους

- Απαγορεύεται να μιλάτε στο κινητό.
- Μπορείς να φας ό,τι θέλεις σήμερα.
- Μπορείς να τρως ό,τι θέλεις από αύριο.

- Το πόδι μου πονάει. Φοβάμαι μήπως το έσπασα.

## Τι ακριβώς έγινε;

 *στον δρόμο*

**Οδηγός αυτοκινήτου:** Ω, Θεέ μου! Είσαι καλά;

**Φοίβος:** ...

**Μια κυρία:** Γρήγορα! Ένα ασθενοφόρο! Ρε άνθρωπέ μου, στραβός είσαι; Ολόκληρο ΣΤΟΠ δεν το είδες; Παραλίγο να το σκοτώσεις το παιδί!

**Οδηγός αυτοκινήτου:** Εεε... Δεν ξέρω πώς έγινε. Δεν τον είδα καθόλου.

**Μια κυρία:** Μη σηκώνεσαι, παιδί μου. Πονάς πουθενά;

**Φοίβος:** Οχ! Το πόδι μου πονάει. Φοβάμαι ότι το έσπασα.

**Οδηγός αυτοκινήτου:** Κάλεσα την τροχαία και το ασθενοφόρο. Πρέπει να πάμε στο νοσοκομείο.

.........................................................................................................................

**Τροχονόμος:** Λοιπόν, τι ακριβώς έγινε;

**Φοίβος:** Κατέβαινα τη λεωφόρο, όταν στη διασταύρωση είδα ένα αυτοκίνητο να βγαίνει από το στενό. Κόρναρα, αλλά ο οδηγός δε σταμάτησε στο ΣΤΟΠ. Προσπάθησα να τον αποφύγω, αλλά ήταν αδύνατον.

**Μια κυρία:** Ευτυχώς που ο νεαρός φορούσε κράνος.

**Τροχονόμος:** Εσείς, κύριε, συνηθίζετε να οδηγείτε τόσο απρόσεκτα;

**Οδηγός αυτοκινήτου:** Είδα τη μηχανή την τελευταία στιγμή και δεν πρόλαβα να σταματήσω.

**Μια κυρία:** Εμ, βέβαια! Αν μιλάς στο κινητό, πώς να προσέξεις τη μηχανή;

**Τροχονόμος:** Είσαστε μάρτυρας του ατυχήματος, κυρία μου;

**Μια κυρία:** Μάλιστα.

**Τροχονόμος:** Ωραία. Θέλω να μου δώσετε τα στοιχεία σας. Κι εσείς, κύριε, άδεια κυκλοφορίας, δίπλωμα οδήγησης και ασφάλεια. Απ' ό,τι καταλαβαίνω, συμφωνείτε ότι το λάθος είναι δικό σας. Έτσι δεν είναι;

**Οδηγός αυτοκινήτου:** Ε, ναι. Τι να πω;

**Τροχονόμος:** Να εύχεστε να μην έχει κάτι σοβαρό ο νεαρός, γιατί θα μπλέξετε άσχημα. Ξέρετε ότι απαγορεύεται να μιλάτε στο κινητό όταν οδηγείτε. Την επόμενη φορά μπορεί να πληρώσετε το λάθος σας πολύ ακριβά.

 **Πώς το λένε;**

| | |
|---|---|
| Ω, Θεέ μου! | Ευτυχώς που φορούσε κράνος. |
| Ρε άνθρωπέ μου, στραβός είσαι; | Εμ, βέβαια! Αν μιλάς στο κινητό, πώς να προσέξεις τη μηχανή; |
| Ολόκληρο ΣΤΟΠ δεν το είδες; | Θα μπλέξετε άσχημα. |
| Παραλίγο να το σκοτώσεις το παιδί! | Μπορεί να το πληρώσετε ακριβά. |
| Φοβάμαι ότι το έσπασα. | |

**Λέξεις, λέξεις**

ασθενοφόρο (το)
ατύχημα (το)
διασταύρωση (η)
κράνος (το)
στενό (το)
τροχαία (η)

**1** Σωστό ή λάθος;

| | Σωστό | Λάθος | Δεν ξέρουμε |
|---|---|---|---|
| 1. Ο Φοίβος οδηγούσε αυτοκίνητο. | ☐ | ☑ | ☐ |
| 2. Ο Φοίβος είχε ΣΤΟΠ και δε σταμάτησε. | ☐ | ☐ | ☐ |
| 3. Ο Φοίβος έσπασε το πόδι του. | ☐ | ☐ | ☐ |
| 4. Ο οδηγός του αυτοκινήτου κάλεσε το ασθενοφόρο. | ☐ | ☐ | ☐ |
| 5. Μια κυρία είδε το ατύχημα την ώρα που έγινε. | ☐ | ☐ | ☐ |
| 6. Ο οδηγός του αυτοκινήτου δε φορούσε ζώνη. | ☐ | ☐ | ☐ |
| 7. Το αυτοκίνητο έτρεχε πολύ. | ☐ | ☐ | ☐ |
| 8. Ο οδηγός του αυτοκινήτου μιλούσε στο κινητό ενώ οδηγούσε. | ☐ | ☐ | ☐ |
| 9. Ο Φοίβος φορούσε κράνος. | ☐ | ☐ | ☐ |
| 10. Ο τροχονόμος ζητάει από την κυρία άδεια κυκλοφορίας και δίπλωμα οδήγησης. | ☐ | ☐ | ☐ |
| 11. Ο οδηγός του αυτοκινήτου συμφωνεί ότι φταίει αυτός. | ☐ | ☐ | ☐ |
| 12. Ο τροχονόμος ζητά από τον οδηγό του αυτοκινήτου να πληρώσει, επειδή μιλούσε στο κινητό. | ☐ | ☐ | ☐ |

 **Η σειρά μου τώρα**

**2** Απαντάω:

Φοράς ζώνη ασφαλείας όταν είσαι στο αυτοκίνητο και κράνος όταν είσαι στη μηχανή;
Είχες ποτέ κάποιο τροχαίο ατύχημα; Πώς ακριβώς έγινε; Ποιος έφταιγε; Τι έκανες αμέσως μετά;
Ήσουν ποτέ μάρτυρας σε ατύχημα; Τι έκανες;
Στον τόπο σου οι οδηγοί είναι προσεκτικοί; Είναι συνηθισμένα τα ατυχήματα στους δρόμους;

 **Για δες**

| | Ενδοιαστικές προτάσεις | |
|---|---|---|
| Ανησυχώ<br>Έχω αγωνία<br>Φοβάμαι | μη(ν)<br>μήπως | Απλός Μέλλοντας<br>(χωρίς το *θα*)<br>ή<br>Αόριστος |

| | | |
|---|---|---|
| Ανησυχώ | **μήπως** | δεν έρθει. |
| Φοβάμαι | **μην** | καταλάβουν το λάθος μου. |
| Φοβάμαι | **μήπως** | έπαθε κάτι. |
| Έχω αγωνία | **μήπως** | είχαν κανένα ατύχημα. |

**3** Συμπληρώνω με *μήπως* και *μη(ν)*:

1. Η Μαρία άργησε. Ανησυχώ <u>μήπως δεν έρθει</u> (δεν έρχομαι).
2. Ο Δημήτρης δεν μπαίνει ποτέ σε ασανσέρ. Φοβάται _____ (σταματάω) και _____ (μένω) μέσα.
3. Φοβάμαι _____ (χαλάω) ο καιρός και δεν μπορέσουμε να πάμε εκδρομή το Σαββατοκύριακο.
4. Δε με πήρε ακόμα τηλέφωνο. Φοβάμαι _____ (παθαίνω) κάτι.
5. Πρέπει να πάω στην τράπεζα. Ανησυχώ _____ (δε φτάνω) τα χρήματα.
6. Τους περιμέναμε πριν από μια ώρα. Φοβάμαι _____ (χάνω) τον δρόμο.
7. Ίσως είναι καλύτερα να βάλουμε το φαγητό στο ψυγείο. Φοβάμαι _____ (χαλάω), αν μείνει έξω όλη τη νύχτα.

| Φοβάμαι | ότι πως | θα χάσουμε το τρένο. | = Είμαι σχεδόν σίγουρος/σίγουρη ότι θα χάσουμε το τρένο. |
|---|---|---|---|
| Φοβάμαι | μήπως μη(ν) | χάσουμε το τρένο. | = Έχω αγωνία. Μπορεί να χάσουμε το τρένο, αν αργήσουμε. |
| Φοβάμαι | να | ανεβώ στη μηχανή του. | = Δε θέλω να ανεβώ στη μηχανή του, γιατί φοβάμαι. |

**4** Διαλέγω:

μη(ν)/μήπως, ότι/πως, να

1. Ο Πέτρος φοβάται <u>μήπως</u> οι γονείς του μάθουν την αλήθεια.
2. Πολύ φοβάμαι _____ θα πρέπει να περιμένετε έξω.
3. Η μητέρα της ανησυχεί πολύ _____ είναι σοβαρά άρρωστη.
4. Η Ρεβέκκα φοβάται _____ πάει στον οδοντίατρο.
5. Φοβάμαι _____ δε θα μάθουμε ποτέ τι πραγματικά έγινε.
6. Πολύς κόσμος φοβάται _____ γίνει μεγάλος σεισμός.
7. Ο Σπύρος φοβάται _____ δεν περάσει το μάθημα.
8. Δε φοβάμαι _____ πω την αλήθεια!
9. Η Μαίρη έχει αγωνία _____ χάσει τη δουλειά της.
10. Φοβάμαι _____ θα φτάσουμε πολύ αργά.
11. Η Ειρήνη έχει δίπλωμα οδήγησης, αλλά φοβάται _____ οδηγήσει.
12. Πολύ φοβάμαι _____ θα πρέπει να φύγουμε αμέσως.

**Λέει να** πάει με τα πόδια. Δεν είναι πολύ μακριά. (= το σκέφτεται, αλλά δεν είναι σίγουρος)

**Λέει ότι** θα πάει με τα πόδια, γιατί δεν είναι πολύ μακριά. (= το λέει και είναι σίγουρος)

**5** Συμπληρώνω με *να* ή *ότι*:

1. Ο Φοίβος λέει *ότι* πάντα φοράει κράνος όταν οδηγεί μηχανή.
2. Μια κυρία λέει _____ το αυτοκίνητο δε σταμάτησε στο ΣΤΟΠ.
3. Ο οδηγός του αυτοκινήτου λέει _____ καλέσει το ασθενοφόρο.
4. Ο τροχονόμος λέει _____ φταίει ο οδηγός του αυτοκινήτου.
5. Μετά το ατύχημα ο Φοίβος λέει _____ μείνει στο σπίτι και _____ μην οδηγήσει για μερικές μέρες.
6. Ο Φοίβος λέει _____ πάει στον γιατρό και _____ κάνει εξετάσεις.

 **Παίζω έναν ρόλο**

**6** Αυτός φταίει!

**Ρόλος Α**
Είμαι μάρτυρας σε ένα τροχαίο ατύχημα. Ένα αυτοκίνητο χτύπησε έναν πεζό. Ήρθε η τροχαία και περιγράφω τι είδα. Πιστεύω ότι το λάθος είναι του οδηγού του αυτοκινήτου.

**Ρόλος Β**
Είμαι μάρτυρας σε ένα τροχαίο ατύχημα. Ένα αυτοκίνητο χτύπησε έναν πεζό. Ήρθε η τροχαία και περιγράφω τι είδα. Πιστεύω ότι φταίει ο πεζός.

# Στα επείγοντα περιστατικά

*In emergencies*

ΕΠΕΙΓΟΝΤΑ ΠΕΡΙΣΤΑΤΙΚΑ

**B17**

**Γιατρός:** Λοιπόν, η ακτινογραφία δε δείχνει κάταγμα. Πώς αισθάνεσαι τώρα;
*So, the X-ray doesn't show a fracture. How do you feel now?*

**Φοίβος:** Ζαλίζομαι λίγο...
*I'm a little dizzy*

**Γιατρός:** Αυτό είναι μάλλον λογικό... Ίσως έπαθες μια μικρή διάσειση. Το πόδι σου πονάει ακόμα όπως πριν;
*This is probably reasonable... You may have suffered a minor concussion. Does your leg still hurt like before?*

**Φοίβος:** Ε, κάπως λιγότερο, νομίζω.
*Well, somewhat less, I think*

**Γιατρός:** Λοιπόν... Θα το δέσουμε εδώ... Ωραία... Μπορείς να περπατήσεις;
*So... we will bind it here... Good... Can you walk?*

**Φοίβος:** Εντάξει. Πιο καλά.
*Okay. Better.*

**Γιατρός:** Ήσουν πολύ τυχερός.
*You were very lucky.*

**Φοίβος:** Μπορώ να πάω στο σπίτι μου, δηλαδή;
*Can I go to my house namely?*

**Γιατρός:** Ναι. Αλλά αυτό που χρειάζεσαι τώρα είναι ξεκούραση. Εργάζεσαι; Θέλεις να σου γράψω αναρρωτική άδεια;
*Yes, But what you need now is rest. Do you work? Do you want me to write you a sick note/pass?*

**Φοίβος:** Όχι, δεν εργάζομαι.
*No, I don't work.*

**Γιατρός:** Εν πάση περιπτώσει, καλό είναι να μείνεις στο κρεβάτι για λίγες μέρες. Δεν πρέπει να κουράζεις το πόδι σου. Όταν πονάς πολύ, μπορείς να βάζεις λίγο πάγο και να παίρνεις αυτά τα παυσίπονα. Επίσης, για δύο μέρες πρέπει να τρως ελαφρά φαγητά. Και αν αύριο συνεχίζεις να νιώθεις ζαλάδα, καλό είναι να έρθεις για εξετάσεις πάλι.
*In any case, it's good to stay in bed for a few days. You must not tire your leg. When it hurts a lot, you can put some ice and take these painkillers. Also, for two days you have to eat light food. And tomorrow if you continue to feel dizzy, it's good to come for examinations again.*

## 🔑 Πώς το λένε;

Πώς αισθάνεσαι;
Αυτό είναι μάλλον λογικό.
Κάπως λιγότερο, νομίζω.
Εν πάση περιπτώσει...

*How do you feel?*
*This is probably reasonable*
*Somewhat less, I think*
*In any case*

βγάζω ακτινογραφία
έχω κάταγμα
ζαλίζομαι = νιώθω ζαλάδα
παίρνω παυσίπονα
βάζω πάγο

*I have a fracture*
*to take painkillers*
*to put ice*

## 🤸 Λέξεις, λέξεις

ακτινογραφία (η)
αναρρωτική άδεια (η)
ζαλάδα (η)
ζαλίζομαι
κάταγμα (το)
παυσίπονο (το)

*X-ray*
*sick note*
*dizzyness*
*to be dizzy*
*fracture*
*painkiller*

**7** **Απαντάω:**

1. Πού βρίσκεται τώρα ο Φοίβος; *Είναι στο νοσοκομείο, στα επείγοντα περιστατικά.*
2. Τι πρόβλημα έχει; _____
3. Τι συμβουλές δίνει η γιατρός στον Φοίβο;

   α. _____
   β. _____
   γ. _____
   δ. _____

 **Η σειρά μου τώρα**

**8** **Απαντάω:**

Πήγες ποτέ στα επείγοντα περιστατικά; Γιατί; Τι έγινε όταν έφτασες εκεί;
Πώς είναι τα νοσοκομεία στον τόπο σου;

 **Για δες**

**μία φορά**

**συνέχεια**
**συχνά**

| Απλή Υποτακτική | Συνεχής Υποτακτική |
|---|---|
| Μπορείς **να φας** ό,τι θέλεις σήμερα. | Μπορείς **να τρως** ό,τι θέλεις από αύριο. |
| Πρέπει **να πας** στο νοσοκομείο. | Πρέπει **να πηγαίνεις** τακτικά στον οδοντίατρο. |
| Θέλω **να περπατήσω** λίγο. | Θέλω **να περπατάω** μία ώρα κάθε μέρα. |
| Προσπαθώ **να διαβάσω** για το τεστ. | Προσπαθώ **να διαβάζω** κάθε απόγευμα. |
| Προτιμώ **να μείνω** σπίτι απόψε. | Προτιμώ **να μένω** σπίτι τις Κυριακές. |
| Δε χρειάζεται **να πας** εσύ. | Δε χρειάζεται **να πηγαίνεις** τόσο συχνά. |
| Ελπίζω **να φτάσουμε** νωρίς. | Ελπίζω **να οδηγείς** προσεκτικά. |

**Να ζει κανείς ή να μη ζει;**

| | |
|---|---|
| – **Είναι δυνατόν να** μιλήσω με τον διευθυντή;<br>– Λυπάμαι, αυτή τη στιγμή **είναι αδύνατον να / αποκλείεται να** σας δει. | **Δεν είναι δυνατόν να** χάνουμε 2.000 ανθρώπους κάθε χρόνο σε τροχαία δυστυχήματα και να μην κάνουμε τίποτα γι' αυτό.<br>**Είναι αδύνατον να / Αποκλείεται να** μιλάει κινέζικα πολύ καλά. Κάνει μαθήματα μόνο 3 μήνες! |
| Απόψε **απαγορεύεται να** οδηγήσεις. Ήπιες πολύ. | **Απαγορεύεται να** οδηγείτε όταν πίνετε. |
| – **Επιτρέπεται να** καπνίσω;<br>– Βεβαίως. | **Επιτρέπεται να** καπνίζετε.<br>**Δεν επιτρέπεται να** καπνίζετε. |
| – **Το να** μάθεις οδήγηση δεν είναι πολύ δύσκολο. | **Το να** οδηγείς χωρίς ζώνη είναι επικίνδυνο. |

## 9 Τι πρέπει να κάνω;

1. Θέλω να μάθω καλά ελληνικά. *Πρέπει να μιλάω* (μιλάω) πιο πολύ με Έλληνες.
2. Η Πόπη θα πάει στο θέατρο. Πρέπει _____ (κλείνω) εισιτήρια.
3. Ο Χασάν αρχίζει τη δουλειά του πολύ πρωί. Δεν πρέπει _____ (αργώ) απόψε.
4. Η Δήμητρα θέλει να κάνει δίαιτα. Δεν πρέπει _____ (τρώω) γλυκά κάθε μέρα.
5. Ο Ραβί θέλει να βρει καινούριο σπίτι. Πρέπει _____ (διαβάζω) τις μικρές αγγελίες κάθε εβδομάδα.
6. Η Τίνα έχει να πάει στον γιατρό αύριο το πρωί. Πρέπει _____ (παίρνω) άδεια από τη δουλειά της.

## 10 Διαλέγω το σωστό, όπως στο παράδειγμα.

1. Μπορείς το απόγευμα να βοηθάς / <u>να βοηθήσεις</u> τον Γιάννη στη δουλειά του;
2. Μπορείς τα απογεύματα να βοηθάς / να βοηθήσεις τον Γιάννη στη δουλειά του;
3. Δε βρίσκω το τηλέφωνο του γιατρού. Νομίζω ότι πρέπει να το ψάχνω / να το ψάξω στον κατάλογο.
4. Ο Δημήτρης προτιμά να διαβάζει / να διαβάσει τα βράδια. Τη μέρα τον ενοχλεί η φασαρία.
5. Θα ήθελα να μου τηλεφωνείς / να μου τηλεφωνήσεις, όταν φτάσεις, για να μην ανησυχώ.
6. Είμαι πολύ κουρασμένη. Λέω να ξαπλώνω / να ξαπλώσω νωρίς απόψε.
7. Δεν έχω χρόνο αυτή τη στιγμή. Πρέπει να φεύγω / να φύγω αμέσως. Έχω ένα ραντεβού.
8. Πρέπει να ρωτάμε / να ρωτήσουμε όταν δεν καταλαβαίνουμε κάτι στα ελληνικά.
9. Θέλω να μου λες / να μου πεις πάντα την αλήθεια.
10. Διψάω πολύ. Θα ήθελα να πίνω / να πιω κάτι.
11. Μην ξεχάσεις να αγοράζεις / να αγοράσεις τα εισιτήρια για τη συναυλία του Σαββάτου.
12. Είναι αδύνατον να τελειώνουν / να τελειώσουν αυτή τη δουλειά σήμερα.
13. Όλοι γνωρίζουν ότι δεν επιτρέπεται να μιλάνε / να μιλήσουν στο κινητό την ώρα που οδηγούν, αλλά το κάνουν.

**Σωτήριος Κωνσταντέλλος**
ΕΙΔΙΚΟΣ ΠΑΘΟΛΟΓΟΣ
Αναπληρωτής Καθηγητής Πανεπιστημίου Θεσσαλονίκης

Καρδιολογικά – αγγειολογικά νοσήματα
Υπέρηχοι

*Δέχεται κάθε μέρα πλην Σαββάτου 9.30-12.00*

ΤΗΛ. ΙΑΤΡΕΙΟΥ: 2310343234, ΤΗΛ. ΟΙΚΙΑΣ: 2310454556

**Σοφία Καρακασίδου**
ΜΑΙΕΥΤΗΡΑΣ ΧΕΙΡΟΥΡΓΟΣ ΓΥΝΑΙΚΟΛΟΓΟΣ
Διευθύντρια κλινικής Αθηναϊκού Νοσοκομείου

*Δέχεται με ραντεβού καθημερινά 8-11 π.μ. και 5-9 μ.μ.*

ΤΗΛ. ΙΑΤΡΕΙΟΥ: 2101232345, ΤΗΛ. ΟΙΚΙΑΣ: 2103445567

 **Για δες**

## Ρήματα και εκφράσεις με Απλή Υποτακτική (σχεδόν πάντα)

**Έχω** να δουλέψω.
**Πάω** να αγοράσω ψωμί.
**Ξέχασα** να αγοράσω εφημερίδα.
**Είμαι έτοιμος να** φύγω.
**Ψάχνω να** βρω τα κλειδιά μου.
**Αργείς να** πας στη δουλειά σου;
**Κοντεύω να** τελειώσω το διάβασμα.
**Περιμένω να** γυρίσει ο διευθυντής.
**Δεν πρόλαβα** να διαβάσω.
Αν πίνεις και οδηγείς, είναι **πιθανό να** πάθεις ατύχημα.
Αν, όμως, οδηγείς προσεκτικά, **είναι απίθανο να** τρακάρεις.

**Τι να** κάνουμε απόψε;
**Πού να** πάμε;
**Πώς να** ταξιδέψουμε;
**Πότε να** φύγουμε;
**Γιατί να** το κάνω;
**Ποιος να** αγοράσει τα εισιτήρια;

## Ρήματα και εκφράσεις με Συνεχή Υποτακτική (σχεδόν πάντα)

| | |
|---|---|
| Αρχίζω | Άρχισα να καπνίζω όταν ήμουν 18 χρονών. |
| Συνεχίζω | Συνέχισα να καπνίζω μέχρι τα 35 μου. |
| Σταματάω | Σταμάτησα να καπνίζω εδώ και λίγο καιρό. |
| Παύω | Πάψε να μιλάς όλη την ώρα. |
| | |
| Συνηθίζω | Δε συνηθίζω να οδηγώ χωρίς ζώνη. |
| Μαθαίνω | Έμαθα να κολυμπάω όταν ήμουν 6 χρονών. |
| Ξέρω | Δυστυχώς δεν ξέρω να παίζω μουσική. |
| Μου αρέσει | Μου αρέσει να ταξιδεύω. |
| Τρελαίνομαι | Τρελαίνομαι να ακούω μουσική. |
| | |
| Βλέπω | Τον είδα να μπαίνει στο δωμάτιο. |
| Ακούω | Τον άκουσα να κλαίει. |
| Αισθάνομαι | Αισθάνομαι την καρδιά μου να χτυπάει δυνατά. |
| Νιώθω | Νιώθω να με ενοχλεί κάτι. |

**11** Τι σου αρέσει γενικά; Τι θέλεις να κάνεις κάποια στιγμή (τώρα, σήμερα, αύριο, σε λίγο...);

1. περπατάω στο βουνό
   *Μου αρέσει να περπατάω στο βουνό.*
   *Κάποια στιγμή θέλω να περπατήσω στο βουνό.*

2. ακούω το καινούριο μου cd – ακούω μουσική
   _____

3. ταξιδεύω σε εξωτικές χώρες – ταξιδεύω σε όλη την Ελλάδα
   _____

4. τρώω γιαπωνέζικο φαγητό – δοκιμάζω κινέζικο φαγητό
   _____

5. πίνω καφέ – πίνω ένα καφεδάκι
   _____

6. μαγειρεύω ιταλικά πιάτα – μαγειρεύω κάτι για αύριο
   _____

7. μαθαίνω ξένες γλώσσες – μαθαίνω περσικά
   _____

8. γράφω ένα γράμμα στη φίλη μου – γράφω γράμματα
   _____

**12** Συμπληρώνω:

Ο Γιάννης και η Ελένη αγαπούν πολύ τις εκδρομές στην εξοχή. Τα Σαββατοκύριακα, λοιπόν, συνηθίζουν _____ (ξυπνάω) νωρίς το πρωί, _____ (παίρνω) τη μηχανή τους και _____ (φεύγω) από την Αθήνα. Τους αρέσει _____ (περπατάω) στο βουνό για ώρες και _____ (φωτογραφίζω) τη φύση. Μετά τη βόλτα τους συνηθίζουν _____ (πηγαίνω) σε ένα κοντινό χωριό, _____ (κάθομαι) στο καφενείο της πλατείας για ένα τσίπουρο και _____ (συζητάω) με τους ντόπιους.

**13** Απαντάω:

1. Τι σου αρέσει να κάνεις τα Σαββατοκύριακα;
   _____

2. Τι συνηθίζεις να κάνεις το Σάββατο το πρωί; Την Κυριακή;
   _____

3. Τι τρελαίνεσαι να κάνεις στις διακοπές;
   _____

**14** Διαβάζω το κείμενο που ακολουθεί και συμπληρώνω από τον πίνακα, όπως στο παράδειγμα.

## Ασφάλεια στους δρόμους

Το πρόβλημα των τροχαίων ατυχημάτων δεν είναι μόνο ελληνικό· σε όλο τον κόσμο είναι η τρίτη αιτία θανάτου μετά τις καρδιακές παθήσεις και τον καρκίνο. Το 90% των θανάτων από καταστροφές (φωτιές, τυφώνες, σεισμούς κτλ.) προέρχεται από ατυχήματα με μεταφορικά μέσα. Κάθε χρόνο οι νεκροί από τροχαία ατυχήματα φθάνουν το 1,6 εκατομμύριο άτομα και οι τραυματίες τα 15-20 εκατομμύρια.

Στις ανεπτυγμένες ευρωπαϊκές χώρες, στους 100.000 κατοίκους οι 11 χάνουν τη ζωή τους στους δρόμους, ενώ η αναλογία στην Αφρική είναι 28 στους 100.000, σύμφωνα με στοιχεία της Παγκόσμιας Οργάνωσης Υγείας. Ακόμα μεγαλύτερη είναι η αναλογία στο Σαλβαδόρ και στη Δομινικανή Δημοκρατία (42 στους 100.000).

Σύμφωνα με την Παγκόσμια Τράπεζα, οι θάνατοι από τροχαία ατυχήματα θα είναι 66% περισσότεροι τα επόμενα είκοσι χρόνια· στις πλούσιες χώρες θα είναι λιγότεροι κατά 28%, αλλά, την ίδια στιγμή, στην Κίνα θα είναι 92% περισσότεροι σε σχέση με σήμερα, λέει ο Σάντι Αμερατούνκα από το Πανεπιστήμιο του Όκλαντ στη Νέα Ζηλανδία.

Στα κράτη-μέλη της Ευρωπαϊκής Ένωσης, τα οδικά ατυχήματα είναι η αιτία για τον θάνατο σχεδόν 120 Ευρωπαίων πολιτών κάθε ημέρα. Σε ετήσια βάση τα θύματα στην Ε.Ε. είναι περίπου 50.000, και οι τραυματίες, συνολικά, φτάνουν στους 1.500.000.

Παρ' όλα αυτά, στην Ευρωπαϊκή Ένωση από το 1980 έως το 1997 η πλειοψηφία των κρατών (14 από τα 15) παρουσίασε μείωση του αριθμού των νεκρών από οδικά ατυχήματα. Η Ελλάδα ήταν η μόνη χώρα στην Ευρωπαϊκή Ένωση των 15 όπου ο αριθμός των νεκρών μεγάλωσε. Αυτό δεν είναι τόσο παράξενο: τα αυτοκίνητα που κυκλοφορούσαν στην Ελλάδα το 1997 ήταν τρεις φορές περισσότερα από αυτά που κυκλοφορούσαν το 1980. Σήμερα στην Ελλάδα τα οδικά ατυχήματα είναι η αιτία για τον θάνατο 5 ανθρώπων ημερησίως, ενώ κάθε χρόνο σκοτώνονται περισσότερα από 1.500 άτομα και τραυματίζονται συνολικά πάνω από 20.000. Ποσοστό 65% των οδηγών ή επιβατών που πεθαίνουν σε τροχαίο ατύχημα δε χρησιμοποιούν τη ζώνη ασφαλείας ή το προστατευτικό κράνος. Τα πιο σοβαρά ατυχήματα συμβαίνουν από οδηγούς που δε δείχνουν προσοχή στον δρόμο (είναι, για παράδειγμα, μεθυσμένοι ή μιλούν στο κινητό τηλέφωνο), οδηγούν επιθετικά ή με μεγάλη ταχύτητα και δεν ακολουθούν τους κανόνες οδικής ασφάλειας (περνούν με κόκκινο, αγνοούν τα σήματα κυκλοφορίας κτλ.)

Καλύτεροι δρόμοι, πεζοδρόμια για τους πεζούς και ειδικές διαδρομές για τα δίκυκλα θα προσφέρουν μεγαλύτερη ασφάλεια σε όλους, αλλά πάνω απ' όλα, τονίζουν οι ειδικοί, πρέπει να υπάρξει καλύτερη εκπαίδευση των οδηγών σε όλο τον κόσμο.

(Στοιχεία από: *http://www/seetha.gr, http://www.traveldailynews.gr* και *ΗΜΕΡΗΣΙΑ* 8/5/06, με αλλαγές)

α. Οι θάνατοι από καρκίνο είναι

β. Εννιά στους δέκα θανάτους από καταστροφές

γ. Κάθε χρόνο τραυματίζονται σε τροχαία ατυχήματα σε όλο τον κόσμο

δ. Το ποσοστό των ανθρώπων που χάνουν τη ζωή τους στους δρόμους στην Αφρική

ε. Σύμφωνα με την Παγκόσμια Τράπεζα, οι θάνατοι από τροχαία ατυχήματα στην Κίνα τα επόμενα είκοσι χρόνια

στ. Ο αριθμός των ανθρώπων που πεθαίνουν σε ατύχημα στον δρόμο στην Ευρωπαϊκή Ένωση

ζ. Ο αριθμός των ανθρώπων που πεθαίνουν σε ατύχημα στον δρόμο στην Ελλάδα

η. Κάθε χρόνο τραυματίζονται σε τροχαία ατυχήματα στην Ελλάδα

θ. Το 65% των οδηγών ή επιβατών που χάνουν τη ζωή τους σε τροχαίο

ι. Τα πιο σοβαρά ατυχήματα γίνονται από οδηγούς που

ια. Σύμφωνα με τους ειδικούς, το πιο σημαντικό μέτρο για να έχουμε λιγότερα ατυχήματα

1. λιγότεροι από τους θανάτους από τροχαία ατυχήματα.

2. είναι μικρότερο από το ποσοστό των ανθρώπων που χάνουν τη ζωή τους στον δρόμο στο Σαλβαδόρ.

3. ήταν μικρότερος το 1997 σε σχέση με το 1980.

4. προέρχονται από σεισμούς και φωτιές.

5. δε φορούσαν ζώνη ή κράνος

6. 1,5 εκατομμύριο άνθρωποι.

7. μεγάλωσε από το 1980 ως το 1997.

8. περισσότεροι από τους θανάτους από τροχαία ατυχήματα.

9. θα είναι 92% περισσότεροι από ό,τι σήμερα.

10. είναι η καλύτερη εκπαίδευση των οδηγών.

11. είναι μικρότερο από το ποσοστό των ανθρώπων που χάνουν τη ζωή τους στον δρόμο στην Ευρώπη.

12. πάνω από 20.000 άτομα.

13. θα είναι 66% περισσότεροι σε σχέση με σήμερα.

14. είναι οι καλύτεροι δρόμοι.

15. ήταν απρόσεκτοι, μεθυσμένοι, μιλούσαν στο κινητό ή οδηγούσαν με μεγάλη ταχύτητα.

16. προέρχονται από ατυχήματα με τις συγκοινωνίες.

17. 15-20 εκατομμύρια άνθρωποι.

- Δεν πίνουμε όταν πρόκειται να οδηγήσουμε.
  Καλύτερα να πάρουμε ταξί ή να αφήσουμε κάποιο φίλο από την παρέα να οδηγήσει.

- Δε ρισκάρουμε τη ζωή μας κάνοντας αντικανονικές προσπεράσεις.

- Δε μιλάμε στο κινητό όταν οδηγούμε.

- Φοράμε πάντα τη ζώνη ασφαλείας ή το κράνος μας.

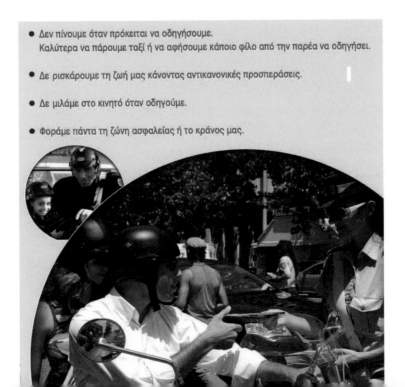

**15** Διαλέγω το σωστό, όπως στο παράδειγμα.

## Έλληνες οδηγοί

Αν οδηγείτε στην Ελλάδα, χρειάζεται να έχετε γερά νεύρα, γρήγορα αντανακλαστικά και έναν πολύ προσεκτικό φύλακα άγγελο. Οι Έλληνες οδηγοί συνηθίζουν <u>να προσπερνάνε</u> / να προσπεράσουν όπως νομίζουν και να σταματάνε / να σταματήσουν στην άκρη του δρόμου όποτε θέλουν, αλλά είναι πολύ εγωιστές για να αφήσουν τους άλλους να προσπερνάνε / να προσπεράσουν. Επίσης, δεν τους αρέσει να σταματάνε / να σταματήσουν πάντα στο ΣΤΟΠ ούτε να ανάβουν / να ανάψουν τα φλας κάθε φορά που στρίβουν ή αλλάζουν λωρίδα. Συνηθίζουν όμως να χρησιμοποιούν / να χρησιμοποιήσουν την κόρνα του αυτοκινήτου τους. Είστε, για παράδειγμα, στο φανάρι και πριν καλά καλά προλάβετε να βλέπετε / να δείτε ότι άναψε το πράσινο, οι οδηγοί που είναι πίσω σας φροντίζουν να το καταλαβαίνετε / να το καταλάβετε: αρχίζουν αμέσως να κορνάρουν!

Πρέπει ακόμα να γνωρίζετε / να γνωρίσετε ότι, αν είστε πολύ ευγενικοί, μπορεί κάποια φορά να μένετε / να μείνετε πολλή ώρα σε μια διασταύρωση: οι άλλοι οδηγοί δε θα σας αφήσουν να περνάτε / να περάσετε πρώτοι. Και, βέβαια, καλό είναι να κοιτάτε / να κοιτάξετε και δεξιά και αριστερά, γιατί οι πινακίδες συνήθως είναι χρήσιμες μόνο μετά το ατύχημα!

Ακόμα, πρέπει να προσέχετε / να προσέξετε πάντα τα μηχανάκια: οι οδηγοί τους, χωρίς κράνος τις πιο πολλές φορές, συνηθίζουν να περνάνε / να περάσουν ανάμεσα από τα αυτοκίνητα – πολλές φορές και από τα δεξιά σας.

Τέλος, ένα άλλο μεγάλο πρόβλημα είναι ότι συχνά οι Έλληνες πίνουν και οδηγούν. Γι' αυτό, καλό είναι τα Σαββατοκύριακα ή στις αργίες να προσέχετε / να προσέξετε πολύ ή να μην οδηγείτε / να μην οδηγήσετε καθόλου αργά τη νύχτα.

Όλα αυτά, βέβαια, μπορείτε να τα βλέπετε / να τα δείτε και με άλλον τρόπο: Μπορεί στους ελληνικούς δρόμους να γίνονται / να γίνουν συχνά ατυχήματα, αλλά πρέπει να λέμε / να πούμε ότι οι Έλληνες οδηγοί είναι οι καλύτεροι στον κόσμο. Γιατί:

– Πόσοι «ξένοι» οδηγοί μπορούν την ίδια στιγμή να οδηγούν / να οδηγήσουν με το αριστερό χέρι έξω από το παράθυρο και με το δεξί να κρατάνε / να κρατήσουν το τιμόνι, να αλλάζουν / να αλλάξουν ταχύτητες, και παράλληλα, να μιλάνε / να μιλήσουν στο κινητό, να πίνουν / να πιουν φραπέ, να στρίβουν / να στρίψουν τσιγάρο;

– Πόσοι μπορούν καθημερινά να περνάνε / να περάσουν τα φανάρια με κόκκινο, να μη σταματάνε / να μη σταματήσουν στα ΣΤΟΠ, να μη δίνουν / να μη δώσουν σημασία στα φλας και στα σήματα και να ζουν / να ζήσουν ακόμα;

Όταν, βέβαια, οι Έλληνες οδηγοί αποφασίζουν να πεθαίνουν / να πεθάνουν, το κάνουν σαν ήρωες. Είδατε ποτέ κανέναν «ξένο» οδηγό να βγαίνει / να βγει στο αντίθετο ρεύμα στην εθνική οδό απέναντι σε εκατοντάδες αυτοκίνητα;

(Στοιχεία από:
*http://www.kafenedaki.blogspot.com/2008/06/blog-post15.html* και
*The Xenophobe's guide to the Greeks*, Oval Books, 2001).

**1 6** Συμπληρώνω, όπως στο παράδειγμα.

### Συμβουλές για σωστή οδήγηση

1. Πρέπει _να φοράμε_ πάντα τη ζώνη ασφαλείας.
2. Οδηγούμε στην αριστερή λωρίδα μόνο τη στιγμή που θέλουμε _____ (προσπερνάω) και όχι όταν θέλουμε _____ (τρέχω).
3. Χρησιμοποιούμε πάντα το φλας όταν θέλουμε _____ (στρίβω) ή _____ (αλλάζω) λωρίδα.
4. Όταν είμαστε σε διασταύρωση, περιμένουμε _____ (σταματάω) η κυκλοφορία πριν προχωρήσουμε.
5. Στις εθνικές οδούς καλό είναι _____ (μένω) μακριά από τους πολύ αργούς οδηγούς.
6. Δεν ξεχνάμε ότι απαγορεύεται _____ (χρησιμοποιώ) το κινητό την ώρα της οδήγησης: είναι τέσσερις φορές πιο πιθανό _____ (παθαίνω) ατύχημα.
7. Πρέπει _____ (κοιτάζω) προσεκτικά όλο τον δρόμο και να είμαστε έτοιμοι για καθετί.
8. Δεν είναι δυνατόν _____ (φταίω) πάντα οι άλλοι ή οι κακοί δρόμοι. Πρέπει _____ (γνωρίζω) ότι εμείς είμαστε υπεύθυνοι για τον τρόπο που οδηγούμε.

**1 7** Διαβάζω το e-mail που έγραψε ο Φοίβος για την περιπέτειά του και διορθώνω τα λάθη, όπως στο παράδειγμα. (8 λάθη χωρίς το παράδειγμα)

Προς:

Κοιν:

Θέμα: Re: Περιπέτειες στους δρόμους της Αθήνας

Καλά, πολύ ωραία η Πάτρα. Έπρεπε να είσαι εδώ! Εσύ, τι νέα;
Φιλιά
Σοφία

Γεια σου, Σοφάκι,
Πού να σ' τα λέω! Είχα ατύχημα με τη μηχανή την περασμένη εβδομάδα. Εκεί που πήγαινα μια χαρά στον δρόμο μου, σε μια διασταύρωση βλέπω ένα αυτοκίνητο να ~~έρθει~~ να έρχεται από τα αριστερά μου. Έτρεχε πολύ και ήταν αδύνατο να βλέπει το ΣΤΟΠ και να σταματάει. Φυσικά κόρναρα, αλλά τίποτα. Ο τύπος μιλούσε στο κινητό και δεν πήρε χαμπάρι! Τελευταία στιγμή πρόλαβα να φρενάρω, αλλά δεν κατάφερα να κρατάω τη μηχανή και έπεσα κάτω. Μετά... καταλαβαίνεις. Περιμέναμε να έρθουν αστυνομίες, ασθενοφόρα και τέτοια. Τελικά δεν έπαθα τίποτα σοβαρό, αλλά οι γιατροί στο νοσοκομείο μού είπαν να μένω στο σπίτι για λίγες μέρες και να ηρεμώ. Ο πατέρας λέει να μην οδηγώ ξανά μηχανή, αλλά εγώ δε βλέπω την ώρα να ξαναβγώ στον δρόμο. Σε τελική, συνηθίζω να φορέσω κράνος και να προσέξω, έτσι δεν είναι;
Φιλάκια

**1 8** **Συμπληρώνω:**

1. – Ο Γιώργος και η Ειρήνη κάνουν κάθε χρόνο ένα μεγάλο ταξίδι. Είναι δυνατόν
   _να κερδίζουν_ (κερδίζω) τόσα λεφτά;
   – Όχι, βρε παιδί μου. Αλλά, απ' όσο ξέρω, προτιμάνε _____ (δίνω) τα
   λεφτά τους σε ταξίδια από το _____ (ψωνίζω). Έχουν ανάγκη
   _____ (γνωρίζω) ανθρώπους και _____ (μαθαίνω)
   καινούρια πράγματα.

2. Συγνώμη, κύριε! Δεν μπορείτε
   _____ (προσέχω)
   όταν οδηγείτε;

3. Μας τελείωσε ο καφές. Μπορείς
   _____ (φέρνω)
   καθώς θα έρχεσαι σπίτι;

4. Γιατί σταματήσατε
   _____ (μιλάω);

5. Η Χριστίνα αυτή τη φορά δε θα πάρει το
   αυτοκίνητο στην Κομοτηνή. Προτιμά
   _____ (πηγαίνω) με το τρένο.

6. Γιατί δε γύρισαν ακόμη; Αρχίζω
   _____ (ανησυχώ).

7. Ο Άγγελος είναι απρόσεκτος οδηγός.
   Συνηθίζει _____ (τρέχω) μέσα
   στην πόλη και _____ (οδηγώ) χωρίς ζώνη.

8. Έτσι μπράβο! Σταμάτα _____ (κλαίω). Θέλω να σε βλέπω
   _____ (γελάω).

9. Όταν έχω άγχος, αισθάνομαι την καρδιά μου _____ (χτυπάω) δυνατά.

10. Ο Αντώνης δε φοράει πάντα κράνος. Πρέπει _____ (το φοράω) κάθε φορά
    που οδηγεί μηχανή.

11. Η Μαρία ήπιε τόσο πολύ κρασί χτες, που ένιωθε _____ (γυρίζω) όλος ο
    κόσμος.

12. Την άκουσες ποτέ _____ (τραγουδάω); Έχει καταπληκτική φωνή!

13. Όταν άκουσε τα νέα, άρχισε _____ (γελάω) δυνατά.

14. – Γιατί δε μου δίνεις το αυτοκίνητό σου;
    – Γιατί δε μου αρέσει _____ (δανείζω) το αυτοκίνητό μου σε κανέναν.

15. Συνεχίζει _____ (πονάω) το κεφάλι μου. Λες _____
    (πηγαίνω) στον γιατρό;

16. Α! Να μην ξεχάσω _____ (φέρνω) τα βιβλία σου.

# Ένα ατύχημα στους δρόμους

## Παίζω έναν ρόλο

**1 9** Συνηθίζετε να τρέχετε έτσι;

### Ρόλος Α
Είμαι στην εθνική οδό με το αυτοκίνητό μου και με σταματά η τροχαία. Ο/Η τροχονόμος μού ζητά τα χαρτιά μου και μου λέει πως έτρεχα με υπερβολική ταχύτητα. Προσπαθώ να βρω κάποια δικαιολογία, για να μη μου δώσει πρόστιμο.

### Ρόλος Β
Είμαι τροχονόμος και βρίσκομαι στην εθνική οδό. Σταματάω τον/την οδηγό ενός αυτοκινήτου που έτρεχε με υπερβολική ταχύτητα και ζητάω τα χαρτιά του/της. Ο/Η οδηγός προσπαθεί να με πείσει να μη δώσω πρόστιμο.

## Είμαι όλος αυτιά       B18

**2 0** Ακούω στο ραδιόφωνο μια εκπομπή για τα πρόστιμα της τροχαίας. Συμπληρώνω τις προτάσεις, όπως στο παράδειγμα.

1. Αυτή η είδηση ενδιαφέρει πολύ <u>τους οδηγούς.</u>
2. Θα πληρώνουν 700 ευρώ οι οδηγοί που:
   α. _____ .
   β. _____ .
3. Μέχρι τώρα, αν κάποιος περνούσε με κόκκινο, πλήρωνε _____
4. Θα πληρώνουν 350 ευρώ οι οδηγοί που:
   α. _____ .
   β. _____ .
5. Χάνετε την άδεια οδήγησης για δέκα μέρες, αν _____ .
6. Πληρώνετε, αλλά δε χάνετε την άδεια οδήγησης, αν _____ .
7. Χάνετε την άδεια οδήγησης για δύο μήνες, αν _____ .
8. Χάνετε την άδεια οδήγησης για έναν μήνα, αν
   α. _____ .
   β. _____ .
9. Χάνετε την άδεια οδήγησης μέχρι και έξι μήνες, αν _____ .
10. Μέχρι σήμερα ένας οδηγός που χρησιμοποιεί το κινητό την ώρα που οδηγεί έπρεπε να πληρώσει _____ . Από τον επόμενο μήνα θα πληρώνει _____ .
11. Μέχρι και 1.200 ευρώ μπορεί να πληρώσει ο οδηγός που _____
12. Θα πληρώνει 200 ευρώ ο οδηγός που _____
13. Ο κύριος Παπαδήμας λέει ότι η τροχαία θέλει
   α. _____ .
   β. _____ .
14. Πέρυσι, μέσα σε έξι μήνες, η τροχαία σταμάτησε 30.000 οδηγούς που _____

## Γράψε-σβήσε

**2.1** Γράφω ένα γράμμα σε μια φίλη / έναν φίλο μου για ένα ατύχημα που είχα στον δρόμο ή στο σπίτι. Της/του περιγράφω τι ακριβώς έγινε, τι έκανα εγώ, ποιος με βοήθησε και πώς είμαι τώρα. (150 λέξεις περίπου)

_____
_____
_____
_____
_____
_____
_____
_____
_____
_____
_____
_____

## Φωνή-γραφή   B19

**2.2** Ακούω και συμπληρώνω τα γράμματα που λείπουν.

1. α__ __ενοφόρο
2. α__ __άλεια
3. π__ __σίπονο
4. __ __ενό
5. α__ __ινογραφία

6. διαστ__ __ρωση
7. έ__ __ασα
8. απαγορ__ __εται
9. __ __άνος
10. α__ __υνομία

## Για θυμήσου

**2.3** Διαλέγω το σωστό, όπως στο παράδειγμα.

1. Φοβάμαι <u>μήπως</u> αργήσουν.
   α. <u>μήπως</u>              β. ότι
2. Ευτυχώς ο οδηγός της μηχανής φορούσε _____ .
   α. ζώνη              β. κράνος
3. Ωραίος γιατρός! Τον είδαν _____ μέσα στο νοσοκομείο!
   α. να καπνίζει              β. να καπνίσει

4. Πού βρισκόμαστε; Κοντεύουμε _____ ;

    α. να φτάνουμε         β. να φτάσουμε

5. Ο οδηγός του αυτοκινήτου προσπάθησε _____ τον σκύλο και βγήκε από τον δρόμο.

    α. να αποφύγει         β. να αποφεύγει

6. Πώς αισθάνεστε; Να καλέσουμε _____ να σας πάει στο νοσοκομείο;

    α. την τροχαία         β. ένα ασθενοφόρο

7. Αν συνεχίσετε να πονάτε, μπορείτε να πάρετε _____ .

    α. παυσίπονα         β. εξετάσεις

8. Οχ! Το δόντι μου! Φοβάμαι ότι πρέπει _____ στον οδοντίατρο.

    α. να πάω         β. να πηγαίνω

**2.4** Γράφω τις λέξεις που έμαθα.

# Περιμένετε μισό λεπτό, παρακαλώ

- Πάρτε αυτή την αίτηση και συμπληρώστε τη.
- Μην πληρώσετε ακόμα τίποτα.
- Ακολουθείτε πιστά τις οδηγίες.

- Μη δίνετε ποτέ τον μυστικό προσωπικό σας αριθμό σε κανέναν.
- Αν σας δυσκολέψει κάτι, τηλεφωνήστε στην υπηρεσία μας.

# Ηρεμήστε, σας παρακαλώ.

**Ερβίν**: Καλημέρα σας. Ήρθα για έναν «φουσκωμένο» λογαριασμό.

**Υπάλληλος**: Καλημέρα. Περιμένετε μισό λεπτό, παρακαλώ. Εξυπηρετώ τηλεφωνικά έναν πελάτη.

**Ερβίν**: Μάλιστα.

**Υπάλληλος**: Πείτε μου. Τι θέλετε;

**Ερβίν**: Ήρθε προχτές ο λογαριασμός του νερού. Μόλις τον άνοιξε η αδελφή μου, παραλίγο να πάθει εγκεφαλικό. 203 ευρώ! Άφησα σήμερα τη δουλειά μου και ήρθα πρωί πρωί να δω τι συμβαίνει.

**Υπάλληλος**: Μάλιστα, ηρεμήστε, σας παρακαλώ. Δώστε μου τον λογαριασμό.

**Ερβίν**: Ορίστε.

**Υπάλληλος**: Πράγματι. Η κατανάλωσή σας είναι πολύ μεγάλη. Μένετε σε μονοκατοικία;

**Ερβίν**: Μπα. Πού τέτοια τύχη... Σε ένα δυάρι μένουμε, στο Πέραμα.

**Υπάλληλος**: Πόσο πληρώνατε περίπου τις άλλες φορές;

**Ερβίν**: Ε, δύο άτομα είμαστε... Ούτε κήπους έχουμε ούτε πισίνα. Ποτέ δεν πληρώσαμε πάνω από 50 ευρώ. Έφερα και τους προηγούμενους λογαριασμούς.

**Υπάλληλος**: Για να δω. Μάλιστα. Έχετε δίκιο. Η διαφορά είναι μεγάλη.

**Ερβίν**: Κάποιο λάθος έγινε. Δεν μπορεί.

**Υπάλληλος**: Μήπως έχετε διαρροή στο σπίτι και δεν το καταλάβατε;

**Ερβίν**: Τι να σας πω; Το έλεγξα. Κάλεσα και υδραυλικό. Δε βρήκε κανένα πρόβλημα.

**Υπάλληλος**: Μάλιστα. Κοιτάξτε. Θα ενημερώσω τους τεχνικούς της εταιρείας μας να έρθουν να ελέγξουν τον μετρητή σας. Μπορεί να έχει κάποια βλάβη.

**Ερβίν**: Και με τον λογαριασμό τι θα γίνει; Θα πρέπει να πληρώσω όλο αυτό το ποσό; Πού να βρω τόσα χρήματα;

**Υπάλληλος**: Ακούστε. Μην πληρώσετε ακόμα τίποτα. Πρώτα πρέπει να βρούμε τι συμβαίνει. Θα το δούμε. Σε τέτοιες περιπτώσεις γίνεται συνήθως μεγάλη έκπτωση από την εταιρεία μας.

**Ερβίν**: Πρέπει να κάνω κάτι άλλο εγώ;

**Υπάλληλος**: Βεβαίως. Συμπληρώστε μία αίτηση προς την Ε.ΥΔ.Α.Π., εξηγήστε το πρόβλημα και ζητήστε να πληρώσετε μετά τον έλεγχο του λογαριασμού σας.

**Ερβίν**: Να τη συμπληρώσω τώρα;

**Υπάλληλος**: Ναι. Καθίστε εκεί, στο τραπεζάκι. Όταν τελειώσετε, φέρτε την κατευθείαν σε μένα. Μην περιμένετε πάλι στην ουρά.

**Ερβίν**: Σας ευχαριστώ πολύ! Είστε πολύ εξυπηρετική.

**Υπάλληλος**: Αλίμονο! Τη δουλειά μου κάνω.

## Πώς το λένε;

Εξυπηρετώ τηλεφωνικά έναν πελάτη.
Παραλίγο να πάθει εγκεφαλικό.
Ήρθα να δω τι συμβαίνει.
Πράγματι.
Μπα. Πού τέτοια τύχη...
Για να δω.
Κάποιο λάθος έγινε. Δεν μπορεί.
Τι να σας πω;
Κοιτάξτε.
Πού να βρω τόσα χρήματα;
Ακούστε.
Αλίμονο! Τη δουλειά μου κάνω.

## Λέξεις, λέξεις

αίτηση (η)
βλάβη (η)
διαρροή (η)
έκπτωση (η)
εξυπηρετικός, -ή, -ό
κατανάλωση νερού (η)
μετρητής (ο)
περιμένω στην ουρά
τεχνικός της εταιρείας (ο/η)
υδραυλικός (ο/η)
«φουσκωμένος»
    λογαριασμός (ο)

## 1 Σωστό ή λάθος;

|  | Σωστό | Λάθος |
|---|---|---|
| 1. Ο Ερβίν πηγαίνει στην Ε.ΥΔ.Α.Π., γιατί έκοψαν το νερό στο σπίτι του. | ☐ | ☑ |
| 2. Η υπάλληλος της Ε.ΥΔ.Α.Π. στην αρχή μιλάει στο τηλέφωνο με έναν άλλο πελάτη. | ☐ | ☐ |
| 3. Η αδελφή του Ερβίν άρχισε να γελάει, μόλις άνοιξε τον λογαριασμό του νερού. | ☐ | ☐ |
| 4. Ο Ερβίν μένει σε μια μονοκατοικία στο Πέραμα. | ☐ | ☐ |
| 5. Τις προηγούμενες φορές ο Ερβίν και η αδελφή του δεν πλήρωναν πάνω από 50 ευρώ για την Ε.ΥΔ.Α.Π. | ☐ | ☐ |
| 6. Ο Ερβίν δεν κάλεσε ακόμη υδραυλικό για να ελέγξει το σπίτι του. | ☐ | ☐ |
| 7. Οι τεχνικοί της Ε.ΥΔ.Α.Π. πρέπει να ελέγξουν τον μετρητή του νερού, γιατί ίσως έχει βλάβη. | ☐ | ☐ |
| 8. Ο Ερβίν έχει τα χρήματα για να πληρώσει τον λογαριασμό. | ☐ | ☐ |
| 9. Η υπάλληλος του λέει ότι δεν πρέπει να πληρώσει ακόμα τον λογαριασμό. | ☐ | ☐ |
| 10. Η υπάλληλος δίνει στον Ερβίν μια αίτηση για να τη συμπληρώσει. | ☐ | ☐ |
| 11. Ο Ερβίν θα συμπληρώσει την αίτηση στο σπίτι του. | ☐ | ☐ |
| 12. Ο Ερβίν ευχαριστεί την υπάλληλο, γιατί ήταν πολύ εξυπηρετική. | ☐ | ☐ |

## Για δες

Βασικές Δημόσιες Υπηρεσίες:

**Υπουργείο** (π.χ., Υπουργείο Παιδείας)

**Δήμος / Περιφέρεια** (π.χ., Δήμος Αθηναίων, Περιφέρεια Αττικής)

**Κ.Ε.Π.** = Κέντρο Εξυπηρέτησης Πολιτών (→ πιστοποιητικά, πληροφορίες)

**Ο.Α.Ε.Δ.** = Οργανισμός Απασχόλησης Εργατικού Δυναμικού (→ κάρτα ανεργίας, επίδομα)

**Ι.Κ.Α.** = Ίδρυμα Κοινωνικών Ασφαλίσεων (→ βιβλιάριο υγείας, ένσημα)

**Εφορία** (→ φορολογική δήλωση, φόροι)

**Αστυνομία / Πυροσβεστική / Λιμενικό**

**Δ.Ε.Κ.Ο.** = Δημόσιες Επιχειρήσεις Και Οργανισμοί:

 **Δ.Ε.Η.** = Δημόσια Επιχείρηση Ηλεκτρισμού (→ ηλεκτρικό ρεύμα)

 **ΕΛ.ΤΑ.** = Ελληνικά Ταχυδρομεία (→ γράμμα, δέμα, γραμματόσημο)

 **Ε.ΥΔ.Α.Π.** = Εταιρεία Ύδρευσης και Αποχέτευσης Πρωτεύουσας (→ νερό / αποχέτευση)

 **Ο.Τ.Ε.** = Οργανισμός Τηλεπικοινωνιών Ελλάδος (→ σταθερό τηλέφωνο, ίντερνετ)

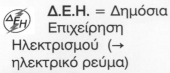 **Ο.Σ.Ε.** = Οργανισμός Σιδηροδρόμων Ελλάδος (→ τρένο)

 **Ο.Α.Σ.Α.** = Οργανισμός Αστικών Συγκοινωνιών Αθήνας (→ λεωφορεία, τρόλεϊ, τραμ, μετρό, προαστιακός, ηλεκτρικός σιδηρόδρομος)

**Τράπεζα:** δημόσια ή ιδιωτική (→ βιβλιάριο καταθέσεων, δάνειο, πιστωτική κάρτα, επιταγή, συνάλλαγμα)

Στις δημόσιες υπηρεσίες εργάζονται **δημόσιοι υπάλληλοι**, ενώ στον ιδιωτικό τομέα **ιδιωτικοί υπάλληλοι**.

Ιεραρχία:

διευθυντής
διευθύντρια

υποδιευθυντής
υποδιευθύντρια

προϊστάμενος
προϊσταμένη ▶ τμήματος

υπάλληλος

## Η σειρά μου τώρα

**2** Απαντάω:

Πήγες ποτέ σε υπηρεσία για να κάνεις τα παράπονά σου; Για ποιον λόγο;
Σου έστειλαν ποτέ «φουσκωμένο» λογαριασμό;
Βρήκες λύση στο πρόβλημά σου;
Πώς ήταν η συμπεριφορά των υπαλλήλων;

## Παίζω έναν ρόλο

**3** Μου άλλαξαν τα φώτα...

**Ρόλος Α**

Ήρθε ο λογαριασμός της Δ.Ε.Η. και πρέπει να πληρώσω πολύ περισσότερα από τις προηγούμενες φορές. Πηγαίνω στα γραφεία της επιχείρησης, για να εκφράσω τα παράπονά μου για τον «φουσκωμένο» λογαριασμό. Συζητάω με έναν/μια υπάλληλο και προσπαθώ να εξηγήσω το πρόβλημά μου.

**Ρόλος Β**

Εργάζομαι στα γραφεία της Δ.Ε.Η. Ένας κύριος / μια κυρία εκφράζει παράπονα, γιατί του/της ήρθε «φουσκωμένος» λογαριασμός. Συζητάω μαζί του/της και προσπαθώ να βοηθήσω.

**4** Μας έκοψαν το νερό...

**Ρόλος Α**

Σήμερα από το πρωί δεν έχω νερό στο σπίτι, ενώ πλήρωσα κανονικά τον λογαριασμό της Ε.ΥΔ.Α.Π. Τηλεφωνώ στην εταιρεία, μιλάω με μια/έναν υπάλληλο, εξηγώ το πρόβλημα και ζητάω λύση.

**Ρόλος Β**

Εργάζομαι στην Ε.ΥΔ.Α.Π. Μια πελάτισσα / ένας πελάτης τηλεφωνεί και αναφέρει ότι δεν έχει νερό στο σπίτι της/του, ενώ πλήρωσε κανονικά τον λογαριασμό. Ζητάω πληροφορίες και προσπαθώ να βοηθήσω.

**Για δες**

**Απλή Προστακτική Τύπος Α**

**Απλή Προστακτική**

|  | Ενεστώτας | Μέλλοντας | (εσύ) -ε | (εσείς) -τε |
|---|---|---|---|---|
| -νω | πληρώνω | θα πληρώσω | πλήρωσε | πληρώστε |
| -ζω ➡ σ | αγοράζω | θα αγοράσω | αγόρασε | αγοράστε |
|  | γυρίζω | θα γυρίσω | γύρισε | γυρίστε |
| -θω | νιώθω | θα νιώσω | νιώσε | νιώστε |
| -ζω | κοιτάζω | θα κοιτάξω | κοίταξε | κοιτάξτε |
| -γω | ανοίγω | θα ανοίξω | άνοιξε | ανοίξτε |
| -χω ➡ ξ | τρέχω | θα τρέξω | τρέξε | τρέξτε |
| -χνω | φτιάχνω | θα φτιάξω | φτιάξε | φτιάξτε |
| -κω | πλέκω | θα πλέξω | πλέξε | πλέξτε |
| -σκω | διδάσκω | θα διδάξω | δίδαξε | διδάξτε |
| -εύω | δουλεύω | θα δουλέψω | δούλεψε | δουλέψτε |
| -πω | λείπω | θα λείψω | λείψε | λείψτε |
| -φω ➡ ψ | γράφω | θα γράψω | γράψε | γράψτε |
| -βω | ανάβω | θα ανάψω | άναψε | ανάψτε |
| -πτω | ανακαλύπτω | θα ανακαλύψω | ανακάλυψε | ανακαλύψτε |

**Απλή Προστακτική**

| Ενεστώτας | Μέλλοντας | -ε | -τε |
|---|---|---|---|
| ακούω | θα ακούσω | άκουσε | ακούστε |
| αφήνω | θα αφήσω | άφησε (άσε) | αφήστε (άστε) |
| βάζω | θα βάλω | βάλε | βάλτε |
| βγάζω | θα βγάλω | βγάλε | βγάλτε |
| δίνω | θα δώσω | δώσε | δώστε |
| κλαίω | θα κλάψω | κλάψε | κλάψτε |
| παίρνω | θα πάρω | πάρε | πάρτε |
| πέφτω | θα πέσω | πέσε | πέστε |
| στέλνω | θα στείλω | στείλε | στείλτε |
| τρώω | θα φάω | φάε | φάτε |
| φέρνω | θα φέρω | φέρε | φέρτε |

**Απλή Προστακτική**

| Ενεστώτας | Μέλλοντας | -ε (-βε, -γε, -θε, -νε) | -ετε |
|---|---|---|---|
| κάνω | θα κάνω | κάνε | κάνετε/κάντε |
| καταλαβαίνω | θα καταλάβω | κατάλαβε | καταλάβετε |
| μαθαίνω | θα μάθω | μάθε | μάθετε |
| μένω | θα μείνω | μείνε | μείνετε |
| περιμένω | θα περιμένω | περίμενε | περιμένετε (περιμέντε) |
| πηγαίνω | θα πάω | πήγαινε | πηγαίνετε (πηγαίντε) |
| πλένω | θα πλύνω | πλύνε | πλύνετε/πλύντε |
| φεύγω | θα φύγω | φύγε | φύγετε |
| γίνομαι | θα γίνω | γίνε | γίνετε |

**209**

## Απλή Προστακτική

### Τύπος Β1

| Ενεστώτας | Μέλλοντας | Απλή Προστακτική | |
|---|---|---|---|
| ρωτάω (-ώ) | θα ρωτήσω | ρώτησε | ρωτήστε |
| περνάω (-ώ) | θα περάσω | πέρασε | περάστε |
| φοράω (-ώ) | θα φορέσω | φόρεσε | φορέστε |
| φυσάω (-ώ) | θα φυσήξω | φύσηξε | φυσήξτε |
| κοιτάω (-ώ) | θα κοιτάξω | κοίταξε | κοιτάξτε |

### Τύπος Β2

| | | | |
|---|---|---|---|
| εξηγώ | θα εξηγήσω | εξήγησε | εξηγήστε |
| καλώ | θα καλέσω | κάλεσε | καλέστε |

## Ανώμαλα ρήματα

| Ενεστώτας | Μέλλοντας | Απλή Προστακτική | |
|---|---|---|---|
| | | -ες | -ετε |
| βγαίνω | θα βγω | βγες | βγείτε (βγέστε) |
| βλέπω | θα δω | δες | δείτε (δέστε) |
| βρίσκω | θα βρω | βρες | βρείτε (βρέστε) |
| λέω | θα πω | πες | πείτε (πέστε) |
| μπαίνω | θα μπω | μπες | μπείτε |
| πίνω | θα πιω | πιες | πιείτε (πιέστε) |
| ανεβαίνω | θα ανέβω / θα ανεβώ | ανέβα | ανεβείτε |
| κατεβαίνω | θα κατέβω/θα κατεβώ | κατέβα | κατεβείτε |

| εσύ | | εσείς | |
|---|---|---|---|
| 3 - 2 - 1 | | 3 - 2 - 1 | |
| **διά** βα | σε | δια **βά** | στε |
| **μί** λη | σε | μι **λή** | στε |
| **κλεί** | σε | **κλεί** | στε |

| | |
|---|---|
| Πλήρωσε = Να πληρώσεις | **Μην** πληρώσεις = Να **μην** πληρώσεις |
| Πληρώστε = Να πληρώσετε | **Μην** πληρώσετε = Να **μην** πληρώσετε |

**5** Συμπληρώνω με Απλή Προστακτική, όπως στο παράδειγμα.

**Στην τράπεζα...**

**κ. Γρηγόρης:** Καλημέρα σας. Θα ήθελα να ανοίξω έναν λογαριασμό.

**Υπάλληλος:** Μάλιστα. _Δώστε_ μου την ταυτότητά σας, παρακαλώ.

**κ. Γρηγόρης:** Αχ, την ξέχασα. Έφυγα βιαστικά από το σπίτι.

**Υπάλληλος:** Χωρίς ταυτότητα δε γίνεται. _____
(πηγαίνω) να τη φέρετε και _____ (έρχομαι) κατευθείαν
σε μένα. _____ (δεν περιμένω) πάλι στην ουρά.

**κ. Γρηγόρης:** Να σας ρωτήσω κάτι. Μπορώ στον λογαριασμό να
βάλω και δεύτερο όνομα εκτός από το δικό μου; Πρόκειται για την κόρη μου.

**Υπάλληλος:** Βεβαίως. _____ (λέω) στην κόρη σας να έρθει μαζί σας με την
ταυτότητά της.

**κ. Γρηγόρης:** Δυστυχώς δεν μπορεί. Εργάζεται μέχρι το απόγευμα.

**Υπάλληλος:** _____ (ζητάω) της τότε να σας δώσει ένα επικυρωμένο αντίγραφο της ταυτότητάς της.

**κ. Γρηγόρης:** Μάλιστα. Ενδιαφέρομαι και για ένα στεγαστικό δάνειο.

**Υπάλληλος:** Για στεγαστικά δάνεια θα πάτε στον δεύτερο όροφο, στον κύριο Βεντουράτο. _____ (ανεβαίνω) με το ασανσέρ και μόλις βγείτε _____ (στρίβω) δεξιά και _____ (προχωρώ) λίγα μέτρα. Εκεί θα βρείτε το γραφείο του.

**κ. Γρηγόρης:** Σας ευχαριστώ πολύ. Γεια σας.

**6** Δίνω συμβουλές, όπως στο παράδειγμα.

1. Ο Χρήστος είναι πολύ άρρωστος απόψε. (παίρνω τηλέφωνο τον γιατρό ή το 166)
   – _Χρήστο, πάρε τηλέφωνο τον γιατρό ή το 166_ .

2. Η κυρία Αγγελική έχασε το πορτοφόλι της. (πηγαίνω στην αστυνομία)
   – _____

3. Η Σοφία είναι άνεργη. (παίρνω μια εφημερίδα και ψάχνω στις μικρές αγγελίες)
   – _____

4. Ο κύριος Κώστας θέλει να βγάλει καινούριο διαβατήριο. (ρωτάω στο Κ.Ε.Π. τι δικαιολογητικά χρειάζονται)
   – _____

5. Η κυρία Βασιλική έχασε την πιστωτική της κάρτα. (τηλεφωνώ αμέσως στην τράπεζα)
   – _____

6. Στον Στέφανο έστειλαν έναν «φουσκωμένο» λογαριασμό του Ο.Τ.Ε. (δεν πληρώνω – τηλεφωνώ στον Ο.Τ.Ε. και ρωτάω τι έγινε)
   – _____

7. Η Χριστίνα και ο Μάκης θέλουν να κάνουν μια αίτηση στο Ι.Κ.Α. (στέλνω την αίτηση ηλεκτρονικά)
   – _____

8. Ο κύριος Χάρης θέλει να κλείσει ραντεβού στο νοσοκομείο. (καλώ τον αριθμό 1535)
   – _____

**7** Δίνω οδηγίες. Συμπληρώνω, όπως στο παράδειγμα.

1. Να συμπληρώσετε αυτή την αίτηση.
   _Συμπληρώστε αυτή την αίτηση_ .

2. Να υπογράψετε εδώ.
   _____

3. Να ρωτήσετε στην Εφορία.
   _____

4. Να ζητήσετε πληροφορίες στα Κ.Ε.Π.
   _____

5. Να προτιμήσετε να στείλετε τη φορολογική σας δήλωση ηλεκτρονικά.
   _____

6. Να καταθέσετε όλα τα απαραίτητα δικαιολογητικά.

## Για δες

Κύριε, σβήστε το τσιγάρο σας, σας παρακαλώ. Απαγορεύεται να καπνίζετε μέσα σε δημόσιους χώρους.

**8 Δίνω εντολές σε επίσημο τόνο.**

1. Αν δε με πιστεύετε, κυρία μου, _____ (πηγαίνω και ρωτάω) τη διευθύντρια.
2. _____ (περνάω), παρακαλώ. Τι θα θέλατε;
3. Δυστυχώς δεν μπορώ να σας βοηθήσω. _____ (Μιλάω) καλύτερα με τον αρμόδιο υπάλληλο.
4. _____ (Αφήνω) τα χαρτιά σας και θα σας φωνάξουμε εμείς.
5. _____ (Υπογράφω) εδώ και είστε έτοιμος.
6. _____ (Κλείνω) την πόρτα, σας παρακαλώ.
7. _____ (Περιμένω) τη σειρά σας, κύριέ μου!
8. _____ (δίνω) μου το βιβλιάριο και την ταυτότητά σας.

## Για δες

Για έλα εδώ γρήγορα!

Για έλα εδώ γρήγορα!
Εμπρός, απάντησέ μου.
Άντε, κλείσε το τηλέφωνο.
Κλείσε το τηλέφωνο, επιτέλους!

Έλα εδώ, σε παρακαλώ.

Έλα εδώ, **σε παρακαλώ.**
Απάντησέ μου, **σε παρακαλώ.**
Κλείσε το τηλέφωνο, **σε παρακαλώ.**

**⑨ Διαβάζω δυνατά και σημειώνω πότε μιλάω με αυστηρό και πότε με ευγενικό τόνο, όπως στο παράδειγμα.**

| | Αυστηρός τόνος | Ευγενικός τόνος |
|---|---|---|
| 1. Για πες. Τι έγινε χτες; | ☐ | ☑ |
| 2. Ελάτε, επιτέλους! | ☐ | ☐ |
| 3. Άντε, σβήσε πια την τηλεόραση. | ☐ | ☐ |
| 4. Για δες. Έχει πολύ μεγάλη ουρά στο ταχυδρομείο; | ☐ | ☐ |
| 5. Κρατήστε λίγο την πόρτα. | ☐ | ☐ |
| 6. Για περίμενε. Θα το κοιτάξω και θα σου πω. | ☐ | ☐ |
| 7. Άντε, φάε επιτέλους! | ☐ | ☐ |
| 8. Για πες μου την αλήθεια. | ☐ | ☐ |
| 9. Δώσε μου το βιβλίο μου! | ☐ | ☐ |
| 10. Σου μιλάω! Απάντησέ μου! | ☐ | ☐ |

## Απλή Προστακτική με προσωπικές αντωνυμίες

| 3 - 2 - 1 | | 3 - 2 - 1 | |
|---|---|---|---|
| Κοίταξε | εμένα. | Κοίταξέ | με. |
| Ρώτησε | τον υπάλληλο. | Ρώτησέ | τον. |
| Διάβασε | την εφημερίδα. | Διάβασέ | την. |
| Πλήρωσε | το τηλέφωνο. | Πλήρωσέ | το. |
| Κοίταξε | εμάς. | Κοίταξέ | μας. |
| Ρώτησε | τους υπαλλήλους. | Ρώτησέ | τους. |
| Διάβασε | τις εφημερίδες. | Διάβασέ | τες/τις. |
| Διάβασε | αυτό το μήνυμα. | Διάβασέ | το. |

| | |
|---|---|
| Τηλεφώνησε σε εμένα. | Τηλεφώνησέ **μου.** |
| Τηλεφώνησε στον Ερβίν. | Τηλεφώνησέ **του.** |
| Τηλεφώνησε στην Αρλέτα. | Τηλεφώνησέ **της.** |
| Τηλεφώνησε σε εμάς | Τηλεφώνησέ **μας.** |
| Τηλεφώνησε στους φίλους σου. | Τηλεφώνησέ **τους.** |
| Τηλεφώνησε στις κοπέλες. | Τηλεφώνησέ **τους.** |
| Τηλεφώνησε στα παιδιά. | Τηλεφώνησέ **τους.** |

| **Μη!** | Περίμενέ **με.** | Μη **με** περιμένεις. |
|---|---|---|
| | Τηλεφώνησέ **μου.** | Μη **μου** τηλεφωνήσεις. |

| **Δώστε** την αίτηση σε μένα. | **Δώστε** **μού** την. |
|---|---|
| | **Δώστε** **τή** μου. |

## Φωνή-γραφή

| Απλή Προστακτική + | τον, τη(ν), το τους, τες, τα ▶ | , |
| --- | --- | --- |

| | | | |
| --- | --- | --- | --- |
| 2 1 | | 1 | |
| Κλείσε | τον υπολογιστή. | **Κλείσ'** | τον. |
| Φέρε | τις αιτήσεις. | **Φέρ'** | τες. |
| Στείλε | το γράμμα. | **Στείλ'** | το. |
| Δώσε | μου ένα στιλό. | **Δώσ'** μου ένα στιλό. | |

**1 0** Κάν' το!
Συμπληρώνω τις προτάσεις, όπως στο παράδειγμα.

1. Το τηλέφωνο είναι ανοιχτό. (το κλείνω) _Κλείσ' το._____
2. Η φορολογική δήλωση είναι έτοιμη. (τη στέλνω) _____ .
3. Η αίτηση είναι στην τσάντα. (την παίρνω) _____ .
4. Ο λογαριασμός ήρθε. (τον πληρώνω) _____ .
5. Τα πράγματά σου είναι στο αυτοκίνητο. (τα φέρνω) _____ .
6. Η διευθύντρια μπορεί να σε βοηθήσει. (της τηλεφωνώ) _____ .

## Είμαι όλος αυτιά    B21

**1 1** Ακούω εφτά διαλόγους και επιλέγω με ποια υπηρεσία επικοινωνεί κάθε φορά ο κύριος / η κυρία, όπως στο παράδειγμα. Οι σωστές απαντήσεις είναι έξι, χωρίς το παράδειγμα.

| | | | |
| --- | --- | --- | --- |
| στην Αστυνομία | | στη Δ.Ε.Η. (Δημόσια Επιχείρηση Ηλεκτρισμού) | |
| στην Εφορία | | στο νοσοκομείο | |
| στον Ο.Τ.Ε. (Οργανισμός Τηλεπικοινωνιών Ελλάδος) | | στην Ε.ΥΔ.Α.Π. (Εταιρεία Ύδρευσης) | |
| στην Πυροσβεστική | | στο Ι.Κ.Α. (Ίδρυμα Κοινωνικών Ασφαλίσεων) | |
| στο Κ.Ε.Π. (Κέντρο Εξυπηρέτησης Πολιτών) | | στη Γραμματεία του Πανεπιστημίου | |
| στον Ο.Σ.Ε. (Οργανισμός Σιδηροδρόμων Ελλάδος) | 1 | στον Ο.Α.Ε.Δ. (Οργανισμός Απασχόλησης Εργατικού Δυναμικού) | |
| στο ταχυδρομείο | | στην τράπεζα | |

## Γράψε-σβήσε

**12** Μου έκλεψαν την τσάντα. Πηγαίνω στο αστυνομικό τμήμα της γειτονιάς μου και κάνω γραπτή δήλωση κλοπής. Αναφέρω πότε, πού και πώς με έκλεψαν, περιγράφω την τσάντα και το περιεχόμενό της (π.χ., ταυτότητα, κάρτα αναλήψεων, πορτοφόλι) και δηλώνω ό,τι άλλο θεωρώ χρήσιμο. (130-150 λέξεις)

_____
_____
_____
_____
_____
_____
_____
_____
_____
_____
_____

## Παίζω έναν ρόλο

**13** Δεν μπορούμε να ηρεμήσουμε...

### Ρόλος Α
Τα τελευταία βράδια κάποιος γείτονας βάζει πολύ δυνατά τη μουσική και με ενοχλεί. Τηλεφωνώ στην αστυνομία, αναφέρω το πρόβλημα και ζητάω βοήθεια. Απαντάω στις ερωτήσεις της/του αστυνομικού.

### Ρόλος Β
Εργάζομαι στην αστυνομία. Μια κυρία / ένας κύριος τηλεφωνεί και αναφέρει ότι τα τελευταία βράδια κάποιος γείτονάς της/του βάζει πολύ δυνατά τη μουσική και την/τον ενοχλεί. Ζητάω πληροφορίες και λέω ότι θα πάει σε λίγο περιπολικό, για να ελέγξει την καταγγελία.

# Περιμένετε μισό λεπτό

**κ. Ανδρέας**: Καλημέρα σας!

**Υπάλληλος**: Καλημέρα. Τι θα θέλατε;

**κ. Ανδρέας**: Χρησιμοποίησα την κάρτα αναλήψεων για πρώτη φορά και το μηχάνημα την κράτησε. Ψάχνω τον αρμόδιο υπάλληλο.

**Υπάλληλος**: Εγώ είμαι. Μήπως κάνατε κάποιο λάθος;

**κ. Ανδρέας**: Τι να σας πω; Αυτά τα μηχανήματα είναι για τους νέους. Δεν είναι για εμάς τους ηλικιωμένους. Καλά έκανα εγώ μέχρι τώρα και χρησιμοποιούσα το βιβλιάριό μου.

**Υπάλληλος**: Μην το λέτε αυτό. Η κάρτα είναι πολύ χρήσιμη. Δε θα περιμένετε πια στην ουρά για μια ανάληψη.

**κ. Ανδρέας**: Μα αφού δεν ξέρω να τη χρησιμοποιώ.

**Υπάλληλος**: Δεν είναι τόσο δύσκολο. Μήπως γράψατε λάθος το PIN;

**κ. Ανδρέας**: Τι είναι το PIN;

**Υπάλληλος**: Ο μυστικός προσωπικός σας αριθμός. Σας τον έστειλαν στο σπίτι ταχυδρομικώς.

**κ. Ανδρέας**: Α, κατάλαβα. Νομίζω ότι τον έγραψα σωστά.

**Υπάλληλος**: Δώστε μου λίγο την ταυτότητά σας.

**κ. Ανδρέας**: Ορίστε.

**Υπάλληλος**: Περιμένετε μισό λεπτό. Πάω στο Α.Τ.Μ. να ξεμπλοκάρω την κάρτα και να σας τη φέρω.

**κ. Ανδρέας**: Σας ευχαριστώ πολύ.

.........................................................................................................................

**Υπάλληλος**: Ορίστε η καρτούλα σας. Πατήσατε τρεις φορές λάθος αριθμό. Γι' αυτό το μηχάνημα κράτησε την κάρτα.

**κ. Ανδρέας**: Είδατε; Σας το είπα. Δεν τα πηγαίνω καλά με την τεχνολογία.

**Υπάλληλος**: Σιγά σιγά θα μάθετε. Δεν είναι τίποτα. Να είστε όμως πολύ προσεκτικός, όταν χρησιμοποιείτε την κάρτα σας. Μη δίνετε ποτέ τον μυστικό προσωπικό σας αριθμό σε κανέναν. Προσέχετε, όταν βάζετε την κάρτα στο μηχάνημα. Αν δείτε κάτι ύποπτο, πάρτε την κάρτα σας και φύγετε.

**κ. Ανδρέας**: Έχετε δίκιο. Στην εποχή μας πρέπει να είμαστε πολύ προσεκτικοί. Τόσα συμβαίνουν.

**Υπάλληλος**: Ακριβώς. Ακολουθείτε πιστά τις οδηγίες του μηχανήματος. Και μην αγχώνεστε. Οι άλλοι μπορούν να περιμένουν.

**κ. Ανδρέας**: Ελπίζω την επόμενη φορά να τα καταφέρω.

**Υπάλληλος**: Και κάτι ακόμα. Μη ζητάτε ποτέ βοήθεια από αγνώστους. Αν υπάρχει κάποιο πρόβλημα με την κάρτα σας, ελάτε στην τράπεζα. Κάποιος από τους υπαλλήλους θα σας εξυπηρετήσει.

**κ. Ανδρέας**: Σας ευχαριστώ πολύ, νεαρέ.

**Υπάλληλος**: Να είστε καλά. Γεια σας.

# Περιμένετε μισό λεπτό, παρακαλώ

## Πώς το λένε;

Το μηχάνημα κράτησε την κάρτα.
Ψάχνω τον αρμόδιο υπάλληλο.
Μήπως κάνατε κάποιο λάθος;
Καλά έκανα εγώ.
Μην το λέτε αυτό.
Δε θα περιμένετε πια στην ουρά.
Μα αφού...
Α, κατάλαβα.
Είδατε; Σας το είπα.
Δεν τα πηγαίνω καλά με την τεχνολογία.
Σιγά σιγά θα μάθετε. Δεν είναι τίποτα.
Στην εποχή μας...Τόσα συμβαίνουν.
Ακολουθείτε πιστά τις οδηγίες.
Και κάτι ακόμα.

## Λέξεις, λέξεις

ακολουθώ τις οδηγίες
αρμόδιος, -α, -ο (αρμόδιος υπάλληλος)
αυτόματη ταμειακή μηχανή (η) = Α.Τ.Μ. (το)
βιβλιάριο (το)
κάρτα ανάληψης/αναλήψεων (η)
μυστικός προσωπικός αριθμός (ο)
= PIN (το)
ξεμπλοκάρω την κάρτα
προσεκτικός, -ή, -ό
ταχυδρομικώς / ταχυδρομικά /
με το ταχυδρομείο
τεχνολογία (η)

**14** Απαντάω στις ερωτήσεις, όπως στο παράδειγμα.

1. Πού βρίσκεται τώρα ο κύριος Ανδρέας και με ποιον μιλάει;
   *Ο κύριος Ανδρέας βρίσκεται στην τράπεζα και μιλάει με έναν υπάλληλο.*

2. Τι πρόβλημα έχει ο κύριος Ανδρέας;
   _____

3. Γιατί η κάρτα αναλήψεων θα είναι χρήσιμη για τον κύριο Ανδρέα;
   _____

4. Γιατί το μηχάνημα μπλόκαρε την κάρτα του κυρίου Ανδρέα;
   _____

5. Ποιες συμβουλές δίνει ο υπάλληλος στον κύριο Ανδρέα;
   Του λέει να

   α. _____
   β. _____
   γ. _____
   δ. _____
   ε. _____
   στ. _____

## Η σειρά μου τώρα

**15** Απαντάω:

Πηγαίνεις συχνά στην τράπεζα;
Ποιες δουλειές κάνεις συνήθως εκεί;
Πώς σου συμπεριφέρονται οι υπάλληλοι της τράπεζας;
Χρησιμοποιείς κάρτα ανάληψης χρημάτων από Α.Τ.Μ.;
Αντιμετώπισες ποτέ πρόβλημα, όταν χρησιμοποίησες την κάρτα;
Χρησιμοποιείς πιστωτική κάρτα;

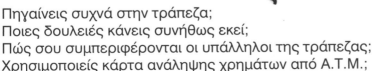

# 13 ενότητα

 **Παίζω έναν ρόλο**

**16** Διαβάζω τις οδηγίες της αυτόματης ταμειακής μηχανής (του Α.T.M.) και παίζω έναν ρόλο.

---

**Καλώς ήλθατε στο ΔΙΚΤΥΟ της Τράπεζάς μας!**

Σε περίπτωση απώλειας ή κλοπής καλέστε το 210 9999888.

Για συνέχεια πατήστε εδώ ❯

---

Πληκτρολογήστε τον μυστικό προσωπικό σας αριθμό.

Σε περίπτωση λάθους πατήστε το πλήκτρο ΔΙΟΡΘΩΣΗ/CLEAR.

---

Παρακαλούμε επιλέξτε τη συναλλαγή που επιθυμείτε:

| | |
|---|---|
| ΚΑΤΑΘΕΣΗ | ΑΝΑΛΗΨΗ |
| ΜΕΤΑΦΟΡΕΣ ΠΟΣΩΝ / ΕΜΒΑΣΜΑΤΑ | ΓΡΗΓΟΡΗ ΑΝΑΛΗΨΗ / FAST CASH |
| ΠΛΗΡΩΜΕΣ (Δ.Ε.Κ.Ο., ΔΗΜΟΣΙΕΣ, ΛΟΙΠΕΣ) | ΥΠΟΛΟΙΠΟ/ΚΙΝΗΣΗ ΛΟΓΑΡΙΑΣΜΟΥ |
| ΑΛΛΑΓΗ ΜΥΣΤΙΚΟΥ ΑΡΙΘΜΟΥ | ΕΝΕΡΓΟΠΟΙΗΣΗ ΚΑΡΤΑΣ |

---

**Ρόλος Α**
Προσπαθώ να χρησιμοποιήσω για πρώτη φορά την κάρτα αναλήψεων από Α.T.M., αλλά δεν καταλαβαίνω κάποιες από τις οδηγίες. Μπαίνω στο κατάστημα της τράπεζας και ζητάω πληροφορίες από έναν/μια υπάλληλο.

**Ρόλος Β**
Εργάζομαι στο κατάστημα μιας τράπεζας. Μια πελάτισσα / ένας πελάτης χρησιμοποιεί για πρώτη φορά την κάρτα αναλήψεων από Α.T.M., αλλά δεν καταλαβαίνει κάποιες από τις οδηγίες. Μπαίνει στο κατάστημα και μου ζητάει πληροφορίες. Προσπαθώ να τον/τη βοηθήσω.

# Περιμένετε μισό λεπτό, παρακαλώ

 **Για δες**

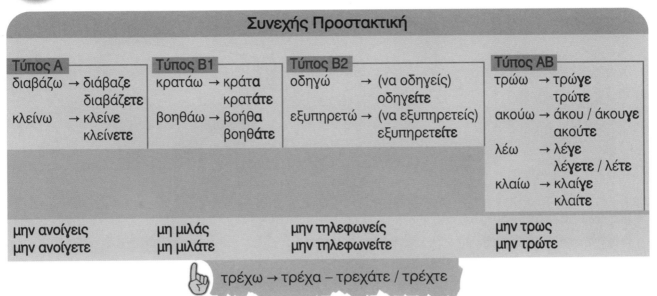

| Συνεχής Προστακτική | | | |
|---|---|---|---|
| **Τύπος Α** | **Τύπος Β1** | **Τύπος Β2** | **Τύπος ΑΒ** |
| διαβάζω → διάβαζε<br>διαβάζετε<br>κλείνω → κλείνε<br>κλείνετε | κρατάω → κρά**τα**<br>κρα**τά**τε<br>βοηθάω → βοή**θα**<br>βοη**θά**τε | οδηγώ → (να οδηγείς)<br>οδηγείτε<br>εξυπηρετώ → (να εξυπηρετείς)<br>εξυπηρετείτε | τρώω → τρώγε<br>τρώτε<br>ακούω → άκου / άκουγε<br>ακούτε<br>λέω → λέγε<br>λέγετε / λέτε<br>κλαίω → κλαίγε<br>κλαίτε |
| μην ανοίγεις<br>μην ανοίγετε | μη μιλάς<br>μη μιλάτε | μην τηλεφωνείς<br>μην τηλεφωνείτε | μην τρως<br>μην τρώτε |

τρέχω → τρέχα – τρεχάτε / τρέχτε

**Ακολουθείτε** πιστά τις οδηγίες. = **Να ακολουθείτε** πιστά τις οδηγίες.

**Μη δίνετε** τον αριθμό της κάρτας σας σε κανέναν. = **Να μη δίνετε** τον αριθμό της κάρτας σας σε κανέναν.

**Εξυπηρετείτε** πάντα με ευγένεια τους πελάτες της εταιρείας μας. (= Να εξυπηρετείτε)

**Μην ανησυχείς**, Γρηγόρη. Αύριο θα πάμε μαζί στην εφορία. (= Να μην ανησυχείς)

**Προσέχετε**, όταν βάζετε την κάρτα στο μηχάνημα. (= Να προσέχετε)

**Μη φωνάζετε**, κύριε. Θα σας εξυπηρετήσω σε δυο λεπτά. (= Να μη φωνάζετε)

## Συνεχής Προστακτική με προσωπικές αντωνυμίες

**Διάβαζε** προσεκτικά τις ανακοινώσεις του υπουργείου. = **Διάβαζέ τες** προσεκτικά.
(= Να τις διαβάζεις)

**Κλείνε** τον υπολογιστή, όταν φεύγεις. = **Κλείνε τον**, όταν φεύγεις. (= Να τον κλείνεις)

# 13 ενότητα

**1 7** **Συμπληρώνω, όπως στο παράδειγμα.**

Τι λες σε κάποιον που γενικά...
1. δε διαβάζει συχνά βιβλία;
   – *Διάβαζε βιβλία πιο συχνά./ Να διαβάζεις βιβλία
   πιο συχνά.*
2. πετάει σκουπίδια κάτω;
   – _____
3. δε μιλάει ευγενικά;
   – _____
4. νευριάζει εύκολα;
   – _____
5. δε ρωτάει, όταν δεν καταλαβαίνει;
   – _____

Τι λες σε κάποιους που γενικά...
1. δεν οδηγούν προσεκτικά;    – *Οδηγείτε προσεκτικά. / Να οδηγείτε προσεκτικά.*
2. δεν προσέχουν τι λένε;    – _____
3. βλέπουν πολύ τηλεόραση;    – _____
4. δεν περιμένουν στην ουρά;    – _____
5. μιλούν πολύ δυνατά;    – _____

**1 8** **Συμπληρώνω, όπως στο παράδειγμα.**

Για να προστατεύσετε το σπίτι σας και εσάς από κλοπή:
1. *Κλειδώνετε* (κλειδώνω) πάντα την πόρτα του διαμερίσματός σας, όταν φεύγετε από το σπίτι.
2. _____ (δεν ανοίγω) την πόρτα, αν δεν ξέρετε ποιος είναι.
3. _____ (δεν αφήνω) ανοιχτές τις πόρτες και τα παράθυρα των μπαλκονιών,
   ακόμα και όταν κάνει ζέστη.
4. _____ (προσέχω) την τσάντα σας και τα προσωπικά σας αντικείμενα, όταν
   είστε σε χώρους με πολύ κόσμο.
5. _____ (περπατάω) το βράδυ σε φωτεινούς και κεντρικούς δρόμους.
6. _____ (δε βάζω) το πορτοφόλι σας στην πίσω τσέπη του παντελονιού.

 **Για δες**

| μία φορά | συνέχεια/συχνά/πάντα |
|---|---|
| **Αόριστος**<br>Χτες **πλήρωσα** τον λογαριασμό του Ο.Τ.Ε. | **Παρατατικός**<br>Παλιά **πλήρωνα** τους λογαριασμούς μου στην αρχή του μήνα. |
| **Απλός Μέλλοντας**<br>Αύριο **θα πληρώσω** 500 ευρώ στην εφορία. | **Συνεχής Μέλλοντας**<br>Από τον επόμενο μήνα **θα πληρώνω** πιο πολύ φόρο. |
| **Απλή Προστακτική**<br>**Τρέξε** γρήγορα στο ταχυδρομείο και **πλήρωσε** τον λογαριασμό. Λήγει σήμερα. | **Συνεχής Προστακτική**<br>**Πλήρωνε** πάντα τους λογαριασμούς στην ώρα τους. Για να μην τρέχεις την τελευταία στιγμή. |

# Περιμένετε μισό λεπτό, παρακαλώ

**19** Υπογραμμίζω το σωστό, όπως στο παράδειγμα.

1. Άννα, _δώσε_ μου, σε παρακαλώ, τον φάκελο του κυρίου Παπαδημητρίου. Τον ζήτησε ο διευθυντής.
   α. δώσε          β. δίνε

2. Άγγελε, τα απογεύματα, μετά τη δουλειά, _____ εσύ τον σκύλο βόλτα. Δεν προλαβαίνω να τα κάνω όλα εγώ.
   α. βγάλε          β. βγάζε

3. Για να μην τρέχεις άδικα στο υπουργείο, _____ πάντα προσεκτικά τις ανακοινώσεις στο διαδίκτυο.
   α. διάβαζε          β. διάβασε

4. Μυρτώ, _____ το παράθυρο. Θα μπουν κουνούπια.
   α. κλείσε          β. κλείνε

5. Μιχάλη, θα αργήσω λίγο σήμερα. Έμπλεξα στην κίνηση. _____ το στη διευθύντρια.
   α. Πες          β. Λέγε

6. _____ με ήσυχο, σε παρακαλώ! Με ζάλισες από το πρωί με την γκρίνια σου.
   α. Άφησέ          β. Άφηνέ

7. Κυρία Ειρήνη, για να χάσετε κιλά, _____ πάντα καλά το πρωί και ελαφριά το βράδυ.
   α. φάτε          β. τρώτε

8. Σας παρακαλώ, κυρία μου! _____ . Περιμένετε στη σειρά σας.
   α. Μη σπρώξετε          β. Μη σπρώχνετε

# 13 ενότητα

**2 0** Απλή ή Συνεχής Προστακτική; Συμπληρώνω, όπως στο παράδειγμα.

1. Παιδιά, _ανοίξτε_ (ανοίγω) την τηλεόραση. Αρχίζουν οι ειδήσεις σε λίγο.

2. Κύριε Αντωνίου, _____ (συμπληρώνω), σας παρακαλώ, αυτή την αίτηση και _____ (αφήνω) τη στο γραφείο μου.

3. Όταν ανεβαίνεις στη μηχανή, Πόπη, _____ (φοράω) πάντα το κράνος σου. Σώζει ζωές!

4. Κυρία Αναγνώστου, _____ (ειδοποιώ), σας παρακαλώ, τον προϊστάμενο. Τον ζητάει ένας κύριος.

5. Χριστίνα, _____ (ανάβω) το φως. Είναι σκοτεινά εδώ μέσα.

6. Ορέστη, _____ (δεν πηγαίνω) ποτέ στην εφορία την τελευταία στιγμή. Έχει ουρά.

7. Αφού πονάει το στομάχι σας, κυρία Αμαλία, _____ (δεν πίνω) συνέχεια καφέδες. Σας κάνουν κακό.

8. Κατερίνα, _____ (ελέγχω) το ηλεκτρονικό ταχυδρομείο σου. Ίσως ήρθε η απάντηση από το Πανεπιστήμιο.

 **Για δες**

> Για τα ρήματα **τύπου Β1 (-άω)** και μερικά άλλα χρησιμοποιούμε τη Συνεχή Προστακτική σαν Απλή.

**Κράτα** (κράτησε) καλά την τσάντα σου. Θα σου πέσει.
**Ρώτα** (ρώτησε) τη διευθύντρια.
**Κοίτα** (κοίταξε) στο ίντερνετ. Θα βρεις χρήσιμες πληροφορίες για την εργασία σου.
**Σταμάτα** (σταμάτησε)! Δεν μπορώ να σε ακούω.
**Μίλα** (μίλησε)! Πες όλη την αλήθεια!
**Προχώρα** (προχώρησε) ευθεία και στο πρώτο φανάρι στρίψε δεξιά.
**Πέρνα** (πέρασε) να τα πούμε όποτε θέλεις.

**Λέγε** (πες)! Τι έγινε;
**Πρόσεχε** (πρόσεξε)! Θα πέσεις.

## Υπάρχει χρόνος.
## Μην ανησυχείτε.

**Υπάλληλος**: Καλημέρα. Τι θα θέλατε;

**Πάμπλο**: Καλημέρα σας. Προσπάθησα να συμπληρώσω τη φορολογική μου δήλωση, αλλά έχω κάποιες απορίες.

**Υπάλληλος**: Πείτε μου. Τι πρόβλημα υπάρχει;

**Πάμπλο**: Ξέρετε, είναι η πρώτη φορά που κάνω φορολογική δήλωση στην Ελλάδα.

**Υπάλληλος**: Είστε εργαζόμενος;

**Πάμπλο**: Ναι, είμαι καθηγητής Ισπανικών. Δουλεύω σε ένα φροντιστήριο.

**Υπάλληλος**: Μάλιστα. Σας έδωσαν βεβαίωση αποδοχών;

**Πάμπλο**: Ναι. Την έχω μαζί μου. Ορίστε.

**Υπάλληλος**: Ωραία. Έχετε άλλα εισοδήματα;

**Πάμπλο**: Όχι. Μόνο τον μισθό μου.

**Υπάλληλος**: Τότε τα πράγματα είναι πολύ απλά. Τι σας δυσκολεύει;

**Πάμπλο**: Κοιτάξτε. Συγκέντρωσα κάποιες αποδείξεις. Αλλά δεν ξέρω ποιες πρέπει να βάλω στη δήλωσή μου, για να έχω έκπτωση.

**Υπάλληλος**: Διαβάσατε προσεκτικά το βιβλιαράκι με τις οδηγίες;

**Πάμπλο**: Ποιο βιβλιαράκι;

**Υπάλληλος**: Μαζί με τα έντυπα της φορολογικής δήλωσης δε σας έστειλαν κι ένα βιβλιαράκι;

**Πάμπλο**: Α, ναι. Του έριξα μια ματιά.

**Υπάλληλος**: Διαβάστε το με προσοχή. Εκεί υπάρχουν αναλυτικές οδηγίες. Βλέπετε και μόνος σας ότι σήμερα η ουρά είναι τεράστια. Δεν μπορώ να ελέγξω μία μία τις αποδείξεις σας.

**Πάμπλο**: Έχετε δίκιο. Αλλά δεν ξέρω τόσο καλά ελληνικά και μερικές λέξεις στο βιβλιαράκι δεν τις καταλαβαίνω.

**Υπάλληλος**: Είναι λογικό. Αν έχετε κάποιον φίλο που ξέρει καλά ελληνικά, πείτε του να σας βοηθήσει ή πηγαίνετε σε έναν λογιστή.

**Πάμπλο**: Καλά. Κάτι θα κάνω. Ο συγκάτοικός μου είναι Έλληνας.

**Υπάλληλος**: Ωραία. Σε τι νούμερο λήγει ο Αριθμός Φορολογικού Μητρώου σας;

**Πάμπλο**: Ο ποιος;

**Υπάλληλος**: Το Α.Φ.Μ. σας.

**Πάμπλο**: Α, μάλιστα! Σε 9.

**Υπάλληλος**: Έχετε ακόμα προθεσμία 10 ημερών, για να καταθέσετε τη φορολογική σας δήλωση. Υπάρχει χρόνος. Μην ανησυχείτε.

**Πάμπλο**: Οκέι. Σας ευχαριστώ.

**Υπάλληλος**: Και μια συμβουλή. Αν θέλετε, στείλτε τη δήλωσή σας ηλεκτρονικά. Θα γλιτώσετε την ουρά.

**Πάμπλο**: Καλά. Θα προσπαθήσω. Ευχαριστώ.

**Υπάλληλος**: Γεια σας.

## Πώς το λένε;

Πείτε μου. Τι πρόβλημα υπάρχει;
Ξέρετε,...
Του έριξα μια ματιά.
Βλέπετε και μόνος σας ότι...
Έχετε δίκιο.
Είναι λογικό.
Καλά. Κάτι θα κάνω.
Σε τι νούμερο λήγει ο Αριθμός
   Φορολογικού Μητρώου σας;
Ο ποιος;
Έχετε ακόμα προθεσμία 10 ημερών, για να
   καταθέσετε τη φορολογική σας δήλωση.
Υπάρχει χρόνος.
Και μια συμβουλή.
Θα γλιτώσετε την ουρά.

## Λέξεις, λέξεις

απόδειξη (η)
Αριθμός Φορολογικού Μητρώου (ο)
= Α.Φ.Μ. (το)
βεβαίωση αποδοχών (η)
εισόδημα (το)
έντυπο της φορολογικής δήλωσης (το)
έχω απορία/απορίες
ηλεκτρονικά = μέσω διαδικτύου/ίντερνετ
καταθέτω/στέλνω τη φορολογική δήλωση
λογιστής (ο), λογίστρια (η)
συμπληρώνω τη φορολογική δήλωση
οδηγία (η)
προσεκτικά = με προσοχή
τεράστιος, -α, -ο

### 2 1  Σωστό ή λάθος;

|  | Σωστό | Λάθος |
|---|---|---|
| 1. Ο Πάμπλο είναι στην εφορία, για να πληρώσει τον φόρο εισοδήματος. | ☐ | ☑ |
| 2. Ένας λογιστής βοήθησε φέτος τον Πάμπλο να συμπληρώσει τη φορολογική του δήλωση. | ☐ | ☐ |
| 3. Ο Πάμπλο εργάζεται σε φροντιστήριο και διδάσκει Ισπανικά. | ☐ | ☐ |
| 4. Ο Πάμπλο έχει και άλλα έσοδα εκτός από τον μισθό του. | ☐ | ☐ |
| 5. Ο Πάμπλο δεν ξέρει ποιες αποδείξεις πρέπει να βάλει στη δήλωσή του, για να έχει έκπτωση. | ☐ | ☐ |
| 6. Η υπάλληλος της εφορίας ελέγχει μία μία τις αποδείξεις του Πάμπλο. | ☐ | ☐ |
| 7. Ο Πάμπλο μένει στο ίδιο σπίτι με έναν Έλληνα. | ☐ | ☐ |
| 8. Ο Αριθμός Φορολογικού Μητρώου του Πάμπλο τελειώνει σε 9. | ☐ | ☐ |
| 9. Ο Πάμπλο πρέπει να καταθέσει τη φορολογική του δήλωση σε 5 ημέρες. | ☐ | ☐ |
| 10. Ο Πάμπλο μπορεί να καταθέσει τη φορολογική του δήλωση και ηλεκτρονικά. | ☐ | ☐ |

## Για δες

**Στην εφορία:**
- βγάζω Αριθμό Φορολογικού Μητρώου (Α.Φ.Μ.),
- καταθέτω τη φορολογική μου δήλωση,
- πληρώνω φόρους,
- πληρώνω τα τέλη κυκλοφορίας του αυτοκινήτου / της μηχανής.

# Περιμένετε μισό λεπτό, παρακαλώ

## Η σειρά μου τώρα

**2.2 Απαντάω:**

Πήγες ποτέ στην εφορία; Για ποιον λόγο;
Πώς ήταν η εξυπηρέτηση;

## Παίζω έναν ρόλο

**2.3 Λυπάμαι. Ο αρμόδιος υπάλληλος δεν είναι εδώ...**

### Ρόλος Α
Θέλω να ανοίξω ένα μαγαζί. Πηγαίνω στην εφορία της περιοχής μου. Όταν μετά από πολλή ώρα στην ουρά φτάνει η σειρά μου, μου λένε ότι ο αρμόδιος υπάλληλος λείπει και ότι πρέπει να πάω ξανά την επόμενη ημέρα. Είμαι πολύ θυμωμένη/θυμωμένος και ζητάω να μιλήσω με τον διευθυντή/τη διευθύντρια της υπηρεσίας.

### Ρόλος Β
Εργάζομαι στην εφορία. Ένας κύριος / μια κυρία θέλει να ανοίξει ένα μαγαζί και μου ζητάει πληροφορίες. Του/Της εξηγώ ότι ο αρμόδιος υπάλληλος λείπει και ότι πρέπει να έρθει ξανά την επόμενη ημέρα. Προσπαθώ να του δώσω να καταλάβει ότι δεν μπορώ να τον/την εξυπηρετήσω κι ότι με καθυστερεί από τη δουλειά μου.

### Υποθετικές προτάσεις (τύπος Α)

**Αν + Απλός Μέλλοντας (χωρίς το θα) ➡ Προστακτική**

Αν **δείτε** κάτι ύποπτο, **πάρτε** την κάρτα σας και **φύγετε**.
Αν σας **δυσκολέψει** κάτι, **ελάτε** πάλι εδώ ή **τηλεφωνήστε** στην υπηρεσία μας.

Αλλά και:
**Αν + Ενεστώτας ➡ Προστακτική**

Αν **υπάρχει** κάποιο πρόβλημα με την κάρτα σας, **ελάτε** στην τράπεζα.
Αν **θέλετε**, **στείλτε** τη δήλωσή σας ηλεκτρονικά.

ενότητα **13**

**24** Συμπληρώνω τις προτάσεις, όπως στο παράδειγμα.

1. Αν σου ξαναμιλήσει άσχημα, _πες_ (λέω) το μου.
2. Κυρία Κυριαζοπούλου, αν θέλετε βοήθεια, _____ (φωνάζω) με.
3. Αν τον αγαπάς, _____ (συγχωρώ) τον.
4. Αν έχεις ευαισθησία στο στομάχι, _____ (δεν τρώω) ποτέ καυτερά φαγητά. Σου κάνουν κακό.
5. Ανθή, αν πας στον δήμο, _____ (ζητάω) ένα πιστοποιητικό οικογενειακής κατάστασης. Θα μας χρειαστεί.
6. Κύριε Γεωργίου, αν έχετε καμιά απορία, _____ (τηλεφωνώ) στον διευθυντή.
7. Αν ξυπνήσεις πρώτος, _____ (ξυπνάω) με και μένα.
8. Μυρτώ, αν σχολάσεις νωρίς από τη δουλειά, _____ (περνάω) από την τράπεζα και _____ (ρωτάω) για το δάνειο.
9. Παιδιά, αν κάνει ζέστη το βράδυ, _____ (ανάβω) το κλιματιστικό.
10. Δημήτρη, αν πάρεις το μηχανάκι, _____ (δεν τρέχω) στον δρόμο. Είναι γεμάτος λακκούβες.
11. Αν δε βρίσκεις το κτίριο του Ο.Τ.Ε., Γιάννη, _____ (ρωτάω) κάποιον περαστικό.

**25** Συμπληρώνω τις προτάσεις, όπως στο παράδειγμα.

1. Αν μάθεις κάτι, _πάρε με τηλέφωνο_ .
2. Δώσ' του χαιρετίσματα, αν _____
3. Αν αργήσω, _____
4. Μην του απαντήσετε, αν _____
5. Αν πας στο ταχυδρομείο, _____
6. Κέρασέ τους γλυκό, αν _____
7. Αν δεν έχετε χρήματα, _____
8. Άρχισε δίαιτα, αν _____
9. Αν έρθει η ειδοποίηση για την εφορία, _____
10. Τηλεφωνήστε στην αστυνομία, αν _____

**2 6** Σωστό (Σ) ή λάθος (Λ); Διαβάζω το κείμενο για τις δημόσιες υπηρεσίες στην Ελλάδα και συμπληρώνω τον πίνακα, όπως στο παράδειγμα.

### Μια ζωή στην ουρά...

**Από το Ι.Κ.Α. μέχρι τον Ο.Α.Ε.Δ. και από τις πολεοδομίες μέχρι τα δικαστήρια, το ελληνικό Δημόσιο εξαντλεί την υπομονή των πολιτών του.**

Της Γεωργίας Λινάρδου

Οι Έλληνες φωνάζουμε πολύ για όλα και θα φωνάζαμε περισσότερο, αλλά υπάρχει το Δημόσιο που μας εκπαιδεύει εντατικά στο... «περίμενε». Οι συμπολίτες μας, λοιπόν, περιμένουν για να βγουν στη σύνταξη, περιμένουν και για να την πάρουν. Περιμένουν για να δουν έναν γιατρό του Ι.Κ.Α. Στην Ελλάδα της «υπομονής» δεν είναι σπάνιο κάποιος ασφαλισμένος να βγάζει τα δόντια του τον Οκτώβρη και να βάζει τη μασέλα τον Απρίλη.

Λίστες αναμονής υπάρχουν παντού. Μπορεί στον τομέα της υγείας να υπάρχουν τα περισσότερα προβλήματα, όμως γενικότερα η δημόσια διοίκηση δε λειτουργεί ικανοποιητικά. Το προσωπικό σε ορισμένες υπηρεσίες δεν είναι αρκετό, δεν υπάρχουν παντού ηλεκτρονικοί υπολογιστές, η γραφειοκρατία κουράζει τους πολίτες. Υπάρχουν βέβαια και υπηρεσίες που λειτουργούν ικανοποιητικά, όπως τα Κέντρα Εξυπηρέτησης Πολιτών (Κ.Ε.Π.), που τα τελευταία χρόνια μείωσαν την ταλαιπωρία και τις ουρές σε σημαντικό βαθμό.

Ας αναφέρουμε ενδεικτικά ορισμένους τομείς, όπου ο πολίτης συχνά δεν εξυπηρετείται ικανοποιητικά:

### Σύνταξη

Κάποιος μπορεί να περιμένει ακόμα και 18 μήνες, σύμφωνα με τους εκπροσώπους των εργαζομένων στα ασφαλιστικά ταμεία, για να πάρει σύνταξη. Χαρακτηριστικά αναφέρεται η περίπτωση ασφαλισμένου του Ι.Κ.Α. ο οποίος ανέμενε περίπου έναν χρόνο μέχρι οι υπάλληλοι σε υποκατάστημα του Ι.Κ.Α. στη Δυτική Αττική να μετρήσουν τα ένσημά του. Κάθε φορά που ρωτούσε τι έγινε με την υπόθεσή του, του απαντούσαν: «Η αρμόδια υπάλληλος είναι σε άδεια», «Δεν τελειώσαμε ακόμα την καταμέτρηση», «Μην τηλεφωνείτε, θα σας ειδοποιήσουμε εμείς». Αυτό συμβαίνει, γιατί σε πολλά υποκαταστήματα του Ι.Κ.Α. υπάρχει έλλειψη προσωπικού, δεν υπάρχουν αρκετοί υπολογιστές και τα στοιχεία των ασφαλισμένων καταγράφονται πολλές φορές σε καρτέλες με το χέρι. Πάντως, ο αρχικός στόχος είναι η σύνταξη να βγαίνει μέσα σε 20 ημέρες...

### Ραντεβού στο Ι.Κ.Α.

Είναι δύσκολο να κλείσει κάποιος ραντεβού σε ορισμένες ειδικότητες γιατρών. Για παράδειγμα, για οφθαλμίατρο ο ασθενής θα περιμένει περίπου έναν μήνα, για παθολόγο και ορθοπεδικό από 20 ημέρες έως έναν μήνα, ενώ για ενδοκρινολόγο η αναμονή μπορεί να φτάσει και τους δύο μήνες. Τώρα, αν τα νεύρα του ασφαλισμένου δεν αντέξουν από το πολύ «περίμενε», πρέπει να γνωρίζει ότι για να τον δει νευρολόγος ή ψυχίατρος θα περιμένει από 25 μέρες μέχρι έναν μήνα!

### Ιατρικές εξετάσεις

Στον χώρο της υγείας η κατάσταση είναι εξαιρετικά δύσκολη. Για ορισμένες ειδικές εξετάσεις το ραντεβού ορίζεται μετά από μήνες. Αλλά και για μια απλή εξέταση στο «Γενικό Κρατικό Αθηνών» ορισμένες φορές χρειάζονται αρκετές ημέρες υπομονής, ενώ για χειρουργείο στον «Ευαγγελισμό» (και σε άλλα δημόσια νοσοκομεία) πρέπει κανείς να περιμένει συχνά μήνες.

## Αναγνώριση πτυχίου

Πολύ καιρό –ακόμα και δύο χρόνια– πρέπει να περιμένουν όσοι έχουν πάρει πτυχίο στο εξωτερικό και επιθυμούν να το αναγνωρίσουν στην Ελλάδα. Σύμφωνα με παλαιότερη έκθεση του Συνηγόρου του Πολίτη, αυτό οφείλεται σε σειρά λειτουργικών προβλημάτων που αντιμετωπίζει ο αρμόδιος οργανισμός, ο Δ.Ο.Α.Τ.Α.Π. (πρώην ΔΙΚΑΤΣΑ).

*(Κυριακάτικη Ελευθεροτυπία, 27-08-2006, σ. 37, με αλλαγές)*

### Σωστό ή λάθος;

| | Σωστό | Λάθος |
|---|---|---|
| 1. Το άρθρο αναφέρεται στις δημόσιες υπηρεσίες του ελληνικού κράτους. | ☑ | ☐ |
| 2. Η δημοσιογράφος είναι ικανοποιημένη από τη λειτουργία του Δημοσίου στην Ελλάδα. | ☐ | ☐ |
| 3. Σε ορισμένες υπηρεσίες δεν υπάρχουν αρκετοί υπάλληλοι. | ☐ | ☐ |
| 4. Ηλεκτρονικοί υπολογιστές υπάρχουν παντού στις δημόσιες υπηρεσίες. | ☐ | ☐ |
| 5. Τα Κ.Ε.Π. δε λειτουργούν ικανοποιητικά και ταλαιπωρούν τους πολίτες. | ☐ | ☐ |
| 6. Ο ασφαλισμένος, για να πάρει σύνταξη, μπορεί να περιμένει ακόμα και ενάμιση χρόνο. | ☐ | ☐ |
| 7. Στο Ι.Κ.Α. τα στοιχεία των ασφαλισμένων καταγράφονται συχνά σε καρτέλες με το χέρι. | ☐ | ☐ |
| 8. Ο αρχικός στόχος είναι οι συνταξιούχοι του Ι.Κ.Α. να παίρνουν τη σύνταξή τους σε 6 μήνες. | ☐ | ☐ |
| 9. Είναι δύσκολο να κλείσεις ραντεβού στο Ι.Κ.Α. για μερικές ειδικότητες γιατρών. | ☐ | ☐ |
| 10. Στο Ι.Κ.Α. δεν περιμένεις ποτέ πάνω από 15 μέρες, για να σε εξετάσει παθολόγος. | ☐ | ☐ |
| 11. Στον χώρο της υγείας τα προβλήματα είναι σχετικά λίγα. | ☐ | ☐ |
| 12. Στο «Γενικό Κρατικό Αθηνών» οι απλές εξετάσεις γίνονται την ίδια μέρα. | ☐ | ☐ |
| 13. Για να κάνεις εγχείρηση σε κάποια δημόσια νοσοκομεία, πρέπει να περιμένεις συχνά μήνες. | ☐ | ☐ |
| 14. Τα πτυχία από το εξωτερικό αναγνωρίζονται εύκολα στην Ελλάδα. | ☐ | ☐ |

**Η σειρά μου τώρα**

**2.7** Απαντάω:

Πηγαίνεις συχνά σε δημόσιες υπηρεσίες;
Τι προβλήματα αντιμετωπίζεις εκεί;
Ποιες δημόσιες υπηρεσίες λειτουργούν –κατά τη γνώμη σου– καλά;
Ποιες ταλαιπωρούν τον πολίτη;

 **Παίζω έναν ρόλο**

**2.8** Στο Κ.Ε.Π.

**Ρόλος Α**

Πηγαίνω στο Κ.Ε.Π., για να παραλάβω ένα πιστοποιητικό γεννήσεως. Δεν έχω όμως μαζί μου ταυτότητα ή διαβατήριο. Λέω ότι είναι ανάγκη να πάρω το πιστοποιητικό και παρακαλώ τον/την υπάλληλο να μου το δώσει. Ο/Η υπάλληλος μου εξηγεί πως δεν μπορεί να μου το δώσει, αφού δεν έχω μαζί μου κάποιο επίσημο έγγραφο. Τελικά, φεύγω χωρίς να κάνω τη δουλειά μου.

**ΚΕΠ**
**και έγινε!**

**Ρόλος Β**

Εργάζομαι σε Κ.Ε.Π. Ένας κύριος / μια κυρία έρχεται για να παραλάβει ένα πιστοποιητικό γεννήσεως, αλλά δεν έχει μαζί του/της ταυτότητα ή διαβατήριο. Λέει ότι είναι ανάγκη να πάρει το πιστοποιητικό και με παρακαλεί να του/της το δώσω. Εξηγώ πως δεν μπορώ να το δώσω, αφού δεν έχει μαζί του/της κάποιο επίσημο έγγραφο. Τελικά, φεύγει χωρίς να κάνει τη δουλειά του/της.

## Γράψε-σβήσε

**2.9** Στέλνω μια επιστολή στον διευθυντή του ταχυδρομείου και εκφράζω τα παράπονά μου, γιατί έστειλα ένα δέμα που δεν έφτασε ποτέ στον προορισμό του. Αναφέρω λεπτομέρειες (πότε το έστειλα, σε ποιον, τι είχε μέσα, πόσο πλήρωσα, πόσο σημαντικό ήταν) και ζητώ να μάθω πού βρίσκεται το δέμα και τι θα γίνει, αν οι αρμόδιοι υπάλληλοι δεν το βρουν. (150-170 λέξεις)

---

Προς [όνομα υπηρεσίας]

[τόπος, ημερομηνία]

Αξιότιμε κύριε διευθυντά,

Με αυτή την επιστολή θα ήθελα να εκφράσω τα παράπονά μου για .......................................
Πιο συγκεκριμένα, στις [ημερομηνία]...
Θα ήθελα να μάθω........................................
Πιστεύω ότι πρέπει.....................................
Για τους λόγους αυτούς σας ζητώ να...........................................
Για κάθε σχετική πληροφορία μπορείτε να επικοινωνήσετε μαζί μου στο τηλέφωνο.................
Η ηλεκτρονική μου διεύθυνση είναι..........................................
Περιμένω την απάντησή σας και σας ευχαριστώ εκ των προτέρων για το ενδιαφέρον σας.

Με εκτίμηση,

.......................

---

 **Είμαι όλος αυτιά**  **B24**

**3 0** Δεν έχουμε τηλέφωνο...

Το τηλέφωνο του Θοδωρή δε λειτουργεί τις τελευταίες ημέρες. Τηλεφωνεί στην αρμόδια υπηρεσία του Ο.Τ.Ε. και συνομιλεί με μία υπάλληλο. Ακούω δύο (2) φορές τον διάλογο και επιλέγω Σωστό (Σ), Λάθος (Λ) ή Δεν Αναφέρεται (Δ.Α.) στον πίνακα που ακολουθεί.

|  | Σ | Λ | Δ.Α. |
|---|---|---|---|
| 1. Ο Θοδωρής τηλεφωνεί στην Υπηρεσία Βλαβών του Ο.Τ.Ε. | ☑ | ☐ | ☐ |
| 2. Το τηλέφωνο του Θοδωρή δε λειτουργεί εδώ και μία εβδομάδα. | ☐ | ☐ | ☐ |
| 3. Ο Θοδωρής πλήρωσε κανονικά τον λογαριασμό του τηλεφώνου. | ☐ | ☐ | ☐ |
| 4. Ο Θοδωρής πλήρωσε τον λογαριασμό του Ο.Τ.Ε. πριν από έναν μήνα. | ☐ | ☐ | ☐ |
| 5. Το σπίτι του Θοδωρή είναι στην Καισαριανή. | ☐ | ☐ | ☐ |
| 6. Οι τεχνικοί της Δ.Ε.Η. προκάλεσαν κατά λάθος τη βλάβη. | ☐ | ☐ | ☐ |
| 7. Ο Θοδωρής τηλεφώνησε άλλες τρεις φορές για το πρόβλημα. | ☐ | ☐ | ☐ |
| 8. Οι υπάλληλοι στην Υπηρεσία Βλαβών παίρνουν υψηλούς μισθούς. | ☐ | ☐ | ☐ |
| 9. Ο Θοδωρής χρειάζεται το ίντερνετ για τη δουλειά του. | ☐ | ☐ | ☐ |
| 10. Η υπάλληλος υποστηρίζει ότι η ζημιά είναι μεγάλη. | ☐ | ☐ | ☐ |
| 11. Ο Θοδωρής ζητάει να μιλήσει με τον διευθυντή ή με κάποιον αρμόδιο. | ☐ | ☐ | ☐ |
| 12. Ο διευθυντής λείπει στην Κρήτη. | ☐ | ☐ | ☐ |
| 13. Ο αρμόδιος υπάλληλος είναι στην περιοχή που έγινε η βλάβη. | ☐ | ☐ | ☐ |
| 14. Ο Θοδωρής θα πάρει τον αρμόδιο υπάλληλο στο κινητό του τηλέφωνο. | ☐ | ☐ | ☐ |

**Παίζω έναν ρόλο**

**3.1** Δεν έχουμε Ίντερνετ...

**Ρόλος Α**

Το τηλέφωνο στο σπίτι μου λειτουργεί κανονικά, αλλά εδώ και τρεις ημέρες δεν μπορώ να μπω στο ίντερνετ, ενώ πλήρωσα κανονικά τον λογαριασμό. Τηλεφωνώ στην υπηρεσία παραπόνων του Ο.Τ.Ε., εξηγώ το πρόβλημα και ζητάω λύση.

**Ρόλος Β**

Εργάζομαι στην υπηρεσία παραπόνων του Ο.Τ.Ε. Μια πελάτισσα / ένας πελάτης τηλεφωνεί και αναφέρει ότι το τηλέφωνο στο σπίτι της/του λειτουργεί κανονικά, αλλά εδώ και τρεις ημέρες δεν μπορεί να μπει στο ίντερνετ, ενώ πλήρωσε κανονικά τον λογαριασμό. Ζητάω λεπτομέρειες και προσπαθώ να βρω λύση.

**Φωνή-γραφή**

**3.2 Πού θα βάλω τόνο;**

1. Διαβασε το.
2. Παρτε αυτή την αίτηση.
3. Απαντησε μου, σε παρακαλώ.
4. Πληρωσε τον λογαριασμό.
5. Πληρωσε τους.

6. Ανοιξτε την πόρτα!
7. Ρωτησε την, σε παρακαλώ.
8. Για δοκιμασε το και πες μου.
9. Προσεξτε με καλά!
10. Σου αφήνω την τσάντα μου. Προσεχε την.

**Για θυμήσου**

**3.3 Διαλέγω το σωστό, όπως στο παράδειγμα.**

1. Περίμενε μισό λεπτό. Μου τελείωσαν τα χρήματα. Πάω στο μηχάνημα να κάνω μια *ανάληψη* .
   α. κατάθεση                    β. ανάληψη                    γ. αίτηση
2. Στην εφορία οι υπάλληλοι δεν ήταν καθόλου _____ . Κανένας δε με βοήθησε
   να συμπληρώσω τη φορολογική μου δήλωση.
   α. εξυπηρετικοί               β. αδιάφοροι                   γ. άγνωστοι
3. Τι να σας πω, κύριε; Δεν το ξέρω το θέμα. Ο _____ υπάλληλος απουσιάζει
   σήμερα. Ελάτε ξανά αύριο.
   α. εξυπηρετικός              β. προσεκτικός                γ. αρμόδιος
4. _____ μου ένα επικυρωμένο αντίγραφο του πτυχίου σας, παρακαλώ.
   α. Δώσε                         β. Δώστε                         γ. Δίνετέ
5. Δε χρειάζεται να ξαναέρθετε και να περιμένετε πάλι στην ουρά, κυρία Ξυραφά.
   _____ την αίτησή σας στην υπηρεσία μας με φαξ.
   α. Στείλτε                       β. Στείλε                        γ. Στέλνε
6. Μετά από αυτό που σου έκανε, αν σε ξαναενοχλήσει, _____ την αστυνομία.
   α. φώναξε                      β. φώναζε                       γ. φωνάζει

**3.4 Γράφω τις λέξεις που έμαθα.**

_____

_____

_____

_____

_____

_____

_____

_____

_____

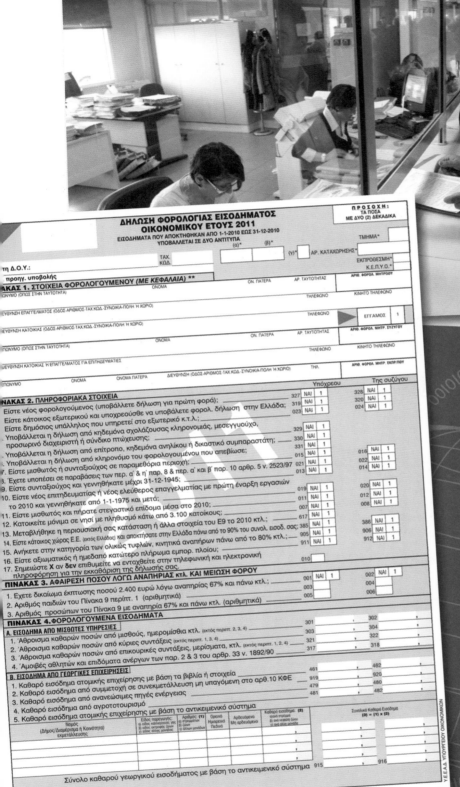

Περιμένετε μισό λεπτό, παρακαλώ

ΕΛΛΗΝΙΚΗ ΔΗΜΟΚΡΑΤΙΑ
ΥΠΟΥΡΓΕΙΟ ΟΙΚΟΝΟΜΙΚΩΝ
ΓΕΝΙΚΗ ΓΡΑΜΜΑΤΕΙΑ ΦΟΡΟΛΟΓΙΚΩΝ & ΤΕΛΩΝΕΙΑΚΩΝ ΘΕΜΑΤΩΝ
ΓΕΝΙΚΗ ΔΙΕΥΘΥΝΣΗ ΦΟΡΟΛΟΓΙΑΣ
ΔΙΕΥΘΥΝΣΗ ΦΟΡΟΛΟΓΙΑΣ ΕΙΣΟΔΗΜΑΤΟΣ

ΟΔΗΓΙΕΣ

για τη συμπλήρωση της δήλωσης
φορολογίας εισοδήματος φυσικών
προσώπων οικονομικού έτους

2011

gsis.gr www.minfin.gr www.gsis.gr www.minfin.gr www.gsis

# 14

## Σήμερα γιορτάζουμε

- Όποιος θέλει, μπορεί να έρθει.
- προς, μέχρι / ως, μετά, παρά, κατά, σαν, χωρίς, αντί, εκτός από, λόγω, εξαιτίας, μεταξύ
- πρώτος, δεύτερος, τρίτος...

# Εδώ τα Χριστούγεννα είναι διαφορετικά...

Ο Νίκος διαβάζει τα κείμενα που έγραψαν οι μαθητές του για τις γιορτές στην Ελλάδα.

Αλίνα μου,

Τι κάνεις; Άρχισες να φτιάχνεις γλυκά για τα Χριστούγεννα; Βρήκες ιδέες για όλα τα δωράκια που θα κάνεις; Δε βλέπω την ώρα να έρθω στο Γκρατς για διακοπές. Εδώ τα Χριστούγεννα δεν είναι όπως στην Αυστρία. Μου φαίνεται ότι για τους Έλληνες η μεγαλύτερη γιορτή είναι το Πάσχα. Γι' αυτό, οι παραδόσεις και οι συνήθειες των Χριστουγέννων δεν έχουν κάτι τόσο χαρακτηριστικό.

Δεν ξέρω αν τα Χριστούγεννα στην οικογένεια του φίλου μου είναι τυπικά ελληνικά ή αν γενικά υπάρχουν τυπικά ελληνικά Χριστούγεννα, αλλά, για μένα, λείπει κάτι. Φυσικά, ένα πράγμα που λείπει εδώ είναι τα χιόνια. Οι Έλληνες προσπαθούν πολύ να φτιάξουν την ατμόσφαιρα, αλλά, κατά τη γνώμη μου, δεν το καταφέρνουν καλά. Στολίζουν τα μαγαζιά, κάποια σπίτια και τα χριστουγεννιάτικα δέντρα τόσο πολύ που γίνονται κιτς. Ξέρω πως είναι δύσκολο στην Αθήνα να βρεις ένα πραγματικό έλατο, αλλά, για μένα, είναι καλύτερο να μη βάζουν τίποτα, παρά να βάζουν ένα πλαστικό δέντρο. Λείπουν, επίσης, τα πολλά είδη τσαγιού, λείπει το ζεστό και αρωματισμένο κόκκινο κρασί για το κρύο, λείπει η μεγάλη ποικιλία χριστουγεννιάτικων γλυκών. Εδώ έχουν όμως δύο τυπικά γλυκά, τους κουραμπιέδες και τα μελομακάρονα, που είναι υπέροχα. Θα σου φέρω από αυτά.

Η ατμόσφαιρα πάντως την παραμονή των Χριστουγέννων είναι πολύ χαρούμενη. Σε ξυπνάνε τα παιδιά που πηγαίνουν από σπίτι σε σπίτι για να πούνε τα κάλαντα. «Να τα πούμε;» ρωτάνε την ώρα που ανοίγει η πόρτα. Αν η απάντηση είναι «Να τα πείτε», αρχίζουν να τραγουδούν τα κάλαντα βιαστικά. Όταν τελειώσουν, εύχονται «Και του χρόνου!» και εσύ τους δίνεις γλυκά ή χρήματα (σίγουρα τα παιδιά θα είναι πιο ευχαριστημένα, αν τους δώσεις λεφτά).

Η οικογένεια του φίλου μου δεν κάνει τίποτα ιδιαίτερο την παραμονή των Χριστουγέννων, αλλά ανήμερα τα Χριστούγεννα, το μεσημέρι, μαζεύονται όλοι για φαγητό. Η πιο μεγάλη γιορτή όμως είναι το βράδυ της παραμονής της Πρωτοχρονιάς: κάνουν το τραπέζι στην οικογένεια και σε φίλους και μαγειρεύουν περίπου δέκα διαφορετικά φαγητά! Τρώνε, πίνουν, παίζουν χαρτιά και στις 12 τα μεσάνυχτα εύχονται όλοι «χρόνια πολλά» και «καλή χρονιά». Μετά κόβουν τη βασιλόπιτα και δίνουν μικρά δωράκια. Όποιος βρει στο κομμάτι του το φλουρί, θα είναι ο τυχερός της χρονιάς. Όσοι, βέβαια, δεν το πετύχουν με την πρώτη θα έχουν κι άλλες ευκαιρίες: βασιλόπιτα κόβουν μέχρι και τον Φεβρουάριο, στη δουλειά, στο σχολείο, στο γυμναστήριο ή όπου αλλού μαζεύονται!

Η Ελλάδα είναι η χώρα του ήλιου, της θάλασσας και του καλοκαιριού. Τα Χριστούγεννα μου αρέσουν περισσότερο στην Αυστρία. Πρέπει να διαλέγεις το σωστό μέρος, τη σωστή εποχή, έτσι δεν είναι; Θα τα πούμε από κοντά σε έναν μήνα.
Φιλάκια,
Αντρέα

Τα Χριστούγεννα στην Ελλάδα είναι τόσο διαφορετικά από τα Χριστούγεννα στην Κορέα. Εδώ μαζεύεται όλη η οικογένεια και τρώνε όλοι μαζί. Στην Κορέα, όμως, ο κόσμος βγαίνει στον δρόμο. Περνάμε τις γιορτές με όποιον θέλουμε. Κι αν είμαστε στο σπίτι, βλέπουμε μόνο τηλεόραση, επειδή κάθε χρόνο τέτοια μέρα δείχνει την ταινία *Μόνος στο σπίτι*. Στην Κορέα τα Χριστούγεννα δεν είναι τόσο σημαντική γιορτή. Είναι μόνο μια αργία. Την παραμονή έχουμε την ευκαιρία να πιούμε όσο κρασί θέλουμε, αφού την άλλη μέρα θα ξυπνήσουμε αργά. Τώρα όμως είμαι μια ξένη που δεν έχει οικογένεια στην Ελλάδα. Έτσι, τη μέρα των Χριστουγέννων νιώθω μοναξιά. Δεν έχω παρέα, γιατί όλοι είναι στα σπίτια τους. Θέλω να κάνω μια βόλτα, αλλά εκείνη τη μέρα τα μαγαζιά είναι κλειστά. Θα ήθελα να πάω στη χώρα μου, αλλά δεν μπορώ, γιατί δεν έχω ακόμα την άδεια παραμονής. Τι να κάνω; Πάντα στις γιορτές είμαι λυπημένη. Δεν ξέρω τι θα κάνω αυτά τα Χριστούγεννα. Μάλλον θα πάω με το τραμ στο Σύνταγμα.
Χάνα

## Πώς το λένε;

Δε βλέπω την ώρα να έρθω.
Μου φαίνεται ότι...
Γι' αυτό...
Για μένα...
Κατά τη γνώμη μου...
... έτσι δεν είναι;
Θα τα πούμε από κοντά.
Παραμονή Χριστουγέννων
Παραμονή Πρωτοχρονιάς

Ανήμερα Χριστούγεννα
Ανήμερα Πρωτοχρονιά
Στολίζω το
   χριστουγεννιάτικο δέντρο.
Τα παιδιά λένε τα κάλαντα.
Κάνω το τραπέζι.
Κόβουμε τη βασιλόπιτα.
Πετυχαίνω/Βρίσκω το
   φλουρί.

## Λέξεις, λέξεις

αργία (η)
γιορτή (η)
έθιμο (το)
μοναξιά (η)
παράδοση (η)
πετυχαίνω
στολίζω
συνήθεια (η)

### 1 Σωστό ή λάθος;

| | Σωστό | | Λάθος |
|---|:---:|:---:|:---:|
| 1. Η Αντρέα δεν έχει χρόνο να πάει στο Γκρατς για τις διακοπές των Χριστουγέννων. | ☐ | | ☑ |
| 2. Η Αντρέα πιστεύει ότι οι Έλληνες έχουν πολύ χαρακτηριστικές χριστουγεννιάτικες παραδόσεις. | ☐ | | ☐ |
| 3. Για την Αντρέα, ο τρόπος που στολίζουν τα σπίτια και τους δρόμους οι Έλληνες δεν είναι πολύ ωραίος. | ☐ | | ☐ |
| 4. Τα μελομακάρονα και οι κουραμπιέδες είναι τυπικά γλυκά των Χριστουγέννων στην Ελλάδα. | ☐ | | ☐ |
| 5. Την ημέρα των Χριστουγέννων τα παιδιά λένε τα κάλαντα. | ☐ | | ☐ |
| 6. Η βασιλόπιτα είναι ένα έθιμο της Πρωτοχρονιάς στην Ελλάδα. | ☐ | | ☐ |
| 7. Η Χάνα από τότε που είναι στην Ελλάδα νιώθει πάντα μόνη στις γιορτές. | ☐ | | ☐ |
| 8. Η Χάνα τα Χριστούγεννα μάλλον θα κάνει μια βόλτα στην Αθήνα. | ☐ | | ☐ |

## Η σειρά μου τώρα

**2** Απαντάω:

Γιορτάζετε τα Χριστούγεννα ή την Πρωτοχρονιά στη χώρα σου; Με ποιον τρόπο; Ποια είναι τα πιο χαρακτηριστικά έθιμα;
Ποια είναι η πιο μεγάλη γιορτή στη χώρα σου; Τι γιορτάζετε;
Πώς αισθάνεσαι την περίοδο των γιορτών;

## Για δες

| | | Αναφορικές προτάσεις |
|---|---|---|
| **Αναφορικές αντωνυμίες** | αυτός, -ή, -ό που<br>εκείνος, -η, -ο που | Ποια ήταν **αυτή που** σε χαιρέτησε;<br>**Εκείνος που** βλέπεις είναι ο καθηγητής μου. |
| | που | Η γιατρός **που** μου σύστησες είναι πολύ καλή.<br>Βρήκες το βιβλίο **που** έψαχνες;<br>Ο Αντώνης, **που** είναι πολύ καλός μου φίλος, έγινε πατέρας.<br>Τον καιρό **που** έμενα στο Μπουένος Άιρες, μάθαινα τάνγκο.<br>Ξέρεις κανέναν **που** να ψάχνει καθηγητή Ισπανικών; |
| | όσος, -η, -ο | **Όσοι** δεν περάσουν στις εξετάσεις, μπορούν να προσπαθήσουν την επόμενη φορά.<br>Μπορείς να τρως **όσα** φρούτα και λαχανικά θέλεις.<br>Θα πάω για διακοπές **όσες** μέρες μπορώ. |
| | όποιος, -α, -ο | **Όποιος** θέλει, μπορεί να έρθει.<br>**Όποιος** ψάχνει, βρίσκει.<br>Αυτός είμαι και σ' **όποιον** αρέσει!<br>Μπορείς να καλέσεις **όποιον** θέλεις. |
| | ό,τι | Στο κατάστημα αυτό μπορείς να βρεις **ό,τι** θέλεις.<br>**Ό,τι** και να πω είναι λίγο.<br>Έκανα **ό,τι** μπορούσα.<br>**Ό,τι** πληρώνεις, παίρνεις. |

**3** Διαλέγω το σωστό:

1. *Όποιος* ενδιαφέρεται, μπορεί να κάνει αίτηση.
   α. Όσος                              β. Όποιος
2. _____ γιορτάζει, συνήθως κερνάει γλυκά.
   α. Αυτός που                         β. Όσος
3. Οι άνθρωποι _____ νηστεύουν, δεν μπορούν να φάνε _____ θέλουν.
   α. που                    β. ότι                    α. ό,τι              β. όποιο
4. Τα δώρα _____ αγόρασα δεν ήταν πολύ ακριβά.
   α. όποια                             β. που
5. Κάνε _____ θέλεις.
   α. όποιο                             β. ό,τι
6. Την Πρωτοχρονιά η Μαρίνα στέλνει κάρτες σε _____ αγαπάει.
   α. που                               β. αυτούς που
7. Στα γενέθλιά μου θα κάνω μεγάλο πάρτι. Οι καλεσμένοι μπορούν να φέρουν μαζί τους _____ φίλους θέλουν.
   α. όσους                             β. αυτούς που

**4** Συμπληρώνω με τις σωστές λέξεις στον σωστό τύπο:

> αυτός / -ή / -ό που, εκείνος / -η / -ο που, που, όσος / -η / -ο, όποιος / -α / -ο, ό,τι

1. _Όποια_ παιδιά θέλουν μπορούν να πάνε στα σπίτια τους.
2. _____ μου άρεσε πιο πολύ στην Καθαρά Δευτέρα ήταν το πικ νικ στην εξοχή.
3. Υπάρχουν άνθρωποι _____ νομίζουν ότι το Πάσχα μπορούν να φάνε
   _____ αυγά θέλουν!
4. Τις Αποκριές μπορείς να φορέσεις _____ θέλεις! Και το πιο τρελό πράγμα.
5. Μπορείς να καλέσεις _____ φίλη σου θέλεις. Δεν έχω πρόβλημα.
6. Α, σου το είπα; _____ γνώρισες στα γενέθλιά μου, ρωτούσε για σένα.

**5** Χρησιμοποιώ το _που_ και ξαναγράφω σε μία πρόταση, όπως στο παράδειγμα.

1. Δε βρίσκω το δώρο σου. Το πήρα από την Πράγα.
   _Δε βρίσκω το δώρο που σου πήρα από την Πράγα._
2. Περίμενα φίλους στη γιορτή μου. Κάποιοι δεν μπόρεσαν να έρθουν.
   Κάποιοι φίλοι _____ .
3. Η καθηγήτρια ήταν πολύ συμπαθητική. Μας έκανε ιταλικά.
   Η καθηγήτρια _____ .
4. Πρέπει να βρούμε ξεναγό. Θέλουμε να μιλάει γερμανικά.
   Πρέπει να βρούμε _____ .
5. Στο Ρίο της Βραζιλίας γίνεται ένα πολύ μεγάλο καρναβάλι. Είναι το πιο γνωστό στον κόσμο.
   Το καρναβάλι _____ .

Όποιος βιάζεται, σκοντάφτει.

_Παροιμίες_

Όποιος πεινάει, καρβέλια ονειρεύεται.

Όποιος ανακατεύεται με τα πίτουρα, τον τρώνε οι κότες.

## ό,τι & ότι

Ξέρεις πως **ό,τι** λέω είναι αλήθεια.
**Ό,τι** πεις εσύ. Δεν έχω πρόβλημα.

Νομίζω **ότι** (= πως) είναι ώρα να φύγουμε.

**6 Διαλέγω *ότι* ή *ό,τι*:**

1. Ήξερες <u>ότι</u> η Πρωτοχρονιά δεν είναι για όλους την πρώτη Ιανουαρίου;
2. Την περίοδο των γιορτών πολύς κόσμος ξοδεύει λεφτά σε δώρα και διασκέδαση. «_____ φάμε κι _____ πιούμε» όπως λέμε.
3. _____ σου λέω είναι αλήθεια.
4. Πολλά μικρά παιδιά πιστεύουν_____ ο άγιος Βασίλης υπάρχει πραγματικά.
5. Νομίζω _____ η εθνική γιορτή της Αλβανίας είναι στις 28 Νοεμβρίου.
6. Αν θέλεις να περάσεις μια παραδοσιακή Καθαρά Δευτέρα, μπορείς να φας _____ θέλεις, εκτός από κρέας και γαλακτοκομικά.

## που & πού

– Ποια ήταν αυτή η κυρία **που** χαιρέτησες;
– Μια συνάδελφός μου.

– **Πού** θα είσαι στις γιορτές;
– Δεν ξέρω **πού** θα είμαι. Μάλλον στο σπίτι μου.

**7 Διαλέγω *που* ή *πού*:**

1. <u>Πού</u> γίνεται το πιο μεγάλο καρναβάλι στην Ελλάδα;
2. Ο Νίκος δεν ξέρει ακόμα _____ θα πάει για διακοπές το καλοκαίρι.
3. Από τότε _____ γνώρισε την Ελένη, έγινε άλλος άνθρωπος.
4. Ρωτήσαμε τον περιπτερά _____ είναι ο δρόμος _____ ψάχνουμε, αλλά δεν ήξερε.
5. Την ώρα _____ τα παιδιά συζητούσαν _____ θα πάνε την Καθαρά Δευτέρα, άκουσαν στις ειδήσεις ότι ο καιρός θα χαλάσει.

# Η γιορτή συνεχίζεται μέχρι το πρωί...

Μεγάλη εντύπωση μου έκανε το καρναβάλι στην Ελλάδα. Το γιορτάζουν συνήθως τον Μάρτιο και τα πιο μεγάλα καρναβάλια γίνονται στην Πάτρα, στην Ξάνθη και στο Ρέθυμνο. Η παράδοση έρχεται από τα αρχαία χρόνια. Ο κόσμος χαίρεται για τον ερχομό της άνοιξης και καλωσορίζει τον Διόνυσο, τον θεό του κρασιού και του γλεντιού. Οι άντρες ντύνονται γυναίκες, οι γυναίκες ντύνονται άντρες, τα παιδιά γέροι και οι γέροι παιδιά. Όλοι αλλάζουν ρόλους. Σήμερα μπορείς να δεις στους δρόμους μάγισσες, Μπάτμαν και ό,τι άλλο θέλεις. Όλοι χορεύουν, τραγουδάνε, πίνουν κρασί από την ανατολή μέχρι τη δύση. Το βράδυ υπάρχουν πυροτεχνήματα και η γιορτή συνεχίζεται μέχρι το πρωί.

Πήγαμε κι εμείς τον περασμένο Μάρτιο στο Ρέθυμνο και δεν μπορώ να σου περιγράψω τι ωραία που περάσαμε. Η πιο διασκεδαστική εμπειρία της ζωής μου! Δεν καθίσαμε ούτε ένα λεπτό. Χορεύαμε όλη τη μέρα. Ξέρω ότι κι εσείς έχετε την ίδια γιορτή στην Αγγλία, στο Λονδίνο κάθε Αύγουστο, αλλά χωρίς οργανωμένες παραστάσεις και παρελάσεις. Θυμάμαι στο Νότινγκ Χιλ ότι όλα τα μαγαζιά ήταν ανοιχτά, υπήρχε πολύ φαγητό και ο κόσμος έπινε πολύ. Αν έρθεις τον επόμενο Μάρτιο, θα πάμε σίγουρα στην Πάτρα. Δε θα το μετανιώσεις.

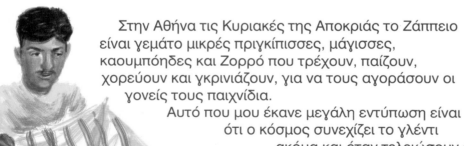

Στην Αθήνα τις Κυριακές της Αποκριάς το Ζάππειο είναι γεμάτο μικρές πριγκίπισσες, μάγισσες, καουμπόηδες και Ζορρό που τρέχουν, παίζουν, χορεύουν και γκρινιάζουν, για να τους αγοράσουν οι γονείς τους παιχνίδια.

Αυτό που μου έκανε μεγάλη εντύπωση είναι ότι ο κόσμος συνεχίζει το γλέντι ακόμα και όταν τελειώσουν οι Απόκριες. Την πρώτη μέρα της Σαρακοστής, την Καθαρά Δευτέρα, όλοι βγαίνουν έξω στον καθαρό αέρα, κάνουν πικ νικ στην εξοχή ή στους λόφους και στις παραλίες της Αθήνας και πετούν χαρταετό. Αν και είναι μέρα νηστείας, όλοι τρώνε πάρα πολύ: καλαμαράκια, γαρίδες, χταποδάκι, ταραμοσαλάτα, ντολμαδάκια, χαλβά και, βέβαια, την παραδοσιακή λαγάνα. Μέσα σε μια μέρα, δηλαδή, τρώνε τα πάντα εκτός από κρέας και τυρί!

## Πώς το λένε;

Μεγάλη εντύπωση μου έκανε...

Δεν μπορώ να σου περιγράψω τι ωραία που περάσαμε.

Βγαίνω έξω στον καθαρό αέρα.

## Λέξεις, λέξεις

γιορτάζω
γλέντι (το)
διασκεδαστικός, -ή, -ό
εμπειρία (η)
εξοχή (η)
Καθαρά Δευτέρα (η)
καρναβάλι (το)
νηστεία (η)

ντύνομαι
παραδοσιακή
λαγάνα (η)
παράσταση (η)
παρέλαση (η)
πετάω χαρταετό
Σαρακοστή (η)
τα πάντα
χαίρομαι

## Η σειρά μου τώρα

**8** Απαντάω:

Γιόρτασες ποτέ το καρναβάλι; Αν ναι, μπορείς να περιγράψεις πώς πέρασες; Στη χώρα σου έχουν καμία γιορτή σαν το καρναβάλι; Αν ναι, πότε είναι και πώς γιορτάζει ο κόσμος;

 **Για δες**

## Προθέσεις με αιτιατική

| | |
|---|---|
| **με** | Ήρθε με την οικογένειά του.<br>Θα γράψετε με στιλό, όχι με μολύβι.<br>Συνήθως πάω με το λεωφορείο.<br>Τον κοίταξε με αγάπη.<br>Πληρώνεται με τον μήνα.<br>Ποιος είναι αυτός με τα πράσινα παπούτσια;<br>Το μάθημα είναι εννιά με δώδεκα. |
| **σε** | Πήγα στη Φλώρινα τον περασμένο μήνα.<br>Μείναμε στο σπίτι την Πρωτοχρονιά.<br>Έδωσες τα λεφτά στη Γεωργία;<br>Έχουμε ραντεβού στις 10:00.<br>Θα τα πούμε σε λίγες μέρες. |
| **για** | Πάω για ψώνια.<br>Αυτό το δώρο είναι για σένα.<br>Μιλήσαμε για τα προβλήματά μας.<br>Θα λείψω στο εξωτερικό για τρεις εβδομάδες.<br><br>Σταμάτησαν, για να πιουν έναν καφέ. |
| **από** | Είμαι από την Αθήνα.<br>Πεθαίνω από την πείνα.<br>Είμαι εδώ από το 2000.<br>Δεν ξέρω κανέναν από αυτούς.<br>Ένα κτίριο από πέτρα.<br>Η Λι μιλάει πιο καλά ελληνικά από τον Φου.<br>Το λεωφορείο περνάει από το Σύνταγμα. |
| **προς** | Ταξιδεύαμε προς τη Λαμία, όταν το αυτοκίνητο έμεινε από βενζίνη. |
| **μέχρι/<br>ως** | Μέχρι/Ως αύριο θα είναι όλα έτοιμα.<br>Θέλεις να σε πάω μέχρι/ως τη στάση; |
| **μετά** | Μετά το μάθημα θα πάμε για φαγητό; |
| **παρά** | Η ταινία αρχίζει στις δέκα παρά είκοσι.<br>Το έκανα παρά τη θέλησή μου. |
| **κατά** | Θα σε δω κατά τις 8:00.<br>Κατά τη γνώμη μου, δεν έχεις δίκιο. |
| **χωρίς** | Βγήκαν έξω χωρίς τα παιδιά τους.<br>Δεν μπορώ να ζήσω χωρίς εσένα.<br><br>Το έκανα χωρίς να το θέλω. |

| | |
|---|---|
| **αντί (για)** | Τελικά έκανα εγώ όλη τη δουλειά αντί για αυτόν.<br>Τελικά έκανα εγώ όλη τη δουλειά αντί να την κάνει αυτός. |
| **εκτός από** | Το ήξεραν όλοι εκτός από μένα.<br>Εκτός από θρησκευτικές, υπάρχουν και εθνικές γιορτές. |

## Προθέσεις με γενική

| | |
|---|---|
| **κατά/<br>εναντίον** | Γίνεται καμπάνια κατά/εναντίον του αλκοόλ.<br>Είμαστε κατά/εναντίον του πολέμου. |
| **υπέρ** | Είμαι υπέρ αυτής της λύσης. |
| **λόγω/<br>εξαιτίας** | Η εκδρομή δεν έγινε λόγω/εξαιτίας της κακοκαιρίας.<br>Αργήσαμε εξαιτίας σου.<br>ΟΧΙ: λόγω σου |
| **μεταξύ** | Θα σου πω κάτι, αλλά θέλω να μείνει μεταξύ μας.<br>Λόγω της δουλειάς του, ταξιδεύει συχνά μεταξύ Αθήνας και Βόλου. |

## Εκφράσεις

**Για την ώρα** δεν ξέρουμε τίποτα.
Περιμένουμε να μας τηλεφωνήσουν.
Τι περιπέτεια, Θεέ μου. Ήταν **για γέλια** και **για κλάματα.**
Σου το χαρίζω με **την καρδιά μου.**
Θέλω να τα πούμε **πρόσωπο με πρόσωπο.**
**Παρά λίγο** να τρακάρουμε.
Μαλώσαμε **χωρίς λόγο.**

**9 Συμπληρώνω με γενική ή αιτιατική:**

1. Ο Μπραμ θα ξεκινήσει την καινούρια του δουλειά στην Πάτρα μετά *τον Αύγουστο* (ο Αύγουστος).
2. Κατά _____ (η γνώμη) μου, δεν έχεις δίκιο.
3. Λόγω _____ (η βροχή) προτιμήσαμε να μείνουμε στο σπίτι το τριήμερο της Καθαράς Δευτέρας.
4. Ένα αυτοκίνητο έστριψε με μεγάλη ταχύτητα προς _____ (η οδός) Λαμπράκη.
5. – Πώς πήγε η συνάντηση χτες;
   – Δεν πήραμε καμία απόφαση. Υπήρχαν πολλές διαφωνίες μεταξύ _____ (οι συνάδελφοι).
6. Παρά _____ (οι αλλαγές) στο πρόγραμμα του ταξιδιού, περάσαμε πολύ όμορφα αυτό το Πάσχα.
7. Όσοι είναι κατά _____ (η πρόταση) του κυρίου Σαμαρά να σηκώσουν το χέρι τους.

**10 Τελειώνω τις προτάσεις:**

1. Περίμενα ως _____ .
2. Τα παιδιά γύρισαν χωρίς _____ .
3. Το πλοίο άργησε εξαιτίας _____ .
4. Δεν μπορώ να διαλέξω μεταξύ _____ .

**11 Συμπληρώνω με τη σωστή πρόθεση:**

1. Έχεις ένα επείγον φαξ *από* τον Καναδά.
2. Λέω να πάμε _____ τη μηχανή.
3. Τι πρόγραμμα έχετε _____ το Πάσχα;
4. Θα πάμε _____ την Αλεξανδρούπολη με το τρένο και μετά θα νοικιάσουμε αυτοκίνητο.
5. Συνάντησα τη Νίνα, την ώρα που κατέβαινα _____ το λεωφορείο.
6. Δεν μπορώ άλλο. Θα ψάξω _____ άλλη δουλειά και θα φύγω _____ αυτή την εταιρεία.
7. Είστε έτοιμοι _____ το ταξίδι; _____ λίγο ξεκινάμε.
8. Πού πας _____ ομπρέλα; Βρέχει έξω!
9. Μήπως προτιμάς μέλι _____ για ζάχαρη στο τσάι σου;
10. Θα περάσω να σε πάρω _____ το σπίτι σου _____ τις 9:00.
11. Τα έμαθες; Η Κέλι και ο Βασίλης παντρεύονται. Το πιστεύεις; _____ χτες και οι δύο ήταν _____ του γάμου.
12. Η Αριάδνη φεύγει _____ τη Γερμανία αύριο. Θα περάσει εκεί τα Χριστούγεννα και την Πρωτοχρονιά.
13. Οι μαθητές συζήτησαν _____ τους καθηγητές τους _____ τα προβλήματα του σχολείου.
14. – _____ πόσον καιρό θα μείνεις στην Ελλάδα;
    – Δεν ξέρω ακριβώς. Σίγουρα _____ πέντε χρόνια. Ίσως και _____ πάντα.
15. – Ποιος άλλος θα έρθει _____ _____ εσένα;
    – Κανένας άλλος. Μόνο εγώ.
16. Πολλά μικρά μαγαζιά κλείνουν _____ της οικονομικής κρίσης.
17. Κανείς δεν ξέρει πώς έφτασε _____ εκεί.
18. Συνεχίζετε όλο ευθεία. _____ το περίπτερο στρίβετε δεξιά.
19. Το αυτοκίνητό μας έμεινε από βενζίνη κάπου _____ Θεσσαλονίκης και Κατερίνης.
20. Έναν καφέ _____ καθόλου ζάχαρη, παρακαλώ.

# 14 ενότητα

## Πάσχα στην Ελλάδα.
## Λίγο δύσκολο για χορτοφάγους...

Μου άρεσε πολύ το Πάσχα στην Ελλάδα. Και η νηστεία πριν από αυτό. Έκανα πολλή οικονομία. Και εμείς οι μουσουλμάνοι νηστεύουμε στο Ραμαζάνι για 30 μέρες. Από την ανατολή μέχρι τη δύση του ηλίου δεν επιτρέπεται να φάμε ή να πιούμε τίποτα. Αλλά μετά τη δύση τρώμε και πίνουμε τα πάντα. Απ' ό,τι κατάλαβα, οι χριστιανοί νηστεύουν 40 μέρες, αλλά επιτρέπεται να τρώνε και να πίνουν ό,τι θέλουν, εκτός από κρέας και γαλακτοκομικά. Στο Ραμαζάνι στη χώρα μου γίνονται γιορτές για 30 μέρες: γλέντι για μικρούς και μεγάλους και μεγάλα παζάρια. Τη μέρα του Μπαϊράμ πηγαίνουμε στο τζαμί πολύ νωρίς το πρωί. Μετά τη λειτουργία γυρίζουμε στα σπίτια μας και τρώμε οικογενειακώς, όπως κι εσείς.

Αγαπημένη Κάτια,
Πρέπει να σου πω ότι το Πάσχα στην Ελλάδα είναι μοναδική εμπειρία. Είναι, βέβαια, λίγο δύσκολο αν είσαι χορτοφάγος. Στη διάρκεια της Σαρακοστής καλομαθαίνουμε, γιατί τα πιο πολλά εστιατόρια –ακόμα και τα φαστ φουντ– έχουν ειδικό μενού, νηστίσιμο. Βέβαια, οι πιο πολλοί Έλληνες δε νηστεύουν 40 μέρες, αλλά μόνο τη Μεγάλη Εβδομάδα, την τελευταία πριν από το Πάσχα. Σίγουρα αυτές δεν είναι οι πιο καλές μέρες για τα σουβλατζίδικα! Αλλά εμείς οι χορτοφάγοι δεν έχουμε πια επιλογές μετά το βράδυ του Μεγάλου Σαββάτου. Μετά την Ανάσταση οι οικογένειες μαζεύονται στο σπίτι και τρώνε την παραδοσιακή μαγειρίτσα, μια σούπα με βασικό συστατικό τα έντερα, το συκώτι και τα πόδια του αρνιού (μπλιαχ)! Και όποιος θέλει να ζήσει το αυθεντικό ελληνικό Πάσχα, πρέπει την Κυριακή να σουβλίσει αρνί στον κήπο, στην αυλή, ακόμα και στον δρόμο – αν δεν είναι από εκείνους τους τυχερούς που έφυγαν για Πάσχα στο χωριό...

## Πώς το λένε;

Πρέπει να σου πω ότι...
Μετά την Ανάσταση τρώνε οικογενειακώς την παραδοσιακή μαγειρίτσα.
Την Κυριακή του Πάσχα σουβλίζουν το αρνί.

## Λέξεις, λέξεις

Ανάσταση (η)
αυθεντικός, -ή, -ό
καλομαθαίνω
Μεγάλη Εβδομάδα (η)
μοναδικός, -ή, -ό
νηστεία (η)
νηστεύω
νηστίσιμο μενού (το)
οικογενειακώς
Πάσχα (το)
Ραμαζάνι (το)
χορτοφάγος (ο, η)

## Η σειρά μου τώρα

**1 2** **Απαντάω:**

Ήσουν ποτέ στην Ελλάδα το Πάσχα; Πώς πέρασες; Ποιες είναι οι εντυπώσεις σου;
Σε ποια γιορτή νηστεύει ο κόσμος στη χώρα σου; Τι συνηθίζει να τρώει ο κόσμος στις μεγάλες γιορτές;
Τι γνώμη έχεις για τη νηστεία;

## Παίζω έναν ρόλο

**1 3** **Πάλι τα ίδια;**

**Ρόλος Α**
Αυτές τις γιορτές έχω μια εβδομάδα άδεια από τη δουλειά μου. Προτείνω στον σύζυγο / στη σύζυγό μου να πάμε ένα ταξίδι. Είναι μια ευκαιρία, γιατί τα τελευταία χρόνια γιορτάζουμε συνέχεια με τον ίδιο τρόπο, με τις οικογένειές μας.

**Ρόλος Β**
Η σύζυγός / Ο σύζυγός μου έχει άδεια και μου προτείνει να περάσουμε τις γιορτές σε κάποιο άλλο μέρος. Η ιδέα δε μου αρέσει καθόλου: πιστεύω ότι οι άνθρωποι πρέπει να γιορτάζουν παραδοσιακά, παρέα με τους συγγενείς και τους φίλους τους.

# 14 ενότητα

## Πάλι γιορτή!

Τα γενέθλια δεν είχαν ποτέ πολύ μεγάλη σημασία στην ελληνική κοινωνία. Και, σίγουρα, στους πιο μεγάλους δεν αρέσει να γιορτάζουν τα γενέθλιά τους, γιατί τους θυμίζουν τα χρόνια που πέρασαν. Άσε που όταν εύχεσαι σε έναν άνθρωπο πάνω από 70 χρονών, πρέπει να πεις «Να τα χιλιάσεις», γιατί το «Να τα εκατοστίσεις» φαίνεται πολύ κοντά!

Αντίθετα, οι ονομαστικές γιορτές είναι πολύ ξεχωριστές. Συνήθως οι άνθρωποι που γιορτάζουν κερνάνε γλυκά στη δουλειά τους και δέχονται επισκέψεις φίλων στο σπίτι. Κανονικά, δεν επιτρέπεται να ξεχάσεις μια ονομαστική γιορτή. Πρέπει οπωσδήποτε να τηλεφωνήσεις για «χρόνια πολλά» στους φίλους, στους συγγενείς, ακόμη και στους συναδέλφους σου. Φαντάζεσαι πόση δουλειά λοιπόν έχεις στις πιο συνηθισμένες γιορτές, όπως του Γιάννη, του Γιώργου, του Νίκου ή της Ελένης!

Αγαπητέ Μαρκ,
Τι κρίμα που δεν είσαι στη Θεσσαλονίκη αυτές τις μέρες που γιορτάζει. Χτες, 28 Οκτωβρίου, ήταν μεγάλη εθνική γιορτή: η μέρα του «Όχι» στους Ιταλούς του Μουσολίνι το 1940. Δεν είναι παράξενο; Εδώ γιορτάζουν την αρχή του πολέμου και όχι το τέλος του!
Πρέπει να σου πω ότι είχε πολύ ενδιαφέρον. Τις τελευταίες μέρες όλοι οι δρόμοι και τα μπαλκόνια πολλών σπιτιών ήταν γεμάτα ελληνικές σημαίες.
Προχτές έγινε παρέλαση μαθητών και χτες στρατιωτική παρέλαση.
Ξαφνικά βλέπεις στους δρόμους τανκς και στρατιώτες, ενώ ακούς από τα μεγάφωνα στρατιωτική μουσική!
Πάντως νομίζω ότι όλα αυτά είναι μια ακόμα ευκαιρία για γλέντι. Μετά την παρέλαση όλα τα ουζερί και οι ταβέρνες ήταν γεμάτα – είχαν τραπέζια μέχρι και στα πεζοδρόμια!

 **Πώς το λένε;**

Στα γενέθλια ευχόμαστε «Να τα εκατοστίσεις» ή «Να τα χιλιάσεις».
Στην ονομαστική γιορτή ευχόμαστε «Χρόνια πολλά» και «Ό,τι επιθυμείς».

Τι κρίμα!
Δεν είναι παράξενο;

 **Λέξεις, λέξεις**

δέχομαι
εθνική γιορτή (η)
επίσκεψη (η)
εύχομαι
θυμίζω
μαθητική/στρατιωτική παρέλαση (η)
ξεχωριστός, -ή, -ό
συνηθισμένος, -η, -ο

ΕΛΛΗΝΙΚΑ Β΄

246

**Για δες**

25 Μαρτίου 1821: η Επανάσταση για την ανεξαρτησία.
28 Οκτωβρίου 1940: η αρχή του Ελληνοϊταλικού πολέμου
17 Νοεμβρίου 1973: η εξέγερση των φοιτητών κατά της δικτατορίας

**Η σειρά μου τώρα**

**14 Απαντάω:**

Έχετε ονομαστικές γιορτές στη χώρα σου; Τι είναι πιο σημαντικό: τα γενέθλια ή η γιορτή;
Ποιες είναι οι εθνικές γιορτές σας; Με ποιον τρόπο τις γιορτάζετε (είναι αργία, γίνεται
παρέλαση...);

**Για δες**

| | Απόλυτα αριθμητικά | Τακτικά αριθμητικά |
|---|---|---|
| 1 | ένας/μία/ένα | πρώτος, -η, -ο |
| 2 | δύο | δεύτερος, -η, -ο |
| 3 | τρεις/τρεις/τρία | τρίτος, -η, -ο |
| 4 | τέσσερις, τέσσερις, τέσσερα | τέταρτος, -η, -ο |
| 5 | πέντε | πέμπτος, -η, -ο |
| 6 | έξι | έκτος, -η, -ο |
| 7 | επτά (εφτά) | έβδομος, -η, -ο |
| 8 | οκτώ (οχτώ) | όγδοος, -η, -ο |
| 9 | εννέα (εννιά) | ένατος, -η, -ο |
| 10 | δέκα | δέκατος, -η, -ο |
| 11 | έντεκα | ενδέκατος, -η, -ο |
| 12 | δώδεκα | δωδέκατος, -η, -ο |
| 13 | δεκατρείς/δεκατρείς/δεκατρία | δέκατος, -η, -ο τρίτος, -η, -ο |
| 14 | δεκατέσσερις/δεκατέσσερις/δεκατέσσερα | δέκατος, -η, -ο τέταρτος, -η, -ο |
| 15 | δεκαπέντε | δέκατος, -η, -ο πέμπτος, -η, -ο |
| 16 | δεκαέξι (δεκάξι) | δέκατος, -η, -ο έκτος, -η, -ο |
| 17 | δεκαεπτά (δεκαεφτά) | δέκατος, -η, -ο έβδομος, -η, -ο |
| 18 | δεκαοκτώ (δεκαοχτώ) | δέκατος, -η, -ο όγδοος, -η, -ο |
| 19 | δεκαεννέα (δεκαεννιά) | δέκατος, -η, -ο ένατος, -η, -ο |
| 20 | είκοσι | εικοστός, -ή, -ό |
| 21 | είκοσι ένας / είκοσι μία / είκοσι ένα | εικοστός, -ή, -ό πρώτος, -η, -ο |
| 22 | είκοσι δύο | εικοστός, -ή, -ό δεύτερος, -η, -ο |
| 30 | τριάντα | τριακοστός, -ή, -ό |
| 40 | σαράντα | τεσσαρακοστός, -ή, -ό |
| 50 | πενήντα | πεντηκοστός, -ή, -ό |
| 60 | εξήντα | εξηκοστός, -ή, -ό |
| 70 | εβδομήντα | εβδομηκοστός, -ή, -ό |
| 80 | ογδόντα | ογδοηκοστός, -ή, -ό |
| 90 | ενενήντα | ενενηκοστός, -ή, -ό |
| 100 | εκατό | εκατοστός, -ή, -ό |

Ευχαριστώ πολύ για το βιβλίο. Πάντα ήθελα να διαβάσω την ιστορία του **Δεύτερου**
Παγκοσμίου πολέμου.

**1 5** Συμπληρώνω με τακτικά αριθμητικά.

1. Η _πρώτη_ (1) Μαΐου είναι η γιορτή των εργαζομένων.
2. Το διαμέρισμά μου είναι στον _____ (7) όροφο, _____ (3) πόρτα δεξιά. Σας περιμένω.
3. Ο Νίκος έκανε δώρο στον Φοίβο για τη γιορτή του ένα βιβλίο με την ιστορία του _____ (20) αιώνα.
4. Σε πολλές χώρες, την _____ (1) Απριλίου, οι άνθρωποι λένε ψέματα και κάνουν πλάκες στους φίλους τους.
5. – Παναγιώτη, γιατί είναι αργία την Πέμπτη;
   – Την Πέμπτη; Α, είναι η _____ (25) Μαρτίου, εθνική γιορτή.
6. Είναι η _____ (100) φορά που σου το λέω! Γιατί δε με ακούς;
7. – Δυστυχώς, δε βρήκα εισιτήρια για τις πρώτες θέσεις. Θα καθίσουμε στη _____ (19) σειρά.
   – Δεν πειράζει. Μια χαρά θα είναι.
8. Ξεκινάει αύριο η _____ (32) Γιορτή Βιβλίου στο Ζάππειο.

 **Για δες**

| | |
|---|---|
| Υπογράψτε εδώ, στη **δεύτερη** σελίδα. | Η **δευτέρα** Οκτωβρίου δεν είναι γιορτή. |
| Ήρθα **τέταρτη** στον διαγωνισμό. | Η **τετάρτη** Ιουλίου είναι εθνική γιορτή των ΗΠΑ. |
| Συνεχίζεται για **έβδομη** μέρα το φεστιβάλ κινηματογράφου. | Η **εβδόμη** Ιανουαρίου είναι η έβδομη μέρα του χρόνου. |
| Η Εθνική Ελλάδας μπάσκετ ήρθε στην **όγδοη** θέση. | Η εικοστή **ογδόη** Οκτωβρίου είναι εθνική γιορτή στην Ελλάδα. |
| Το πρόγραμμα αυτό λειτουργεί για **ένατη** χρονιά. | Η εικοστή **ενάτη** Οκτωβρίου είναι η εθνική γιορτή της Τουρκίας. |
| Είναι η **δέκατη** έβδομη μέρα των διακοπών μας. | Η **δεκάτη** εβδόμη Νοεμβρίου είναι η μέρα της εξέγερσης του Πολυτεχνείου. |
| Είναι η **ενδέκατη** φορά που κάνεις το ίδιο λάθος. | Η **ενδεκάτη** Σεπτεμβρίου του 2001 ήταν μέρα μεγάλης καταστροφής. |
| Καθίσαμε στη **δωδέκατη** σειρά. | Η **δωδεκάτη** Δεκεμβρίου του 1963 είναι η μέρα ανεξαρτησίας της Κένυας. |

πρώτη Απριλίου: Πρωταπριλιά, πρώτη Μαΐου: Πρωτομαγιά, πρώτη Ιανουαρίου: Πρωτοχρονιά

Σήμερα γιορτάζουμε

**1 6** Συμπληρώνω με τακτικά αριθμητικά.

Αν μελετήσουμε το παγκόσμιο ημερολόγιο, θα δούμε ότι κάθε μέρα του χρόνου μπορεί να είναι και μια γιορτή. Να μερικά παραδείγματα:

1. Η _____ (10) Φεβρουαρίου είναι η παγκόσμια ημέρα του γάμου.
2. Η _____ (8) Μαρτίου είναι η παγκόσμια ημέρα της γυναίκας.
3. Η _____ (21) Μαρτίου είναι η παγκόσμια ημέρα κατά του ρατσισμού.
4. Η _____ (27) Μαρτίου είναι η παγκόσμια ημέρα θεάτρου.
5. Η _____ (23) Απριλίου είναι η παγκόσμια ημέρα βιβλίου.
6. Η _____ (4) Μαΐου είναι η παγκόσμια ημέρα γέλιου.
7. Η _____ (31) Μαΐου είναι η παγκόσμια ημέρα κατά του καπνίσματος.
8. Η _____ (5) Ιουνίου είναι η μέρα για το περιβάλλον.
9. Η _____ (12) Ιουνίου είναι η μέρα κατά της παιδικής εργασίας.
10. Η _____ (20) Ιουνίου είναι η παγκόσμια ημέρα των προσφύγων.
11. Η _____ (15) Σεπτεμβρίου είναι η παγκόσμια ημέρα δημοκρατίας.
12. Η _____ (18) Οκτωβρίου είναι η μέρα κατά της φτώχειας.
13. Η _____ (1) Δεκεμβρίου είναι η μέρα κατά του AIDS.

**1 7** Συμπληρώνω με αριθμητικά.

1. Στην Πολωνία η _____ (11) Νοεμβρίου είναι η μέρα της Ανεξαρτησίας και η _____ (3) Μαΐου είναι η μέρα του Συντάγματος. Γιορτάζουν το πρώτο πολωνικό σύνταγμα, του 1791 (δεύτερο στον κόσμο μετά το αμερικανικό).
2. Εθνική γιορτή της Τουρκίας είναι η _____ (29) Οκτωβρίου, η μέρα της Δημοκρατίας.
3. Στις Βαλτικές χώρες η _____ (4) Ιουλίου είναι η μέρα μνήμης της Γενοκτονίας των Εβραίων, ενώ η _____ (18) Νοεμβρίου είναι η εθνική γιορτή της Λετονίας.
4. Στην Αλβανία την _____ (29) Νοεμβρίου γιορτάζουν τη μέρα της Απελευθέρωσης.
5. Εθνική ημέρα της Νιγηρίας είναι η _____ (1) Οκτωβρίου, που είναι και παγκόσμια ημέρα των Ηλικιωμένων.
6. Στο Μεξικό την _____ (17) Ιανουαρίου, τη μέρα του αγίου Αντωνίου, προστάτη των ζώων, τα παιδιά πηγαίνουν τα ζωάκια τους στην εκκλησία. Μεγάλη γιορτή, επίσης, είναι η _____ (2) Νοεμβρίου, η μέρα των Νεκρών. Πιστεύουν ότι οι ψυχές των νεκρών γυρίζουν πίσω στη γη τη μέρα αυτή για να δουν τους συγγενείς και τους φίλους τους. Κάθε οικογένεια καθαρίζει και στολίζει τους τάφους των αγαπημένων της και σε μερικές περιοχές ξενυχτάνε δίπλα τους. Είναι μια μέρα που θυμούνται τους νεκρούς, όχι με λύπη, αλλά με κέφι και χαρά.

## Είμαι όλος αυτιά  Γ5

**1 8** Ακούω μια εκπομπή στο ραδιόφωνο για την Πρωτοχρονιά στον κόσμο και συμπληρώνω Σωστό, Λάθος ή Δ.Α. (Δεν Αναφέρεται) στον πίνακα που ακολουθεί.

| | Σ | Λ | Δ.Α. |
|---|---|---|---|
| 1. Η μέρα που ακούμε την εκπομπή αυτή είναι η παραμονή της Πρωτοχρονιάς. | ☐ | ☑ | ☐ |
| 2. Το όνομα της εκπομπής είναι «Γύρω από το πρωτοχρονιάτικο τραπέζι». | ☐ | ☐ | ☐ |
| 3. Η 1η Ιανουαρίου δεν είναι για όλους η πρώτη μέρα του χρόνου. | ☐ | ☐ | ☐ |
| 4. Οι μουσουλμάνοι μετράνε τον χρόνο από τη μέρα που ο Μωάμεθ έφτασε στη Μέκκα. | ☐ | ☐ | ☐ |
| 5. Για τους Αιγύπτιους ο Όσιρις ήταν ο θεός που έφερε τον ήλιο στον κόσμο. | ☐ | ☐ | ☐ |
| 6. Στην Αρχαία Αίγυπτο η Πρωτοχρονιά ήταν τον Μάρτιο. | ☐ | ☐ | ☐ |
| 7. Το όνομα «Σεπτέμβριος» στα λατινικά σημαίνει τον ένατο μήνα του χρόνου. | ☐ | ☐ | ☐ |
| 8. Για τους Ρωμαίους ο Ιανουάριος ήταν πάντα ο πρώτος μήνας του χρόνου. | ☐ | ☐ | ☐ |
| 9. Η γιορτή του θεού Ιανού ήταν στο τέλος Ιανουαρίου. | ☐ | ☐ | ☐ |
| 10. Στα βυζαντινά χρόνια τα παιδιά έλεγαν τα κάλαντα στα σπίτια συγγενών και φίλων. | ☐ | ☐ | ☐ |
| 11. Τη μέρα της Πρωτοχρονιάς στην Κίνα πρέπει να υπάρχει ησυχία, γιατί αλλιώς έρχονται τα κακά πνεύματα. | ☐ | ☐ | ☐ |
| 12. Η Πρωτοχρονιά στην Αιθιοπία είναι την εποχή που μαζεύουν τους καρπούς. | ☐ | ☐ | ☐ |
| 13. Την πρώτη μέρα του χρόνου τα αγόρια, στην Αιθιοπία, ανάβουν φωτιές, για να κάψουν το κακό. | ☐ | ☐ | ☐ |
| 14. Στην Περσία οι γιορτές για την Πρωτοχρονιά κρατάνε τρεις μέρες. | ☐ | ☐ | ☐ |
| 15. Στο Σίδνεϋ η Πρωτοχρονιά είναι το καλοκαίρι. | ☐ | ☐ | ☐ |
| 16. Για τους Ισπανούς κάθε ρώγα σταφυλιού που τρώνε την Πρωτοχρονιά συμβολίζει έναν μήνα του χρόνου. | ☐ | ☐ | ☐ |
| 17. Οι Ιταλοί πετάνε κάποια από τα παλιά τους πράγματα, για να τα πάρει η χρονιά που φεύγει. | ☐ | ☐ | ☐ |
| 18. Στην Ουγγαρία πιστεύουν ότι, αν φας γαλοπούλα τη μέρα της Πρωτοχρονιάς, θα είσαι άτυχος. | ☐ | ☐ | ☐ |
| 19. Οι Πολωνοί μαγειρεύουν δώδεκα φαγητά, για να έχουν τύχη όλον τον χρόνο. | ☐ | ☐ | ☐ |
| 20. Η εκπομπή με θέμα «Πώς να χάσουμε τα κιλά που πήραμε» θα γίνει την πρώτη μέρα του νέου έτους. | ☐ | ☐ | ☐ |

**1 9** Διαβάζω το κείμενο για την 8η Μαρτίου και από τον πίνακα που ακολουθεί διαλέγω έναν τίτλο για κάθε παράγραφο, όπως στο παράδειγμα. ΠΡΟΣΟΧΗ: Υπάρχουν 8 τίτλοι που δεν ταιριάζουν σε καμία παράγραφο.

### 8 ΜΑΡΤΗ: Μέρα είναι, θα περάσει...

| | |
|---|---|
| 13 | Η 8η Μαρτίου είναι μια από τις αγαπημένες γιορτές της τηλεόρασης, του ραδιοφώνου, των εφημερίδων και των περιοδικών. |
| | Στην Ελλάδα, τα Μέσα Μαζικής Ενημέρωσης άρχισαν να μιλούν για τους αγώνες των γυναικών για ίσα δικαιώματα τη δεκαετία του 1970: οι γυναίκες στον Πόλεμο και στην Αντίσταση, η πρώτη Ελληνίδα φοιτήτρια, το πρώτο γυναικείο περιοδικό... |
| | Βέβαια, αυτοί που γράφουν και μιλούν για τη γυναίκα και τις σχέσεις των δύο φύλων είναι, συνήθως, άντρες. Έτσι, η «ημέρα των γυναικών» γίνεται σιγά σιγά «ημέρα για τις γυναίκες». |
| | Σήμερα, λοιπόν, η 8η Μαρτίου είναι μια ευκαιρία για επιστροφή στα «γυναικεία θέματα»: το τέλειο μακιγιάζ, το τέλειο σώμα, το τέλειο ντύσιμο, τα τέλεια κοσμήματα, ο τέλειος γάμος... Αφού οι άντρες «έλυσαν» τα προβλήματα των γυναικών, μπορούν τώρα να τους προσφέρουν ένα λουλούδι ή ένα ρομαντικό γεύμα... |
| | Κι όμως. Υπάρχει μια άλλη «παγκόσμια ημέρα» που δείχνει ότι τα προβλήματα των γυναικών συνεχίζουν να υπάρχουν. Η 25η Νοεμβρίου είναι η «παγκόσμια ημέρα για την εξάλειψη της βίας κατά των γυναικών». |
| | Στην Ελλάδα του 21ου αιώνα εβδομήντα γυναίκες ζητούν καθημερινά βοήθεια για περιστατικά βίας μέσα στην οικογένεια. Οι δύο στις τρεις είναι παντρεμένες, ενώ μία στις πέντε είναι χωρισμένη. Μία στις τρεις, επίσης, δηλώνει ότι είχε προβλήματα βίας και πριν από τον γάμο. Το 30% έχει τελειώσει το Πανεπιστήμιο ή κάποιο Τ.Ε.Ι., ενώ οι έξι στις δέκα δηλώνουν ότι η οικονομική τους κατάσταση είναι μέτρια ή καλή. |
| | Ο δράστης της ενδοοικογενειακής βίας είναι στις περισσότερες περιπτώσεις ο σύζυγος (82%) ή ο σύντροφος (12%) και σπανιότερα ο πατέρας, ο αδερφός ή ο γιος. |
| | Το 20%-25% των γυναικών στην Ευρώπη είχαν τουλάχιστον ένα περιστατικό σωματικής βίας στη ζωή τους. |
| | Σε όλον τον κόσμο, σύμφωνα με την Παγκόσμια Οργάνωση Υγείας, μία στις πέντε γυναίκες πέφτει θύμα σεξουαλικής βίας πριν φτάσει τα 15 χρόνια της. Από τα 100.000.000 παιδιά στον κόσμο που δεν πηγαίνουν σχολείο τα περισσότερα είναι κορίτσια, ενώ από τους 800.000.000 ανθρώπους που δε γνωρίζουν να διαβάζουν το 70% είναι γυναίκες. Σύμφωνα με τον Οργανισμό Ηνωμένων Εθνών, οι δύο στους τρεις φτωχούς του κόσμου είναι γυναίκες. |
| | Στην Ελλάδα, σύμφωνα με το Ινστιτούτο Εργασίας της Γ.Σ.Ε.Ε., οι μισθοί των γυναικών για την ίδια εργασία είναι 30% πιο χαμηλοί από αυτούς των αντρών. Η ανεργία το 2005 ήταν 7% για τους άντρες, αλλά 17% για τις γυναίκες. |
| | Σύμφωνα με το Παγκόσμιο Οικονομικό Φόρουμ, η Ελλάδα το 2008 ήταν στην 75η θέση ανάμεσα σε 130 κράτη ως προς την ισότητα των φύλων, ενώ δύο χρόνια νωρίτερα βρισκόταν σε καλύτερη θέση (στην 69η). Απ' όλες τις χώρες της Ευρωπαϊκής Ένωσης, στην Ελλάδα και στην Κύπρο παρατηρούνται οι μεγαλύτερες διαφορές μεταξύ αντρών και γυναικών σε θέματα όπως είναι οι μισθοί, το ποσοστό ανεργίας, οι διευθυντικές θέσεις, η συμμετοχή στην πολιτική και στην κυβέρνηση, η εκπαίδευση και η υγεία. |
| | Για τους λόγους αυτούς, αρκετές γυναικείες οργανώσεις μιλούν σήμερα για την 8η Μαρτίου ως τη «Νύχτα της Γυναίκας» και μας καλούν να σταματήσουμε να τη γιορτάζουμε σαν να είναι μια ακόμη ημέρα του αγίου Βαλεντίνου. |

(Στοιχεία από *enet.gr, in.gr, ethnos.gr*)

| 1. | Οι 2 στις 3 γυναίκες στην Ελλάδα αντιμετώπισαν κάποιο περιστατικό βίας στη ζωή τους. |
|---|---|
| 2. | Η τηλεόραση, το ραδιόφωνο, οι εφημερίδες και τα περιοδικά στην Ελλάδα. |
| 3. | Άντρες και γυναίκες στην ελληνική οικονομία. |
| 4. | Η «ημέρα για τις γυναίκες» γίνεται «ημέρα των γυναικών». |
| 5. | Η βία κατά των γυναικών στην Ευρώπη. |
| 6. | Να αλλάξουμε τον τρόπο που γιορτάζουμε τη Μέρα της Γυναίκας. |
| 7. | Μια παγκόσμια ημέρα ενάντια στη βία κατά των γυναικών. |
| 8. | Οι μεγαλύτερες διαφορές αντρών-γυναικών σε χώρες της Ευρωπαϊκής Ένωσης είναι στην Ελλάδα και στην Κύπρο. |
| 9. | Οι αγώνες των γυναικών μέσα από την τηλεόραση, το ραδιόφωνο, τις εφημερίδες. |
| 10. | Η βία προέρχεται συνήθως από τον σύζυγο. |
| 11. | Τα χαρακτηριστικά των Ελληνίδων που έχουν προβλήματα με τη βία μέσα στην οικογένεια. |
| 12. | Τα προβλήματα των γυναικών σε όλο τον κόσμο. |
| 13. | Η 8η Μαρτίου: αγαπημένη μέρα των Μέσων Μαζικής Ενημέρωσης. |
| 14. | Ίσοι μισθοί για την ίδια εργασία. |
| 15. | Οι γυναικείες οργανώσεις για την ημέρα του αγίου Βαλεντίνου. |
| 16. | Για την 8η Μαρτίου μιλούν και γράφουν συνήθως οι άντρες. |
| 17. | Στροφή στα «γυναικεία θέματα». |
| 18. | Η 25η Νοεμβρίου: ημέρα της γυναίκας. |
| 19. | Η Ελλάδα στην 69η θέση ως προς την ισότητα των φύλων. |
| 20. | Οι γυναίκες σήμερα δεν έχουν προβλήματα. |

 **Παίζω έναν ρόλο**

**2 0 Παγκόσμιες ημέρες**

**Ρόλος Α**

Μια φίλη / ένας φίλος μου μου ανακοίνωσε ότι θα πάει στις εκδηλώσεις που κάνει ο δήμος μας για την Παγκόσμια Ημέρα για τα Ζώα. Εγώ πιστεύω ότι τέτοιες «γιορτές» δεν έχουν καμία αξία, γιατί τα προβλήματα υπάρχουν όχι μία αλλά 365 μέρες τον χρόνο. Της/του θυμίζω, επίσης, ότι ο δήμος μας δεν έκανε σχεδόν τίποτα για τα αδέσποτα ζώα της γειτονιάς μας.

**Ρόλος Β**

Μιλάω σε έναν φίλο / μια φίλη μου για τις εκδηλώσεις που κάνει ο Δήμος μας για την Παγκόσμια Ημέρα για τα Ζώα. Νομίζω ότι είναι μια σπουδαία ευκαιρία να μιλήσουμε και να δούμε πώς μπορούμε να κάνουμε κάτι για τα αδέσποτα ζώα που υπάρχουν στη γειτονιά μας.

αδέσποτα ζώα
ταΐζω (= δίνω φαγητό)
Εταιρεία Προστασίας Ζώων
φιλόζωος
φιλοζωική οργάνωση

## Γράψε-σβήσε

**2.1** Γράφω σε μια φίλη / έναν φίλο μου για μια γιορτή που μου έκανε εντύπωση. Της/του εξηγώ πού και πότε γίνεται αυτή η γιορτή, με ποιον τρόπο τη γιορτάζουν και ό,τι άλλο νομίζω. (150 λέξεις περίπου)

_____
_____
_____
_____
_____
_____
_____
_____
_____
_____

## Φωνή-γραφή        Γ6

**2.2** Ακούω τις λέξεις και τις βάζω στον σωστό πίνακα, όπως στο παράδειγμα.

| ευκαιρία, κάρτες, καλώ, καρναβάλι, κερνάω, Καθαρά Δευτέρα, διακοπές | |
|---|---|
| /k/ | [k̃] |
| κάρτες, | ευκαιρία, |

| οικογένεια, γενέθλια, αυγά, βγαίνω, γυμναστήριο, αργία, σίγουρα, γιορτή | |
|---|---|
| /γ/ | [j] |
| αυγά, | οικογένεια, |

| σχολείο, χαίρομαι, δέχομαι, αρχαία, χιόνια, εύχομαι, ξεχωριστός | |
|---|---|
| /x/ | [x̃] |
| σχολείο, | χαίρομαι, |

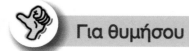 **Για θυμήσου**

**2.3** Διαλέγω το σωστό, όπως στο παράδειγμα.

1. – Γιατί λένε όλοι «καλό τριήμερο»;
   – Γιατί την Παρασκευή είναι 25η Μαρτίου. Είναι *αργία.*
   α. διακοπές        β. αργία        γ. παράδοση

2. Πάρε _____ βιβλία θέλεις. Έχουμε πολλά.
   α. όσα        β. αυτά που        γ. που

3. Αν δε με πιστεύεις, ρώτα _____ θέλεις.
   α. όποιον        β. όσον        γ. που

4. Θα κάνω _____ θέλω εγώ! Δε θα μου πεις εσύ τι θα κάνω!
   α. όσο        β. που        γ. ό,τι

5. Το καρναβάλι της Πάτρας μού έκανε μεγάλη _____ .
   α. παράσταση        β. παρέλαση        γ. εντύπωση

6. _____ τη γνώμη μου, δεν έπρεπε να πας.
   α. Παρά        β. Κατά        γ. Για

7. Σου _____ χρόνια πολλά! Να τα εκατοστίσεις!
   α. δέχομαι        β. χαίρομαι        γ. εύχομαι

8. Στο σχολείο θα κάνουμε γιορτή για την _____ Οκτωβρίου.
   α. είκοσι οχτώ        β. εικοστή ογδόη        γ. εικοστή όγδοη

**2.4** Γράφω τις λέξεις που μου έρχονται στο μυαλό όταν ακούω...

1. γιορτές _____

2. αργία _____

3. παράδοση _____

4. νηστεία _____

5. παρέλαση _____

6. έθιμο _____

# Πάμε πάλι!

**1** Πότε είμαι πιο ευγενικός/ευγενική; Υπογραμμίζω, όπως στο παράδειγμα.

1. α. Πάρε τηλέφωνο πριν πας.
   β. <u>Προσπάθησε να πάρεις τηλέφωνο πριν πας.</u>
2. α. Δώσε μου, σε παρακαλώ, τα χαρτιά σου.
   β. Δώσε μου τα χαρτιά σου.
3. α. Να φορέσεις το παλτό σου.
   β. Φόρεσε το παλτό σου.
4. α. Πρόσεξε τι θα πεις.
   β. Να προσέξεις τι θα πεις.

**2** Διαλέγω το σωστό, όπως στο παράδειγμα.

1. Περιμένω <u>να ακούσω</u> πρώτα τι θα μου πουν και μετά θα αποφασίσω.
   α. να ακούω       β. να ακούσω       γ. θα ακούω

2. Πρέπει _____ το σκυλί βόλτα τα απογεύματα, Γιάννη. Δεν μπορώ να τα κάνω όλα εγώ.
   α. να βγάζεις       β. να βγάλεις       γ. να βγάζει

3. Δε συνηθίζω _____ με αγνώστους, κύριε. Αφήστε με ήσυχη.
   α. να μιλήσω       β. θα μιλάω       γ. να μιλάω

4. Σοφία, προλαβαίνεις _____ στην τράπεζα σήμερα; Αν δεν μπορείς, άσ' το. Θα πάω εγώ αύριο.
   α. να πηγαίνεις       β. να πας       γ. θα πας

5. Μπορείτε _____ τι ακριβώς έγινε; Όταν έφυγα, όλα ήταν μια χαρά.
   α. να μου λέτε       β. να μου πεις       γ. να μου πείτε

6. Άρχισε _____ μπάσκετ από πολύ μικρός. Σήμερα είναι ένας από τους πιο καλούς παίκτες της ομάδας μας.
   α. να παίζει       β. θα παίξει       γ. να παίξει

7. Σταμάτα _____ όλη την ώρα. Μας ζάλισες!
   α. να μιλάς       β. να μιλήσεις       γ. θα μιλάς

8. Αποκλείεται _____ στο πάρτι. Πήγε εκδρομή στο Ναύπλιο με έναν φίλο του.
   α. να έρθει       β. να έρχεται       γ. θα έρθει

9. Φοβάμαι _____ δεν πάω καλά στις εξετάσεις του Ιουνίου.
   α. ότι       β. μήπως       γ. να

10. _____ περίμενα στην ουρά μια ώρα, δεν έκανα τη δουλειά μου. Πρέπει να πάω πάλι αύριο στην Εφορία.
    α. Αν       β. Να       γ. Αν και

11. Αν σε ρωτήσει, _____ του ότι δε με είδες.
    α. λέγε       β. πες       γ. πείτε

12. Κατερίνα, _____ μου, σε παρακαλώ, τις σημειώσεις σου. Έλειπα χτες από το μάθημα και πρέπει να βγάλω φωτοτυπίες.
    α. δίνε       β. δώσε       γ. δώστε

13. _____ τόσο δυνατά τη μουσική τα μεσημέρια. Χτες πάλι μου έκαναν παράπονα οι γείτονες.
    α. Μη βάζεις       β. Μη βάλεις       γ. Βάζε

14. Πόπη, αν πας στο ταχυδρομείο, _____ τον λογαριασμό της Δ.Ε.Η., σε παρακαλώ.
   α. πλήρωνε               β. πλήρωσε               γ. πληρώνεις

15. Δεν άκουσες τι είπε η διαιτολόγος, Βαγγέλη; _____ συνέχεια πίτσες και σουβλάκια. Παχαίνουν.
   α. Τρώγε                 β. Μη φας                γ. Μην τρως

16. Εγώ έκανα _____ μπορούσα. Τώρα πρέπει να προσπαθήσετε κι εσείς.
   α. όποιος                β. ό,τι                  γ. που

17. Νομίζω _____ θα βρέξει απόψε. Καλύτερα να μείνουμε μέσα.
   α. ότι                   β. ό,τι                  γ. να

18. _____ σκέφτεστε να πάτε φέτος διακοπές;
   α. Πού                   β. Που                   γ. Πως

19. Δεν πήγαμε για μπάνιο στη θάλασσα εξαιτίας _____ .
   α. την κακοκαιρία        β. της κακοκαιρίας       γ. η κακοκαιρία

20. Μας κάλεσε όλους στο σπίτι του εκτός _____ . Αυτό την πείραξε πολύ.
   α. από την Άννα          β. την Άννα              γ. για την Άννα

### Είμαι όλος αυτιά

**3** Φόρα πάντα τη ζώνη σου...
Ο Γρηγόρης τρέχει με το αυτοκίνητο σε κεντρικό δρόμο της Αθήνας και τον σταματάει η τροχαία. Ακούω δύο (2) φορές τον διάλογο με τον αστυνομικό και επιλέγω Σωστό (Σ), Λάθος (Λ) ή Δεν Αναφέρεται (Δ.Α.) στον πίνακα που ακολουθεί, όπως στο παράδειγμα.

| | Σ | Λ | Δ.Α. |
|---|---|---|---|
| 1. Ο Γρηγόρης οδηγεί το καινούριο αυτοκίνητο που αγόρασε πριν από λίγες ημέρες. | ☐ | ☐ | ☑ |
| 2. Ο αστυνομικός ζητάει από τον Γρηγόρη δίπλωμα οδήγησης και άδεια κυκλοφορίας. | ☐ | ☐ | ☐ |
| 3. Ο Γρηγόρης δεν έχει μαζί του την ασφάλεια του αυτοκινήτου. | ☐ | ☐ | ☐ |
| 4. Το όριο ταχύτητας στην περιοχή αυτή είναι 90 χμ. την ώρα. | ☐ | ☐ | ☐ |
| 5. Ο Γρηγόρης δε φορούσε ζώνη ασφαλείας, όταν τον σταμάτησε η αστυνομία. | ☐ | ☐ | ☐ |
| 6. Ο Γρηγόρης λέει στον αστυνομικό ότι έτρεχε, γιατί δεν ήθελε να αργήσει στη δουλειά του. | ☐ | ☐ | ☐ |
| 7. Ο Γρηγόρης είναι από τη Σύρο, αλλά τώρα ζει στον Πειραιά. | ☐ | ☐ | ☐ |
| 8. Ο Γρηγόρης πηγαίνει στη Σύρο σχεδόν κάθε χρόνο για διακοπές. | ☐ | ☐ | ☐ |
| 9. Ο πατέρας του Γρηγόρη ήταν καθηγητής σε Γυμνάσιο της Σύρου. | ☐ | ☐ | ☐ |
| 10. Ο Βασίλης Οικονόμου έχει ταβέρνα και ενοικιαζόμενα δωμάτια στη Σύρο. | ☐ | ☐ | ☐ |
| 11. Ο Βασίλης Οικονόμου είναι ξάδελφος του αστυνομικού και φίλος του Γρηγόρη. | ☐ | ☐ | ☐ |
| 12. Ο αστυνομικός τελικά δεν κόβει κλήση στον Γρηγόρη, αν και έκανε δύο παραβάσεις του Κώδικα Οδικής Κυκλοφορίας. | ☐ | ☐ | ☐ |
| 13. Ο Γρηγόρης οδηγεί και μηχανή εκτός από αυτοκίνητο. | ☐ | ☐ | ☐ |
| 14. Ο Γρηγόρης λέει ότι δεν πίνει συνήθως πολύ, όταν βγαίνει το βράδυ. | ☐ | ☐ | ☐ |

**4** Έχασα την κάρτα μου...

Η κυρία Παναγιώτου τηλεφωνεί στην τράπεζα και συνομιλεί με την υπάλληλο. Ακούω δύο (2) φορές τον διάλογο και συμπληρώνω το κείμενο, όπως στο παράδειγμα.

1. Η κυρία Παναγιώτου τηλεφωνεί στην <u>Τράπεζα Λέσβου</u> .

2. Η κυρία Παναγιώτου έχασε το πορτοφόλι της. Μέσα σ' αυτό είχε την
   _____ .

3. Η υπάλληλος της τράπεζας της ζητάει να της διαβάσει προσεκτικά τα
   _____ του αριθμού της κάρτας της.

4. Στη συνέχεια η υπάλληλος ζητάει το _____ και την
   _____ και βρίσκει την κίνηση του λογαριασμού της.

5. Το απόγευμα της προηγούμενης ημέρας η κυρία Παναγιώτου πήρε 40 ευρώ από το Α.Τ.Μ.
   της _____ .

6. Η τελευταία ανάληψη από τον λογαριασμό της κυρίας Παναγιώτου έγινε τη Δευτέρα στις
   _____ από ένα Α.Τ.Μ. στην
   _____ , αλλά δεν την έκανε η ίδια.

7. Κάποιοι πήραν από τον λογαριασμό της το ποσό των
   _____ .

8. Η υπάλληλος της τράπεζας ρωτάει την κυρία Παναγιώτου αν έδωσε την κάρτα της σε
   _____ , αλλά εκείνη απαντάει «όχι».

9. Η κυρία Παναγιώτου έκανε ένα πολύ σοβαρό λάθος:
   _____ τον μυστικό της αριθμό.

10. Η υπάλληλος μπλοκάρει την κάρτα της και της προτείνει να πάει την επόμενη μέρα το πρωί
    _____ και να ζητήσει να
    _____ .

11. Η κυρία Παναγιώτου θα περάσει το ίδιο βράδυ από την αστυνομία, για
    _____ .

12. Το πρωί της επόμενης μέρας η κυρία Παναγιώτου _____ .

**5** Διαβάζω το παρακάτω κείμενο και συμπληρώνω από τον πίνακα που ακολουθεί, όπως στο παράδειγμα. Προσοχή: τρεις από τις φράσεις του πίνακα δεν ταιριάζουν πουθενά.

### Λύσεις υπάρχουν και για φέτος...
Της Κάτιας Αντωνιάδη

Σύμφωνα με τους τουριστικούς πράκτορες _17_ που ψάχνουν προσεκτικά το ζήτημα «διακοπές», υπάρχουν πολλά μέρη που είναι πιο οικονομικά _____ περιοχές στα νησιά, αλλά και στην ηπειρωτική Ελλάδα.

1. Ένας τρόπος να αντιμετωπίσει κάποιος τις αυξήσεις των ακτοπλοϊκών εισιτηρίων είναι να επιλέξει προορισμούς κοντινούς στην πόλη διαμονής του. Αν κάποιος μένει στη Λάρισα, για παράδειγμα, _____ ολόκληρο ταξίδι για να πάει διακοπές σε ένα νησί των Κυκλάδων. Η Λεπτοκαρυά, η Σκοτίνα, ο Αγιόκαμπος και ο Βόλος, που βρίσκονται κοντά στη Λάρισα, είναι περιοχές εξίσου ελκυστικές, που κρατούν τις τιμές τους _____ . Αντίστοιχα, οι κάτοικοι των βορειότερων περιοχών της χώρας μας μπορούν να επιλέξουν κάποια από τις παραλιακές περιοχές της Θράκης.

2. Δε χρειάζεται _____ για να κάνει τα μπάνια του σε όποιο μέρος της Ελλάδας και να μένει. Υπάρχουν και τα νησιά όπου μπορείς να πας με αυτοκίνητο _____ , όπως η Εύβοια ή η Λευκάδα, καθώς φυσικά και οι παραθαλάσσιες περιοχές της ηπειρωτικής Ελλάδας. Για όσους δεν αγαπούν την πολυκοσμία, οι μικρές πόλεις και τα γραφικά χωριά που προσφέρουν _____ σε ένα περιβάλλον με ελάχιστους τουρίστες είναι πάρα πολλές.

3. Μια καλή πρόταση για το καλοκαίρι είναι και οι χειμερινοί, κατά βάση, προορισμοί, όπως η Αράχοβα, οι Πρέσπες, η βόρεια και ορεινή Ελλάδα. Οι τιμές για τη διαμονή και το φαγητό είναι αρκετά πιο χαμηλές _____ , γι' αυτό τέτοιες «εναλλακτικές» περιοχές θεωρούνται ιδιαίτερα έξυπνη λύση για θερινές διακοπές.

4. Για τους νεότερους σε ηλικία, τα κάμπινγκ αποτελούν μια αγαπημένη και _____ . Οργανωμένα κάμπινγκ, με τις απαραίτητες ανέσεις, υπάρχουν στα περισσότερα νησιά του Αιγαίου, στην ηπειρωτική Ελλάδα και _____ . Το κάμπινγκ απευθύνεται και στους οικογενειάρχες, που θέλουν _____ , χωρίς να τους κοστίσει πολύ ακριβά. Εκεί, εξάλλου, δε θα χρειάζεται να τρέχουν διαρκώς πίσω από τα παιδιά τους για να τα απασχολήσουν: τα περισσότερα κάμπινγκ φυλάσσονται, ενώ οι δραστηριότητες που _____ .

5. Τέλος, ενθαρρύνονται οι έξυπνες κινήσεις, όπως το _____ στο μέσον της εβδομάδας και όχι την Παρασκευή –αφού συχνά οι τιμές στα ξενοδοχεία και στα ενοικιαζόμενα δωμάτια _____–, να προγραμματίσει αρκετά νωρίς την εκδρομή του ή να πάρει απόφαση ότι διακοπές θα κάνει πριν από τον Αύγουστο ή _____ , ώστε να πετύχει τις καλύτερες δυνατές τιμές.

(*Ελευθεροτυπία*, 28-06-2008, σ. 36, με αλλαγές)

| 1. | πολύ οικονομική επιλογή |
| --- | --- |
| 2. | να απολαύσουν την άδειά τους |
| 3. | και όχι με πλοίο |
| 4. | από τις αντίστοιχες του χειμώνα |
| 5. | μετά τα μέσα του Σεπτέμβρη |
| 6. | να ξοδέψουν περισσότερα χρήματα |
| 7. | να μπει κάποιος στο καράβι |
| 8. | προσφέρουν είναι πολλές |
| 9. | από τις γνωστές τουριστικές |
| 10. | ηρεμία και χαλάρωση |
| 11. | σε λογικά επίπεδα |
| 12. | σε περιοχές ακριβώς «δίπλα στο κύμα» |
| 13. | είναι πιο τουριστικές από άλλες |
| 14. | να ξεκινήσει κάποιος για διακοπές |
| 15. | να έχουν παραλίες με άμμο και βότσαλο |
| 16. | ανεβαίνουν αισθητά το Σαββατοκύριακο |
| 17. | αλλά και με ταξιδιώτες |
| 18. | δεν είναι απαραίτητο να κάνει |

**6** Διαβάζω το κείμενο για τη χρήση του ίντερνετ στην Ελλάδα και συμπληρώνω τον πίνακα, όπως στο παράδειγμα.

**Γλιτώνω τις ουρές με το ίντερνετ**

**«Σερφάρω στην τράπεζα και στην εφορία»**
Οι ηλεκτρονικές συναλλαγές καταργούν τις ουρές μπροστά στα γκισέ, αλλά κρύβουν και παγίδες

*Της Καρολίνας Παπακώστα*

Στην Ελλάδα η αναμονή στην ουρά στην τράπεζα συνήθως φτάνει τα είκοσι λεπτά. Η επίσκεψη στην εφορία ξεπερνάει συχνά τα τρία τέταρτα. Γι' αυτόν τον λόγο, όλο και περισσότεροι Έλληνες φαίνεται πως προτιμούν να κερδίσουν χρόνο με το να κάνουν τις συναλλαγές ή τις αγορές τους μέσα σε λίγα λεπτά με ένα κλικ στο ποντίκι του υπολογιστή τους.

Η κ. Όλγα Γλυμακοπούλου, ιδιωτική υπάλληλος, εδώ και αρκετό καιρό κάνει τα ψώνια της με τη βοήθεια του ηλεκτρονικού υπολογιστή. «Αρχικά αγόραζα κυρίως υπηρεσίες, δηλαδή έκλεινα αεροπορικά εισιτήρια και ξενοδοχεία για τις διακοπές μου, αλλά σιγά σιγά άρχισα να παίρνω και προϊόντα, όπως ρούχα ή βιβλία» λέει στα *ΝΕΑ*. Φέτος όμως για πρώτη φορά αποφάσισε να χρησιμοποιήσει το διαδίκτυο και για τις συναλλαγές της με δημόσιες υπηρεσίες και τράπεζες. «Συμπλήρωσα ηλεκτρονικά τη φορολογική μου δήλωση και, αφού διαπίστωσα πόσο χρόνο και ταλαιπωρία γλιτώνεις, άρχισα να χρησιμοποιώ το ίντερνετ και για να πληρώνω λογαριασμούς» αναφέρει. Και δεν είναι η μόνη. Οι «ηλεκτρονικοί» καταναλωτές το 2006 στην Ελλάδα ήταν γύρω στους 185.000, ενώ τους έξι πρώτους μήνες του 2009 έφτασαν τους 620.000, σύμφωνα με πρόσφατη έρευνα για το Οικονομικό Πανεπιστήμιο Αθηνών.

Το σερφάρισμα δε γίνεται πια μόνο για διασκέδαση και επικοινωνία, αλλά και για καθημερινές συναλλαγές. Είναι χαρακτηριστικό ότι το 2008 υπήρξε σημαντική αύξηση του αριθμού των πολιτών που συμπλήρωσαν και έστειλαν μέσω του ίντερνετ έντυπα και αιτήσεις προς δημόσιες υπηρεσίες. Έτσι, ένας στους πέντε Έλληνες (20%) προτιμά να συναλλάσσεται πια με το κράτος μέσα από την οθόνη του ηλεκτρονικού υπολογιστή, ενώ 7 από τις 20 βασικές δημόσιες υπηρεσίες είναι διαθέσιμες πλέον online και στην Ελλάδα. Άλλωστε, από τις συναλλαγές μέσω διαδικτύου δεν έχουν όφελος μόνο οι πολίτες, αλλά και το Δημόσιο. Πιο λίγοι πολίτες στις ουρές, λιγότερα νεύρα και φωνές, εξοικονόμηση χρόνου για τους εργαζόμενους στις δημόσιες υπηρεσίες, πιο γρήγορη εξυπηρέτηση του πολίτη και λιγότερη ταλαιπωρία.

Η κατάσταση όμως δεν είναι η ίδια στις τραπεζικές συναλλαγές μέσω ίντερνετ, το λεγόμενο web banking. Όπως αναφέρουν ειδικοί, οι περισσότεροι πελάτες των τραπεζών φαίνεται ότι ακόμα δεν εμπιστεύονται το ίντερνετ για τέτοιου είδους διαδικασίες. Ίσως δεν είναι σίγουροι ότι τα προσωπικά τους στοιχεία είναι ασφαλή στο διαδίκτυο. Πάντως, εκτός από χρόνο αναμονής στο κατάστημα της τράπεζας, οι πελάτες που αξιοποιούν το ίντερνετ μπορούν να κερδίσουν και σε χρήμα, αφού αρκετές ηλεκτρονικές συναλλαγές παρέχονται εντελώς δωρεάν από τις τράπεζες. Και σε όσες συναλλαγές υπάρχουν έξοδα ή προμήθειες, όπως, για παράδειγμα, στην πληρωμή ενοικίου σε λογαριασμό διαφορετικής τράπεζας, αυτά είναι συνήθως χαμηλότερα από εκείνα που πρέπει να πληρώσουν στο γκισέ της τράπεζας.

*(Τα Νέα, 23-07-2009, σ. 14-15, με αλλαγές)*

**Σωστό ή λάθος;**

| | Σωστό | Λάθος |
|---|:---:|:---:|
| 1. Οι πολίτες στην Ελλάδα περιμένουν συνήθως πάνω από μισή ώρα στην τράπεζα, για να τους εξυπηρετήσουν. | ☐ | ☑ |
| 2. Οι Έλληνες στην εφορία περιμένουν συχνά περισσότερο από 45 λεπτά. | ☐ | ☐ |
| 3. Η κ. Όλγα Γλυμακοπούλου εργάζεται στον δημόσιο τομέα. | ☐ | ☐ |
| 4. Η κ. Γλυμακοπούλου κλείνει εισιτήρια και ξενοδοχεία για τις διακοπές της μέσω ίντερνετ. | ☐ | ☐ |
| 5. Η κ. Γλυμακοπούλου δεν αγοράζει ποτέ βιβλία μέσω ίντερνετ. | ☐ | ☐ |
| 6. Η κ. Γλυμακοπούλου συμπλήρωσε φέτος τη φορολογική της δήλωση μέσω του ίντερνετ. | ☐ | ☐ |
| 7. Οι «ηλεκτρονικοί» καταναλωτές στην Ελλάδα το 2006 ήταν λιγότεροι από 200.000. | ☐ | ☐ |
| 8. Το 20% των Ελλήνων προτιμά να κάνει τις συναλλαγές του με το κράτος μέσω του ηλεκτρονικού υπολογιστή. | ☐ | ☐ |
| 9. Όλες οι βασικές δημόσιες υπηρεσίες είναι πλέον διαθέσιμες on-line και στην Ελλάδα. | ☐ | ☐ |
| 10. Οι συναλλαγές μέσω του ίντερνετ είναι χρήσιμες για τους πολίτες, αλλά όχι για το Δημόσιο. | ☐ | ☐ |
| 11. Οι πιο πολλοί πελάτες των τραπεζών χρησιμοποιούν το ίντερνετ για τραπεζικές συναλλαγές. | ☐ | ☐ |
| 12. Αρκετές ηλεκτρονικές συναλλαγές με τις τράπεζες είναι δωρεάν. | ☐ | ☐ |

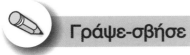 **Γράψε-σβήσε**

**7** Έπεσα με το αυτοκίνητο ή με το μηχανάκι σε μια μεγάλη λακκούβα που υπήρχε στη μέση του δρόμου. Στέλνω μια επιστολή στον/στη δήμαρχο της περιοχής μου και εκφράζω τα παράπονά μου. Περιγράφω το ατύχημα, αναφέρω τη ζημιά που έπαθα και ζητάω αποζημίωση από τον δήμο. (140-160 λέξεις)

_____
_____
_____
_____
_____
_____
_____
_____
_____
_____
_____
_____
_____

**8** Μια φίλη / ένας φίλος μού έστειλε ένα e-mail όπου, ανάμεσα σε άλλα, μου λέει ότι σκοπεύει να αγοράσει μια μηχανή, για να πηγαίνει πιο εύκολα και γρήγορα στη δουλειά της/του. Της/του γράφω τη γνώμη μου. (150 λέξεις περίπου)

_____
_____
_____
_____
_____
_____
_____
_____
_____
_____
_____

## Έχω τον λόγο

**9** Απαντάω:

Σε ποιο από τα μέρη των φωτογραφιών θα προτιμούσατε να περάσετε φέτος τις διακοπές σας και γιατί;
Πήγατε ποτέ διακοπές στο εξωτερικό; Σε ποιες χώρες; Τι σας άρεσε σε καθεμιά από τις χώρες αυτές;
Αντιμετωπίσατε ποτέ κάποιο σοβαρό πρόβλημα στις διακοπές; Περιγράψτε τι έγινε.

Ήσασταν ποτέ αυτόπτης μάρτυρας σε τροχαίο ατύχημα; Τι κάνατε;
Πήγατε ποτέ σε νοσοκομείο για κάποιο πρόβλημα υγείας; Πώς ήταν η συμπεριφορά των γιατρών και των νοσοκόμων;

Αντιμετωπίσατε κάποιο πρόβλημα στις συναλλαγές σας με το Δημόσιο ή με κάποια τράπεζα; Περιγράψτε τι έγινε.
Χρησιμοποιείτε το ίντερνετ στις συναλλαγές σας με το Δημόσιο ή με τις τράπεζες;

Ποια γιορτή που παρακολουθήσατε σας έκανε μεγάλη εντύπωση και γιατί;
Περιγράψτε ένα έθιμο του τόπου σας.

## Παίζω έναν ρόλο

**10** Μόνος ή με γκρουπ;

| Ρόλος Α | Ρόλος Β |
|---|---|
| Θέλω να κάνω ένα μεγάλο ταξίδι στο εξωτερικό μόνος μου. Περιγράφω το σχέδιο του ταξιδιού σε έναν φίλο / μια φίλη μου (σε ποιες χώρες θα πάω, ποια μέσα μεταφοράς θα χρησιμοποιήσω, ποια αξιοθέατα θα δω). Είμαι ενθουσιασμένη/ ενθουσιασμένος. | Ένας φίλος / μια φίλη μου θέλει να κάνει ένα μεγάλο ταξίδι στο εξωτερικό μόνος του / μόνη της. Ανησυχώ για αυτόν/αυτήν, γιατί πιστεύω ότι το σχέδιό του/της είναι επικίνδυνο και του/της προτείνω να ταξιδέψει με γκρουπ. |

Παίζω έναν ρόλο

**11** Στείλτε ασθενοφόρο αμέσως!

**Ρόλος Α**
Είμαι αυτόπτης μάρτυρας ενός σοβαρού τροχαίου ατυχήματος. Τηλεφωνώ στο 166, μιλάω με τον/την υπάλληλο και ζητάω να έρθει γρήγορα ασθενοφόρο. Δίνω πληροφορίες για το σημείο που έγινε το ατύχημα, τον αριθμό των τραυματιών, τη σοβαρότητα της κατάστασης και αναφέρω ό,τι άλλο θεωρώ χρήσιμο.

**Ρόλος Β**
Εργάζομαι στο 166. Τηλεφωνεί ένας κύριος / μια κυρία που είναι αυτόπτης μάρτυρας ενός ατυχήματος και ζητάει να έρθει γρήγορα ασθενοφόρο. Ζητάω πληροφορίες για το σημείο που έγινε το ατύχημα, τον αριθμό των τραυματιών, τη σοβαρότητα της κατάστασης και αναφέρω ότι σε λίγο θα φτάσει βοήθεια.

**12** Το γράμμα δεν έφτασε ποτέ...

**Ρόλος Α**
Έστειλα ένα γράμμα με το ταχυδρομείο, αλλά δεν έφτασε ποτέ στον προορισμό του. Είμαι αρκετά θυμωμένος/θυμωμένη. Πηγαίνω στο ταχυδρομείο και αναφέρω το πρόβλημα σε έναν/μια υπάλληλο. Ρωτάω τι έγινε και ζητάω εξηγήσεις.

**Ρόλος Β**
Είμαι υπάλληλος στο ταχυδρομείο. Ένας κύριος / μια κυρία μού αναφέρει ότι έστειλε ένα γράμμα, αλλά δεν έφτασε ποτέ στον προορισμό του. Είναι αρκετά θυμωμένος/θυμωμένη. Προσπαθώ να τον/την ηρεμήσω, να απαντήσω στις ερωτήσεις και να του/της εξηγήσω τι πρέπει να κάνει.

# 16

## Παρακολουθώ συχνά το κανάλι σας

- Θα καθίσω στο σπίτι να δω καμιά ταινία στην τηλεόραση.
- Ξέρω ότι έχεις δίκιο, αλλά δεν μπορώ να σε βοηθήσω.

- Θεωρούν πως τους είπες ψέματα.
- κάθομαι, συναντιέμαι, οδηγούμαι
- το λάθος, το μέγεθος

# Έχει τίποτα καλό στην τηλεόραση απόψε;

**Παναγιώτης**: Τι έγινε, Φοίβο; Δε θα βγεις απόψε;

**Φοίβος**: Μπα! Βαριέμαι. Λέω να μείνω μέσα.

**Παναγιώτης**: Πώς κι έτσι;

**Φοίβος**: Άσε με, ρε πατέρα! Δεν έχω όρεξη σου λέω.

**Παναγιώτης**: Καλά. Μη φωνάζεις! Εγώ φταίω που ασχολούμαι.

**Μαρίνα**: Παιδιά, δεν έχετε τα κέφια σας σήμερα. Καλύτερα να σας αφήσω. Πάω στο σκυλάκι μου που δεν παραπονιέται ποτέ.

**Φοίβος**: Έλα, Μαρίνα, κάτσε. Δεν τρέχει τίποτα. Θες να δούμε καμιά ταινία;

**Μαρίνα**: Γιατί; Έχει τίποτα καλό στην τηλεόραση απόψε;

**Παναγιώτης**: Τι καλό να έχει η τηλεόραση, Μαρίνα μου; Ειδήσεις για να σε πιάσει κατάθλιψη ή μήπως ριάλιτι;

**Μαρίνα**: Εντάξει, πότε πότε βάζουν και καλές ταινίες ή κανένα ενδιαφέρον ντοκιμαντέρ. Μόνο αυτά αξίζουν. Όλα τα άλλα...

**Παναγιώτης**: Εγώ προτιμώ το ραδιόφωνο. Μπορώ να ακούω όλη μέρα. Ενημερώνεσαι κι ακούς και τη μουσικούλα σου...

**Φοίβος**: Ε, λοιπόν, είμαστε τυχεροί. Πέσαμε σε καλή μέρα. Απόψε έχει μια κωμωδία του Γούντυ Άλλεν, το *Όλοι λένε σ' αγαπώ*.

**Μαρίνα**: Τέλεια! Τρελαίνομαι για Γούντυ Άλλεν. Τι ώρα αρχίζει;

**Φοίβος**: Στις 12:00 λέει το πρόγραμμα.

**Παναγιώτης**: Καλά, πλάκα μάς κάνουν; Δηλαδή με τα διαλείμματα και τις διαφημίσεις τι ώρα θα τελειώσει; Εργαζόμενοι άνθρωποι είμαστε...

**Μαρίνα**: Εγώ από τώρα χασμουριέμαι. Θα με πάρει ο ύπνος εδώ, αν μείνω.

**Φοίβο**: Οκέι. Κατάλαβα. Πάω να σερφάρω στον υπολογιστή μου. Γεια σου, θεία μου! Και μη στενοχωριέσαι. Κανονίζουμε άλλη φορά βραδιά ταινίας.

**Μαρίνα**: Άντε, φιλάκια! Χάρηκα που σας είδα. Πάω κι εγώ να τσεκάρω ποιος από τους φίλους μου είναι on line, για να πούμε καμιά κουβέντα πριν πάω για ύπνο.

## Πώς το λένε;

Μπα! Βαριέμαι.
Πώς κι έτσι;
Άσε με, ρε πατέρα! Δεν έχω όρεξη σου λέω.
Εγώ φταίω που ασχολούμαι.
Δεν έχετε τα κέφια σας σήμερα.
Καλύτερα να σας αφήσω.
Δεν τρέχει τίποτα.
Πέσαμε σε καλή μέρα.
Τρελαίνομαι για τον Γούντυ Άλλεν.
Πλάκα μάς κάνουν;
Εργαζόμενοι άνθρωποι είμαστε...
Θα με πάρει ο ύπνος.

## Λέξεις, λέξεις

ασχολούμαι (με)
κωμωδία (η)
με παίρνει ο ύπνος
ντοκιμαντέρ (το)
παραπονιέμαι
πρόγραμμα (το)
στενοχωριέμαι
ταινία (η)
τρελαίνομαι για κάτι
τυχερός, -ή, ό
χασμουριέμαι

### 1 Σωστό ή λάθος;

|  | Σωστό | Λάθος |
|---|---|---|
| 1. Ο Φοίβος δε θα βγει το βράδυ με τους φίλους του. | ☑ | ☐ |
| 2. Ο Παναγιώτης δεν περίμενε ότι ο γιος του θα μείνει στο σπίτι απόψε. | ☐ | ☐ |
| 3. Η Μαρίνα προτιμάει να πάρει το σκυλάκι της και να πάει στο σπίτι της. | ☐ | ☐ |
| 4. Ο Παναγιώτης λέει ότι το μόνο που αξίζει στην τηλεόραση είναι οι ειδήσεις και τα ριάλιτι. | ☐ | ☐ |
| 5. Η Μαρίνα προτιμά να βλέπει στην τηλεόραση ταινίες και ντοκιμαντέρ. | ☐ | ☐ |
| 6. Του Παναγιώτη τού αρέσει να ακούει ραδιόφωνο. | ☐ | ☐ |
| 7. Της Μαρίνας τής αρέσει πολύ ο Γούντυ Άλλεν. | ☐ | ☐ |
| 8. Η ταινία *Όλοι λένε σ' αγαπώ* αρχίζει τα μεσάνυχτα. | ☐ | ☐ |
| 9. Ο Παναγιώτης δεν μπορεί να δει την ταινία, γιατί είναι πολύ αργά και την άλλη μέρα δουλεύει. | ☐ | ☐ |
| 10. Ο Φοίβος τελικά προτιμάει να πάει στον υπολογιστή του. | ☐ | ☐ |
| 11. Η Μαρίνα θέλει να πάει αμέσως για ύπνο. | ☐ | ☐ |

## Για δες

**Μέσα Μαζικής Ενημέρωσης (Μ.Μ.Ε.):**
- τηλεόραση (κρατική/δημόσια ή ιδιωτική),
- ραδιόφωνο,
- εφημερίδα (πρωινή, απογευματινή, πολιτική, αθλητική),
- περιοδικό,
- ίντερνετ (= διαδίκτυο).

τηλεοπτικός σταθμός = κανάλι (κρατικό/δημόσιο ή ιδιωτικό)
ραδιοφωνικός σταθμός

**Εργαζόμενοι στα Μ.Μ.Ε.:**
δημοσιογράφος, παρουσιαστής/παρουσιάστρια, ρεπόρτερ, κάμεραμαν...

**Κοινό (τηλεοπτικό, ραδιοφωνικό, αναγνωστικό):**

τηλεθεατής/τηλεθεάτρια (= αυτός/αυτή που βλέπει τηλεόραση)

ακροατής/ακροάτρια (= αυτός/αυτή που ακούει ραδιόφωνο, μουσική ...)

αναγνώστης/αναγνώστρια (= αυτός/αυτή που διαβάζει βιβλίο, εφημερίδα, περιοδικό ...)

- Έχει τίποτα καλό στην τηλεόραση απόψε;
- Τι μπορούμε να δούμε/παρακολουθήσουμε το μεσημέρι στην τηλεόραση;
- Τι έχει σήμερα στην τηλεόραση / η τηλεόραση;

- Μπορούμε να δούμε / Έχει **ειδήσεις (δελτίο ειδήσεων)**, **ενημερωτική εκπομπή, τηλεπαιχνίδι, κινούμενα σχέδια, ταινία/φιλμ, ντοκιμαντέρ, τηλεοπτική σειρά / σίριαλ, συζήτηση, συνέντευξη, αθλητική εκπομπή (αθλητικά), ριάλιτι σόου, εκπομπή μαγειρικής, εκπομπή για τη μουσική / την τέχνη / τον πολιτισμό, δελτίο καιρού, διαφημίσεις...**

**Είδη ταινιών** (στην τηλεόραση ή στον κινηματογράφο):
**ελληνική ή ξένη, αστυνομική, δραματική, ιστορική, κοινωνική, πολεμική, θρίλερ (ταινία τρόμου), κωμωδία, μιούζικαλ, περιπέτεια, ταινία επιστημονικής φαντασίας**

**Η σειρά μου τώρα**

**2 Απαντάω:**

Παρακολουθείς συχνά τηλεόραση; Πόση ώρα την ημέρα;
Ποιες εκπομπές της τηλεόρασης σου αρέσουν περισσότερο;
Τι ταινίες βλέπεις συνήθως στην τηλεόραση ή στον κινηματογράφο;
Διαβάζεις περιοδικά; Πόσο συχνά αγοράζεις εφημερίδα;
Ποια εφημερίδα / ποιο περιοδικό σού αρέσει;
Ακούς ραδιόφωνο; Πόσο συχνά; Ποιες εκπομπές σού αρέσουν περισσότερο στο ραδιόφωνο;
Πόσο συχνά μπαίνεις στο ίντερνετ; Για ποιον λόγο;
Ενημερώνεσαι από το ίντερνετ, την τηλεόραση, το ραδιόφωνο ή την εφημερίδα;

 **Παίζω έναν ρόλο**

**3 Πήγαινε καμιά βόλτα με τους φίλους σου...**

**Ρόλος Α**
Περνάω πολλές ώρες καθημερινά μπροστά στην οθόνη της τηλεόρασης και του υπολογιστή. Μου αρέσει να βλέπω ταινίες και σίριαλ, να παίζω παιχνίδια και να ενημερώνομαι. Συζητάω με μια φίλη / έναν φίλο μου που δε βλέπει ποτέ τηλεόραση και δεν έχει υπολογιστή.

**Ρόλος Β**
Μια φίλη / ένας φίλος περνάει πολλές ώρες καθημερινά μπροστά στην οθόνη της τηλεόρασης και του υπολογιστή. Προσπαθώ να της/του εξηγήσω ότι αυτό δεν είναι πραγματική ζωή και πρέπει να βγαίνει πιο συχνά με φίλους.

**4 Κλείσε επιτέλους το ραδιόφωνο! Με ζάλισες!**

**Ρόλος Α**
Μου αρέσει πολύ να ακούω μουσική. Στο σπίτι μου το ραδιόφωνο είναι πάντα ανοιχτό. Μένω με έναν συμφοιτητή / μια συμφοιτήτριά μου που του/της αρέσει η ησυχία στο σπίτι. Μου ζητάει να κλείσω το ραδιόφωνο ή να χαμηλώσω την ένταση.

**Ρόλος Β**
Θέλω στο σπίτι μου να έχει ησυχία. Μένω με έναν συμφοιτητή / μια συμφοιτήτριά μου που του/της αρέσει να ακούει ραδιόφωνο απ' το πρωί μέχρι το βράδυ. Ζητάω να το κλείσει ή να χαμηλώσει την ένταση.

# Παρακολουθώ συχνά το κανάλι σας

## Ρήματα τύπου Β1
### Ενεστώτας

| Ενεργητική φωνή | Παθητική φωνή | |
|---|---|---|
| συναντάω (συναντώ)<br>συναντάς<br>συναντάει (συναντά)<br>συναντάμε<br>συναντάτε<br>συναντούν (συναντάνε) | συναντιέμαι<br>συναντιέσαι<br>συναντιέται<br>συναντιόμαστε<br>συναντιέστε<br>συναντιούνται | αγαπάω-αγαπιέμαι,<br>γεννάω-γεννιέμαι,<br>κουνάω-κουνιέμαι,<br>κρατάω-κρατιέμαι,<br>μιλάω-μιλιέμαι,<br>φιλάω-φιλιέμαι,<br>ευχαριστώ-ευχαριστιέμαι,<br>στενοχωρώ-στενοχωριέμαι,<br><br>αναρωτιέμαι, βαριέμαι,<br>παραπονιέμαι, χασμουριέμαι... |

Πού **συναντιέστε** συνήθως με τα παιδιά;
Σπύρο, **κουνιέσαι** όλη την ώρα και με έχεις ζαλίσει. Κάθισε λίγο ήσυχος!
Αμάν πια! Συνέχεια **παραπονιέσαι** και γκρινιάζεις. Δεν **ευχαριστιέσαι** με τίποτα.
Γιατί **χασμουριέσαι** συνέχεια; Τόσο πολύ **βαριέσαι** το μάθημα;

## Ρήματα τύπου Β2
### Ενεστώτας

| Ενεργητική φωνή | Παθητική φωνή | |
|---|---|---|
| ενοχλώ<br>ενοχλείς<br>ενοχλεί<br>ενοχλούμε<br>ενοχλείτε<br>ενοχλούν (ενοχλούνε) | ενοχλούμαι<br>ενοχλείσαι<br>ενοχλείται<br>ενοχλούμαστε<br>ενοχλείστε<br>ενοχλούνται | ικανοποιώ-ικανοποιούμαι,<br>οδηγώ-οδηγούμαι,<br>χρησιμοποιώ-χρησιμοποιούμαι,<br><br>αρνούμαι, ασχολούμαι, περιποιούμαι,<br>συνεννοούμαι... |

Όχι τόσο δυνατά τη μουσική. **Ενοχλούνται** οι γείτονες.
Αυτό το παιδί δεν **ικανοποιείται** με τίποτα. Είναι πολύ κακομαθημένο.
Δεν καταλαβαίνεις ότι **οδηγείσαι** σε λάθος αποφάσεις, Βαγγέλη;
Εσύ το έκανες. Γιατί το **αρνείσαι**;
Με τι **ασχολείστε**, αν επιτρέπεται;
Του αρέσει να **περιποιείται** τον κήπο του. Τον ξεκουράζει.
Η Μαντλίν είναι στην Ελλάδα μόνο 6 μήνες, αλλά **συνεννοείται** πολύ καλά στα ελληνικά.

## Ρήματα που έχουν μόνο Παθητική φωνή (-μαι)

| Τύπος Α | Τύπος Β1 | Τύπος Β2 | Τύπος Γ2 |
|---|---|---|---|
| κάθομαι<br>κάθεσαι<br>κάθεται<br>καθόμαστε<br>κάθεστε (καθόσαστε)<br>κάθονται | βαριέμαι<br>βαριέσαι<br>βαριέται<br>βαριόμαστε<br>βαριέστε<br>βαριούνται | ασχολούμαι<br>ασχολείσαι<br>ασχολείται<br>ασχολούμαστε<br>ασχολείστε<br>ασχολούνται | κοιμάμαι<br>κοιμάσαι<br>κοιμάται<br>κοιμόμαστε<br>κοιμάστε (κοιμόσαστε)<br>κοιμούνται |
| αισθάνομαι, γίνομαι,<br>έρχομαι, εργάζομαι,<br>δέχομαι, κάθομαι,<br>σκέφτομαι, φαίνομαι... | αναρωτιέμαι,<br>βαριέμαι,<br>παραπονιέμαι,<br>χασμουριέμαι... | αρνούμαι,<br>ασχολούμαι,<br>περιποιούμαι,<br>συνεννοούμαι... | θυμάμαι, κοιμάμαι,<br>λυπάμαι, φοβάμαι |

## Η σειρά μου πάλι

**5** Αντιστοιχίζω, όπως στο παράδειγμα.

1. βαριέμαι
2. αρνούμαι
3. περιποιούμαι
4. παραπονιέμαι
5. ευχαριστιέμαι
6. συνεννοούμαι
7. αναρωτιέμαι
8. στενοχωριέμαι

α. Δεν μπορώ να σε βλέπω έτσι. Μην κλαις, σε παρακαλώ.
β. Μπα! Νομίζω ότι δε θα έρθω μαζί σας. Δεν έχω κέφι να κάνω τίποτα απόψε.
γ. Τι να κάνω; Να της τηλεφωνήσω; Ή μήπως είναι καλύτερα να περιμένω;
δ. Λυπάμαι. Δε θα μπορέσω να έρθω.
ε. Πώς είσαι, γιαγιά; Θέλεις να σου φτιάξω ένα τσάι;
στ. Πάλι με ξεχάσατε; Γιατί δε μου είπατε τίποτα; Ήθελα τόσο πολύ να έρθω κι εγώ μαζί σας!
ζ. Εντάξει, λοιπόν. Όπως είπαμε. Θα σε δω αύριο στις 8:00.
η. Τι όμορφα που είναι εδώ! Χαίρομαι που ήρθαμε.

1 β
___
___
___
___
___
___
___

**6** Συμπληρώνω, όπως στο παράδειγμα.

1. Αυτός ο άνθρωπος είναι πάντα γελαστός και δε _στενοχωριέται_ (στενοχωριέμαι) με το παραμικρό.

2. Δεν είναι μάθημα αυτό! Όλοι _____ (χασμουριέμαι) και _____ (κοιμάμαι) όρθιοι. Μήπως με _____ (βαριέμαι) οι μαθητές μου;

3. Γιατί _____ (κουνιέμαι) όλη την ώρα, παιδί μου; Κάθισε λιγάκι ήσυχος.

4. Εδώ είναι τα κορίτσια, Τζένη μου. _____ (κάθομαι) στο δωμάτιο της Αλέκας και ακούνε την αγαπημένη τους ραδιοφωνική εκπομπή.

5. Παλιά κάναμε πολλή παρέα, αλλά τώρα δε _____ (συναντιέμαι) πολύ συχνά.

6. Διάβασα στο ίντερνετ ότι στην Ελλάδα κάθε χρόνο _____ (γεννιέμαι) όλο και πιο λίγα παιδιά. Είναι κρίμα!

7. Χριστίνα, δεν _____ (αναρωτιέμαι) πού είναι ο άνδρας σου τέτοια ώρα;

8. Παιδιά, τι θα κάνω με σας; Συνέχεια _____ (παραπονιέμαι). Δεν _____ (ευχαριστιέμαι) με τίποτα.

9. Άλλαξαν οι εποχές, Ευτέρπη μου. Σήμερα το ίντερνετ _____ (χρησιμοποιούμαι) ακόμα και από μεγάλους ανθρώπους όπως εμείς.

10. _____ (κρατιέμαι) καλά, κυρία Χρυσάνθη; Κουνάει το λεωφορείο.

**7** Συμπληρώνω τις προτάσεις με λέξεις από τον πίνακα, όπως στο παράδειγμα.

βαριέμαι, αρνούμαι, σκέφτομαι, θυμάμαι, κοιμάμαι, περιποιούμαι,
έρχομαι, συνεννοούμαι, ασχολούμαι

1. Δεν τη _θυμάστε_ , παιδιά; Είναι ηθοποιός. Έπαιζε σε ένα παλιό σίριαλ της τηλεόρασης.
2. Κύριε Αργυρόπουλε, πόσα χρόνια _____ με το ραδιόφωνο;
3. Γιατί δεν _____ λίγες μέρες μαζί μας στο χωριό, Οδυσσέα; Θα περάσουμε τέλεια.
4. Με την Ειρήνη πολλές φορές _____ χωρίς να πούμε τίποτα. Κοιτάζω τα μάτια της και καταλαβαίνω τι _____ .
5. Ρε Αντιγόνη, δε _____ τόσες ώρες μπροστά στην οθόνη του υπολογιστή; Σήκω να πάμε καμιά βόλτα.
6. Ακόμα _____ ; 12:00 η ώρα! Ξύπνα επιτέλους!
7. Να η κυρία Μαρία! Κάθε απόγευμα τέτοια ώρα καθαρίζει την αυλή και _____ τα λουλούδια της.
8. Γιατί _____ να καταλάβεις αυτό που σου λέω;

## Γράψε-σβήσε

**8** Ένας φίλος / μια φίλη μου βλέπει καθημερινά πολλές ώρες τηλεόραση και δε βγαίνει συχνά έξω. Του/της στέλνω ένα e-mail και εξηγώ ότι αυτό που κάνει είναι λάθος. Τον/την καλώ να βγούμε για έναν καφέ και να συζητήσουμε. (150 λέξεις περίπου)

_____
_____
_____
_____
_____
_____
_____
_____
_____
_____
_____
_____
_____
_____
_____

## Παρακολουθώ συχνά το κανάλι σας

Γ10

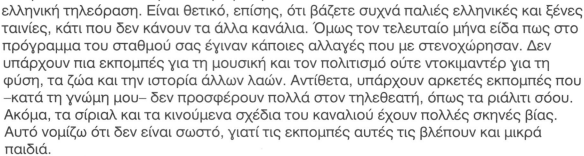

Αγαπητέ κύριε διευθυντά,

Σας στέλνω αυτή την επιστολή, για να εκφράσω τη γνώμη μου για τις αλλαγές που έγιναν στο πρόγραμμα του σταθμού σας τον τελευταίο καιρό.

Παρακολουθώ συχνά το κανάλι σας και μου αρέσουν οι ειδήσεις και οι ενημερωτικές σας εκπομπές. Θεωρώ ότι είναι από τις καλύτερες στην ελληνική τηλεόραση. Είναι θετικό, επίσης, ότι βάζετε συχνά παλιές ελληνικές και ξένες ταινίες, κάτι που δεν κάνουν τα άλλα κανάλια. Όμως τον τελευταίο μήνα είδα πως στο πρόγραμμα του σταθμού σας έγιναν κάποιες αλλαγές που με στενοχώρησαν. Δεν υπάρχουν πια εκπομπές για τη μουσική και τον πολιτισμό ούτε ντοκιμαντέρ για τη φύση, τα ζώα και την ιστορία άλλων λαών. Αντίθετα, υπάρχουν αρκετές εκπομπές που –κατά τη γνώμη μου– δεν προσφέρουν πολλά στον τηλεθεατή, όπως τα ριάλιτι σόου. Ακόμα, τα σίριαλ και τα κινούμενα σχέδια του καναλιού έχουν πολλές σκηνές βίας. Αυτό νομίζω ότι δεν είναι σωστό, γιατί τις εκπομπές αυτές τις βλέπουν και μικρά παιδιά.

Καταλαβαίνω βέβαια ότι ένα κανάλι πρέπει να έχει κέρδη, διαφημίσεις και τηλεθεατές. Όμως, πιστεύω ότι είναι χρέος σας να υπάρχουν στο πρόγραμμα του σταθμού εκπομπές για όλα τα γούστα και ταινίες όλων των ειδών, ώστε να ικανοποιούνται περισσότεροι τηλεθεατές. Άρα, η μουσική, ο πολιτισμός, τα ντοκιμαντέρ δεν πρέπει να λείπουν.

Επίσης, ένα άλλο πρόβλημα είναι η ώρα που προβάλλετε κάποιες φορές τις ταινίες. Βάζετε καλές ταινίες, ελληνικές ή ξένες, τόσο αργά το βράδυ, ώστε δεν μπορεί να τις παρακολουθήσει όποιος εργάζεται την επόμενη μέρα. Για παράδειγμα, τις τελευταίες 15 ημέρες δείξατε δύο πραγματικά πολύ καλές ταινίες (*Η ζωή είναι ωραία* του Μπενίνι και *Όλοι λένε σ' αγαπώ* του Γούντυ Άλλεν) εργάσιμες ημέρες (Τρίτη και Πέμπτη) στις 12:00 το βράδυ. Νομίζω πως αυτό είναι λάθος. Γνωρίζετε ότι οι περισσότεροι άνθρωποι εργάζονται την επόμενη μέρα. Πώς λοιπόν θα καθίσουν να δουν μια ταινία που ξεκινάει τέτοια ώρα και θα τελειώσει μετά τις 2:00; Γιατί δεν τις βάζετε νωρίτερα, για να μπορούμε κι εμείς οι εργαζόμενοι να τις δούμε;

Περιμένω την απάντησή σας και σας ευχαριστώ εκ των προτέρων για το ενδιαφέρον σας.

Με εκτίμηση,
Μαρίνα Οικονόμου

# Παρακολουθώ συχνά το κανάλι σας

## Πώς το λένε;

Αγαπητέ κύριε διευθυντά...

Σας στέλνω αυτή την επιστολή, για να εκφράσω τη γνώμη μου για...

Θεωρώ ότι...

Είναι θετικό, επίσης, ότι...

Αντίθετα,

Κατά τη γνώμη μου...

Ακόμα,

Επίσης,

Πιστεύω ότι είναι χρέος σας να...

Άρα,

Για παράδειγμα...

Περιμένω την απάντησή σας και σας ευχαριστώ εκ των προτέρων για το ενδιαφέρον σας.

Με εκτίμηση.

## Λέξεις, λέξεις

διαφήμιση (η)
είδος (το)
ενημερωτική εκπομπή (η)
επιστολή (η)
εργάσιμη μέρα (η)
κέρδος (το)
κινούμενα σχέδια (τα)
ντοκιμαντέρ (το)

παρακολουθώ (βλέπω) ταινία
πολιτισμός (ο)
προβάλλω (δείχνω/βάζω/παίζω) ταινία
πρόγραμμα του σταθμού (το)
σκηνές βίας (οι)
τηλεθεατής (ο) – τηλεθεάτρια (η)

## 9 Σωστό ή λάθος;

Σωστό   Λάθος

1. Η Μαρίνα στέλνει επιστολή σε έναν τηλεοπτικό σταθμό. ☑ ☐
2. Στη Μαρίνα αρέσουν οι ειδήσεις αυτού του τηλεοπτικού σταθμού. ☐ ☐
3. Ο σταθμός δε δείχνει συχνά παλιές ελληνικές ταινίες. ☐ ☐
4. Οι αλλαγές στο πρόγραμμα του σταθμού άρεσαν στη Μαρίνα. ☐ ☐
5. Πιο παλιά το κανάλι είχε εκπομπές για τη μουσική και τον πολιτισμό. ☐ ☐
6. Τώρα το κανάλι βάζει πιο πολλά ντοκιμαντέρ για τη φύση. ☑ ☐
7. Η Μαρίνα πιστεύει ότι τα κινούμενα σχέδια του σταθμού είναι πολύ ωραία. ☐ ☐
8. Η Μαρίνα δέχεται ότι ένα κανάλι πρέπει να έχει κέρδη. ☐ ☐
9. Η Μαρίνα ζητάει να υπάρχουν εκπομπές για όλα τα γούστα. ☐ ☐
10. Το κανάλι βάζει καλές ταινίες πολύ νωρίς το απόγευμα. ☐ ☐
11. Τις τελευταίες 15 ημέρες το κανάλι έβαλε δύο πολύ καλές ταινίες. ☐ ☐
12. Η Μαρίνα δεν περιμένει απάντηση από τον διευθυντή του σταθμού. ☐ ☐

## Η σειρά μου τώρα

### 10 Απαντάω:

Τι είδους εκπομπές παρακολουθείς συχνά στην τηλεόραση; Ποιες δε σου αρέσουν καθόλου;
Πώς σου φαίνονται τα δελτία ειδήσεων / τα σίριαλ/ οι ταινίες / τα κινούμενα σχέδια / τα ριάλιτι σόου / οι ενημερωτικές εκπομπές;
Προτιμάς τα κρατικά ή τα ιδιωτικά κανάλια για την ενημέρωσή σου;
Τι γνώμη έχεις για την τηλεόραση γενικά;

## Γράψε-σβήσε

**1 1** Στέλνω επιστολή σε γνωστή εφημερίδα και εκφράζω τα παράπονά μου για μια εκπομπή που είδα στην τηλεόραση και δε μου άρεσε καθόλου. (150-170 λέξεις)

_____
_____
_____
_____
_____
_____
_____
_____
_____
_____
_____

## Για δες

| Ουδέτερα σε -ος | | | | |
|---|---|---|---|---|
| **Ονομαστική** | το λάθ**ος** | τα λάθη | το μέγεθ**ος** | τα μεγέθη |
| **Γενική** | του λάθ**ους** | των λαθ**ών** | του μεγέθ**ους** | των μεγεθ**ών** |
| **Αιτιατική** | το λάθ**ος** | τα λάθη | το μέγεθ**ος** | τα μεγέθη |

**λάθος**: άγχος, βάθος, βάρος, γένος, δάσος, έθνος, είδος, έτος, κέρδος, κράτος, μέλος, μέρος, μήκος, πλάτος, τέλος, ύψος, χρέος...
**μέγεθος**: έδαφος...

## Η σειρά μου πάλι

**1 2** Αντιστοιχίζω όπως στο παράδειγμα.

1. βάρος      α. 1998
2. γένος      β. 1,81 μ.
3. έτος      γ. 87 κιλά
4. κέρδος      δ. γερμανικό
5. κράτος      ε. 50.000 ευρώ
6. ύψος      στ. Ελλάδα
7. έθνος      ζ. θηλυκό

**13** Συμπληρώνω, όπως στο παράδειγμα.

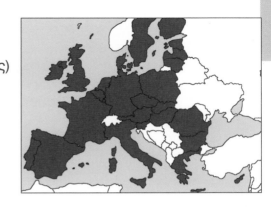

1. Πόσα είναι τα _κράτη_ (κράτος)-_____ (μέλος) της Ευρωπαϊκής Ένωσης; Δεν είμαι σίγουρος.

2. Δεν έγραψε καλά στις εξετάσεις εξαιτίας του _____ (άγχος) της.

3. Ο καθαρισμός του _____ (δάσος) από εθελοντές θα ξεκινήσει το Σάββατο στις 8 το πρωί.

4. Μιλάω αρκετά καλά ελληνικά, αλλά κάνω πολλά _____ (λάθος) όταν γράφω.

5. – Τελικά η λέξη «στιλό» είναι αρσενικού ή ουδέτερου _____ (γένος);
   – Μην το ψάχνεις. Ούτε οι φιλόλογοι δε συμφωνούν.

6. Αχ, καλά που υπάρχουν και μια δυο ταξιδιωτικές εκπομπές που μας ταξιδεύουν στα πιο όμορφα _____ (μέρος) του κόσμου.

7. Χρήστο, μη σηκώνεις πολλά _____ (βάρος)! Θα σε πονέσει η μέση σου.

8. Είδα ένα καταπληκτικό ντοκιμαντέρ για τα σπάνια _____ (είδος) πουλιών που ζουν στη χώρα μας.

9. Πού μπορώ να βρω πληροφορίες για τον Οργανισμό Ηνωμένων _____ (Έθνος);

10. Στο ηλεκτρονικό μας κατάστημα θα βρείτε ρούχα όλων των _____ (μέγεθος).

11. Λίγο πριν το _____ (τέλος) της ταινίας έφυγαν, για να προλάβουν το τελευταίο λεωφορείο.

12. Κύριε Αποστόλου, είστε πια 60 _____ (έτος). Πρέπει να προσέχετε περισσότερο τη διατροφή σας και να κάνετε εξετάσεις κάθε χρόνο.

## Για δες

### Ειδικές προτάσεις (ότι/πως)

| | |
|---|---|
| Ξέρω | **Νομίζω πως** κάνεις λάθος. |
| Γνωρίζω | Οι τελευταίες ειδήσεις **αναφέρουν ότι** οι ζημιές από τον σεισμό δεν είναι |
| Είμαι σίγουρος | σημαντικές. |
| Βλέπω | Ο καθηγητής μάς **τόνισε πως** απαγορεύεται το κάπνισμα στην τάξη. |
| Παρατηρώ | **Λέει/ισχυρίζεται/υποστηρίζει πως** ξέρει τον διευθυντή του ραδιοφωνικού |
| Νομίζω | σταθμού. |
| Πιστεύω | **Παρατηρώ ότι** στην ελληνική τηλεόραση υπάρχουν λίγες εκπομπές |
| Θεωρώ + ότι/πως | για τον πολιτισμό. |
| Μου φαίνεται | **Είμαι σίγουρος ότι** θα περάσουμε τέλεια. |
| Καταλαβαίνω | **Ξέρω πως** έχεις δίκιο, αλλά δεν μπορώ να σε βοηθήσω. |
| | **Καταλαβαίνω ότι** ένα κανάλι πρέπει να έχει διαφημίσεις. |
| | Κάποιοι δημοσιογράφοι **πιστεύουν ότι** θα έχουμε σύντομα εκλογές. |
| Λέω | **Θεωρούν πως** τους είπες ψέματα. |
| Αναφέρω | **Μου φαίνεται ότι** δε θα βρούμε εύκολα λύση γι' αυτό το πρόβλημα. |
| Ισχυρίζομαι | **Δείχνει πως** ξεπέρασε το πρόβλημα. |
| Υποστηρίζω | **Γνωρίζετε/ξέρετε ότι** σήμερα ξεκινάει το καινούριο τηλεπαιχνίδι; |

☞ Αλλά: **Λέω να** δούμε καμιά ταινία το βράδυ. Συμφωνείς; (**βουλητική πρόταση**)
**Πώς** ήταν η μέρα σου; (**ερώτηση**)
Με ρώτησε **πώς** πέρασα στο σινεμά. (**ερωτηματική πρόταση**)
Δες **ό,τι** θέλεις στην τηλεόραση. Εγώ πάω για ύπνο. (**αναφορική πρόταση**)

☞ Το ότι ήρθατε μας συγκίνησε. ~~Το πως ήρθατε μας συγκίνησε.~~

## Η σειρά μου πάλι

**1.4** Διαλέγω το σωστό, όπως στο παράδειγμα.

1. Λέω _β_ περιμένουμε. Δε θα αργήσουν πολύ.
   α. ότι         β. να

2. Η Έφη είπε _____ δε θα μας περιμένει, αν αργήσουμε.
   α. ότι         β. να

3. Μαθαίνω _____ δε μιλούν πια ο ένας στον άλλο.
   α. ότι         β. να

4. Ο γιος του είναι ενός έτους. Τώρα μαθαίνει _____ μιλάει.
   α. ότι         β. να

5. Ξέχασα _____ του το πω. Θα τον πάρω τώρα τηλέφωνο.
   α. ότι         β. να

6. Ξέχασες _____ είπαμε να φάμε μαζί απόψε;
   α. ότι         β. να

7. Περιμένεις _____ σε βοηθήσει μετά από αυτό που της έκανες;
   α. ότι         β. να

8. Η Μαριάννα περίμενε _____ θα ήσουν δίπλα της αυτή τη δύσκολη στιγμή.
   α. ότι                      β. να

9. Σκέφτομαι _____ λίγη ξεκούραση θα σου κάνει καλό.
   α. ότι                      β. να

10. Οι γονείς μου σκέφτονται _____ αγοράσουν καινούρια τηλεόραση.
    α. ότι                     β. να

11. Δε βιάζομαι. Ξέρω _____ περιμένω.
    α. ότι                     β. να

12. Ξέρω _____ έχεις δίκιο. Αλλά τι θες να κάνω;
    α. ότι                     β. να

13. Ελπίζω _____ όλα θα πάνε καλά.
    α. ότι                     β. να

14. Ελπίζω _____ μην κάνεις το ίδιο λάθος.
    α. ότι                     β. να

15. Αρνείσαι _____ το λάθος είναι δικό σου;
    α. ότι                     β. να

16. Αρνούμαι _____ σας ακολουθήσω, αν δε μου εξηγήσετε τι συμβαίνει.
    α. ότι                     β. να

**15** Συμπληρώνω τις προτάσεις με *ότι/πως* ή *να*, όπως στο παράδειγμα.

1. Μη στενοχωριέστε, κυρία Αντιγόνη. Είμαι σίγουρος ότι ο γιος σας θα έρθει _____ σας δει τις επόμενες μέρες.

2. Η δημοσιογράφος τόνισε _____ ακόμα δε μάθαμε όλη την αλήθεια για την οικονομία.

3. Ανδρέα, δεν είναι σωστό _____ του μιλάς έτσι. Μπορεί _____ μην τον συμπαθείς, αλλά είναι ξάδελφός σου.

4. Είμαι βέβαιος _____ οι φίλοι του θα τον βοηθήσουν _____ ξεπεράσει το πρόβλημα. Τον αγαπούν πολύ.

5. Άκουσα στις ειδήσεις _____ οι μαθητές θα καθαρίσουν αύριο την παραλία. Πάμε _____ βοηθήσουμε κι εμείς;

6. Κατάλαβα _____ κάτι ήθελες _____ μου πεις εκείνη τη στιγμή, αλλά έπρεπε _____ φύγω. Με συγχωρείς.

7. Με καλέσατε στην εκπομπή σας, κύριε Αγγελόπουλε, αλλά δε με αφήνετε _____ μιλήσω. Φαίνεται _____ σας ενοχλούν αυτά που λέω.

8. Ξέρω _____ τον αγαπάς. Χάρηκα πολύ, όταν έμαθα _____ μένετε μαζί.

9. Μπορώ _____ μάθω γιατί πιστεύεις _____ του το είπα εγώ;

10. Δε θέλω _____ σε στενοχωρήσω, αλλά πρέπει _____ σ' το πω. Δε μου άρεσε καθόλου η τελευταία σου εκπομπή στο ραδιόφωνο.

11. Είναι δυνατόν _____ ισχυρίζεσαι _____ δεν είδες τίποτα; Αφού ήσουν δίπλα μου.

12. Συνηθίζω _____ πηγαίνω στην παραλία τα απογεύματα για περπάτημα. Θέλετε _____ έρθετε μαζί μου για βόλτα ή βαριέστε;

13. Προτιμώ _____ ακούω ραδιόφωνο από το _____ παίζω παιχνίδια στον υπολογιστή.

**16** Διαλέγω το σωστό, όπως στο παράδειγμα.

1. Άκουσα στις ειδήσεις _α_ αύριο θα έχει απεργία στις τράπεζες.
   α. πως            β. πώς
2. Δεν ξέρω _____ να του πω ότι η θεία είναι βαριά άρρωστη. Την αγαπάει πολύ.
   α. πως            β. πώς
3. Ένας δημοσιογράφος ρώτησε τον πρωθυπουργό _____ θα ξεπεράσει η χώρα το πρόβλημα της ανεργίας.
   α. πως            β. πώς
4. Νομίζω _____ ο κύριος Παρτσινέβελος έχει άδεια σήμερα. Δεν είναι στο κανάλι. Αν τον θέλετε κάτι, πάρτε τον τηλέφωνο στο κινητό.
   α. πως            β. πώς
5. Στην εφημερίδα λέει _____ η Χάρις Αλεξίου θα τραγουδήσει το Σάββατο στον Λυκαβηττό. Θες να πάμε;
   α. ότι            β. ό,τι
6. Έκανα _____ μπορούσα. Τώρα πρέπει να προσπαθήσεις κι εσύ.
   α. ότι            β. ό,τι
7. Είδα στο ίντερνετ _____ αύριο θα έχει καλό καιρό. Πάμε εκδρομή στο Σούνιο;
   α. ότι            β. ό,τι
8. Φόρεσα γρήγορα _____ βρήκα στην ντουλάπα και έφυγα για να μην αργήσω στη συνέντευξη.
   α. ότι            β. ό,τι

### Παίζω έναν ρόλο

**17** Τηλεόραση ή εφημερίδα;

**Ρόλος Α**
Διαβάζω εφημερίδα κάθε μέρα, γιατί θέλω να έχω άποψη για όσα συμβαίνουν. Προσπαθώ να κάνω πολιτική συζήτηση με έναν φίλο / μια φίλη μου, αλλά δεν έχει ιδέα, γιατί βλέπει μόνο τηλεόραση και δεν αγοράζει εφημερίδα ούτε τις Κυριακές.

**Ρόλος Β**
Μια φίλη / Ένας φίλος που διαβάζει εφημερίδα καθημερινά και συζητάει πάντα για τα πολιτικά θέλει να μιλήσουμε για το πρόβλημα της οικονομικής κρίσης. Εγώ βαριέμαι αυτά τα θέματα, γι' αυτό και δε διαβάζω εφημερίδες.

**18** Θα δούμε ταινία ή ριάλιτι σόου;

**Ρόλος Α**
Στο σπίτι υπάρχει μόνο μία τηλεόραση. Το βράδυ θέλω να δω μια ταινία (κωμωδία, θρίλερ, περιπέτεια, επιστημονικής φαντασίας ...). Η/Ο συγκάτοικός μου όμως θέλει να παρακολουθήσει ένα επεισόδιο του αγαπημένου της/του ριάλιτι σόου.

**Ρόλος Β**
Στο σπίτι υπάρχει μόνο μία τηλεόραση. Το βράδυ θέλω να παρακολουθήσω ένα επεισόδιο του αγαπημένου μου ριάλιτι σόου. Η/Ο συγκάτοικός μου όμως θέλει να δει μια ταινία.

**Είμαι όλος αυτιά**  Γ11

**1 9** Σύντομο δελτίο ειδήσεων
Ακούω δύο (2) φορές το δελτίο ειδήσεων ενός
ραδιοφωνικού σταθμού και συμπληρώνω το
κείμενο, όπως στο παράδειγμα.

## Τετάρτη, 16 Δεκεμβρίου – Ενημέρωση σε τίτλους

- Σεισμός 5,8 Ρίχτερ συγκλόνισε στις <u>4:18 το πρωί</u> (1) τη
  Λευκάδα. Ζημιές σε σπίτια, μαγαζιά, δύο
  _____ (2) και ένα _____ (3). Για αρκετές ώρες το νησί έμεινε
  χωρίς ηλεκτρικό ρεύμα. _____ (4) πήγαν στο νοσοκομείο με ελαφρά
  τραύματα.
- Οι σεισμολόγοι ζήτησαν από τους πολίτες να είναι ιδιαίτερα προσεκτικοί τα επόμενα
  εικοσιτετράωρα. Από το πρωί _____ (5) ελέγχουν όλα τα κτίρια, ενώ
  υπάλληλοι του δήμου μοιράζουν στους πολίτες που έχουν ανάγκη _____ (6),
  _____ (7), σκηνές και _____ (8).
- Εικοσιτετράωρη απεργία σήμερα των εργαζομένων στα _____ (9) και στα
  _____ (10) της Αττικής.
- Νέες τιμές των εισιτηρίων για τα τρένα του ΟΣΕ και τον προαστιακό. Αύξηση 10 ως 15% από
  την 1η _____ (11).
- Τη _____ (12) επισκέπτεται από σήμερα ο Πρόεδρος της Δημοκρατίας.
  Συναντήσεις με την πολιτική ηγεσία της χώρας.
- Ληστεία το πρωί σε κατάστημα της «_____» (13) στο Ρέθυμνο της Κρήτης. Οι
  ληστές άρπαξαν περίπου _____ (14) ευρώ με την απειλή όπλων.
- Εξωτερικές ειδήσεις:
  – Χιόνια και θερμοκρασίες κάτω από το μηδέν στην _____ (15). Σοβαρά
  προβλήματα από την κακοκαιρία.
  – Μικρό ιδιωτικό αεροπλάνο κατέπεσε τις πρώτες πρωινές ώρες κοντά
  _____ (16) της Νέας Υόρκης. Νεκροί ο πιλότος και _____
  (17) επιβάτες.
- Αθλητική ενημέρωση:
  – Η εθνική μας ομάδα μπάσκετ νίκησε 87-_____ (18) την εθνική ομάδα της
  _____ (19) σε φιλικό αγώνα χτες το βράδυ στο Ολυμπιακό Στάδιο.
  – Στις 20:00 το ντέρμπι του ποδοσφαίρου μεταξύ Ολυμπιακού και Παναθηναϊκού στο γήπεδο
  Καραϊσκάκη. Ο αγώνας θα μεταδοθεί ζωντανά από _____ (20).
- Σύντομο δελτίο καιρού:
  Για αύριο προβλέπονται βροχές σε όλη τη χώρα και _____ (21), ενώ η
  θερμοκρασία θα είναι χαμηλή και στην Αττική δε θα ξεπεράσει τους _____
  (22). Οι άνεμοι στα πελάγη θα είναι ισχυροί και θα φτάσουν τα 7 και τοπικά τα 8 μποφόρ.

**20** Συμπληρώνω το κείμενο, όπως στο παράδειγμα.

## Οι τριάντα ξενόγλωσσες εφημερίδες της Αθήνας

*Της Μαρίας Λίλα*

«Όταν ξεκινήσαμε, οι εφημερίδες που κυκλοφορούσαν στην Ομόνοια για τους μετανάστες είχαν κυρίως θέματα που αφορούσαν τη νομιμοποίησή τους, την (1) _2_ . Αυτό ενδιέφερε τότε τους αναγνώστες μας» λέει στα *Νέα* ο εκδότης κ. Θόδωρος Μπενάκης, ιδιοκτήτης έξι ξενόγλωσσων εφημερίδων για τους μετανάστες (2) _____ .

Περισσότερες από τριάντα εφημερίδες μόνο για μετανάστες μπορεί να βρει σήμερα κάποιος (3) _____ . Εβδομαδιαίες οι πιο πολλές, γίνονται ανάρπαστες από την πρώτη μέρα (4) _____ . Τη μεγαλύτερη κυκλοφορία, που φτάνει τα 50.000 φύλλα, έχουν (5) _____ και ακολουθούν οι ρώσικες και οι βουλγάρικες. Υπάρχουν ακόμα εφημερίδες για τους Πολωνούς, τους Ρουμάνους, τους Φιλιππινέζους, τους Πακιστανούς, αλλά και μετανάστες από την Αφρική και τις αραβικές χώρες.

Η *Αλμπάνια Πρες*, η *Τριμπούνα* και η *Γκαζέτα* είναι τρεις αλβανικές εφημερίδες που εκδίδονται στην Αθήνα. «Η εφημερίδα μας κυκλοφορεί από το 1998 κάθε Παρασκευή σε όλη την Ελλάδα, στην Κύπρο και σε εννέα πόλεις της Αλβανίας και τυπώνουμε 18.000 φύλλα σε κάθε έκδοση» λέει η αρχισυντάκτρια της *Γκαζέτα*, κ. Σονίλα Λάτσι.

Τα *Βουλγάρικα Νέα* ήταν (6) _____ . «Η εφημερίδα άρχισε να κυκλοφορεί το 1998 σε ασπρόμαυρη έκδοση μία φορά τον μήνα» λέει η εκδότρια κ. Βόικα Αθανάσοβα. «Το 2000 έγινε έγχρωμη και άρχισε να βγαίνει μια φορά την εβδομάδα. Προς το παρόν στην εφημερίδα δουλεύει μια ομάδα από 12 ρεπόρτερ που μας τροφοδοτεί με ειδήσεις από τη Βουλγαρία και την Ελλάδα».

Σήμερα υπάρχουν και άλλες βουλγάρικες εφημερίδες που κυκλοφορούν στην Ελλάδα κάθε εβδομάδα ή κάθε δεκαπέντε μέρες (*Ατίσκι Βέστι*, *Κοντάκτι*, *Πλανέτα* κ.ά.) και διαβάζονται από τους Βούλγαρους μετανάστες που διαμένουν στη χώρα μας.

«Με 80 σελίδες κάθε εβδομάδα, η *Ομόνοια* είναι (7) _____ εφημερίδα για τους ρωσόφωνους της Ελλάδας» τονίζει η αρχισυντάκτριά της, κ. Ίνγκα Αμπγκάροβα. «Η εφημερίδα ξεκίνησε το 1993 και απευθύνεται σε (8) _____ ρωσόφωνους που ζουν στη Ελλάδα. Το 45% των αναγνωστών μας είναι Έλληνες πολίτες που εκτός από ελληνικά (9) _____ . Σκεφτείτε ότι μόνο στη Γεωργία ζούσαν παλαιότερα (10) _____ και έχουν μείνει σήμερα εκεί περίπου 3.000».

(*Τα Νέα*, 30-09-2008, σ.12, με αλλαγές)

| 1. | 350.000 Έλληνες |
|---|---|
| 2. | απόκτηση «πράσινης κάρτας» |
| 3. | οι αλβανικές εφημερίδες |
| 4. | η πρώτη εφημερίδα που κυκλοφόρησε για τους Βούλγαρους μετανάστες της Ελλάδας |
| 5. | πάνω από ένα εκατομμύριο |
| 6. | της κυκλοφορίας τους |
| 7. | που ζουν στη χώρα μας |
| 8. | γνωρίζουν και ρώσικα |
| 9. | στα περίπτερα της Ομόνοιας |
| 10. | η πιο πλούσια σε ύλη |

### Φωνή-γραφή Γ12

**2.1** Ακούω και βάζω κεφαλαία, κόμμα (,) και τελεία (.), όπως στο παράδειγμα.

M̲ ου αρέσουν τα μπλογκ βλέπω ή μάλλον διαβάζω σκέψεις ιδέες προβληματισμούς αν και μου είναι άγνωστοι οι άνθρωποι που τα γράφουν νιώθω ότι κάποιους τους ξέρω μερικές φορές μοιράζομαι μαζί τους αυτά που σκέφτομαι αλλά το πιο ενδιαφέρον είναι ότι διαβάζεις σχόλια ανθρώπων με πολύ διαφορετικές απόψεις απόψεις που ίσως δε θα ακούσεις ποτέ έξω από τα μπλογκ γιατί δεν πιάνεις κουβέντα με έναν άγνωστο στον δρόμο

### Γράψε-σβήσε

**2.2** Μια φίλη / ένας φίλος μου μου έγραψε ότι θα πετάξει την τηλεόρασή της/του και από εδώ και πέρα θα παρακολουθεί τα νέα από το ίντερνετ. Της/του γράφω τη γνώμη μου. (150 λέξεις περίπου)

_____
_____
_____
_____
_____
_____
_____
_____
_____
_____
_____

# 16 ενότητα

 **Είμαι όλος αυτιά**  Γ13

**2.3** Στο δελτίο των 20:00 ...
Ακούω δύο (2) φορές τον διάλογο ανάμεσα σε έναν δημοσιογράφο και έναν πολίτη στο δελτίο ειδήσεων ενός τηλεοπτικού σταθμού και επιλέγω Σωστό (Σ), Λάθος (Λ) ή Δεν Αναφέρεται (Δ.Α.) στον πίνακα που ακολουθεί, όπως στο παράδειγμα.

| | Σ | Λ | Δ.Α. |
|---|---|---|---|
| 1. Στις 8:00 το πρωί έγινε ληστεία σε σούπερ μάρκετ στη Βουλιαγμένη. | ☐ | ✓ | ☐ |
| 2. Οι ληστές πήραν περίπου 30.000 ευρώ από τα ταμεία. | ☐ | ☐ | ☐ |
| 3. Μία από τις υπαλλήλους του σούπερ μάρκετ τηλεφώνησε στην αστυνομία. | ☐ | ☐ | ☐ |
| 4. Ο κύριος Χαρίσης αγαπάει τα ζώα και έχει σκύλο. | ☐ | ☐ | ☐ |
| 5. Ο ένας ληστής ήταν περίπου 35 ετών. | ☐ | ☐ | ☐ |
| 6. Μόνο ο ένας από τους ληστές κρατούσε όπλο. | ☐ | ☐ | ☐ |
| 7. Οι ληστές δεν είδαν τον κύριο Χαρίση. | ☐ | ☐ | ☐ |
| 8. Μπροστά από το σούπερ μάρκετ υπάρχει ένα περίπτερο. | ☐ | ☐ | ☐ |
| 9. Απέναντι από το σούπερ μάρκετ υπάρχει μία τράπεζα. | ☐ | ☐ | ☐ |
| 10. Ο φύλακας της τράπεζας κυνήγησε τους ληστές. | ☐ | ☐ | ☐ |
| 11. Οι ληστές έφυγαν με αυτοκίνητο άσπρου χρώματος. | ☐ | ☐ | ☐ |
| 12. Το πρώτο περιπολικό έφτασε 15 λεπτά περίπου μετά τη ληστεία. | ☐ | ☐ | ☐ |
| 13. Οι αστυνομικοί έκαναν ερωτήσεις στον κύριο Χαρίση. | ☐ | ☐ | ☐ |
| 14. Στο τέλος της συζήτησης ο κύριος Χαρίσης θέλει να πει κάτι ακόμα, αλλά ο δημοσιογράφος δεν τον αφήνει. | ☐ | ☐ | ☐ |

**Για θυμήσου**

**2.4** Διαλέγω το σωστό, όπως στο παράδειγμα.

1. Αυτό το περιοδικό έχει πολλούς και φανατικούς _αναγνώστες_ . Πηγαίνει πολύ καλά.
   α. τηλεθεατές        β. ακροατές        γ. αναγνώστες
2. – Έγινε σεισμός στην Ιταλία;
   – Δεν ξέρω. Άνοιξε την τηλεόραση να μάθουμε. Θα έχει _____ σε λίγο.
   α. ειδήσεις        β. κινούμενα σχέδια        γ. αθλητικά
3. Είναι πολύ τυχεροί. Πήγαν σε ένα _____ , νίκησαν την αντίπαλη ομάδα και κέρδισαν 2.000 ευρώ.
   α. τηλεπαιχνίδι        β. θρίλερ        γ. σίριαλ
4. Μην _____ για ό,τι έγινε. Ήταν δικό σου λάθος.
   α. ευχαριστιέσαι        β. παραπονιέσαι        γ. χαίρεσαι
5. Μου είπε ότι _____ να υπογράψει, αν δεν πάρει πρώτα τα χρήματα.
   α. αναρωτιέται        β. δέχεται        γ. αρνείται

6. – Πώς πάει η επιχείρηση, κυρία Φερεντίνου;
   – Μια χαρά. Πέρσι είχαμε αρκετά _____ και φέτος πάμε ακόμα καλύτερα. Είμαι πολύ ευχαριστημένη.

   α. χρέη                          β. κέρδη                    γ. βάρη

7. – Τι _____ έχει ο Στάθης;
   – Δεν είμαι σίγουρος. Νομίζω ότι είναι 1,95.

   α. μήκος                        β. ύψος                     γ. πλάτος

8. Σου αρέσει _____ ακούς ραδιόφωνο στο αυτοκίνητο, Βιργινία;

   α. να                            β. ότι                      γ. πώς

9. Σας παρακαλώ, μην αναφέρετε σε κανέναν _____ με είδατε εδώ.

   α. πως                        β. να                      γ. ό,τι

10. – Θα έρθεις μαζί μας στην παραλία;
    – Μπα! Προτιμώ _____ δω το αγαπημένο μου σίριαλ στην τηλεόραση. Αρχίζει σε λίγο.

    α. ό,τι                        β. να                      γ. πως

11. Υποστηρίζει _____ του μιλάτε άσχημα. Προσπαθήστε _____ είστε πιο ευγενικοί μαζί του, σας παρακαλώ.

    α. να/να                    β. ότι/να                γ. να/ότι

12. Είναι αλήθεια _____ το έκανε, αλλά είμαι βέβαιος _____ δεν το ήθελε.

    α. ό,τι/ότι              β. ότι/να               γ. ότι/πως

**2 5**   **Γράφω τις λέξεις που έμαθα.**

# Μάθε, παιδί μου, γράμματα

- Τι κάνετε, κύριε Αλέξανδρε;
- Ετοιμάζω το μάθημα.
- Ετοιμάζομαι για το σχολείο.
- Οι ασκήσεις διορθώνονται από τους μαθητές.

- Δεν πέρασε τις εξετάσεις, γιατί/επειδή/αφού δε διάβασε αρκετά.

## Μαθήματα, διάβασμα, φροντιστήρια...

**Λι:** Αυτά που λες, Νίκο. Α, ήθελα να σε ρωτήσω και κάτι άλλο.

**Νίκος:** Ό,τι θες.

**Λι:** Είναι κάτι φίλοι που ήρθαν πριν από λίγο καιρό στην Ελλάδα και θέλουν να γράψουν το παιδί τους στο σχολείο, αλλά δεν ξέρουν τι πρέπει να κάνουν.

**Νίκος:** Γιατί; Δε μιλάνε ελληνικά;

**Λι:** Λίγο. Αλλά εντάξει, θα βοηθήσω κι εγώ. Δεν ξέρω όμως σε ποιο σχολείο πρέπει να πάει. Το παιδί είναι 13 χρονών και δε μιλάει καθόλου ελληνικά.

**Νίκος:** Αυτό δεν παίζει κανέναν ρόλο. Το Δημοτικό το τελείωσε;

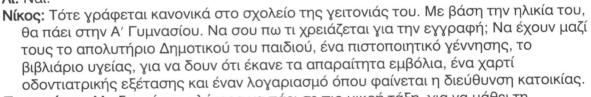

**Λι:** Ναι.

**Νίκος:** Τότε γράφεται κανονικά στο σχολείο της γειτονιάς του. Με βάση την ηλικία του, θα πάει στην Α΄ Γυμνασίου. Να σου πω τι χρειάζεται για την εγγραφή; Να έχουν μαζί τους το απολυτήριο Δημοτικού του παιδιού, ένα πιστοποιητικό γέννησης, το βιβλιάριο υγείας, για να δουν ότι έκανε τα απαραίτητα εμβόλια, ένα χαρτί οδοντιατρικής εξέτασης και έναν λογαριασμό όπου φαίνεται η διεύθυνση κατοικίας.

**Παναγιώτης:** Μα δεν είναι καλύτερα να πάει σε πιο μικρή τάξη, για να μάθει τη γλώσσα; Πώς θα τα καταφέρει με τα μαθήματα;

**Νίκος:** Είσαι με τα καλά σου; Δουλειά του σχολείου είναι να του μάθει τη γλώσσα, αλλά και να του δώσει τις γνώσεις που παίρνει κάθε παιδί στην ηλικία του.

**Παναγιώτης:** Καλά ντε! Μια κουβέντα είπαμε. Δεν είμαστε και καθηγητές...

**Λι:** Σ' ευχαριστώ πολύ, Νίκο. Ήθελα να είμαι σίγουρη πριν πάω στον διευθυντή. Να ξέρουμε από πριν τι λέει ο νόμος. Καταλαβαίνεις...

**Νίκος:** Έτσι είναι, Λι. Καλά κάνεις.

**Παναγιώτης:** Και καλή τύχη στο παιδί! Τη χρειάζεται. Γιατί μου φαίνεται ότι τα πιτσιρίκια σήμερα τρώνε μεγάλη φρίκη με το σχολείο. Μαθήματα, διάβασμα, φροντιστήρια, εξετάσεις, άγχος... Πού θα πάει αυτή η κατάσταση;

**Νίκος:** Εντάξει, βρε Παναγιώτη. Δεν είναι όλα τόσο χάλια.

**Παναγιώτης:** Να σου πω... Διάβασες τι γράφουν τα ίδια τα παιδιά στην εφημερίδα των μαθητών; Να, εδώ την έχω. Ρίξε μια ματιά και θα καταλάβεις.

## Πώς το λένε;

Αυτά που λες.

Ήθελα να σε ρωτήσω και κάτι άλλο.

Ό,τι θες.

Δεν παίζει κανέναν ρόλο.

Είσαι με τα καλά σου;

Καλά ντε! Μια κουβέντα είπαμε.

Δεν είμαστε και καθηγητές...

Καταλαβαίνεις...

Καλά κάνεις.

Τρώνε μεγάλη φρίκη.

Πού θα πάει αυτή η κατάσταση;

Ρίξε μια ματιά.

## Λέξεις, λέξεις

απολυτήριο (το)

γράφομαι

εγγραφή (η)

πιστοποιητικό (το)

πιτσιρίκι (το)

τα καταφέρνω

φροντιστήριο (το)

---

**1** Σωστό ή λάθος;

|  | Σωστό | Λάθος |
|---|---|---|
| 1. Η Λι συζητούσε με τον Νίκο πριν τον ρωτήσει για το παιδί των φίλων της. | ☑ | ☐ |
| 2. Οι φίλοι της Λι θέλουν να γράψουν το παιδί τους στο ελληνικό σχολείο. | ☐ | ☐ |
| 3. Οι φίλοι της Λι δε μιλάνε καθόλου ελληνικά. | ☐ | ☐ |
| 4. Το παιδί τελείωσε το Δημοτικό σχολείο στην Ελλάδα. | ☐ | ☐ |
| 5. Στο Γυμνάσιο δε δέχονται παιδιά που δε μιλάνε ελληνικά. | ☐ | ☐ |
| 6. Για την εγγραφή στο σχολείο χρειάζονται τέσσερα δικαιολογητικά. | ☐ | ☐ |
| 7. Ο Νίκος πιστεύει ότι το ελληνικό σχολείο είναι χάλια. | ☐ | ☐ |
| 8. Για τον Παναγιώτη τα παιδιά σήμερα έχουν πολλά προβλήματα με το σχολείο. | ☐ | ☐ |

## Για δες

| Το ελληνικό εκπαιδευτικό σύστημα | | |
|---|---|---|
| 3-5 χρονών | Παιδικός σταθμός | |
| 5-6 χρονών | Νηπιαγωγείο | |
| 6-12 χρονών | Δημοτικό | Υποχρεωτική εκπαίδευση |
| 12-15 χρονών | Γυμνάσιο | |
| 15-18 χρονών | Λύκειο<br>ΕΠΑ.Λ. (Επαγγελματικό Λύκειο)<br>ΕΠΑ.Σ. (Επαγγελματική Σχολή) | |
| 18-22/24 χρονών | Πανεπιστήμιο<br>Τ.Ε.Ι. (Τεχνολογικό Εκπαιδευτικό Ίδρυμα)<br>Ι.Ε.Κ. (Ινστιτούτο Επαγγελματικής Κατάρτισης) | |
| 22- ... | Μεταπτυχιακές σπουδές (μεταπτυχιακό, διδακτορικό) | |

# Μάθε, παιδί μου, γράμματα

 **Η σειρά μου τώρα**

**2** Απαντάω:

Πώς είναι το εκπαιδευτικό σύστημα στον τόπο σου; Πόσων χρονών πηγαίνουν τα παιδιά στο σχολείο; Πόσα χρόνια είναι η υποχρεωτική εκπαίδευση;
Το σχολείο είναι δημόσιο ή ιδιωτικό;
Πώς μπαίνουν οι νέοι στο Πανεπιστήμιο; Είναι πολλοί οι φοιτητές που συνεχίζουν για μεταπτυχιακά;

 **Παίζω έναν ρόλο**

**3** Εγγραφή στο σχολείο.

| Ρόλος Α | Ρόλος Β |
|---|---|
| Θέλω να γράψω το παιδί μου στο σχολείο. Ζητάω πληροφορίες από τον διευθυντή / τη διευθύντρια του σχολείου και απαντάω στις ερωτήσεις του/της. | Είμαι διευθυντής/διευθύντρια σε ένα σχολείο. Μια κυρία / Ένας κύριος έρχεται για να γράψει το παιδί της/του. Απαντάω στις ερωτήσεις της/του και ζητάω κάποιες πληροφορίες (πού μένουν, πόσον καιρό είναι στην Ελλάδα, πού πήγαινε σχολείο πριν το παιδί, αν ήταν καλός μαθητής / καλή μαθήτρια, αν μιλάει καθόλου ελληνικά...). |

 **Για δες**

## Κλητική πτώση

| ♂ ονομαστική – κλητική | | ♀ ονομαστική – κλητική | | ⚥ ονομαστική – κλητική | |
|---|---|---|---|---|---|
| -ας | -α | -α | -α | -ι | -ι |
| -ης | -η | -η | -η | -ο | -ο |
| -ος | -ε | -ος | -ε | -μα | -μα |
| -ους | -ου | -ου | -ου | -ος | -ος |

| | | |
|---|---|---|
| Έλα, **Κώστα**.<br>**Μπαμπά**!<br>Γεια σου, **Δημήτρη**.<br>Τι κάνετε, **κύριε Αλέξανδρε**;<br>**Παππού**, έλα!<br>αλλά<br>  ο **Νί-κος**<br>     ´<br>Γεια σου, **Νίκο**.  (όχι: Νίκε)<br>       **Πέτρο**.<br>       **Μάνο**. | Καλημέρα, **Μαρίνα**.<br>Περίμενε, **Ελένη**.<br>Τι έχω, **γιατρέ** μου; | Πώς είσαι, **παιδί** μου;<br>Έλα εδώ, **καλό** μου. |

| | |
|---|---|
| Έλα, **μωρέ** Γιώργο!<br>Άντε, **βρε** Κατερίνα!<br>Τι θέλεις, **ρε** παιδί μου; | (μόνο με φίλους και δικούς μας) |

## Η σειρά μου πάλι

**4** Συμπληρώνω τον σωστό τύπο, όπως στο παράδειγμα.

1. Περάστε, _κύριε_ (ο κύριος) _____ (ο Θεόδωρος).
2. Πού είσαι, ρε _____ (ο φίλος); Σε χάσαμε.
3. _____ (ο παππούς), θα μου πάρεις ένα παγωτό;
4. Προχωρήστε, _____ (η κυρία) μου. Δε βλέπετε ότι κλείνετε τον δρόμο;
5. _____ (ο Γιώργος), μπορείς καθώς έρχεσαι να φέρεις λίγο ψωμί;
6. _____ (ο θεός) μου! Έχει πάρα πολύ κόσμο. Πώς θα μπούμε;

## Για δες

| Ενεργητική σύνταξη | Οι μαθητές (ποιος;) | διορθώνουν | τις ασκήσεις. (τι;) |
|---|---|---|---|
| Παθητική σύνταξη | Οι ασκήσεις (ποιος;) | διορθώνονται | από τους μαθητές. (από ποιον;) |

## Η σειρά μου πάλι

**5** Μετατρέπω τις προτάσεις σε παθητική σύνταξη, όπως στο παράδειγμα.

1. Οι εξετάσεις κρίνουν το μέλλον των παιδιών;
   _Το μέλλον των παιδιών κρίνεται από τις εξετάσεις;_
2. Ο θόρυβος των μαθητών ενοχλεί πολύ την κυρία Μαριάνθη.
   _____
3. Το Υπουργείο Παιδείας ετοιμάζει έναν καινούριο νόμο.
   _____
4. Οι φοιτητές της Φιλοσοφικής οργανώνουν πολλές εκδηλώσεις αυτόν τον μήνα.
   _____
5. Οι καθηγητές εξετάζουν τους μαθητές στην Ιστορία.
   _____
6. Οι γονείς δίνουν πολλά λεφτά για την εκπαίδευση των παιδιών τους.
   _____
7. Η κριτική των εφημερίδων για την εκπαιδευτική της πολιτική ενοχλεί την κυβέρνηση.
   _____
8. Τα σχολικά βιβλία δεν ικανοποιούν κάποιους καθηγητές.
   _____

# Μάθε, παιδί μου, γράμματα

## Για δες

Η λέξη «παίζω» **γράφεται** με «αι» (από όλους).

Η σούπα **τρώγεται** ζεστή (από όλους).

**Λέγεται** (από κάποιους) ότι η κυβέρνηση θα αλλάξει το σύστημα των εξετάσεων.

**Απαγορεύεται** το κάπνισμα (από τον νόμο).

**Ενοικιάζεται** διαμέρισμα δύο δωματίων (από τους ιδιοκτήτες του).

## Η σειρά μου πάλι

**6** Ξαναγράφω τις προτάσεις με άλλον τρόπο, όπως στο παράδειγμα.

1. Κανένας δε μιλάει πια αυτή τη γλώσσα.
   Αυτή η γλώσσα _δε μιλιέται πια._

2. Πρέπει να ψάξω πώς φτιάχνουν αυτό το γλυκό.
   Πρέπει να ψάξω πώς _____ .

3. Τον καθηγητή μας τον λένε Νίκο Προκοπίου.
   Ο καθηγητής μας _____ .

4. Τα τελευταία χρόνια στο σχολείο αρκετοί εκπαιδευτικοί χρησιμοποιούν νέες παιδαγωγικές μεθόδους.
   Τα τελευταία χρόνια στο σχολείο _____ .

5. Δε θυμάμαι πώς παίζουν αυτό το παιχνίδι.
   Δε θυμάμαι _____ .

6. Ενοικιάζουν κανένα διαμέρισμα στην περιοχή σου;
   _____ ;

7. Ακούω έναν παράξενο θόρυβο στο μπαλκόνι. Τι μπορεί να είναι;
   _____

8. Διαβάζεις πολύ ευχάριστα αυτό το βιβλίο.
   _____

## Για δες

Αυτό το γλυκό **δεν τρώγεται.** (= δεν μπορεί κανένας να το φάει)

Τι ποτό είναι αυτό; **Δεν πίνεται.** (= δεν μπορεί κανένας να το πιει)

 **Η σειρά μου πάλι**

**7** Συμπληρώνω με τα ρήματα του πίνακα στην Παθητική φωνή, όπως στο παράδειγμα.

βλέπω, πίνω, λέω, διαβάζω, φοράω

1. Μην πας να δεις αυτή την ταινία. Δε <u>βλέπεται</u> με τίποτα.
2. Πολύ βαρετό αυτό το βιβλίο. Δε _____ εύκολα.
3. Πώς μπόρεσες να το πεις αυτό; Αυτό το πράγμα δε _____ !
4. Νομίζω ότι πρέπει να πετάξω το παλιό μου μπουφάν. Δε _____ πια.
5. Πολύ πικρό τον έκανες τον καφέ. Δεν _____ !

**8** Διαλέγω το σωστό, όπως στο παράδειγμα.

1. Αυτό το ρούχο *δεν πλένει* / <u>*δεν πλένεται*</u> με ζεστό νερό.
2. Το πρόβλημα των φροντιστηρίων *δε λύνει* / *δε λύνεται* εύκολα.
3. Αυτή η λέξη δε *χρησιμοποιεί* / *δε χρησιμοποιείται* πια.
4. Το θέμα των ιδιωτικών πανεπιστημίων το *συζητάνε* / *συζητιέται* οι πολιτικοί εδώ και πολλά χρόνια.
5. Πολλές φορές τα γράμματα των γιατρών *δε διαβάζεις* / *δε διαβάζονται* εύκολα.
6. Μπορείτε να μιλήσετε πιο δυνατά, παρακαλώ; *Δεν ακούτε* / *Δεν ακούγεστε* καθόλου.

**9** Απαντάω:

Ποιες γλώσσες μιλιούνται στη χώρα σου;
Ποιο νόμισμα χρησιμοποιείται;
Ποιο θέμα συζητιέται πολύ αυτό τον καιρό;
Ποιο πρόβλημα δε λύνεται με τίποτα;
Το νερό της βρύσης πίνεται;
Επιτρέπεται το παρκάρισμα στα πεζοδρόμια;
Απαγορεύεται το κάπνισμα στα εστιατόρια και στα μπαρ;

# Σε δυο μέρες θα τα ξεχάσω...

**Γ15**

**ΔΕ ΘΑ ΜΕΙΝΕΙΣ ΣΤΗΝ ΙΣΤΟΡΙΑ**

Δεν ξέρω τι μου ήρθε και σας γράφω. Κανονικά έπρεπε να διαβάζω Ιστορία, γιατί, βλέπετε, γράφω τη Δευτέρα. Όμως δεν μπορώ. Διαβάζω μια σειρά εδώ και δύο ώρες και δεν καταλαβαίνω τίποτα, αλλά παράλληλα νιώθω και χαζή μ' αυτό που προσπαθώ να κάνω, να μάθω απ' έξω δηλαδή όλες αυτές τις αηδίες. Τι μ' ενδιαφέρουν εμένα οι περιπέτειες του Νικηφόρου Α' ή του Καρλομάγνου; Το τραγικό είναι ότι στο τέλος θα τα μάθω νεράκι, θα τα γράψω και σε δυο μέρες θα τα ξεχάσω. Γιατί έτσι έμαθα να κάνω απ' την Α' Δημοτικού. Σ' έναν χρόνο τελειώνω το σχολείο και νιώθω ότι δεν κέρδισα τίποτα! Ντρέπομαι που το λέω, αλλά είμαι 16 χρονών και δεν έχω όνειρα, τίποτα. Αγαπημένοι μου καθηγητές, είστε περήφανοι; Συγχαρητήρια! Φεύγω τώρα, πάω να διαβάσω Ιστορία.

**ΤΙ ΑΛΛΟ ΘΕΛΟΥΝ;**

Έλεος! Αμάν πια! Τι άλλο θέλουνε από τη ζωή μας; Για τους γονείς μιλάω! Τι ήθελα, ρε; Να περάσω στο ΤΕΙ Γραφιστικής. Τι βάση είχε; 10! Αλλά όχι! Αυτοί ήθελαν να περάσω σε μεγάλη Σχολή! Πανεπιστήμιο με βαθμό από 17 και πάνω. Και ορίστε: διάβαζα συνέχεια. Και ορίστε: τα καλοκαίρια Β' και Γ' Λυκείου έκανα φροντιστήρια και έχανα τις διακοπές μου. Τι κατάλαβανε, μου λέτε; Πέρασα, λοιπόν, στη Σχολή των βρομοοικονομικών που ήθελαν. Τώρα είμαι δυστυχισμένος, ούτε που πατάω το πόδι μου στη Σχολή. Αλλά δεν τελειώνει εκεί! Δε μ' αφήνουν να κάνω τα κόμικς μου ούτε καν να ασχολούμαι μ' αυτά. Αλλά με πατέρα στην εφορία τι μπορείς να κάνεις;

## Σκέψεις που έκαναν μαθητές της Β' και Γ' Λυκείου τις μέρες των «πιο κρίσιμων εξετάσεων της ζωής τους»

Νεύρα. Πολλά νεύρα. Όλα μου τη σπάνε. Στο φροντιστήριο θέλουν να γράψω καλά, γιατί έτσι αυξάνονται τα «ποσοστά επιτυχίας» ΤΟΥ ΦΡΟΝΤΙΣΤΗΡΙΟΥ. Οι γονείς, και καλά, να με βοηθήσουν και ό,τι θέλω εγώ! Αν όμως τα αποτελέσματα δεν είναι αυτά που θέλουν, τότε ποιος τους ακούει... Οι συμμαθητές... όλοι διαβάζουν σαν τρελοί και το παίζουν άνετοι. Μόνο εγώ είμαι στην πρίζα;

Αυτό που μου τη δίνει περισσότερο αυτό τον καιρό είναι που όλοι ασχολούνται μαζί μας. Στο ραδιόφωνο, ακόμα και οι πιο άσχετοι εύχονται «κουράγιο». Στις εφημερίδες, «ρεπορτάζ για τα 112 τρικ που θα σας χαρίσουν την επιτυχία». Στα περιοδικά, διαφήμιση για τη βιταμίνη που δίνει ενέργεια για τις εξετάσεις. Στην τηλεόραση, δημοσιογράφοι, ηθοποιοί, πολιτικοί, ψυχολόγοι, διατροφολόγοι... Ένας ένας, παιδιά. Μη σπρώχνεστε!

Η μαμά μου είναι σχιζοφρενική περίπτωση. Απ' τη μία: «Ηρέμησε, κοριτσάκι μου. Δεν έγινε και τίποτα αν δεν πας καλά». Κι απ' την άλλη: «Πάλι στο τηλέφωνο είσαι; Πανελλήνιες δίνεις! Καταλαβαίνεις ότι κρίνεται το μέλλον σου;».

(Στοιχεία από: *The schooligans*, τεύχος 1 και τεύχος 10)

## 17 ενότητα

### Πώς το λένε;

Δεν ξέρω τι μου ήρθε...
Έλεος! Αμάν πια!
Και ορίστε.
Ούτε που πατάω το πόδι μου.
Όλα μου τη σπάνε.
Και καλά...

Ποιος τους ακούει...
Το παίζουν άνετοι.
Είμαι στην πρίζα.
Μου τη δίνει.
Μη σπρώχνεστε!

Γράφω/Δίνω (εξετάσεις) τη Δευτέρα.
Μαθαίνω κάτι απ' έξω.
Μαθαίνω κάτι νεράκι.
Κάνω φροντιστήριο.
Περνάω στο Πανεπιστήμιο / σε μια Σχολή.
Διαβάζουν σαν τρελοί.
Πάω καλά (στις εξετάσεις).

### Η σειρά μου τώρα

**1 0  Απαντάω:**

Πώς ήταν η ζωή σου όταν ήσουν μαθητής/μαθήτρια στις τελευταίες τάξεις του σχολείου; Πώς ήταν το καθημερινό σου πρόγραμμα;
Τι αισθάνονται γενικά τα παιδιά για το σχολείο στη χώρα σου; Έχουν άγχος για τα μαθήματα, τους βαθμούς και τις εξετάσεις;
Έχουν καλή σχέση με τους δασκάλους και τους καθηγητές τους;
Τι περιμένουν οι γονείς από την εκπαίδευση των παιδιών τους;

**1 1  Διαλέγω τη σωστή έκφραση και συμπληρώνω, όπως στο παράδειγμα.**

το παίζεις άνετος     και καλά     μου τη σπάει
έφαγε μεγάλη φρίκη     έλεος! Αμάν πια!
είσαι με τα καλά σου;     μου τη δίνουν
είμαι στην πρίζα

1. Εξήντα ευρώ την ώρα το ιδιαίτερο; *Είσαι με τα καλά σου;* Ποιος πληρώνει τόσα λεφτά;
2. Όταν είδε ότι πήρε 3 στο τεστ των Μαθηματικών, _____ .
3. _____ Διάβασμα, διάβασμα, διάβασμα. Δεν μπορώ άλλο! Ούτε μια Κυριακή ελεύθερη πια;
4. Καλά, ε; Ο καινούριος φιλόλογος _____ πολύ. Ποιος νομίζει ότι είναι; Ο Πλάτωνας;
5. _____ οι γονείς μου! Όλη την ώρα φωνάζουν και ποτέ δε μ' ακούν. Και όλα αυτά _____ «για το καλό μου».
6. Από τότε που έμαθα ότι θα γράψουμε τεστ την άλλη εβδομάδα, _____ . Εσύ γιατί _____ ;

**Γράψε-σβήσε**

**1 2** Είμαι μαθητής/μαθήτρια στην τελευταία τάξη του σχολείου. Σε λίγο καιρό δίνω εξετάσεις για να μπω στο Πανεπιστήμιο. Γράφω ένα γράμμα στο αγαπημένο μου περιοδικό και περιγράφω τα συναισθήματα και τις σκέψεις μου. (100-130 λέξεις)

_____
_____
_____
_____
_____
_____
_____
_____
_____
_____
_____
_____
_____
_____

**Για δες**

| | Ενεργητική φωνή | Παθητική φωνή |
|---|---|---|
| Τύπος Α | γράφω<br>διαβάζω<br>ετοιμάζω<br>λούζω<br>ντύνω<br>πλένω<br>πληρώνω<br>σηκώνω<br>χάνω | γράφομαι<br>διαβάζομαι<br>ετοιμάζομαι<br>λούζομαι<br>ντύνομαι<br>πλένομαι<br>πληρώνομαι<br>σηκώνομαι<br>χάνομαι |
| Τύπος Β1 | γεννώ<br>μιλάω<br>πουλάω | γεννιέμαι<br>μιλιέμαι<br>πουλιέμαι |
| Τύπος Β2 | δικαιολογώ<br>ενοχλώ<br>ικανοποιώ<br>χρησιμοποιώ | δικαιολογούμαι<br>ενοχλούμαι<br>ικανοποιούμαι<br>χρησιμοποιούμαι |
| Τύπος Α/Β | ακούω<br>καίω<br>λέω<br>τρώω | ακούγομαι<br>καίγομαι<br>λέγομαι<br>τρώγομαι |

| Ενεργητική φωνή | Παθητική φωνή | |
|---|---|---|
| Όλη η παρέα **ετοιμάζει** το πάρτι. | Το πάρτι **ετοιμάζεται** από όλη την παρέα. | Η Μαρίνα **ετοιμάζεται** για το πάρτι. (= ετοιμάζει τον εαυτό της) |
| **Γράφω** το παιδί μου στο σχολείο. | | **Γράφομαι** στο σχολείο. |

**Ενεργητική φωνή**

ετοιμάζω τη βαλίτσα

σηκώνω την τσάντα

πλένω τα δόντια μου

σκουπίζω τα χέρια μου

λούζω τα μαλλιά μου

χτενίζω το παιδί

ξυρίζω τα γένια μου

βάφω το σπίτι

ντύνω το μωρό

Ο Φοίβος **ετοιμάζει** τα πράγματά του.

Πάντα **χάνω** τα κλειδιά μου.

Η Αρλέτα συνήθως **συναντάει** τους φίλους της στο καφενείο του Παναγιώτη.

**Παθητική φωνή**

ετοιμάζομαι

σηκώνομαι

πλένομαι

σκουπίζομαι

λούζομαι

χτενίζομαι

ξυρίζομαι

βάφομαι

ντύνομαι

Ο Φοίβος **ετοιμάζεται**.

Πάντα **χάνομαι** στους δρόμους της Αθήνας.

Η Αρλέτα συνήθως **συναντιέται με** τους φίλους της στο καφενείο του Παναγιώτη.

## Η σειρά μου πάλι

**13** Συμπληρώνω στον σωστό τύπο, όπως στο παράδειγμα.

1. Η γάτα _πλένεται_ (πλένω), αλλά δε _____ (σκουπίζω).
2. Ο σκύλος _____ (σηκώνω) το πρωί, αλλά δεν _____ (ντύνω).
3. Ο Γιάννης _____ (λούζω), αλλά δε _____ (χτενίζω).
4. Η Ελένη _____ (βάφω) κάθε πρωί.
5. Ο κύριος Μιχάλης _____ (σηκώνω) αργά,
   _____ (ετοιμάζω) γρήγορα και δεν
   _____ (ξυρίζω) ποτέ.

**14** Διαλέγω το σωστό, όπως στο παράδειγμα.

1. Η Αρλέτα *γυμνάζει* / _γυμνάζεται_ καθημερινά.
2. Τα παιδιά *στολίζουν* / *στολίζονται* το σπίτι για τις γιορτές.
3. Έχω μια ιδέα. *Συναντάμε* / *Συναντιόμαστε* μετά τη δουλειά για καμιά βόλτα;
4. Ο Φοίβος βαριέται *να ξυρίζει* / *να ξυρίζεται* κάθε μέρα.
5. Γιατί δεν *ντύνεις* / *ντύνεσαι*; Αργήσαμε. Θα χάσουμε την ταινία.
6. – Πάμε για ένα ποτό μετά το σινεμά;
   — Μπα, αύριο *σηκώνω* / *σηκώνομαι* πολύ πρωί.
7. Με ποιο σαμπουάν *λούζεις* / *λούζεσαι* τα μαλλιά σου;
8. — Μήπως είδες πουθενά τα κλειδιά μου;
   — Τι θα γίνει με σένα; Πάντα κάτι *χάνεις* / *χάνεσαι*.
9. — Πώς είναι η καινούρια σου δουλειά;
   — Εντάξει, είμαι αρκετά ευχαριστημένη. Μόνο που είναι μακριά και αυτό με *κουράζει* / *κουράζομαι*.
10. Ο Γιωργάκης δεν μπορεί να καθίσει ήσυχος στο μάθημα. Όλη την ώρα *κουνάει* / *κουνιέται*.

## Φωνή-γραφή

Ετοιμάζου**με** κάτι να φάμε;
Περίμενέ με. Ετοιμάζ**ομαι** κι έρχομαι αμέσως.

Παιδιά, τι ετοιμάζ**ετε**;
Ο Πέτρος δεν είναι έτοιμος. Τώρα ετοιμάζ**εται**.

Εμείς δε δικαιολογού**με** κανέναν. Όλοι φταίνε για ό,τι έγινε.
Δικαιολογού**μαι** που δε διάβασα σήμερα. Είχα σοβαρό λόγο, κυρία.

Δικαιολογεί**τε** τους καθηγητές που δεν κάνουν σωστά τη δουλειά τους; Όχι βέβαια!
Δε δικαιολογεί**ται** κανένα λάθος. Το τεστ που σας έβαλα ήταν πανεύκολο.

## Η σειρά μου πάλι

**15** Συμπληρώνω με *-ε* ή *-αι*, όπως στο παράδειγμα.

1. Πώς γράφετ**αι** η λέξη «παιδί»;
2. Μεγάλο παιδί είναι πια ο Νικόλας. Ακόμα εσείς τον ντύνετ_____ ;
3. Μπορείς να μου εξηγήσεις πώς χρησιμοποιείτ_____ αυτή η λέξη;
4. Της Ελένης δεν της αρέσει να βάφετ_____ . Βάζει μόνο λίγο κραγιόν.
5. Πώς το γράφετ_____ το όνομά σας, κυρία Κέλλυ; Με ένα ή με δύο λάμδα;
6. Γιατί να μην τραγουδάμε, κυρία; Διάλειμμα έχουμε. Δεν ενοχλούμ_____ κανέναν.
7. Σας παρακαλώ, σηκώνετ_____ αυτή την τσάντα; Είναι πολύ βαριά για μένα.
8. Γιατί δε βάφουμ_____ το σπίτι; Χρειάζετ_____ μια αλλαγή.
9. Κοίτα. Εγώ δεν ικανοποιούμ_____ με μια απλή «συγνώμη». Πρέπει να πληρώσει για αυτό που μου 'κανε.
10. Ο Μάνος δεν ξυρίζετ_____ ακόμα. Είναι πολύ μικρός.
11. Άντε, παιδιά. Πλένετ_____ τα χέρια σας και έρχεστ_____ για φαγητό.
12. Πρόσεχε λίγο, νεαρέ μου! Εσείς οι νέοι οδηγείτ_____ σαν τρελοί!

## Για δες

### Ρήματα μόνο με Ενεργητική φωνή

| Τύπος Α | Τύπος Α/Β | Τύπος Β1 | Τύπος Β2 |
|---|---|---|---|
| βάζω, βγάζω, βγαίνω, βήχω, γκρινιάζω, έχω, κάνω, κοστίζω, μένω, μπαίνω, νευριάζω, νιώθω, ξέρω, πάω, παίρνω, πηγαίνω, τρέχω, φεύγω | φταίω | γερνάω, γλεντάω, διψάω, ξενυχτάω, ξυπνάω, πεινάω, σταματάω | ζω |

### Ρήματα μόνο με Παθητική φωνή

| Τύπος Α | Τύπος Γ2 | Τύπος Β1 | Τύπος Β2 |
|---|---|---|---|
| αισθάνομαι, γίνομαι, δέχομαι, εργάζομαι, έρχομαι, ερωτεύομαι, εύχομαι, κάθομαι, ντρέπομαι, ονειρεύομαι, σέβομαι, σκέφτομαι, φαίνομαι, χαίρομαι, χρειάζομαι | θυμάμαι, κοιμάμαι, λυπάμαι, φοβάμαι | αναρωτιέμαι βαριέμαι παραπονιέμαι χασμουριέμαι | αρνούμαι ασχολούμαι περιποιούμαι |

## Η σειρά μου πάλι

**1 6** Τι σημαίνει; Αντιστοιχίζω, όπως στο παράδειγμα.

1. αισθάνομαι
2. εργάζομαι
3. δέχομαι
4. χρειάζομαι
5. αρνούμαι
6. περιποιούμαι
7. ντρέπομαι

α. λέω «όχι»
β. νιώθω άσχημα
γ. δουλεύω
δ. λέω «ναι»
ε. νιώθω
στ. φροντίζω
η. έχω ανάγκη

1 ε
____
____
____
____
____
____

**1 7** Διαλέγω ένα ρήμα από τον πίνακα και ξαναγράφω τις προτάσεις με τις αλλαγές που χρειάζονται, όπως στο παράδειγμα.

έρχομαι, λυπάμαι, βαριέμαι, ονειρεύομαι, φαίνομαι, ~~εύχομαι~~

1. Ελπίζω όλα να πάνε καλά.
   _Εύχομαι όλα να πάνε καλά._
2. Τι θέλεις να γίνεις όταν μεγαλώσεις;
   _____
3. Περίμενε, μη φύγεις ακόμα. Φτάνω σε λίγο.
   _____
4. Η Μαρίνα είναι 46 χρονών, αλλά δείχνει πιο νέα.
   _____
5. Δεν έχω κέφι να δω αυτή την ταινία.
   _____
6. Με στενοχωρεί πολύ αυτή η κατάσταση.
   _____

**Είμαι όλος αυτιά** Γ16

**18** Ακούω μια ραδιοφωνική εκπομπή για το εκπαιδευτικό σύστημα στην Ελλάδα και στη Φινλανδία και συμπληρώνω την άσκηση, όπως στο παράδειγμα.

## Τα σχολεία ανοίγουν!

1. Οι γονείς στην Ελλάδα έχουν άγχος στο ξεκίνημα της σχολικής χρονιάς για
   α. *το πόσο ακριβά θα είναι τα σχολικά είδη* _____
   β. _____
   γ. _____ .

2. Όταν τα σχολεία ανοίγουν, οι μαθητές στη Φινλανδία _____ .

3. Σύμφωνα με τον κύριο Στεργίου, τα παιδιά στην Κούβα αισθάνονται το σχολείο σαν
   _____ .

4. Οι σχολικές εργασίες στη Φινλανδία γίνονται _____ .

5. Τα σχολεία στη Φινλανδία έχουν:
   α. _____ .
   β. εργαστήρια υπολογιστών
   γ. _____
   δ. _____
   ε. αίθουσες χαλάρωσης.

6. Τα παιδιά στην Ελλάδα, όταν γυρίζουν στο σπίτι, μετά το σχολείο και τα φροντιστήρια,
   _____ .

7. Στη Φινλανδία πιστεύουν ότι τα παιδιά πρέπει να μάθουν _____
   _____ .

8. Σχεδόν κανένας μαθητής στη Φινλανδία _____ .

9. Στην Ελλάδα οι οικογένειες που έχουν χρήματα _____
   _____ ενώ στη Φινλανδία όλα τα παιδιά _____ .

10. Οι Φινλανδοί 15χρονοι μαθητές βρίσκονται στην πρώτη θέση ενώ οι Έλληνες στην τριακοστή θέση στην ικανότητα να _____ .

 **Παίζω έναν ρόλο**

**19** Φροντιστήριο ή όχι;

**Ρόλος Α**

Το παιδί μου πηγαίνει στην Α' Γυμνασίου και σκέφτομαι ότι πρέπει να το στείλω στο φροντιστήριο, για να μην έχει προβλήματα με τα μαθήματα. Πιστεύω ότι χωρίς φροντιστήριο είναι αδύνατον σήμερα να μπει ένα παιδί στο Πανεπιστήμιο. Συζητάω με μια φίλη / έναν φίλο και ζητάω τη γνώμη της/του.

**Ρόλος Β**

Μια φίλη / ένας φίλος σκέφτεται να στείλει το παιδί της/του, που πάει στην Α' Γυμνασίου, στο φροντιστήριο. Εγώ πιστεύω ότι είναι πολύ νωρίς για να σκέφτεται το Πανεπιστήμιο και ότι τα παιδιά πρέπει να έχουν ελεύθερο χρόνο. Επίσης, θεωρώ ότι τα παιδιά μπορούν να μάθουν πολλά πράγματα μέσα από άλλους τρόπους (παιχνίδια, διάβασμα βιβλίων, εκδρομές...).

# Μάθε, παιδί μου, γράμματα

## Η σειρά μου τώρα

**2.0** Απαντάω:

Το σχολείο στον τόπο σου μοιάζει πιο πολύ με της Ελλάδας ή της Φινλανδίας;
Τι κάνουν τα παιδιά μετά το σχολείο; Έχουν φροντιστήρια, δουλειά για το σπίτι; Έχουν
ελεύθερο χρόνο; Τι κάνουν συνήθως στον ελεύθερο χρόνο τους;

 **Για δες**

| Γιατί; | γιατί... | **Αιτιολογικές προτάσεις** |
| --- | --- | --- |
| | γιατί... | Δεν πέρασε τις εξετάσεις, **γιατί** δε διάβασε αρκετά. |
| | επειδή... | Δεν πέρασε τις εξετάσεις, **επειδή** δε διάβασε αρκετά. **Επειδή** δε διάβασε αρκετά, δεν πέρασε τις εξετάσεις. |
| | αφού... | Δεν πέρασε τις εξετάσεις, **αφού** δε διάβασε αρκετά. **Αφού** δε διάβασε αρκετά, δεν πέρασε τις εξετάσεις. |

 **Η σειρά μου πάλι**

**2.1** Ξαναγράφω τις προτάσεις με άλλον τρόπο, όπως στο παράδειγμα.

1. Χάσαμε το λεωφορείο. Πήραμε ταξί.
   *Πήραμε ταξί, γιατί/επειδή/αφού χάσαμε το λεωφορείο.*
2. Ένας μαθητής έκανε φασαρία στο μάθημα. Ο καθηγητής τον έβγαλε έξω από την τάξη.
   _____
3. Ο καιρός δεν ήταν καλός κι έτσι τα παιδιά δεν πήγαν εκδρομή.
   _____
4. Έμαθε ότι περιμένει παιδί και έκοψε το κάπνισμα.
   _____
5. Δεν είστε έτοιμοι. Γι' αυτό, φεύγω.
   _____
6. Δεν αισθάνεσαι καλά. Καλύτερα να μείνεις στο σπίτι.
   _____

ΕΛΛΗΝΙΚΑ Β' **299**

**2.2** Γιατί;
Συμπληρώνω όπως στο παράδειγμα.

1. Η Αρλέτα άργησε στη δουλειά, _επειδή είχε πολλή κίνηση_ _____ .
2. Ο Νίκος έχασε το τρένο, _____ .
3. Η Μελέκ γύρισε στο σπίτι με ταξί, _____ .
4. Ο Φοίβος πήγε στο νοσοκομείο, _____ .
5. Η Μαρίνα έφυγε πιο νωρίς από το ιατρείο της, _____ .
6. Το τηλέφωνο του Παναγιώτη δε λειτουργεί, _____ .

**2.3** Διαβάζω το παρακάτω κείμενο και συμπληρώνω από τον πίνακα, όπως στο παράδειγμα.

## Δωρεάν εκπαίδευση;

Η εκπαίδευση στην Ελλάδα είναι κυρίως δημόσια και δωρεάν. Το σχολικό έτος 2007-2008 μόλις το 6,5% των μαθητών παρακολουθούσε ιδιωτικό Δημοτικό σχολείο και το 15% ιδιωτικό Γυμνάσιο ή Λύκειο. Και όμως, _15_ πολύ ακριβά.

Για την προσχολική και _____ οι γονείς ξοδεύουν κάθε χρόνο 804 εκατομμύρια ευρώ, για τη δευτεροβάθμια 1,34 δισεκατομμύρια ευρώ και για την τριτοβάθμια 1,44 δισεκατομμύρια ευρώ. Για άλλες εκπαιδευτικές υπηρεσίες μετά τη δευτεροβάθμια εκπαίδευση (ΚΕΚ, ΙΕΚ κτλ.) πληρώνουν γύρω στα 130 εκατομμύρια ευρώ. Για βιβλία, βοηθήματα και σχολικά είδη 355 εκατομμύρια ευρώ. Και ο κατάλογος συνεχίζεται _____ ...

Στη χώρα μας λειτουργούν συνολικά 2.914 φροντιστήρια μέσης εκπαίδευσης _____ . Μόνο στην Γ΄ Λυκείου πληρώνουμε κάθε χρόνο περίπου 570 εκατομμύρια ευρώ (165 εκατομμύρια ευρώ σε ομαδικά φροντιστήρια και 405 εκατομμύρια ευρώ σε ιδιαίτερα μαθήματα). Περίπου 15.000 ευρώ τον χρόνο κοστίζουν για έναν μαθητή τα ιδιαίτερα μαθήματα της Γ΄ Λυκείου, που πληρώνονται από 20 έως 60 ευρώ την ώρα, ενώ το φροντιστήριο _____ .

Μόνο πριν από τις εξετάσεις λοιπόν; Όχι, βέβαια. Στις μεγάλες πόλεις ήδη _____ , ενώ αρκετοί γονείς εμπιστεύονται την παλιά συνταγή: τα ιδιαίτερα μαθήματα από φοιτητές. _____ ο χρόνος που μπορούν να διαθέσουν για να βοηθήσουν τα παιδιά τους είναι ελάχιστος, ενώ τα νέα βιβλία του Δημοτικού είναι _____ .

Σύμφωνα με μια έρευνα της ΓΣΕΕ, περισσότερα από 1,4 δισ. ευρώ πληρώνουν τα ελληνικά νοικοκυριά ετησίως για να μάθουν τα παιδιά _____ , παρ' όλο που τα μαθήματα αυτά προσφέρονται και στο δημόσιο σχολείο. Αλλά το πρόβλημα _____ : Ένα παιδί 13, 14, 15 ετών ή και μεγαλύτερο, που ξεκινάει τη μέρα του από τις 7:00 το πρωί και τελειώνει με ιδιαίτερα και διάβασμα γύρω στις 10:00, 11:00 και 12:00 το βράδυ, δε ζει μια κανονική για την ηλικία του ζωή. Οι μαθητές _____ , αφού τις περισσότερες φορές εργάζονται καθημερινά από 12 έως και 14 ώρες!

Ακόμη και οι πιο καλοί μαθητές δεν μπορούν να ξεφύγουν από το φροντιστήριο. Δε νιώθουν σίγουροι με τα «20άρια» και τα «19άρια» του Λυκείου _____ μέσης εκπαίδευσης, για να είναι βέβαιοι _____ .

Οι τάξεις της Γ' Λυκείου τις τελευταίες δύο εβδομάδες της σχολικής χρονιάς είναι άδειες. Οι καθηγητές και οι διευθυντές των Λυκείων κάνουν ότι δε βλέπουν.

Οι μαθητές χρησιμοποιούν το δικαίωμα που έχουν για απουσίες _____ . Το σχολείο μετατρέπεται σε μια τυπική υποχρέωση για πολλούς μαθητές και ο ρόλος του εκπαιδευτικού γίνεται «διακοσμητικός». «Τα μισά παιδιά είναι εντελώς αδιάφορα. Οι μαθητές θεωρούν βαρετά όσα ακούν στη σχολική αίθουσα, _____ . Αρκετά παιδιά παραπονιούνται ότι αυτά που διδάσκονται σήμερα στο σχολείο _____ » τονίζουν οι καθηγητές τους.

(στοιχεία από το *http://www.ethnos.gr*, το *http://www.makthes.gr* και το *http://www.sfinaki.gr*)

| 1. | με γυμναστήρια, σχολές χορού, ωδεία |
|---|---|
| 2. | λειτουργούν φροντιστήρια για μαθητές Δημοτικού |
| 3. | δεν είναι μόνο οικονομικό |
| 4. | είναι οι πιο σκληρά εργαζόμενοι στην Ελλάδα |
| 5. | τα άκουσαν μία εβδομάδα πριν στο φροντιστήριο |
| 6. | για τους περισσότερους γονείς |
| 7. | για να πηγαίνουν περισσότερες ώρες στα φροντιστήρια |
| 8. | την πρωτοβάθμια εκπαίδευση |
| 9. | φτάνει τα 3.000 ευρώ τον χρόνο |
| 10. | επειδή το φροντιστήριο προχωρά με πιο γρήγορο ρυθμό |
| 11. | αρκετά δύσκολα σε σχέση με αυτά που είχαν οι ίδιοι πριν από χρόνια |
| 12. | και τρέχουν για «ασφάλεια» στα φροντιστήρια |
| 13. | και 8.402 φροντιστήρια ξένων γλωσσών |
| 14. | ξένες γλώσσες |
| 15. | πληρώνουμε την εκπαίδευση των παιδιών μας |
| 16. | πως θα πετύχουν να μπουν στο Πανεπιστήμιο |

**Γράψε-σβήσε**

**2.4** Το παιδί μου έχει τελευταία μερικά προβλήματα στο σχολείο. Γράφω μια επιστολή στη διευθύντρια / στον διευθυντή του σχολείου, περιγράφω το πρόβλημα και ζητάω βοήθεια. (150 λέξεις περίπου)

Αγαπητέ κύριε διευθυντά / Αγαπητή κυρία διευθύντρια,

Ονομάζομαι _____ και είμαι ο πατέρας / η μητέρα του/της
_____ , μαθητή / μαθήτριας της _____ τάξης
του σχολείου σας.
Τον τελευταίο καιρό _____
_____
_____
_____

Σκέφτομαι ότι για το πρόβλημα αυτό μπορεί να φταίει _____
_____
_____

Σας παρακαλώ λοιπόν _____
_____
_____

Με εκτίμηση

_____

**Φωνή-γραφή**

**2.5** Ακούω και βάζω τις λέξεις στη σωστή στήλη, όπως στο παράδειγμα. **Γ17**

συναντιέμαι, γεννιόμαστε, ικανοποιούμαι, μιλιούνται, πουλιέται, περιποιείται, αναρωτιέμαι, βαριέστε, χρησιμοποιώ, χασμουριέμαι, κουνιέται

| [i] ικανοποιώ | [x̃] πιάνω | [j] διαβάζω | [ĩ] παλιώνω | [ñ] νιώθω |
|---|---|---|---|---|
| | | *συναντιέμαι* | | |

 **Για θυμήσου**

**2.6** Διαλέγω το σωστό.

1. Γεια σου, _____ . Τι κάνεις;
   α. θείο                          β. θείε

2. Πού πηγαίνεις, _____ μου; Δε βλέπεις μπροστά σου;
   α. άνθρωπέ                    β. άνθρωπό

3. Δεν είμαι έτοιμη ακόμα. _____ τα μαλλιά μου κι έρχομαι.
   α. Χτενίζω                      β. Χτενίζομαι

4. Παιδιά, ακόμα _____ ; Ο χρόνος σας τελείωσε. Παρακαλώ, δώστε μου τα γραπτά σας.
   α. γράφεται                    β. γράφετε

5. Δεν τους βλέπω πολύ συχνά, αλλά κάθε φορά που _____ με τους φίλους από το σχολείο, περνάμε φανταστικά.
   α. συναντάω                   β. συναντιέμαι

6. Μπορείτε να καθίσετε εδώ. Δε μας _____ .
   α. ενοχλείτε                    β. ενοχλείται

7. – Πώς πήγες, αγόρι μου, στο τεστ; Έγραψες καλά;
   – Ναι, μαμά. _____ .
   α. Πέρασα                      β. Έμαθα απ' έξω

8. Τα νέα παιδιά δεν _____ από το σχολείο έτσι όπως είναι σήμερα.
   α. ικανοποιούν               β. ικανοποιούνται

9. Το πρόβλημα της οικονομίας _____ από όλον τον κόσμο.
   α. το συζητάνε                β. συζητιέται

10. _____ θέλεις να περάσεις στο Πολυτεχνείο, πρέπει να διαβάσεις πολύ καλά.
    α. Γιατί                         β. Αφού

**2.7** Γράφω τις λέξεις που έμαθα.

_____

_____

_____

_____

_____

_____

_____

# 18

## Δουλεύω σαν σκυλί...

- Έχω δουλέψει (ως) μάγειρας.
- Θα σου τηλεφωνήσω για να κανονίσουμε το ραντεβού.

- Δουλεύει τόσο πολύ, που είναι πάντα κουρασμένη.

# Κάθε μέρα κάνω υπερωρίες

**Γ18**

**Φου:** Γεια σας, κύριε Καλογρίδη. Μπορώ να σας απασχολήσω λίγο;

**Προϊστάμενος:** Περίμενε λιγάκι έξω, Φου. Έχω δουλειά αυτή τη στιγμή. Έλα, πέρασε. Σ' ακούω.

**Φου:** Να, όπως ξέρετε, δουλεύω στην επιχείρηση αυτή τρία χρόνια και...

**Προϊστάμενος:** Αν είναι για το θέμα της αύξησης, έχουμε πει ότι θα το φροντίσουμε μόλις μπορέσουμε. Οι καιροί είναι δύσκολοι, τα εστιατόρια περνάνε κρίση, το βλέπεις κι εσύ... Πρέπει όλοι να κάνουμε υπομονή.

**Φου:** Ναι, βέβαια, το καταλαβαίνω. Αλλά δεν είναι μόνο ότι το μεροκάματο δε φτάνει πια για τα έξοδά μου. Δουλεύω σαν σκυλί και δεν έχω πάρει ρεπό εδώ και δύο μήνες. Δεν πάει άλλο. Έχω και οικογένεια.

**Προϊστάμενος:** Μην ανησυχείς. Αυτό το έχω κανονίσει. Τα ρεπό σου θα τα πάρεις τον επόμενο μήνα. Αυτή την περίοδο έχουμε πολλή δουλειά, όπως ξέρεις.

**Φου:** Ακριβώς. Και από τότε που έφυγε ο Ικμπάλ, είμαι ο μόνος μάγειρας. Κάθε μέρα κάνω υπερωρίες απλήρωτες. Μόνο αυτή την εβδομάδα έχω δουλέψει τουλάχιστον δέκα ώρες παραπάνω. Δε φεύγω ποτέ πριν από τις τρεις.

**Προϊστάμενος:** Κοίτα, το γνωρίζω. Έχω ήδη συζητήσει το θέμα με τη γενική διευθύντρια. Πιστεύω ότι σύντομα θα προχωρήσει στην πρόσληψη ενός βοηθού μάγειρα. Με συγχωρείς τώρα, γιατί έχω να κανονίσω διάφορες παραγγελίες.

**Φου:** Μάλιστα, κύριε Καλογρίδη. Ευχαριστώ και περιμένω να γίνει κάτι σύντομα.

## Πώς το λένε;

Μπορώ να σας απασχολήσω λίγο;

Δουλεύω σαν σκυλί.

Κοίτα...

Να, όπως ξέρετε...

Δεν πάει άλλο.

Με συγχωρείς τώρα...

## Λέξεις, λέξεις

απασχολώ
αύξηση (η)
έξοδα (τα)
επιχείρηση (η)
μεροκάματο (το)
προϊστάμενος (ο) –
προϊσταμένη (η)
πρόσληψη (η)
υπερωρία (η)

**1** **Διαλέγω το σωστό.**

1. Ο Φου αυτή τη στιγμή βρίσκεται <u>στο γραφείο του προϊσταμένου του</u> .
   α. στην κουζίνα του εστιατορίου      β. στο γραφείο του προϊσταμένου του
2. Ο προϊστάμενος νομίζει ότι ο Φου θέλει _____ .
   α. να ζητήσει αύξηση      β. να δουλέψει στην επιχείρηση
3. Ο προϊστάμενος δεν μπορεί να δώσει αύξηση στον Φου τώρα,
   _____ .
   α. γιατί χρειάζεται υπομονή      β. γιατί τα εστιατόρια περνάνε κρίση
4. Ένα από τα παράπονα του Φου είναι ότι _____ .
   α. δεν έχει πολλή δουλειά      β. δουλεύει πιο πολύ από το ωράριό του
5. Ο Φου δεν έχει πάρει ρεπό _____ .
   α. αυτή την εβδομάδα      β. εδώ και δύο μήνες
6. Ο Ικμπάλ ήταν _____ .
   α. μάγειρας στο εστιατόριο      β. ο προηγούμενος διευθυντής
7. Ο προϊστάμενος λέει ότι _____ .
   α. θα πληρώσουν τις υπερωρίες του Φου      β. θα πάρουν κι άλλον μάγειρα
8. Ο Φου _____ .
   α. σύντομα θα πάρει αυτό που ζήτησε      β. πρέπει να περιμένει την απόφαση της γενικής διευθύντριας

## Για δες

Δε σηκώνω κεφάλι απ' τη δουλειά.
Δουλεύω σαν (το) σκυλί.
Δουλεύω σαν σκλάβος.
Πνίγομαι στη δουλειά.
Σκοτώνομαι στη δουλειά.
Η πολλή δουλειά τρώει τον αφέντη.

**Η σειρά μου τώρα**

**2** **Απαντάω:**

Δουλεύεις; Έχεις δουλέψει ποτέ υπερβολικά πολύ;
Έχεις ζητήσει ποτέ αύξηση στον μισθό σου / στο μεροκάματό σου; Τι ακριβώς έγινε;
Έχεις κάνει ποτέ παράπονα στη δουλειά σου για κάποιον λόγο (π.χ., για τις άδειες, τα ρεπό, τις υπερωρίες ή κάτι άλλο); Τι έγινε; Άλλαξε τίποτα μετά;

**Γράψε-σβήσε**

**3** Γράφω τι νομίζω ότι έγινε μετά από αυτή τη συνάντηση του Φου με τον προϊστάμενό του.

_____
_____
_____
_____
_____
_____
_____
_____
_____

**Παίζω έναν ρόλο**

**4** Κύριε διευθυντά...

**Ρόλος Α**
Εργάζομαι πολλά χρόνια σε μια εταιρεία και δεν έχω πάρει αύξηση τα τελευταία πέντε χρόνια. Πηγαίνω στην εργοδότρια / στον εργοδότη μου και εξηγώ το πρόβλημα. Τονίζω πως αγαπώ τη δουλειά μου, αλλά η ζωή έχει γίνει πολύ ακριβή.

**Ρόλος Β**
Έχω μια δική μου επιχείρηση. Μια/Ένας υπάλληλος που δουλεύει αρκετά χρόνια για μένα μου ζητάει αύξηση. Προσπαθώ να της/του εξηγήσω ότι σε αυτή τη φάση είναι δύσκολο να δώσω αύξηση, παρ' όλο που εκτιμώ τη δουλειά της/του.

**Για δες**

| Ενεστώτας | Απλή Υποτακτική | Παρακείμενος | |
|---|---|---|---|
| δουλεύω | να δουλέψω | έχω + **δουλέψει** | έχω δουλέψει |
| | να δουλέψεις | | έχεις δουλέψει |
| | να **δουλέψει** | | έχει δουλέψει |
| | να δουλέψουμε | | έχουμε δουλέψει |
| | να δουλέψετε | | έχετε δουλέψει |
| | να δουλέψουν | | έχουν δουλέψει |

συνήθως:
Παρακείμενος

"Έχω φάει. Δεν πεινάω καθόλου."

αλλά και:
Αόριστος

"Έφαγα μεσημεριανό στη δουλειά."

| | | |
|---|---|---|
| *Για κάτι που έγινε στο παρελθόν, αλλά μπορεί να έχει σημασία στο παρόν.* | **Έχω πληρώσει** τον λογαριασμό. Μπορούμε να φύγουμε. | **Πλήρωσα** τον λογαριασμό. Μπορούμε να φύγουμε. |
| *Για κάτι που έχει γίνει πολλές φορές από το παρελθόν μέχρι το παρόν.* | **Έχω αλλάξει** 5 δουλειές τα τελευταία 10 χρόνια. **Έχω στείλει** βιογραφικό σημείωμα σε 6 εταιρείες μέχρι τώρα. | **Άλλαξα** 5 δουλειές τα τελευταία 10 χρόνια. **Έστειλα** βιογραφικό σημείωμα σε 6 εταιρείες μέχρι τώρα. |
| *Συνήθως με τις εκφράσεις:* **Από... (χτες / το πρωί / το 2001)** **Δεν ... ακόμα...** **Ήδη...** **Κιόλας...** **Μέχρι τώρα...** **Πια...** **Ποτέ...;** **Ποτέ δεν...** **Εδώ και καιρό...** | Από το 2003 δεν **έχω αλλάξει** δουλειά. Δεν **έχω βρει** ακόμα κάτι καλύτερο. **Έχω** ήδη **ψάξει** στις μικρές αγγελίες. **Έχει περάσει** κιόλας ένας χρόνος. **Έχω τελειώσει** πια το διάβασμα. Λέω να πάω μια βόλτα. **Έχεις δουλέψει** ποτέ 12 ώρες χωρίς διάλειμμα; Δεν **έχω πάει** ποτέ σε συνέντευξη για δουλειά. Δεν **έχω πάρει** άδεια εδώ και πολύ καιρό. | Από το 2003 δεν **άλλαξα** δουλειά. Δε **βρήκα** ακόμα κάτι καλύτερο. **Έψαξα** ήδη στις μικρές αγγελίες. **Πέρασε** κιόλας ένας χρόνος. **Τέλειωσα** πια το διάβασμα. Λέω να πάω μια βόλτα. **Δούλεψες** ποτέ 12 ώρες χωρίς διάλειμμα; Δεν **πήγα** ποτέ σε συνέντευξη για δουλειά. Δεν **πήρα** άδεια εδώ και πολύ καιρό. |

| Ενεστώτας | Παρακείμενος | χρησιμοποιούμε: |
|---|---|---|
| είμαι | – | ήμουν |
| έχω | – | είχα |
| ξέρω | – | ήξερα |
| περιμένω | – | περίμενα |

**Η σειρά μου πάλι**

**5** Συμπληρώνω με Παρακείμενο:

1. Κύριε Παπαπέτρου, δεν _____έχετε γράψει_____ (γράφω) ακόμα την επιστολή; Πρέπει να τη στείλουμε αμέσως.

2. Αν θέλεις, κράτησε το βιβλίο. Εγώ το _____ (διαβάζω) πολλές φορές.

3. – Τι γίνεται η Αλεξάνδρα; Τέλειωσε τις σπουδές της;
   – Ναι. Τώρα ψάχνει για δουλειά. _____ (στέλνω) το βιογραφικό της σε πολλές εταιρείες και ελπίζει να την καλέσουν κάποια στιγμή για συνέντευξη.

4. Καλά, ε; Χτες συνάντησα τον Σπύρο και σχεδόν δεν τον γνώρισα! _____ (αλλάζω) πολύ.

5. – Πρέπει να φύγω. Σε λίγο έχω μάθημα. Να ζητήσουμε τον λογαριασμό;
   – Είναι εντάξει. _____ (πληρώνω) εγώ.

6. – Ρε συ, το ήξερες ότι ο Γιώργος _____ (πηγαίνω) στην Ινδία;
   – Αυτό δεν είναι τίποτα. Και πού δεν _____ (ταξιδεύω)! Αυτό το παιδί _____ (γυρίζω) όλον τον κόσμο!

**6** Γράφω τι δεν έχω κάνει ακόμα στη ζωή μου.

1. _Δεν έχω ταξιδέψει ποτέ με αεροπλάνο._____
2. _____
3. _____
4. _____

**7** Το έχεις κάνει ποτέ;

1. δοκιμάζω γιαπωνέζικο φαγητό
   – _Έχεις δοκιμάσει ποτέ γιαπωνέζικο φαγητό;_
   – _Ναι, έχω δοκιμάσει μία φορά._

2. ανεβαίνω στο Έβερεστ
   _____

3. μπαίνω στη φυλακή
   _____

4. πίνω ρούμι
   _____

5. κλαίω από τα γέλια
   _____

6. δίνω αίμα
   _____
   _____

7. παίρνω δάνειο
   _____
   _____

8. μαγειρεύω μουσακά
   _____
   _____

9. τρώω κάτι παράξενο (π.χ., φίδι, σαλιγκάρια, καμήλα...)
   _____
   _____

10. ταξιδεύω με ελικόπτερο
    _____
    _____

11. κερδίζω το λαχείο
    _____
    _____

12. βγαίνω στην τηλεόραση
    _____
    _____

13. παθαίνω ατύχημα
    _____
    _____

14. παίζω στο θέατρο
    _____
    _____

15. βλέπω ελέφαντα από κοντά
    _____
    _____

16. κολυμπάω στη θάλασσα τον χειμώνα
    _____
    _____

17. κάνω σκι
    _____
    _____

18. οδηγώ φορτηγό
    _____
    _____

19. παίρνω βραβείο
    _____
    _____

20. χτυπάω κάποιον άνθρωπο
    _____
    _____

**8** Γράφω τι δεν έχω κάνει τον τελευταίο καιρό (τα τελευταία δύο χρόνια, τους τελευταίους μήνες, τις τελευταίες μέρες...).

1. _Τους τελευταίους μήνες δεν έχω πάει καθόλου στο θέατρο._____

2. _____

3. _____

4. _____

## Για δες

- – Έχεις διαβάσει τον *Πύργο* του Κάφκα;
- – **Το** έχω διαβάσει.

- – Πότε θα μιλήσεις στη διευθύντρια;
- – **Της** έχω μιλήσει ήδη. / **Της** έχω ήδη μιλήσει. / Ήδη **της** έχω μιλήσει.

- – Έχεις πει τα νέα στους συναδέλφους σου;
- – **Τους τα** έχω πει.

## Η σειρά μου πάλι

**9** Απαντάω, όπως στο παράδειγμα.

1. Πότε θα τηλεφωνήσεις στη μητέρα σου;
   _Της έχω ήδη τηλεφωνήσει._____ .

2. Θέλεις ένα καφεδάκι;
   Ευχαριστώ, _____ .

3. Κάθισε να φας μαζί μας.
   Δεν πεινάω. _____ .

4. Πότε θα στείλεις το δέμα στην κυρία Αναγνώστου;
   _____

5. Τι λες; Να κλείσω εισιτήρια για την παράσταση του Δημήτρη Παπαϊωάννου;
   Δε χρειάζεται. _____ .

6. Μήπως πρέπει να μαγειρέψουμε κάτι για απόψε;
   _____ .

7. Πάμε να δούμε την καινούρια ταινία του Αγγελόπουλου;
   _____

8. Μην ξεχάσεις να πληρώσεις το τηλέφωνο. Λήγει σήμερα.
   Μην ανησυχείς. _____ .

9. Δε θα κάνεις αίτηση για δουλειά σε αυτή την εταιρεία; Είναι μεγάλη ευκαιρία.
   _____

10. Κάποια στιγμή πρέπει να τακτοποιήσουμε το γραφείο.
    _____ .

**10** Τι έχει κάνει η Ελένη; Διαβάζω το βιογραφικό της σημείωμα και γράφω προτάσεις, όπως στο παράδειγμα. Χρησιμοποιώ τα ρήματα: *σπουδάζω, δουλεύω, παίρνω, κάνω, παρακολουθώ, μαθαίνω, παίζω.*

### Ελένη Παπαδημητρίου

Διεύθυνση κατοικίας: Σουλίου 65, 173 42 Αθήνα
Τηλέφωνα επικοινωνίας: 210 9761381 & 6949456171
E-mail: elpapa@address.com

**ΕΚΠΑΙΔΕΥΣΗ**

| | |
|---|---|
| 1996-2000 | Πτυχίο Οικονομικών Επιστημών, Σχολή Νομικών, Οικονομικών & Πολιτικών Επιστημών, Αριστοτέλειο Πανεπιστήμιο Θεσσαλονίκης. Βαθμός πτυχίου: 8 και 4/10. |
| 1993-1996 | 2ο Λύκειο Θεσσαλονίκης, Βαθμός απολυτηρίου: 18 και 8/11. |

**ΕΠΑΓΓΕΛΜΑΤΙΚΗ ΕΜΠΕΙΡΙΑ**

| | |
|---|---|
| 3/2000-6/2000 | Τμήμα πωλήσεων, Εταιρεία «Πυξίς». Πρακτική άσκηση. |
| 1/1999-12/1999 | Εταιρεία δημοσκοπήσεων «Research». Ερευνήτρια αγοράς (εποχική απασχόληση). |
| 1/7/98-30/9/98 | Βιβλιοπωλείο – Εκδόσεις «Θέτις». Υπάλληλος βιβλιοπωλείου. |

**ΚΑΤΑΡΤΙΣΗ**

| | |
|---|---|
| 5/5/2000 | Ημερίδα: *«Αγορά και παγκόσμια οικονομία»*, Σύλλογος Οικονομολόγων Θεσσαλονίκης, Βελλίδειο Ίδρυμα, Θεσσαλονίκη. |
| 13/11-15/11/1999 | Συνέδριο: «Η ευρωπαϊκή πολιτική για το εμπόριο», Υπουργείο Οικονομικών, Ναύπλιο. |
| 10/1997-1/1998 | Σεμινάριο: «Η ελληνική μουσική κατά τη βυζαντινή περίοδο», Υπουργείο Πολιτισμού, Θεσσαλονίκη. |

**ΞΕΝΕΣ ΓΛΩΣΣΕΣ**

| | |
|---|---|
| Αγγλικά | Άριστη γνώση, δίπλωμα: Certificate of Proficiency in English, University of Cambridge. |
| Γαλλικά | Πολύ καλή γνώση, δίπλωμα: DELF 2$^{eme}$ DEGRE. |

**ΑΛΛΕΣ ΓΝΩΣΕΙΣ**

- Χρήση Η/Υ, πιστοποίηση ECDL Core.
- Γνώση στατιστικού πακέτου SPSS.
- Δίπλωμα οδήγησης αυτοκινήτου.

**ΠΡΟΣΩΠΙΚΑ ΕΝΔΙΑΦΕΡΟΝΤΑ**

- Οχτώ χρόνια μαθήματα κλασικής κιθάρας.
- Συμμετοχή σε συγκρότημα μοντέρνας ελληνικής μουσικής.
- Συμμετοχή σε ομάδα βόλεϊ.

*Έχει σπουδάσει Οικονομικά στη Θεσσαλονίκη.*

**11** Παρουσιάζω το βιογραφικό κάποιου προσώπου που γνωρίζω πολύ καλά.

*Έχει σπουδάσει θέατρο.* _____

_____

_____

_____

**12** Βρίσκω τι δεν έχουν κάνει.

1. *– Δεν έχω μαγειρέψει τίποτα.* _____

    – Δεν πειράζει. Μπορούμε να παραγγείλουμε κάτι απ' έξω.

2. _____

    – Κάθισε να διαβάσεις αμέσως. Πώς θα γράψεις στις εξετάσεις;

3. _____

    – Αλήθεια; Λήγει σήμερα. Μπορεί να μας κόψουν το τηλέφωνο!

4. _____

    – Αν είναι έτσι, μήπως να μην πάμε; Μπορεί να μη βρούμε θέσεις.

5. _____

    – Να το πάρεις αμέσως! Ο γιατρός είπε ότι δεν πρέπει να το ξεχνάς.

## Για δες

| Παρακείμενος | Αόριστος |
|---|---|
| (έγινε στο παρελθόν & έχει σημασία στο παρόν) | (έγινε κάποια στιγμή στο παρελθόν) |
| Με **έχει κουράσει** πολύ αυτή η δουλειά. Σκέφτομαι να ψάξω για κάτι άλλο. (= *το αποτέλεσμα υπάρχει στο παρόν, ακόμα νιώθω την κούραση*) | Με **κούρασε** πολύ αυτή η δουλειά. Γι' αυτό τη σταμάτησα. (= *δε νιώθω πια την κούραση*) |
| **Έχεις πάει** στη Βαρσοβία; (= *έχεις πάει ποτέ ως τώρα στη Βαρσοβία;*) | **Πήγες** στη Βαρσοβία; (= *πήγες τελικά στη Βαρσοβία την περασμένη εβδομάδα;*) |
| ~~Έχει πάει στην Αυστραλία το 2002.~~ **Έχει πάει** στην Αυστραλία. (= *δε με ενδιαφέρει πότε πήγε, αλλά το αποτέλεσμα στο παρόν: ότι έχει αυτή την εμπειρία ή ότι βρίσκεται τώρα εκεί*) | **Πήγε** στην Αυστραλία το 2002. |
| ~~Ο Αϊνστάιν έχει πάει στην Αμερική.~~ (= *το αποτέλεσμα του ταξιδιού αυτού δεν υπάρχει στο παρόν, αφού ο Αϊνστάιν δε ζει πια*) | Ο Αϊνστάιν **πήγε** στην Αμερική. (*όταν ζούσε*) |

## Η σειρά μου πάλι

**1 3** Διαλέγω το πιο κατάλληλο.

1. Ο Θοδωρής δεν _____έχει πάει_____ στη δουλειά εδώ και μια βδομάδα.
   α. έχει πάει       β. πήγε

2. Δεν ξέρω τι ώρα θα γυρίσει. Δεν _____ από το πρωί.
   α. έχουμε μιλήσει       β. μιλήσαμε

3. Τον _____ για πρώτη φορά το 2003. Από τότε είμαστε πολύ φίλοι.
   α. έχω συναντήσει       β. συνάντησα

4. Πριν από μια εβδομάδα _____ για την Αργεντινή. Λέει ότι είναι η πιο όμορφη
   χώρα που _____ .
   α. έχει φύγει       β. έφυγε          α. έχει δει       β. είδε

5. Μέχρι τώρα δεν _____ τον άνθρωπο που ψάχνουμε για τη θέση αυτή.
   α. έχουμε βρει       β. βρήκαμε

6. Από το 2007 δεν την _____ .
   α. έχω ξαναδεί       β. ξαναείδα

## 28 Απριλίου

### ΠΑΓΚΟΣΜΙΑ ΗΜΕΡΑ ΓΙΑ ΤΗΝ ΥΓΕΙΑ ΚΑΙ ΤΗΝ ΑΣΦΑΛΕΙΑ ΣΤΗΝ ΕΡΓΑΣΙΑ

Υπάρχουν μερικά επαγγέλματα που είναι πιο **επικίνδυνα** από άλλα, και η ημέρα αυτή έχει καθιερωθεί για να υπενθυμίζει σε όλους τη σημασία που έχει να τηρούνται ορισμένοι **κανόνες ασφάλειας** στην εργασία, για να αποφεύγονται τα ατυχήματα και οι βλάβες στην υγεία.

Μία από τις υποχρεώσεις που έχουν οι εργοδότες απέναντι στους ανθρώπους που δουλεύουν στην επιχείρησή τους είναι να τους προειδοποιούν για τους κινδύνους με τη χρήση **ειδικών σημάτων**. Μερικά θα τα έχεις δει σίγουρα κάπου. Μπορείς να καταλάβεις τι σημαίνουν; Οι απαντήσεις είναι στο κάτω μέρος της δεξιάς σελίδας!

Αν όμως κάτι πάει στραβά, ψάξε για αυτό το σήμα:

Απαντήσεις
1. Υποχρεωτική προστασία του κεφαλιού (κράνος). 2. Υποχρεωτική προστασία των αυτι... από δυνατό ήχο. 3. Υποχρεωτική προστασία των αναπνευστικών οδών (μάσκα). 4. Υποχρε... τική προστασία των ποδιών (μπότες). 5. Υποχρεωτική προστασία των χεριών (γάντια). 6. Υπ... χρεωτική προστασία του σώματος (ειδική φόρμα). 7. Υποχρεωτική προστασία του προσώπ... 8. Μη πόσιμο νερό. 9. Απαγορεύεται η είσοδος σε όσους δεν έχουν ειδική εργασ... 10. Απαγορεύεται η είσοδος σε οχήματα μεταφοράς φορτίων. 11. Κίνδυνος: εύφλεκτες ύλ... 12. Κίνδυνος: εκρηκτικές ύλες. 13. Κίνδυνος: τοξικές ύλες (δηλητήρια). 14. Κίνδυνος: ... βρωτικές ύλες (οξέα). 15. Κίνδυνος: ραδιενεργά υλικά. 16. Κίνδυνος ηλεκτροπληξί... 17. Κίνδυνος: αναφλέξιμες ύλες. 18. Κίνδυνος: πολύ χαμηλή θερμοκρασία. 19. Γενικός ... δυνος. 20. Βλαβερές ή ερεθιστικές ύλες. 21. Κίνδυνος από οχήματα μεταφοράς φορτ... 22. Κίνδυνος παραπατήματος. 23. Κίνδυνος πτώσης. 24. Κίνδυνος από αιωρούμενα φορτ... 25. Θέση πυροσβεστικής μάνικας. 26. Θέση πυροσβεστήρα. 27. Απαγορεύεται η χρήση ... μνής φλόγας και το κάπνισμα. 28. Απαγορεύεται το κάπνισμα. 29. Προς έξοδο κινδύνου...

**14** Βρίσκω την καλύτερη συνέχεια, όπως στο παράδειγμα.

| | | | | | |
|---|---|---|---|---|---|
| 1. | Έχω διαβάσει για το τεστ. | α. | Αλλά τώρα δε θυμάμαι τίποτα. | 1 | β |
| 2. | Διάβασα για το τεστ. | β. | Είμαι έτοιμος/έτοιμη. | 2 | α |
| 3. | Έχω ξεχάσει το κινητό μου στο σπίτι. | α. | Πώς θα με βρει η Αρλέτα; | 3 | |
| 4. | Ξέχασα το κινητό μου. | β. | Γι' αυτό γύρισα στο σπίτι. | 4 | |
| 5. | Ο κύριος Παυλόπουλος έχει βγει για μια δουλειά. | α. | Και γύρισε πριν από λίγο. | 5 | |
| 6. | Ο κύριος Παυλόπουλος βγήκε για μια δουλειά. | β. | Δεν είναι εδώ αυτή τη στιγμή. | 6 | |
| | | | | 7 | |
| 7. | Έχω πιει πολύ. | α. | Αλλά μετά έφαγα κάτι και ένιωσα καλύτερα. | 8 | |
| 8. | Ήπια πολύ. | β. | Καλύτερα να μην οδηγήσω. | 9 | |
| | | | | 10 | |
| 9. | Έχω γνωρίσει έναν πολύ ωραίο τύπο. | α. | Βγαίνουμε μαζί κάθε μέρα. | 11 | |
| 10. | Γνώρισα έναν πολύ ωραίο τύπο. | β. | Αλλά δεν τον ξαναείδα. | 12 | |
| 11. | Έχω χάσει τα κλειδιά μου. | α. | Τα βρήκε ένας κύριος και μου τα έφερε. | 13 | |
| 12. | Έχασα τα κλειδιά μου μέσα στο σούπερ μάρκετ. | β. | Μάλλον πρέπει να φτιάξω καινούρια. | 14 | |
| 13. | Έχω φάει βραδινό. | α. | Δεν πεινάω αυτή τη στιγμή. | 15 | |
| 14. | Έφαγα βραδινό. | β. | Ήταν πολύ νόστιμο. | 16 | |
| 15. | Έχουν έρθει οι γονείς μου για το Σαββατοκύριακο. | α. | Δεν μπορώ να κάνω πάρτι στο σπίτι. | | |
| 16. | Ήρθαν οι γονείς μου για το Σαββατοκύριακο. | β. | Ευτυχώς έφυγαν νωρίς! | | |

## Παίζω έναν ρόλο

ΒΟΗΘΟΣ μάγειρα, Έλληνας, ζητείται από ιταλικό εστιατόριο στο Χαλάνδρι

ΒΟΗΘΟΣ μάγειρα, άνδρας ή γυναίκα, κάτοικος της περιοχής, ζητείται από ψαροταβέρνα στην Πετρούπολη

ΒΟΗΘΟΣ μάγειρα, μαγείρισσα, ζητούνται από μπιραρία-εστιατόριο, για πλήρη απασχόληση

ΜΑΓΕΙΡΑΣ πεπειραμένος, γνώστης ελληνικής κουζίνας, για ξενοδοχείο Μάιο έως Σεπτέμβριο, παρέχεται διαμονή, μισθός ικανοποιητικός

ΜΑΓΕΙΡΑΣ ζητείται από γνωστό εστιατόριο, περιοχή Γκάζι, για πενθήμερη βραδινή απασχόληση, μισθός ικανοποιητικός, προϋπηρεσία απαραίτητη, συστάσεις προαιρετικές

**15** Τηλεφωνώ για την αγγελία.

### Ρόλος Α

Ψάχνω για δουλειά μάγειρα/μαγείρισσας. Διαλέγω την αγγελία που με ενδιαφέρει και τηλεφωνώ για να πάρω πληροφορίες για τη θέση.

### Ρόλος Β

Είμαι υπεύθυνος/υπεύθυνη σε ένα εστιατόριο και ζητάω μάγειρα/μαγείρισσα. Μια κυρία / ένας κύριος τηλεφωνεί και ζητάει πληροφορίες σχετικά με την αγγελία.

## Ενδιαφέρομαι για την αγγελία

Γ19

Φου Τσεν
Κυκλάδων 29, 11 472
Κυψέλη

Αθήνα, 21 Μαρτίου 2011

Ελευθερία Πετροπούλου
Υπεύθυνη εστιατορίου
Εστιατόριο «Αρχοντικό»
Δεκελαίων 12, Αθήνα

Αγαπητή κυρία Πετροπούλου,

Διάβασα την αγγελία που δημοσιεύσατε πρόσφατα στην εφημερίδα *Χρυσή Ευκαιρία* και ενδιαφέρομαι για τη θέση μάγειρα Α.
Έχω σπουδάσει επαγγελματική μαγειρική στο Πεκίνο και έχω δουλέψει ως μάγειρας σεφ σε εστιατόρια και ξενοδοχεία στην Κίνα και στην Ελλάδα. Στο βιογραφικό σημείωμα που σας στέλνω μπορείτε να βρείτε περισσότερες λεπτομέρειες για τις σπουδές και την προϋπηρεσία μου. Πιστεύω ότι η θέση αυτή είναι μια σημαντική ευκαιρία ώστε να αξιοποιήσω και να προσφέρω δημιουργικά τις γνώσεις και την εμπειρία μου.
Θα ήθελα να επικοινωνήσετε μαζί μου για να συζητήσουμε μια πιθανή ημερομηνία για συνέντευξη. Μπορείτε να με βρείτε ή να μου αφήσετε μήνυμα στα τηλέφωνα: 2108230987 και 6944978576.

Σας ευχαριστώ εκ των προτέρων.

Με εκτίμηση,
Φου Τσεν

Συνημμένα: Βιογραφικό σημείωμα, 2 συστατικές επιστολές.

## Πώς το λένε;

Ενδιαφέρομαι για τη θέση μάγειρα.

Σας ευχαριστώ εκ των προτέρων.

Θα ήθελα να επικοινωνήσετε μαζί μου.

Με εκτίμηση.

## Λέξεις, λέξεις

αγγελία (η)
βιογραφικό σημείωμα (το)
δημοσιεύω
θέση (η)
προϋπηρεσία (η)
συστατική επιστολή (η)

# Δουλεύω σαν σκυλί...

## Για δες

### Τελικές προτάσεις

Θα σου τηλεφωνήσω **για να** κανονίσουμε την ώρα του ραντεβού. Εντάξει;
Θα σας τηλεφωνήσω **για να / ώστε να** κανονίσουμε μια συνάντηση.
Θέλει να φύγει από τη δουλειά του **για να / ώστε να** βρει κάτι καλύτερο.

### Αποτελεσματικές προτάσεις

Δουλεύει πάρα πολύ, **με αποτέλεσμα να** είναι πάντα κουρασμένη. = Δουλεύει **τόσο** πολύ,
    **που** είναι πάντα κουρασμένη.
Είναι πολύ καλή στη δουλειά της **για να** την αφήσουμε να φύγει. = Είναι **τόσο** καλή στη
    δουλειά της, **που** δε θα την αφήσουμε να φύγει.
Δε βιάζομαι **τόσο ώστε** να φύγω αμέσως.

## Η σειρά μου πάλι

**16** Φτιάχνω τις προτάσεις. Χρησιμοποιώ *για να, ώστε (να), με αποτέλεσμα να, τόσο /τόση/τόσο ... που* και κάνω τις απαραίτητες αλλαγές.

1. Η Μελέκ ήρθε στην Ελλάδα. Σπουδάζει.
   *Η Μελέκ ήρθε στην Ελλάδα για να σπουδάσει / ώστε να σπουδάσει.*

2. Ήταν πολύ καλή στη δουλειά της. Δεν την άφησαν να φύγει.
   _____

3. Ο Πάμπλο μαζεύει λεφτά. Θα αγοράσει μια μηχανή.
   _____

4. Δεν έκλεισε καλά την τσάντα της. Έχασε το πορτοφόλι της.
   _____

5. Δε σταμάτησε στο κόκκινο. Τράκαρε με ένα άλλο αυτοκίνητο.
   _____

6. Η Βέρα έμαθε ελληνικά. Θα βρει καλύτερη δουλειά.
   _____

7. Υπάρχει μεγάλη ανεργία. Πολλοί νέοι μένουν χωρίς δουλειά.
   _____

8. Η Αρλέτα έμεινε στο σπίτι απόψε. Θα πάει για ύπνο νωρίς.
   _____

9. Είναι πολύ καλός. Όλοι οι συνάδελφοι τον αγαπούν.
   _____

10. Δε διάβασε καλά για τις εξετάσεις. Δεν πέρασε στο Πανεπιστήμιο.
    _____

11. Ο Ερβίν έφυγε πιο νωρίς από τη δουλειά. Θα πάει στον γιατρό.
    _____

12. Εξήγησε το πρόβλημά του πολύ καλά. Όλοι το καταλάβαμε.
    _____

**1 7** Τελειώνω τις προτάσεις, όπως στο παράδειγμα.

1. Χτες πήγα στα μαγαζιά για να *αγοράσω καινούρια παπούτσια* _____ .

2. Ο Θανάσης αγόρασε τις *Μικρές αγγελίες* για να _____ .

3. Η Βαγγελιώ μελέτησε τόσο πολύ για τις εξετάσεις, ώστε _____
_____ .

4. Η Χρύσα μαθαίνει κινεζικά για να _____ .

5. Ο καιρός ήταν τόσο άσχημος, που _____ .

6. Ο Σωτήρης κάνει μαθήματα κομπιούτερ για να _____ .

7. Το παιδί πήγε στον φούρνο για να _____ .

8. Η Κατερίνα έφτασε στο ραντεβού αργά, με αποτέλεσμα να _____
_____ .

9. Ο Μιλτιάδης κάνει μία ώρα γυμναστική την ημέρα για να _____
_____ .

10. Το βιογραφικό της Δώρας ήταν τόσο καλό, που _____ .

## Γράψε-σβήσε

**1 8** Διάβασα μια αγγελία για μια δουλειά που με ενδιαφέρει. Γράφω μια επιστολή στον υπεύθυνο / στην υπεύθυνη της εταιρείας και περιγράφω γιατί ενδιαφέρομαι για τη θέση. (150 λέξεις περίπου)

# Ψάχνω μια δουλειά με μέλλον

**Γ20** **Υπεύθυνη προσλήψεων:** Λοιπόν, κύριε Τσεν, απ' ό,τι βλέπω στο βιογραφικό σας, έχετε σπουδάσει επαγγελματική μαγειρική με ειδίκευση στη δημιουργική κουζίνα. Γιατί διαλέξατε αυτό το επάγγελμα;

**Φου:** Μμμ... Είναι πολύ απλό. Από μικρό παιδί ένιωθα ότι η μαγειρική είναι τέχνη. Είναι μια μορφή έκφρασης για μένα. Κάπως έτσι πήρα την απόφαση να σπουδάσω.

**Υπεύθυνη προσλήψεων:** Ωραία. Βλέπω επίσης ότι έχετε μεγάλη προϋπηρεσία ως μάγειρας και έχετε δουλέψει σε αρκετά εστιατόρια της Αθήνας.

**Φου:** Μάλιστα. Έχω δοκιμάσει διαφορετικά είδη μαγαζιών όλα αυτά τα χρόνια: με κινεζική, ελληνική, έθνικ κουζίνα...

**Υπεύθυνη προσλήψεων:** Τα τελευταία τρία χρόνια δουλεύετε σε μια μεγάλη αλυσίδα με πολύ καλό όνομα στην αγορά. Για ποιους λόγους θέλετε να φύγετε από αυτή τη θέση;

**Φου:** Κοιτάξτε, είμαι πολύ ευχαριστημένος από την επιχείρηση, αλλά... Η αλήθεια είναι ότι έχω μείνει αρκετά χρόνια στον ίδιο χώρο. Θα ήθελα ένα καινούριο εργασιακό περιβάλλον, ίσως με καλύτερες προοπτικές.

**Υπεύθυνη προσλήψεων:** Τι ακριβώς εννοείτε; Τι περιμένετε από μία πιθανή συνεργασία μαζί μας;

**Φου:** Να σας πω. Αυτή τη στιγμή έχω μια σταθερή δουλειά. Δεν ψάχνω λοιπόν κάτι προσωρινό, αλλά μια δουλειά με μέλλον και προοπτικές εξέλιξης.

**Υπεύθυνη προσλήψεων:** Πολύ ωραία. Κι εμείς ψάχνουμε έναν άνθρωπο για να μείνει μαζί μας. Τι άλλο είναι σημαντικό για εσάς;

**Φου:** Τι άλλο... Ε, μετά από πολλά χρόνια στην αγορά ζητάω σταθερό ωράριο και ανθρώπινες συνθήκες εργασίας. Και βέβαια, έναν μισθό ανάλογο με την εμπειρία μου.

**Υπεύθυνη προσλήψεων:** Μάλιστα. Ευχαριστώ πολύ, κύριε Τσεν. Θα επικοινωνήσουμε μαζί σας στο τέλος της εβδομάδας.

**Φου:** Κι εγώ ευχαριστώ. Περιμένω νέα σας. Καλό απόγευμα.

## Πώς το λένε;

Απ' ό,τι βλέπω...

Κάπως έτσι πήρα την απόφαση.

Κοιτάξτε...

Η αλήθεια είναι ότι...

Να σας πω.

Θα επικοινωνήσουμε μαζί σας στο τέλος της εβδομάδας.

Περιμένω νέα σας.

## Λέξεις, λέξεις

ειδίκευση (η)
εμπειρία (η)
εξέλιξη (η)
επάγγελμα (το)
εργασιακό περιβάλλον (το)
μισθός (ο)
προοπτική (η)
συνεργασία (η)
συνθήκες εργασίας (οι)
ωράριο (το)

### 19 Σωστό ή λάθος;

| | Σωστό | | Λάθος |
|---|---|---|---|
| 1. Ο Φου βρήκε καινούρια δουλειά. | ☐ | | ☑ |
| 2. Το επάγγελμα του Φου είναι μάγειρας. | ☐ | | ☐ |
| 3. Ο Φου κατάλαβε από μικρός τι θέλει να σπουδάσει. | ☐ | | ☐ |
| 4. Ο Φου είναι καινούριος στο επάγγελμα του μάγειρα. | ☐ | | ☐ |
| 5. Ο Φου είναι άνεργος αυτή τη στιγμή και ψάχνει για δουλειά. | ☐ | | ☐ |
| 6. Η υπεύθυνη προσλήψεων ζητάει κάποιον για προσωρινή απασχόληση. | ☐ | | ☐ |
| 7. Η υπεύθυνη προσλήψεων δεν ενδιαφέρεται για μια συνεργασία με τον Φου. | ☐ | | ☐ |
| 8. Ο Φου δεν ξέρει ακόμα αν θα πάρει τη δουλειά. | ☐ | | ☐ |

## Για δες

Η **δουλειά** μου δεν έχει καμία σχέση με το **επάγγελμά** μου. Σπούδασα καθηγήτρια, αλλά εργάζομαι ως σερβιτόρα. Οι **συνθήκες εργασίας** δεν είναι οι καλύτερες: το **ωράριό** μου είναι χάλια. Πότε πρωί, πότε απόγευμα και... ποτέ δεν ξέρεις. Δε μου κολλάνε όλα τα **ένσημα**, γι' αυτό, όταν λήγει η **σύμβασή** μου, δεν μπορώ να πάρω **επίδομα ανεργίας**. Άσε που κάνουμε απλήρωτες **υπερωρίες**, δεν παίρνουμε εύκολα **άδειες** και, σε περίπτωση **απόλυσης**, δε μας δίνουν ολόκληρη την **αποζημίωση**. Τι μπορεί να γίνει; Να κάνουμε παράπονα στους **προϊσταμένους**; Να κάνουμε **καταγγελία** στην **επιθεώρηση εργασίας**; Να πάμε στο **σωματείο** και να ζητήσουμε βοήθεια από τους συναδέλφους μας; Ή να ψάξω άλλη **εργασία**, ανάλογη με τα **προσόντα** μου, με καλύτερες **συνθήκες εργασίας**, υψηλές **αποδοχές**, ανθρώπινο **εργασιακό περιβάλλον** και **προοπτικές εξέλιξης**;

## Γράψε-σβήσε

**7** Γράφω σε έναν φίλο / μια φίλη για τον τρόπο που διασκεδάζει ο κόσμος στη χώρα μου. (150 λέξεις περίπου)

**8** Πήρα ένα e-mail από τον διευθυντή / τη διευθύντριά μου που αναφέρει ότι θα μου μειώσουν τον μισθό, λόγω των οικονομικών προβλημάτων της εταιρείας. Στέλνω την απάντησή μου. (150 λέξεις περίπου)

## Έχω τον λόγο

**9** Απαντάω:

Βλέπετε καθόλου διαφημίσεις στην τηλεόραση; Τι γνώμη έχετε γι' αυτές;
Πώς αισθάνεστε και τι κάνετε όταν το τηλεοπτικό πρόγραμμα που παρακολουθείτε διακόπτεται για διαφημίσεις;
Υπάρχει καμία διαφήμιση που σας έχει κάνει εντύπωση; Γιατί; Πείτε δυο λόγια γι' αυτήν.

Τι συναισθήματα είχατε για το σχολείο όταν ήσασταν μαθητής/μαθήτρια; Θυμάστε πώς ήταν συνήθως η πρώτη μέρα στο σχολείο μετά τις διακοπές;

Σας έδιωξαν ποτέ από τη δουλειά σας; Ξέρετε κάποιον που έχασε τη δουλειά του; Αν ναι, πώς έγινε και γιατί;
Πώς νομίζετε ότι αισθάνεται κάποιος που χάνει ξαφνικά τη δουλειά του; Τι συμβουλές μπορείτε να του δώσετε;

Πώς διασκεδάζετε συνήθως; Έχετε ένα αγαπημένο μέρος όπου πηγαίνετε συχνά; Σας αρέσει να ξενυχτάτε μέχρι αργά; Στη χώρα σας πώς διασκεδάζει ο κόσμος;

## Παίζω έναν ρόλο

**10** Στο βιβλιοπωλείο

**Ρόλος Α**
Είμαι σε ένα βιβλιοπωλείο και ψάχνω ένα βιβλίο για δώρο. Ζητάω τη γνώμη του/της υπαλλήλου.

**Ρόλος Β**
Είμαι υπάλληλος βιβλιοπωλείου. Μια κυρία / Ένας κύριος ψάχνει ένα βιβλίο για δώρο. Προσπαθώ να βοηθήσω με προτάσεις, αλλά δε φαίνεται να ξέρει τι θέλει.

**11** Δεν υπάρχει καμία δικαιολογία.

**Ρόλος Α**
Η διευθύντρια / Ο διευθυντής μου στη δουλειά με καλεί στο γραφείο του και μου κάνει παρατήρηση επειδή άργησα. Δικαιολογούμαι και εξηγώ ότι συνήθως είμαι εντάξει στις υποχρεώσεις μου.

**Ρόλος Β**
Είμαι διευθύντρια/διευθυντής σε μια εταιρεία. Ένας/Μια υπάλληλος άργησε να έρθει στο γραφείο. Δεν είναι η πρώτη φορά που συμβαίνει κάτι τέτοιο. Δε δέχομαι καμία δικαιολογία.

# παράρτημα

# παράρτημα

## A. Πίνακες γραμματικής

**Ρήματα**

A. Ενεργητική Φωνή

| Ρήματα Α | |
|---|---|
| Ενεστώτας: **γράφω** | **διαβάζω** |
| Παρατατικός: έγραφα | **διάβαζα** |
| Συνεχής Μέλλοντας: θα **γράφω** | θα **διαβάζω** |
| Συνεχής Υποτακτική: να/ας **γράφω** | να/ας **διαβάζω** |
| Συνεχής Προστακτική: **γράφε – γράφετε** | **διάβαζε – διαβάζετε** |
| | |
| Αόριστος: έγραψα | **διάβα**σα |
| Απλός Μέλλοντας: θα **γράψω** | θα **διαβάσω** |
| Παρακείμενος: έχω **γράψει** | έχω **διαβάσει** |
| Υπερσυντέλικος: είχα **γράψει** | είχα **διαβάσει** |
| Συντελεσμένος Μέλλοντας: θα έχω **γράψει** | θα έχω **διαβάσει** |
| Απλή Υποτακτική: να/ας **γράψω** | να/ας **διαβάσω** |
| Απλή Προστακτική: **γράψε – γράψτε** | **διάβασε - διαβάστε** |

| Ρήματα Β1 | Ρήματα Β2 |
|---|---|
| Ενεστώτας: **μιλάω (μιλώ)** | Ενεστώτας: **οδηγώ** |
| Παρατατικός: **μιλούσα (μίλαγα)** | Παρατατικός: **οδηγ**ούσα |
| Συνεχής Μέλλοντας: θα **μιλάω (θα μιλώ)** | Συνεχής Μέλλοντας: θα **οδηγώ** |
| Συνεχής Υποτακτική: να/ας **μιλάω (να/ας μιλώ)** | Συνεχής Υποτακτική: να/ας **οδηγώ** |
| Συνεχής Προστακτική: **μίλα – μιλάτε** | Συνεχής Προστακτική: (να **οδηγείς**) – **οδηγ**είτε |
| | |
| Αόριστος: **μίλησα** | Αόριστος: **οδήγησα** |
| Απλός Μέλλοντας: θα **μιλήσω** | Απλός Μέλλοντας: θα **οδηγήσω** |
| Παρακείμενος: έχω **μιλήσει** | Παρακείμενος: έχω **οδηγήσει** |
| Υπερσυντέλικος: είχα **μιλήσει** | Υπερσυντέλικος: είχα **οδηγήσει** |
| Συντελεσμένος Μέλλοντας: θα έχω **μιλήσει** | Συντελεσμένος Μέλλοντας: θα έχω **οδηγήσει** |
| Απλή Υποτακτική: να/ας **μιλήσω** | Απλή Υποτακτική: να/ας **οδηγήσω** |
| Απλή Προστακτική: **μίλησε – μιλήστε** | Απλή Προστακτική: **οδήγησε – οδηγήστε** |

# A. Πίνακες γραμματικής

## Ενεργητική Φωνή – Χρόνοι του ρήματος

| Τύπος Α | | | | | | | |
|---|---|---|---|---|---|---|---|
| Ενεστώτας | Παρατατικός | Συνεχής Μέλλοντας | Απλός Μέλλοντας | Αόριστος | Παρακείμενος | Υπερσυντέλικος | Συντελεσμένος Μέλλοντας |
| γράφω | έγραφα | θα γράφω | θα γράψω | έγραψα | έχω γράψει | είχα γράψει | θα έχω γράψει |
| γράφεις | έγραφες | θα γράφεις | θα γράψεις | έγραψες | έχεις γράψει | είχες γράψει | θα έχεις γράψει |
| γράφει | έγραφε | θα γράφει | θα γράψει | έγραψε | έχει γράψει | είχε γράψει | θα έχει γράψει |
| γράφουμε | γράφαμε | θα γράφουμε | θα γράψουμε | γράψαμε | έχουμε γράψει | είχαμε γράψει | θα έχουμε γράψει |
| γράφετε | γράφατε | θα γράφετε | θα γράψετε | γράψατε | έχετε γράψει | είχατε γράψει | θα έχετε γράψει |
| γράφουν(ε) | έγραφαν / γράφανε | θα γράφουν(ε) | θα γράψουν(ε) | έγραψαν / γράψανε | έχουν(ε) γράψει | είχαν(ε) γράψει | θα έχουν(ε) γράψει |

| Τύπος Β1 | | | | | | | |
|---|---|---|---|---|---|---|---|
| Ενεστώτας | Παρατατικός | Συνεχής Μέλλοντας | Απλός Μέλλοντας | Αόριστος | Παρακείμενος | Υπερσυντέλικος | Συντελεσμένος Μέλλοντας |
| μιλάω / μιλώ | μιλούσα / μίλαγα | θα μιλάω / θα μιλώ | θα μιλήσω | μίλησα | έχω μιλήσει | είχα μιλήσει | θα έχω μιλήσει |
| μιλάς | μιλούσες / μίλαγες | θα μιλάς | θα μιλήσεις | μίλησες | έχεις μιλήσει | είχες μιλήσει | θα έχεις μιλήσει |
| μιλάει / μιλά | μιλούσε / μίλαγε | θα μιλάει / θα μιλά | θα μιλήσει | μίλησε | έχει μιλήσει | είχε μιλήσει | θα έχει μιλήσει |
| μιλάμε | μιλούσαμε / μιλάγαμε | θα μιλάμε | θα μιλήσουμε | μιλήσαμε | έχουμε μιλήσει | είχαμε μιλήσει | θα έχουμε μιλήσει |
| μιλάτε | μιλούσατε/ μιλάγατε | θα μιλάτε | θα μιλήσετε | μιλήσατε | έχετε μιλήσει | είχατε μιλήσει | θα έχετε μιλήσει |
| μιλούν / μιλάνε | μιλούσαν(ε) / μίλαγαν (μιλάγανε) | θα μιλούν / θα μιλάνε | θα μιλήσουν(ε) | μίλησαν / μιλήσανε | έχουν(ε) μιλήσει | είχαν(ε) μιλήσει | θα έχουν(ε) μιλήσει |

| Τύπος Β2 | | | | | | | |
|---|---|---|---|---|---|---|---|
| Ενεστώτας | Παρατατικός | Συνεχής Μέλλοντας | Απλός Μέλλοντας | Αόριστος | Παρακείμενος | Υπερσυντέλικος | Συντελεσμένος Μέλλοντας |
| οδηγώ | οδηγούσα | θα οδηγώ | θα οδηγήσω | οδήγησα | έχω οδηγήσει | είχα οδηγήσει | θα έχω οδηγήσει |
| οδηγείς | οδηγούσες | θα οδηγείς | θα οδηγήσεις | οδήγησες | έχεις οδηγήσει | είχες οδηγήσει | θα έχεις οδηγήσει |
| οδηγεί | οδηγούσε | θα οδηγεί | θα οδηγήσει | οδήγησε | έχει οδηγήσει | είχε οδηγήσει | θα έχει οδηγήσει |
| οδηγούμε | οδηγούσαμε | θα οδηγούμε | θα οδηγήσουμε | οδηγήσαμε | έχουμε οδηγήσει | είχαμε οδηγήσει | θα έχουμε οδηγήσει |
| οδηγείτε | οδηγούσατε | θα οδηγείτε | θα οδηγήσετε | οδηγήσατε | έχετε οδηγήσει | είχατε οδηγήσει | θα έχετε οδηγήσει |
| οδηγούν(ε) | οδηγούσαν(ε) | θα οδηγούν(ε) | θα οδηγήσουν(ε) | οδήγησαν / οδηγήσανε | έχουν(ε) οδηγήσει | είχαν(ε) οδηγήσει | θα έχουν(ε) οδηγήσει |

## B. Παθητική Φωνή

| Ενεστώτας | | | |
|---|---|---|---|
| Τύπος Α | Τύπος Β1 | Τύπος Β2 | Τύπος Γ2 |
| κάθομαι | βαριέμαι | ασχολούμαι | κοιμάμαι |
| κάθεσαι | βαριέσαι | ασχολείσαι | κοιμάσαι |
| κάθεται | βαριέται | ασχολείται | κοιμάται |
| καθόμαστε | βαριόμαστε | ασχολούμαστε | κοιμόμαστε |
| κάθεστε (καθόσαστε) | βαριέστε | ασχολείστε | κοιμάστε (κοιμόσαστε) |
| κάθονται | βαριούνται | ασχολούνται | κοιμούνται |

# παράρτημα

## Ουσιαστικά

### Αρσενικά

| ο | γιατρός | φίλος | άνθρωπος | μαθητής | πελάτης | άντρας | χειμώνας | γείτονας |
|---|---------|-------|----------|---------|---------|--------|----------|----------|
| του | γιατρού | φίλου | ανθρώπου | μαθητή | πελάτη | άντρα | χειμώνα | γείτονα |
| τον | γιατρό | φίλο | άνθρωπο | μαθητή | πελάτη | άντρα | χειμώνα | γείτονα |
| (-) | γιατρέ | φίλε | άνθρωπε | μαθητή | πελάτη | άντρα | χειμώνα | γείτονα |
| οι | γιατροί | φίλοι | άνθρωποι | μαθητές | πελάτες | άντρες | χειμώνες | γείτονες |
| των | γιατρών | φίλων | ανθρώπων | μαθητών | πελατών | αντρών | χειμώνων | γειτόνων |
| τους | γιατρούς | φίλους | ανθρώπους | μαθητές | πελάτες | άντρες | χειμώνες | γείτονες |
| (-) | γιατροί | φίλοι | άνθρωποι | μαθητές | πελάτες | άντρες | χειμώνες | γείτονες |

### Αρσενικά

| ο | μπαμπάς | ταξιτζής | μανάβης | παππούς | καφές |
|---|---------|----------|---------|---------|-------|
| του | μπαμπά | ταξιτζή | μανάβη | παππού | καφέ |
| τον | μπαμπά | ταξιτζή | μανάβη | παππού | καφέ |
| (-) | μπαμπά | ταξιτζή | μανάβη | παππού | καφέ |
| οι | μπαμπάδες | ταξιτζήδες | μανάβηδες | παππούδες | καφέδες |
| των | μπαμπάδων | ταξιτζήδων | μανάβηδων | παππούδων | καφέδων |
| τους | μπαμπάδες | ταξιτζήδες | μανάβηδες | παππούδες | καφέδες |
| (-) | μπαμπάδες | ταξιτζήδες | μανάβηδες | παππούδες | καφέδες |

### Θηλυκά

| η | δουλειά | γυναίκα | σελίδα | θάλασσα | αδελφή | κόρη | τάξη | είδηση | γιαγιά | αλεπού |
|---|---------|---------|--------|---------|--------|------|------|--------|--------|--------|
| της | δουλειάς | γυναίκας | σελίδας | θάλασσας | αδελφής | κόρης | τάξης | είδησης | γιαγιάς | αλεπούς |
| τη(ν) | δουλειά | γυναίκα | σελίδα | θάλασσα | αδελφή | κόρη | τάξη | είδηση | γιαγιά | αλεπού |
| (-) | δουλειά | γυναίκα | σελίδα | θάλασσα | αδελφή | κόρη | τάξη | είδηση | γιαγιά | αλεπού |
| οι | δουλειές | γυναίκες | σελίδες | θάλασσες | αδελφές | κόρες | τάξεις | ειδήσεις | γιαγιάδες | αλεπούδες |
| των | δουλειών | γυναικών | σελίδων | θαλασσών | αδελφών | κορών | τάξεων | ειδήσεων | γιαγιάδων | αλεπούδων |
| τις | δουλειές | γυναίκες | σελίδες | θάλασσες | αδελφές | κόρες | τάξεις | ειδήσεις | γιαγιάδες | αλεπούδες |
| (-) | δουλειές | γυναίκες | σελίδες | θάλασσες | αδελφές | κόρες | τάξεις | ειδήσεις | γιαγιάδες | αλεπούδες |

### Θηλυκά

| η | οδός | λεωφόρος | είσοδος |
|---|------|----------|---------|
| της | οδού | λεωφόρου | εισόδου |
| τη(ν) | οδό | λεωφόρο | είσοδο |
| (-) | οδέ | λεωφόρε | είσοδε |
| οι | οδοί | λεωφόροι | είσοδοι |
| των | οδών | λεωφόρων | εισόδων |
| τις | οδούς | λεωφόρους | εισόδους |
| (-) | οδοί | λεωφόροι | είσοδοι |

| Ουδέτερα | | | | | | | | | |
|---|---|---|---|---|---|---|---|---|---|
| το | μωρό | βιβλίο | δωμάτιο | παιδί | σπίτι | γράμμα | όνομα | δάσος | μέγεθος |
| του | μωρού | βιβλίου | δωματίου | παιδιού | σπιτιού | γράμματος | ονόματος | δάσους | μεγέθους |
| το | μωρό | βιβλίο | δωμάτιο | παιδί | σπίτι | γράμμα | όνομα | δάσος | μέγεθος |
| (-) | μωρό | βιβλίο | δωμάτιο | παιδί | σπίτι | γράμμα | όνομα | δάσος | μέγεθος |
| | | | | | | | | | |
| τα | μωρά | βιβλία | δωμάτια | παιδιά | σπίτια | γράμματα | ονόματα | δάση | μεγέθη |
| των | μωρών | βιβλίων | δωματίων | παιδιών | σπιτιών | γραμμάτων | ονομάτων | δασών | μεγεθών |
| τα | μωρά | βιβλία | δωμάτια | παιδιά | σπίτια | γράμματα | ονόματα | δάση | μεγέθη |
| (-) | μωρά | βιβλία | δωμάτιο | παιδιά | σπίτια | γράμματα | ονόματα | δάση | μεγέθη |

## Επίθετα

| -ος, -η, -ο | | | -ος, -α, -ο | | | -ός, -ιά, ό | | | -ης, -α, -ικο | | |
|---|---|---|---|---|---|---|---|---|---|---|---|
| ♂ | ♀ | ⚥ | ♂ | ♀ | ⚥ | ♂ | ♀ | ⚥ | ♂ | ♀ | ⚥ |
| ακριβός | ακριβή | ακριβό | νέος | νέα | νέο | γλυκός | γλυκιά | γλυκό | γκρινιάρης | γκρινιάρα | γκρινιάρικο |
| ακριβού | ακριβής | ακριβού | νέου | νέας | νέου | γλυκού | γλυκιάς | γλυκού | γκρινιάρη | γκρινιάρας | γκρινιάρικου |
| ακριβό | ακριβή | ακριβό | νέο | νέα | νέο | γλυκό | γλυκιά | γλυκό | γκρινιάρη | γκρινιάρα | γκρινιάρικο |
| ακριβέ | ακριβή | ακριβό | νέε | νέα | νέο | γλυκέ | γλυκιά | γλυκό | γκρινιάρη | γκρινιάρα | γκρινιάρικο |
| | | | | | | | | | | | |
| ακριβοί | ακριβές | ακριβά | νέοι | νέες | νέα | γλυκοί | γλυκές | γλυκά | γκρινιάρηδες | γκρινιάρες | γκρινιάρικα |
| ακριβών | ακριβών | ακριβών | νέων | νέων | νέων | γλυκών | γλυκών | γλυκών | γκρινιάρηδων | - | γκρινιάρικων |
| ακριβούς | ακριβές | ακριβά | νέους | νέες | νέα | γλυκούς | γλυκές | γλυκά | γκρινιάρηδες | γκρινιάρες | γκρινιάρικα |
| ακριβοί | ακριβές | ακριβά | νέοι | νέες | νέα | γλυκοί | γλυκές | γλυκά | γκρινιάρηδες | γκρινιάρες | γκρινιάρικα |

| -ής, -ιά, -ί | | | -ύς, -ιά, -ύ | | |
|---|---|---|---|---|---|
| ♂ | ♀ | ⚥ | ♂ | ♀ | ⚥ |
| καφετής | καφετιά | καφετί | φαρδύς | φαρδιά | φαρδύ |
| καφετή / καφετιού | καφετιάς | καφετιού | φαρδιού / φαρδύ | φαρδιάς | φαρδιού / φαρδύ |
| καφετή | καφετιά | καφετί | φαρδύ | φαρδιά | φαρδύ |
| καφετή | καφετιά | καφετί | φαρδύ | φαρδιά | φαρδύ |
| | | | | | |
| καφετιοί | καφετιές | καφετιά | φαρδιοί | φαρδιές | φαρδιά |
| καφετιών | καφετιών | καφετιών | φαρδιών | φαρδιών | φαρδιών |
| καφετιούς | καφετιές | καφετιά | φαρδιούς | φαρδιές | φαρδιά |
| καφετιοί | καφετιές | καφετιά | φαρδιοί | φαρδιές | φαρδιά |

# παράρτημα

## B. Είμαι όλος αυτιά

### 1η ενότητα: Αφήστε το μήνυμά σας

**6** Έλα, Νίκο, η Στέση είμαι. Η Κική έκανε αγοράκι! Σήμερα το πρωί! Θα είναι στο μαιευτήριο μέχρι την Κυριακή. Πότε θα πάμε να τους δούμε και να τους ευχηθούμε; Δέχονται επισκέπτες 10:00 με 1:00 το πρωί και 6:00 με 8:00 το απόγευμα. Εγώ προτιμώ το Σάββατο το απόγευμα, γιατί το πρωί έχω δουλειές στο σπίτι. Πάω τώρα να ψάξω κανένα δωράκι για το μωρό και τα λέμε αργότερα. Φιλιά!

Κύριε Προκοπίου, καλημέρα σας. Ονομάζομαι Δέσποινα Μαργαριτοπούλου και σας τηλεφωνώ από την Τράπεζα Ωμέγα για ένα θέμα που σίγουρα σας ενδιαφέρει. Η τράπεζά μας σας προσφέρει σήμερα και για πάντα, χωρίς να πληρώσετε ούτε ένα ευρώ, την πιστωτική της κάρτα VISA. Με τη νέα σας κάρτα έχετε έκπτωση 10% σε πολλά μεγάλα καταστήματα, ενώ κάθε φορά που τη χρησιμοποιείτε μπαίνετε στην κλήρωση για μεγάλα δώρα. Μπορεί να είστε εσείς ένας από τους τυχερούς που θα κερδίσουν ένα αυτοκίνητο START, τρεις τηλεοράσεις 42 ιντσών, πέντε ψηφιακές φωτογραφικές μηχανές και πολλά άλλα. Καλέστε μας στο 211 3010000.

Κύριε Νίκο, εδώ Γιάννης Γιακουμάκης. Εντάξει με το σέρβις του αυτοκινήτου. Η μπαταρία σας ήταν σε πολύ κακή κατάσταση, γι' αυτό είχατε προβλήματα με τα ηλεκτρικά. Την αλλάξαμε και όλα δουλεύουν ρολόι. Μπορείτε να περάσετε να το πάρετε οποιαδήποτε ώρα. Είμαστε ανοιχτά από τις 8:00 το πρωί ως τις 8:00 το βράδυ. Το κόστος είναι 260 ευρώ.

Νίκο, ο Φου είμαι. Την Τρίτη δεν μπόρεσα να έρθω στο μάθημα, γιατί η κόρη μου ήταν άρρωστη και η Λι είχε πολλή δουλειά στο μαγαζί. Πήρα να δω αν θα γίνει το αυριανό μάθημα, γιατί άκουσα στις ειδήσεις ότι δεν έχει ούτε λεωφορεία ούτε τρόλεϊ ούτε τίποτα. Γενική απεργία. Θα προσπαθήσω να σε ξαναπάρω. Γεια.

### 2η ενότητα: Σπίτι μου σπιτάκι μου

**8** 1. – Αυτό είναι το σπίτι. Θα το βάψεις και θα γίνει σαν καινούριο.
– Ξέρετε, δεν είναι αυτό το μόνο πρόβλημα. Είναι πολύ μικρό.
– Αν το βάψεις σε φωτεινά χρώματα, δε θα φαίνεται. Και τι το θέλεις μεγαλύτερο; Φοιτήτρια δεν είσαι;

2. – Και από 'δώ είναι το μπάνιο.
– Μάλιστα. Πόσων χρονών είναι η πολυκατοικία;
– Ε, δεν είναι και παλιά. Είκοσι-εικοσιπέντε χρονών περίπου.
– Και το ενοίκιο;
– Α, είναι πολύ καλή η τιμή. 480 ευρώ.
– Δεν μπορείτε να κάνετε κάτι καλύτερο;

– Δε γίνεται. Τέτοια σπίτια δεν τα βρίσκεις εύκολα.

3. – Τι δουλειά κάνετε;
– Φοιτήτρια είμαι.
– Συνήθως δε νοικιάζω σε φοιτητές.
– Γιατί;
– Γιατί καταστρέφουν τα σπίτια. Αλλά εσύ μου φαίνεσαι καλή κοπέλα. Θα σου το νοικιάσω. Όμως δε θα φέρνεις φίλους κάθε μέρα. Επίσης, απαγορεύονται τα ζώα και τα πάρτι.

4. – Έχει και ωραία θέα.
– Μα εγώ δε βλέπω τίποτα.
– Αν ανεβείτε στην ταράτσα, φαίνεται και η Ακρόπολη!
– Μάλιστα. Και η τιμή;
– 500 ευρώ.
– Μμμμ...

5. – Πώς σας φαίνεται; Όπως βλέπετε, είναι φρεσκοβαμμένο και σε πολύ καλή κατάσταση.
– Συμφωνώ. Είναι πολύ όμορφο διαμέρισμα.
– Και πολύ κεντρικό. Το λεωφορείο και το τρόλεϊ σταματάνε ακριβώς απ' έξω. Ο σταθμός του μετρό είναι στα δέκα λεπτά με τα πόδια.
– Αυτό είναι καλό, αλλά δε θα έχει πολύ θόρυβο; Είναι και στον πρώτο όροφο.
– Μπα... Τα λεωφορεία σταματάνε στις 12:00 και η καφετέρια από κάτω κλείνει κατά τη 1:00.

### 3η ενότητα: Είχε τέτοια κίνηση!

**19** Καλή σας μέρα, αγαπητές φίλες και αγαπητοί φίλοι του ΚΟΣΜΟΣ FM. «Οι δρόμοι της πόλης» με τη Μιράντα Κούλη ζητούν, όπως πάντα, από έναν συμπολίτη μας να μας περιγράψει την αγαπημένη του διαδρομή στην πόλη. Σήμερα έχουμε μαζί μας έναν εκλεκτό καλεσμένο, τον ηθοποιό και σκηνοθέτη Δημήτρη Καταλειφό και τον ευχαριστούμε.

Καλημέρα και ευχαριστώ κι εγώ για την πρόσκληση να μοιραστώ μαζί σας τις δικές μου εμπειρίες από την πόλη. Ας ξεκινήσω λοιπόν. Η αγαπημένη διαδρομή μου είναι η Σόλωνος προς τα Εξάρχεια. Μου αρέσει πολύ να κατεβαίνω τη Σόλωνος, να φτάνω στην Εμμανουήλ Μπενάκη, στη Θεμιστοκλέους και να κατευθύνομαι προς την πλατεία Εξαρχείων. Αγαπάω πάρα πολύ τα δύο καλοκαιρινά τους σινεμά, το «Ριβιέρα» και το «Βοξ», όπου πηγαίνω όσο πιο συχνά μπορώ, ειδικά το καλοκαίρι.

Η πιο αγαπημένη γειτονιά μου μέσα στην πόλη είναι τα Εξάρχεια, όπου έζησα για δεκαπέντε χρόνια. Τώρα πια μένω στο Παγκράτι. Επειδή όμως νιώθω μια φοβερή νοσταλγία για την περιοχή, πηγαίνω πάρα πολύ συχνά τον χειμώνα, όταν διδάσκω σε δραματικές σχολές. Το αγαπημένο μου στέκι είναι το «Βοξ», το καφενείο του βιβλιοπωλείου. Αυτό είναι το μέρος των ραντεβού μου. Εκεί βρίσκομαι πολύ συχνά, για να διαβάσω και να γράψω για τους ρόλους μου και εκεί συνήθως συναντάω όποιον έχει να μου κάνει πρόταση για δουλειά. Έχει και αυτά τα μεγάλα τζάμια που βλέπουν στην πλατεία και συναντάς πάντα γνωστούς.

**Όμως αυτόν τον καιρό, αν δεν κάνω λάθος, κάνετε πρόβες σε μια άλλη περιοχή της Αθήνας.**
Είστε πολύ καλά ενημερωμένη. Αυτή την εποχή η διαδρομή που κάνω είναι συγκεκριμένη. Παίρνω το μετρό από τον Ευαγγελισμό και κατεβαίνω στο Μοναστηράκι. Μου αρέσει πολύ το μετρό. Χάρηκα πολύ που μπορώ να πάω μέσα σε δέκα λεπτά στο Αιγάλεω. Μου αρέσει που τώρα βρίσκεσαι τόσο εύκολα σε μια περιοχή που πριν από λίγο καιρό έμοιαζε τόσο μακρινή. Επίσης, λάτρεψα τον σταθμό του Κεραμικού. Καταπληκτικός.

Αυτή την περίοδο, όμως, κατεβαίνω στον σταθμό Μοναστηράκι και πηγαίνω με τα πόδια στον χώρο όπου κάνουμε πρόβες για το θέατρο. Περνάω από του Ψυρρή, μετά πηγαίνω στην πλατεία Κουμουνδούρου και φτάνω στην Πειραιώς.

Η συνοικία του Ψυρρή είναι ένας χώρος που μου θυμίζει δέκα χρόνια της ζωής μου. Τότε που υπήρχε το θέατρο «Εμπρός». Τώρα όποτε περνάω με τα πόδια και το βλέπω κλειστό, με πιάνει μελαγχολία. Εύχομαι και ελπίζω ότι κάποια μέρα θα ξαναλειτουργήσει και θα γίνει ένας ζωντανός χώρος. Κατά τα άλλα, η περιοχή του Ψυρρή έχει μια ομορφιά.

**Αν και άλλαξε πολύ τα τελευταία χρόνια...**
Λένε ότι τώρα είναι ένα τεράστιο φαγάδικο – και αυτό είναι αλήθεια. Επειδή εγώ περνάω πρωινές ώρες και καθημερινές, τη βλέπω πολύ διαφορετικά. Σταματάω πότε πότε να πιω έναν καφέ. Έχει και έναν φούρνο από παλιά στη γωνία της Σαρρή και περνάω από εκεί για να πάρω τυρόπιτα ή κάτι άλλο. Μετά την πρωινή πρόβα η διαδρομή μου αλλάζει. Βγαίνω στην Πειραιώς και προσπαθώ να βρω ένα ταξί για να με πάει στο «Απλό Θέατρο», που βρίσκεται κοντά στην Πάντειο. Η περιοχή γύρω από την Πάντειο είναι ένας πολύ νεανικός χώρος με φαστφουντάδικα και ταβερνούλες πρόχειρες, όπου συχνά πηγαίνω για φαγητό.

**Σε ποια περιοχή θα θέλατε να ζήσετε, αν φεύγατε από το κέντρο της Αθήνας;**
Κοιτάξτε, τα μισά μου χρόνια τα πέρασα στο κέντρο και δεν το αλλάζω με τίποτα. Μου αρέσει που όλα είναι ανοιχτά, ακόμα και τη νύχτα: τα περίπτερα, τα μαγαζάκια της γειτονιάς. Ομολογώ ότι η Αθήνα με συγκινεί πάρα πολύ. Καταλαβαίνω πόσο πολύ την αγαπάω τα καλοκαίρια, όταν πηγαίνω για διακοπές και γυρίζω με το πλοίο. Νιώθω πάντα πολλή χαρά όταν επιστρέφω. Την ώρα που περιμένουμε να μπει το πλοίο στο λιμάνι, μου φαίνεται όλη άσπρη, σαν ένα τεράστιο νησί. Και νιώθω σαν να γυρίζω στο νησί μου.

(στοιχεία από την *Athens voice*, 1-7 Δεκεμβρίου 2007)

# Β. Είμαι όλος αυτιά

**4η ενότητα: Είναι πανάκριβα!**

**13** **Βαγγελιώ:** Είναι κανείς εδώ;
**Κυρ Νίκος:** Μισό λεπτό! Στην αποθήκη είμαι. Έρχομαι...

*(σε λίγο)*
**Κυρ Νίκος:** Καλημέρα! Τι θέλει η κοπελιά;
**Βαγγελιώ:** Καλημέρα, κυρ Νίκο! Είδα ότι έχεις άγρια χόρτα έξω. Πόσο έχουν το κιλό;
**Κυρ Νίκος:** Πέντε κι εξήντα, Βαγγελιώ. Είναι πεντανόστιμα και πολύ φρέσκα!
**Βαγγελιώ:** Πέντε κι εξήντα; Δεν είμαστε καλά! Αγοράζεις και το χωράφι μαζί;
**Κυρ Νίκος:** Με τόσο χιόνι που έριξε ποιος να πάει να μαζέψει χόρτα....
**Βαγγελιώ:** Καλά, βάλε μου καλύτερα δυο κιλά ντομάτες. Πόσο έχουν το κιλό;
**Κυρ Νίκος:** Ένα και σαράντα. Είναι θερμοκηπίου όμως. Γιατί δεν παίρνεις λάχανο;
**Βαγγελιώ:** Δίκιο έχεις. Μη βάλεις ντομάτες. Θα πάρω λάχανο.
**Κυρ Νίκος:** Αυτό εδώ είναι γύρω στα δύο κιλά. Να το βάλω;
**Βαγγελιώ:** Ναι. Πιάσε κι ένα μαρούλι. Και λίγα κρεμμυδάκια πράσινα, για να κόψω στη σαλάτα ... Αρέσουν στον Μιχάλη.
**Κυρ Νίκος:** Έγινε! Τίποτ' άλλο;
**Βαγγελιώ:** Από φρούτα έχεις τίποτα καλό;
**Κυρ Νίκος:** Πορτοκάλια άλφα ποιότητας, μήλα Τριπόλεως και ωραιότατα μανταρίνια! Έχω και μπανάνες, αλλά είναι λίγο άγουρες.
**Βαγγελιώ:** Καλά, άσε τις μπανάνες και βάλε μου τρία κιλά πορτοκάλια για τα παιδιά. Κοίταξε να είναι φρέσκα, σε παρακαλώ... Και ενάμισι κιλό μανταρίνια, για να τα δοκιμάσουμε.
**Κυρ Νίκος:** Να βάλω και κανένα αχλάδι; Είναι πολύ γευστικά!
**Βαγγελιώ:** Βάλε ένα κιλό. Να δούμε πώς θα τα κουβαλήσω όλα αυτά!
**Κυρ Νίκος:** Μην ανησυχείς καθόλου. Θα σ' τα στείλω στο σπίτι με τον μικρό.
**Βαγγελιώ:** Α, ξέχασα και το πιο βασικό! Βάλε μου και τρία κιλά πατάτες, γιατί έχω τραπέζι αύριο στα πεθερικά μου.
**Κυρ Νίκος:** Οκέι! Ό,τι πεις! Κάτι άλλο;
**Βαγγελιώ:** Μπα! Και πολλά είναι!
**Κυρ Νίκος:** Λοιπόν, όλα μαζί κάνουν 14 και 30. Δώσε 14 ευρώ και είμαστε εντάξει.
**Βαγγελιώ:** Δεν έχω όμως καθόλου ψιλά. Μόνο ένα πενηντάευρο.
**Κυρ Νίκος:** Δεν πειράζει. Έχω ρέστα εγώ. Μην ανησυχείς.
**Βαγγελιώ:** Ωραία! Με διευκολύνεις.
**Κυρ Νίκος:** Ορίστε τα ρέστα σου. 36 ευρώ.
**Βαγγελιώ:** Πες στον μικρό να φέρει τα ψώνια γρήγορα, σε παρακαλώ. Έχω πολλές δουλειές σήμερα.

# παράρτημα

**Κυρ Νίκος:** Εννοείται! Μόλις επιστρέψει, θα σ' τον στείλω.

**Βαγγελιώ:** Ευχαριστώ πολύ! Καλή σου μέρα!

**Κυρ Νίκος:** Δώσε χαιρετίσματα στον κύριο Μιχάλη και στα παιδιά.

**Βαγγελιώ:** Να 'σαι καλά! Α, κυρ Νίκο, δεν μου έδωσες την απόδειξη.

**Κυρ Νίκος:** Με συγχωρείς, Βαγγελιώ. Πιάσαμε την κουβέντα και το ξέχασα.

## 5η ενότητα: Πάμε πάλι! *Let's go again!*

**4**

**Στέλλα:** Ευτυχώς σήμερα το τρόλεϊ ήρθε στην ώρα του, Λεωνίδα. Ούτε πέντε λεπτά δεν περιμέναμε. *it came on time. we didn't even wait 5 mins. yesterday it was over ½ hr late.*

**Λεωνίδας:** Είμαστε τυχεροί. Χτες άργησε πάνω από μισή ώρα. Άντε, σε δεκαπέντε μέρες δίνω εξετάσεις για το δίπλωμα. Αν το πάρω, θα πηγαίνουμε παρέα στη Σχολή με αυτοκίνητο. Έτσι, Στέλλα; *Come on, in 15 days I'm taking exams for the diploma. If I get it, we will go to school by car. Yes, Stella?*

**Στέλλα:** Εννοείται. Αυτοκίνητο πού θα βρεις; *Of course. Where will you find a car.*

**Λεωνίδας:** Θα μου αγοράσει ο πατέρας μου ένα φτηνό μεταχειρισμένο. Έτσι είπε. *My father will buy it for me a cheap used one. So he says.*

**Ελεγκτής:** Έλεγχος εισιτηρίων. Τα εισιτήρια σας, παρακαλώ. *Auditor → Checking tickets*

**Λεωνίδας:** Μισό λεπτό. Ορίστε η κάρτα μου. *Just a minute. Here is my card.*

**Ελεγκτής:** Μάλιστα. Είστε εντάξει. Μην ξεχάσετε όμως να ανανεώσετε την κάρτα σας. Ισχύει μέχρι το τέλος του μήνα. Μεθαύριο έχουμε πρώτη Δεκεμβρίου. *Indeed. You're OK / fine. But don't forget to renew your card. Valid until the end of the month - the day after tomorrow is 1st Dec.*

**Λεωνίδας:** Το έχω υπόψη μου. Σήμερα θα πάω να την ανανεώσω. *I have it in mind. Today I will go to renew it.*

**Ελεγκτής:** Εσείς, κυρία μου; *And you, Miss?*

**Στέλλα:** Ορίστε το εισιτήριό μου.

**Ελεγκτής:** Ευχαριστώ. Μα... αυτό δεν το ακυρώσατε. *But... you didn't cancel that.*

**Στέλλα:** Αχ, τι έπαθα! Με συγχωρείτε! Όταν μπήκα στο λεωφορείο, το είχα στο χέρι και με την κουβέντα ξέχασα να το ακυρώσω. *Ah, what happened to me. Sorry. When I got on the bus, I had it in my hand and with the conversation I forgot to cancel it.*

**Ελεγκτής:** Λυπάμαι, κυρία μου, αλλά θα σας κόψω πρόστιμο. *I'm sorry, Miss, but I will fine you.*

**Λεωνίδας:** Κρίμα είναι. Δεν το έκανε επίτηδες. *It's a pity. I didn't do it on purpose.*

**Στέλλα:** Ένα λάθος έκανα. Να το εισιτήριο. Το κρατάω. Αφήστε με, σας παρακαλώ, να το χτυπήσω τώρα. *I made a mistake. Here's the ticket. I hold it. Let me, please, knock it now.*

**Ελεγκτής:** Αυτό δε γίνεται. Ο καθένας μπορεί να μην ακυρώσει το εισιτήριό του και μετά να πει: «Το ξέχασα. Με συγχωρείτε». *That doesn't happen. Everyone can't cancel their ticket and then say "I forgot. I'm sorry"*

**Στέλλα:** Μα πάντα χτυπάω εισιτήριο. Πρώτη φορά το ξέχασα. Σας παρακαλώ. *But I always punch the ticket. First time I forgot. Sorry.*

**Ελεγκτής:** Τι να σας κάνω; Πρέπει να πληρώσετε πρόστιμο. Εξήντα φορές την τιμή του κανονικού εισιτηρίου. *Sixty times the price of a regular ticket.*

**Στέλλα:** Μα τι λέτε τώρα; Είμαι φοιτήτρια. Κόβω μισό εισιτήριο. Να η φοιτητική μου κάρτα. *Here is my student card.*

**Ελεγκτής:** Το πρόστιμο είναι το ίδιο για όλους. Δεν υπάρχει έκπτωση για τους φοιτητές. *There isn't a discount for students*

**Στέλλα:** Δεν έχω μαζί μου χρήματα. Μόνο 10 ευρώ. Τι να κάνω; *I don't have money with me. Only 10 euros. What can I do?*

**Ελεγκτής:** Δεν πειράζει. Δώστε μου την ταυτότητά σας. *It doesn't matter. Give me your ID*

**Στέλλα:** Γιατί; *why?*

---

**Ελεγκτής:** Για να σημειώσω τα στοιχεία σας. Εντός δέκα ημερών πρέπει να πάτε σε αυτή τη διεύθυνση και να πληρώσετε το πρόστιμο. *To write down your details. Within 10 days you go to this address on the fine*

**Στέλλα:** Καλά. Αφού επιμένετε, πάρτε την ταυτότητά μου. Ορίστε. *Fine. If you insist, take my ID.*

**Ελεγκτής:** Ευχαριστώ. *But you are v. strict. I made a mist*

**Στέλλα:** Αλλά είστε πολύ αυστηρός. Ένα λάθος έκανα. Γιατί να πληρώσω άδικα τόσα χρήματα; *why sh pay so much money unj*

**Ελεγκτής:** Τι να σας κάνω κι εγώ; Τη δουλειά μου κάνω. Πρέπει να είστε πιο προσεκτική άλλη φορά. *And you should be more understand*

**Στέλλα:** Κι εσείς να έχετε περισσότερη κατανόηση.

**Λεωνίδας:** Μισό λεπτό. Πόσο είναι το πρόστιμο;

**Ελεγκτής:** 60 ευρώ. Είναι το 60πλάσιο της τιμής του κανονικού εισιτηρίου. Το γράφει και επάνω στο εισιτήριο. *It's 60 x the price of the normal one. Write it on the back of the ticket.*

**Λεωνίδας:** Οκέι. Θα το πληρώσω εγώ. *I will pay for it.*

**Στέλλα:** Όχι, Λεωνίδα. Δεν είναι σωστό. *It's not right.*

**Λεωνίδας:** Δεν υπάρχει πρόβλημα, Στέλλα. Θα μου τα δώσεις όποτε μπορείς. Κάθε μέρα μαζί είμαστε στη Σχολή. Δε θα χαθούμε. *we are at school together eve we won't get lost.*

**Στέλλα:** Σε ευχαριστώ πολύ. Αλλά κι εσύ φοιτητής είσαι. Είναι πολλά λεφτά.

**Λεωνίδας:** Δεν υπάρχει πρόβλημα. Ορίστε, κύριε. Κρατήστε τα 60 ευρώ. *Can you give me your name madam?*

**Ελεγκτής:** Ευχαριστώ. Το όνομά σας μου δίνετε, κυρία μου; Για να συμπληρώσω το έντυπο. *To fill out the form*

**Στέλλα:** Στυλιανή Επιτροπάκη.

**Ελεγκτής:** Μάλιστα. Και η διεύθυνσή σας;

**Στέλλα:** Σκοπέλου 74 στην Κυψέλη. *εβδομήντα τέσσερ*

**Ελεγκτής:** Σας ευχαριστώ πολύ. Ορίστε το αντίγραφο. Αναφέρει ότι πληρώσατε το πρόστιμο. Και άλλη φορά... *Here is the copy. It says you paid the fine. And another time*

**Στέλλα:** Ξέρω ξέρω. Δεν έχω άλλα λεφτά για πέταμα. *I have no more money to throw away.*

**5**

Αγαπητοί ακροατές και ακροάτριες, η εκπομπή «Χρήσιμες συμβουλές» είναι και πάλι μαζί σας. Στην προηγούμενη εκπομπή μας μιλήσαμε για το τι πρέπει να προσέξουμε όταν νοικιάζουμε ένα καινούριο σπίτι. Το σημερινό μας θέμα είναι η μετακόμιση. Όλοι γνωρίζουμε πόσο δύσκολη υπόθεση είναι. Όμως υπάρχουν μερικές οδηγίες που μπορούν να κάνουν αυτή την κουραστική και χαοτική διαδικασία λίγο πιο απλή.

1. Φτιάξτε από νωρίς μια λίστα με όλα τα πράγματα που πρέπει να γίνουν. Χωρίστε τις δουλειές σε αυτές που πρέπει να γίνουν πριν, κατά τη διάρκεια και αμέσως μετά τη μετακόμιση. Σβήστε κάθε δουλειά που τελειώνει, ώστε να ξέρετε κάθε στιγμή τι μένει να κάνετε.

2. Μην πάρετε στο καινούριο σας σπίτι τα πράγματα που δε χρειάζεστε. Πετάξτε τα σπασμένα και παλιά παιχνίδια των παιδιών ή τα ρούχα που δε φοράτε εδώ και χρόνια. Αν κάτι δεν το χρησιμοποιείτε τώρα, μάλλον δε θα σας λείψει ποτέ.

3. Διαλέξτε κάποιο καλό γραφείο για τη μετακόμιση και πάρτε προσφορές, γιατί οι τιμές έχουν μεγά-

λες διαφορές. Ρωτήστε φίλους και γνωστούς που μετακόμισαν τελευταία αν είναι ευχαριστημένοι με το γραφείο μεταφορών που χρησιμοποίησαν. Κανένας δε θέλει να φτάσουν τα πράγματά του στο καινούριο του σπίτι με ζημιές.

4. Θα καταφέρετε να κάνετε πολύ περισσότερα πράγματα σε λιγότερο χρόνο, αν σας βοηθήσουν οι φίλοι σας ή η οικογένειά σας. Υπάρχουν εύκολες δουλειές που μπορούν να κάνουν, όπως το πακετάρισμα.

5. Δεν είναι ανάγκη να ανοίξετε όλες τις κούτες που θα πακετάρετε αμέσως μόλις φτάσετε στο καινούριο σας σπίτι. Γι' αυτό, γράψτε με μαρκαδόρο ή βάλτε ετικέτες, για να ξέρετε τι έχει μέσα κάθε κούτα.

6. Ξεχωρίστε τις κούτες με τα αντικείμενα που σπάνε (πιάτα, γυαλικά, φωτιστικά) και αυτές με τα πράγματα που χρειάζεστε ήδη από τις πρώτες μέρες στο καινούριο σπίτι.

7. Φροντίστε οι κούτες με τα πράγματά σας να μπουν στα σωστά δωμάτια: τα κουζινικά στην κουζίνα, τα έπιπλα του σαλονιού στο σαλόνι και τα λοιπά. Έτσι, θα μπορείτε να τα βρείτε εύκολα χωρίς να τα μεταφέρετε ξανά από το ένα δωμάτιο στο άλλο.

8. Τακτοποιήστε ένα δωμάτιο του καινούριου σας σπιτιού όσο γίνεται γρηγορότερα. Με αυτό τον τρόπο θα έχετε έναν χώρο έτοιμο όπου θα μπορείτε να χαλαρώσετε για λίγο.

9. Ενημερώστε τους φίλους σας με κάρτες ή μηνύματα για την καινούρια σας διεύθυνση και το καινούριο σας τηλέφωνο.

10. Προσπαθήστε να γνωρίσετε την καινούρια σας γειτονιά. Εντοπίστε πού βρίσκεται το δημαρχείο, το σούπερ μάρκετ, ο φούρνος, το περίπτερο, η τράπεζα κτλ.

Κείμενο προσαρμοσμένο από: *http://www.noikokyra.gr/*

## 6η ενότητα: Φάγαμε, ήπιαμε...

**15** **Υπάλληλος**: Ψησταριά «ο Πανάγος». Καλησπέρα σας.
**Ανθή**: Καλησπέρα. Μια παραγγελία θα ήθελα να κάνω.
**Υπάλληλος**: Μάλιστα. Τι θα θέλατε;
**Ανθή**: Δύο πίτες με γύρο χωρίς κρεμμύδι και τζατζίκι, μία μπριζόλα χοιρινή, μία μερίδα κοκορέτσι...
**Υπάλληλος**: Δυστυχώς, κυρία μου, το κοκορέτσι μάς τελείωσε. Έχουμε πολύ ωραίο κοτόπουλο σούβλας, μπιφτέκια και κεμπάπ.
**Ανθή**: Καλά, τότε βάλτε μου μια μερίδα κοτόπουλο σούβλας και δύο μερίδες πατάτες τηγανητές. Από μαγειρευτά τι έχετε;
**Υπάλληλος**: Έχουμε ωραιότατα γεμιστά, φασολάκια, μουσακά και παστίτσιο.
**Ανθή**: Τα γεμιστά είναι με κιμά;
**Υπάλληλος**: Όχι, με ρύζι.
**Ανθή**: Καλύτερα. Μια μερίδα γεμιστά λοιπόν. Μόνο ντομάτες, αν γίνεται.

**Υπάλληλος**: Βεβαίως. Πώς δε γίνεται;
**Ανθή**: Και μια σαλάτα χωριάτικη.
**Υπάλληλος**: Θέλετε κάτι να πιείτε;
**Ανθή**: Τρεις μπίρες και δυο πορτοκαλάδες χωρίς ανθρακικό.
**Υπάλληλος**: Ωραία. Τίποτ' άλλο;
**Ανθή**: Όχι, ευχαριστώ. Σε πόση ώρα θα έρθουν;
**Υπάλληλος**: Σε μιση ωρίτσα θα είναι εκεί. Τη διεύθυνσή σας, παρακαλώ, ένα όνομα κι ένα τηλέφωνο.
**Ανθή**: Κρέσνας 25, τρίτος όροφος. 210 4766530. Στο κουδούνι γράφει Παρασκευόπουλος Αθανάσιος.
**Υπάλληλος**: Σας ευχαριστώ πολύ.
**Ανθή**: Κι εγώ. Γεια σας.

## 7η ενότητα: Θυμάμαι ότι παίζαμε όλη μέρα...

**19** Λοιπόν, τι θυμάστε από τα πρώτα χρόνια της ζωής σας στη Σύρο και στη Μυτιλήνη;
Στη Μυτιλήνη οι πρώτες μου αναμνήσεις είναι από ένα προάστιο που λέγεται Βαριά. Ήταν ένας παράδεισος για μένα. Είχαμε μια βίλα, όπου έμενε όλη η οικογένεια. Τα καλοκαίρια με εντυπωσίαζε το χρώμα της θάλασσας. Το θυμάμαι πολύ έντονα αυτό. Οι γονείς μου ήταν πάρα πολύ νέοι τότε. Η μητέρα μου με γέννησε 18-19 χρονών, ο πατέρας μου ήταν 25 χρονών και όλοι γύρω ήταν αυτής της ηλικίας. Εγώ, επειδή τότε ήμουν το μόνο παιδί της οικογένειας, είχα όλη τους την προσοχή.

**Μικρός διαβάζατε;**
Ο πατέρας μου είχε χιλιάδες βιβλία... Αγόραζε πάντα βιβλία και πολύ συχνά διαβάζαμε μαζί. Περνούσαμε ώρες έτσι. Τα πρώτα βιβλία που διάβασα ήταν του Ιουλίου Βερν.

**Με το σχολείο πώς τα πηγαίνατε; Σας άρεσε;**
Μου άρεσαν πολύ τα μαθήματα. Θυμάμαι πολύ καλά ότι, όταν τελείωνα το σχολείο και πήγαινα στο σπίτι το μεσημέρι, έτρωγα και διάβαζα πριν βγω να παίξω – γιατί το παιχνίδι ήταν το ωραιότερο πράγμα. Παίζαμε από τις τρεις η ώρα μέχρι τις εφτά-οχτώ το βράδυ, κάθε μέρα. Παίζαμε ποδόσφαιρο, κλέφτες και αστυνόμους, πετροπόλεμο. Κυρίως όμως παίζαμε ποδόσφαιρο και αμάδες. Πάντως, πριν βγω να παίξω, διάβαζα πολύ καλά τα μαθήματά μου. Αν είχα καμία απορία, το βράδυ ρωτούσα τον πατέρα μου, αλλά πολύ σπάνια, γιατί διάβαζα μόνος μου.

**Ήσασταν πολύ τυχερός, γιατί ζήσατε σε πολύ όμορφα μέρη: Χίο, Μυτιλήνη, Σύρο, Κεφαλονιά. Είδατε την πιο ωραία πλευρά της Ελλάδας.**
Ήρθαμε και στην Αθήνα, αλλά μείναμε πολύ λίγο. Μέναμε σ' ένα σπιτάκι στη Μιχαήλ Βόδα. Το θυμάμαι αυτό, διότι τότε πήρα το πρώτο μου «Μεκανό», αυτά τα μαγευτικά παιχνίδια, τα κουτάκια που μ' αυτά μπορείς να φτιάχνεις σπίτια, τρένα και άλλα. Θυμάμαι ότι εκεί, απέναντι από τον «Ορφέα», ήταν ένα μεγάλο κατάστημα, του Δραγώνα νομίζω, κι επειδή δε μου πήρε ο πατέρας μου ένα ποδήλατο, δεν είχε χρήματα, εγώ σταμάτησα όλη την κυκλοφορία στο

μέσον της οδού Σταδίου. Κάθισα στη μέση του δρόμου και δεν έφευγα, ούρλιαζα!

**Η Αθήνα πόση διαφορά είχε από τη Σύρο και τη Μυτιλήνη;**

Τεράστια! Η Αθήνα ήταν άλλο πράγμα. Θυμάμαι έναν περίπατο που κάναμε εδώ στην Ακρόπολη. Όταν κατεβήκαμε και πήραμε την Αρεοπαγίτου – ήταν ένας μικρός δρόμος –, εκεί είδαμε πρώτη φορά αυτοκίνητα. Ήταν ξεσκέπαστα. Στο πεζοδρόμιο έκαναν περίπατο κυρίες με μακριά φορέματα, με ωραία καπέλα, με ομπρέλες, και όλα αυτά ήταν το κάτι άλλο, σαν ντεκόρ κινηματογράφου...

Αυτή η βόλτα, η μοναδική που κάναμε στην Ακρόπολη, είναι μέσα στην καρδιά μου, δεν την έβγαλα ποτέ. Ήταν ένας άλλος κόσμος, που δεν τον ξαναδάμε μετά, γιατί μόνο εδώ, σε αυτή την περιοχή, ήταν έτσι.

Και η οδός Πειραιώς ήταν ένας χωματόδρομος. Κάρα, αμάξια, αυτοκίνητα, και ζώα: άλογα, γαϊδούρια... Μια μέρα, ο θείος Αντώνης λέει στη θεία Στάσα: «Μέχρι με εξήντα χιλιόμετρα τρέξαμε στη λεωφόρο Συγγρού. Τόσο μεγάλη ταχύτητα, είναι δυνατόν;»! Συνήθως πήγαινε με δέκα είκοσι χιλιόμετρα.

Γεώργιος Μαλούχος, *Άξιος Εστί: Ο Μίκης Θεοδωράκης αφηγείται τη ζωή του*, Αθήνα: εκδόσεις Λιβάνη, 2004 (με αλλαγές)

## 8η ενότητα: Έχει ο καιρός γυρίσματα

**17** – Και τώρα το δελτίο καιρού του σταθμού μας με τη μετεωρολόγο Γιάννα Νικολάου.

– Χαίρετε, κυρίες και κύριοι. Αύριο Τρίτη 17 Απριλίου ο καιρός σε όλη τη χώρα θα είναι γενικά αίθριος, οι θερμοκρασίες θα φτάσουν σε υψηλά για την εποχή επίπεδα και μόνο το μεσημέρι στα βόρεια και δυτικά θα έχουμε τοπικές βροχές και καταιγίδες μικρής διάρκειας.

Πιο αναλυτικά, αύριο στα κεντρικά και νότια θα επικρατήσει ηλιοφάνεια καθ' όλη τη διάρκεια της ημέρας και η θερμοκρασία τις μεσημεριανές ώρες θα φτάσει τους 31 βαθμούς Κελσίου. Στα βόρεια και δυτικά το πρωί θα έχει λίγες νεφώσεις και το μεσημέρι θα βρέξει τοπικά, αλλά από το απόγευμα οι βροχές θα σταματήσουν και θα βγει ήλιος, ενώ η θερμοκρασία θα φτάσει τους 28 βαθμούς Κελσίου. Στα νησιά του Αιγαίου η θερμοκρασία θα είναι χαμηλότερη και δε θα ξεπεράσει τους 26 βαθμούς. Οι άνεμοι στο Ιόνιο θα είναι βορειοδυτικοί 3 με 4 μποφόρ, ενώ στο Αιγαίο θα πνέουν βόρειοι άνεμοι εντάσεως 5 ως 6 και τοπικά 7 μποφόρ.

Γενικά αίθριο καιρό περιμένουμε αύριο στην Αττική, ενώ κατά τις πρωινές ώρες θα υπάρχει αραιή συννεφιά. Οι άνεμοι θα είναι ασθενείς και η θερμοκρασία θα αγγίξει το μεσημέρι τους 32 βαθμούς Κελσίου. Κατά τις βραδινές ώρες θα φυσήξουν δυνατοί βόρειοι άνεμοι και η θερμοκρασία θα πέσει.

Στη Θεσσαλονίκη αύριο θα έχουμε λίγες νεφώσεις και η θερμοκρασία το πρωί θα είναι σχετικά χαμηλή, ενώ το μεσημέρι θα ανέβει και θα φτάσει τους 27

βαθμούς Κελσίου. Οι άνεμοι θα πνέουν βόρειοι 4 με 5 μποφόρ. Τις πρώτες πρωινές ώρες της Τετάρτης στις περιοχές γύρω από την πόλη της Θεσσαλονίκης θα επικρατήσει ομίχλη. Είναι πιθανόν να υπάρξουν προβλήματα στις πτήσεις των αεροπλάνων από και προς το αεροδρόμιο «Μακεδονία». Γι' αυτό όσοι πρόκειται να ταξιδέψουν καλό θα ήταν να επικοινωνήσουν πρώτα με τους υπεύθυνους του αεροδρομίου.

Αυτή ήταν η πρόγνωση του καιρού σήμερα από την Εθνική Μετεωρολογική Υπηρεσία. Κυρίες και κύριοι, να έχετε ένα όμορφο βράδυ.

## 9η ενότητα: Αλλάζουμε συνήθειες

**17** Με αφορμή την Παγκόσμια Ημέρα Περιβάλλοντος κάναμε μια μικρή βόλτα στο κέντρο της πόλης και ρωτήσαμε τους κατοίκους της τι κάνουν για το περιβάλλον τις υπόλοιπες μέρες του χρόνου.

1. **Νίκη, 45 ετών**: Νομίζω ότι είναι μια πολύ σημαντική μέρα για την ενημέρωση του κόσμου πάνω στα οικολογικά προβλήματα του πλανήτη. Εμείς στην οικογένειά μου εδώ και αρκετό καιρό ανακυκλώνουμε συστηματικά συσκευασίες. Από τότε που ξεκινήσαμε την ανακύκλωση, τίποτα δεν πάει χαμένο – ακόμα και το πλαστικό περιτύλιγμα της καραμέλας. Αλλά χρειάζεται ενημέρωση. Ξέρετε, πολύς κόσμος δεν ξέρει καν τι είναι οι μπλε κάδοι ούτε ότι μπορεί να πετάξει σ' αυτούς σχεδόν τα πάντα: από χαρτιά και εφημερίδες μέχρι μπουκάλια και κουτάκια από τσίχλες.

2. **Γιώργος, 18 χρονών**: Αυτή η μέρα είναι μία πολύ καλή κίνηση, κυρίως για να μάθει ο κόσμος τα προβλήματα που υπάρχουν με τη ρύπανση, το νέφος, τις φωτιές... Τώρα, εγώ, κοίτα... Δεν είμαι πολύ φαν της προστασίας του περιβάλλοντος. Δεν κάνω και πολλά πράγματα. Ας πούμε, ένα τσιγάρο μπορεί να το πετάξω κάτω. Αλλά μέχρι εκεί, δεν κάνω τίποτα που να βλάπτει το περιβάλλον.

3. **Μαρία, 39 ετών**: Θεωρώ ότι είναι μια συμβολική μέρα. Θα έπρεπε όλες τις μέρες του χρόνου να μας ενδιαφέρει αυτό το θέμα – ειδικά εμάς τους Έλληνες. Γιατί με λύπη μου βλέπω καθημερινά ότι δε μας απασχολεί ιδιαίτερα το περιβάλλον. Πολύ λίγοι ανακυκλώνουμε, πολύ λίγοι χρησιμοποιούμε τα μέσα μαζικής μεταφοράς... Βλέπω ότι όλοι πετάνε κάτω τα σκουπίδια – και μικρά παιδάκια ακόμα. Δηλαδή, κάνουμε πράγματα που δεν πιστεύω ότι μας οδηγούν προς το καλύτερο.

4. **Σπύρος, 35 χρονών**: Η γιορτή αυτή είναι καλή και πρέπει να υπάρχει, αλλά πιστεύω ότι γενικώς κανένας δεν κάνει τίποτα για τον πλανήτη μας. Όλες οι εταιρείες κοιτάζουν πρώτα πώς θα κερδίσουν περισσότερα και μετά σκέφτονται το περιβάλλον. Τώρα, εγώ προσωπικά, κάνω ανακύκλωση. Έχω μια τσάντα και μαζεύω τα σκουπίδια που θα ανακυκλώσω. Αυτό μπορώ να κάνω εγώ, αυτό κάνω. Κάτι ακόμα που πρέπει να γίνει είναι να βάλουμε

στη ζωή μας άλλες μορφές ενέργειας, όπως την ηλιακή. Στην Ελλάδα, δόξα τω Θεώ, έχουμε ήλιο όλον τον χρόνο.

5. **Ελένη, 20 ετών:** Κοίταξε, το περιβάλλον πρέπει να το σεβόμαστε πρώτα απ' όλα. εεε..., γιατί ό,τι δίνεις, παίρνεις. Ένας τρόπος να το προστατεύσουμε είναι να περάσουμε την οικολογία στα μικρά παιδιά: στα σχολεία, μέσα από παιχνίδι, μαθήματα, σεμινάρια και άλλα προγράμματα. Αλλά πρώτα απ' όλα πρέπει οι ίδιοι οι γονείς να ενημερώνουν τα παιδιά για την ανάγκη προστασίας του περιβάλλοντος. Γιατί όλα ξεκινάνε από την οικογένεια.

6. **Τάσος, 53 ετών:** Το περιβάλλον καταστρέφεται και... δεν ξέρω. Το μόνο που μπορούμε να κάνουμε εμείς είναι ανακύκλωση. Τίποτα παραπάνω. Τι άλλο; Αυτά.

7. **Αγγελική, 28 ετών:** Η αλήθεια είναι ότι δεν κάνω πολλά πράγματα λόγω του ότι είμαι στη δουλειά και τρέχω όλη μέρα με το αυτοκίνητο. Αλλά όσο μπορώ προσπαθώ να μην πετάω σκουπίδια ή καμιά φορά παίρνω τον ηλεκτρικό... Αλλά δεν μπορώ να κάνω πολλά πράγματα γιατί είμαι όλη μέρα απασχολημένη. Δεν μπορώ να δώσω χρόνο σε κάτι, ώστε να βοηθήσω το περιβάλλον. Πάντως, σίγουρα είναι λάθος αυτό που κάνουμε: όλη την ώρα κυκλοφορούμε με τα αυτοκίνητα – έχουνε γίνει πιο πολλά τα αυτοκίνητα απ' ό,τι οι άνθρωποι σήμερα. Καλό θα ήταν σιγά σιγά να αρχίσουμε να κάνουμε όλοι κάτι και ο καθένας να βοηθήσει με τον τρόπο που μπορεί.

8. **Στέφανος, 62 χρονών:** Δε βλέπω καμία αλλαγή προς το καλύτερο. Ο κόσμος αδιαφορεί. Φταίμε όλοι γι' αυτό. Κάθε άνθρωπος έχει ατομική ευθύνη για το περιβάλλον.

(*http://portal.kathimerini.gr/4dcgi/_ w_articles_mc7_1_17/07/2008_235682*, με αλλαγές)

## 10η ενότητα: Πάμε πάλι!

Καλημέρα και πάλι σε όσους τώρα άνοιξαν τις τηλεοράσεις τους και καλή εβδομάδα. Θα περάσουμε σε ένα θέμα που μας ζήτησαν πολλοί τηλεθεατές και αφορά στο τι τρώνε τα παιδιά μας τις ώρες που είναι έξω από το σπίτι και ειδικότερα στο σχολείο. Για τον λόγο αυτό έχουμε μαζί μας τη διατροφολόγο κυρία Ελένη Βουτυράκη. Κυρία Βουτυράκη, καλώς ήρθατε στην εκπομπή μας.

Καλώς σας βρήκα, κύριε Δημητριάδη, και ευχαριστώ για την πρόσκλησή σας.

**Κυρία Βουτυράκη, τα σχολεία άνοιξαν για άλλη μια χρονιά και οι μαθητές επιστρέφουν στα θρανία τους. Το ερώτημα που απασχολεί πολλούς γονείς είναι: τι θα τρώει το παιδί μου στο σχολείο;**

Η αλήθεια είναι ότι τα παιδιά συνήθως δεν παίρνουν μαζί τους κάποιο κολατσιό από το σπίτι, αλλά αγοράζουν κάτι έτοιμο, με τα χρήματα που τους δίνουν οι γονείς τους. Επομένως, είναι σημαντικό να δούμε

τι μπορεί να αγοράσει σήμερα ένας μαθητής από το κυλικείο. Και δυστυχώς τα νέα είναι ανησυχητικά. Μία πρόσφατη έρευνα του Πανελληνίου Κέντρου Οικολογικών Ερευνών σε 153 γυμνάσια και λύκεια της χώρας έδειξε ότι τα παιδιά μπορούν να βρουν διάφορα ανθυγιεινά τρόφιμα, όπως πατατάκια, γαριδάκια, τοστ με τυριά και αλλαντικά με πλήρη λιπαρά (ζαμπόν, μπέικον), αναψυκτικά, χυμούς με ζάχαρη, κρουασάν, γλυκά και πολλά άλλα σνακ. Σύμφωνα με την ίδια έρευνα, μάλιστα, το 74% των μαθητών αγοράζει και καταναλώνει τακτικά στον χώρο του σχολείου τέτοια τρόφιμα.

**Είναι ένα πολύ μεγάλο ποσοστό. Μπορείτε να μας πείτε ποιοι είναι οι κίνδυνοι που προέρχονται από την κατανάλωση αυτών των σνακ;**

Πρώτα απ' όλα, η καθημερινή κατανάλωση τέτοιων τροφών μπορεί να επηρεάσει το βάρος του παιδιού και να δημιουργήσει πρόβλημα παχυσαρκίας.

**Ίσως λοιπόν δεν είναι τυχαίο ότι όλο και πιο πολλές έρευνες δείχνουν ότι στην Ελλάδα έχουμε από τα πιο χοντρά παιδιά στην Ευρώπη.**

Βεβαίως. Επίσης, τα τρόφιμα αυτά μπορούν να προκαλέσουν προβλήματα στα δόντια ή και πιο σοβαρά προβλήματα υγείας, όπως είναι η υπέρταση και ο διαβήτης. Και φυσικά, αν τα παιδιά συνηθίσουν αυτές τις τροφές, αποκτούν κακές διατροφικές συνήθειες που θα τα ακολουθήσουν σε όλη τους τη ζωή.

**Τι μπορούν, λοιπόν, να κάνουν οι γονείς για να προστατεύσουν την υγεία των παιδιών τους;**

Κατ' αρχάς, πρέπει να κάνουν προσπάθειες για την επιβολή της νομοθεσίας. Το ξέρετε ότι σύμφωνα με τον νόμο απαγορεύεται να πωλούν τα κυλικεία τα παραπάνω ανθυγιεινά τρόφιμα; Ωστόσο αυτά συνεχίζουν να βρίσκονται στα ράφια... Και να μη μιλήσουμε, βέβαια, για το πόσο φρέσκα είναι. Σημαντικό ποσοστό των τροφίμων της έρευνας που σας ανέφερα ήταν χαλασμένα ή είχε περάσει η ημερομηνία λήξης τους. Ακόμα, σε αρκετές περιπτώσεις, τα τρόφιμα δε διατηρούνταν σε κατάλληλο μέρος. Μπορούσες, για παράδειγμα, να βρεις σοκολάτες εκτός ψυγείου.

**Όπως συνήθως, υπάρχει σημαντική διαφορά ανάμεσα στη θεωρία και την πράξη.**

Για αυτό τον λόγο, πρέπει οι ίδιοι οι γονείς να απαιτήσουν από το κυλικείο του σχολείου να πουλάει υγιεινά τρόφιμα, όπως φρούτα, ξηρούς καρπούς, μπισκότα χαμηλά σε λιπαρά, σταφιδόψωμο, γάλα, γιαούρτι, ρυζόγαλο και άλλα. Και βέβαια, πρέπει να γνωρίζουν ότι τα κυλικεία έχουν το δικαίωμα να πωλούν καφέ, αλλά μόνο στο προσωπικό των σχολείων και όχι στους μαθητές.

**Υπάρχει κάτι άλλο που μπορεί να κάνει ο καθένας από μας, σε προσωπικό επίπεδο, για να προστατεύσει το παιδί του;**

Συμβουλεύουμε τα παιδιά μας να προτιμήσουν ένα υγιεινό κολατσιό, όπως μια σπανακόπιτα ή ένα σάντουιτς με μαύρο ψωμί μαζί με ένα ποτήρι γάλα ή έναν φυσικό χυμό φρούτων. Και, τέλος, το αυτονόητο. Πρέπει εμείς οι ίδιοι να γνωρίζουμε ποιες είναι οι σωστές διατροφικές συνήθειες και να τις ακολουθούμε στη ζωή μας. Γιατί τα παιδιά μαθαίνουν κυρίως από τους γονείς τους. Άρα, έχουμε την ευθύνη να δώσουμε το καλό παράδειγμα.

Ευχαριστούμε πάρα πολύ, κυρία Βουτυράκη. Πρόκειται για ένα ζήτημα που αξίζει την προσοχή όλων μας. Να περάσουμε τώρα σε ένα άλλο θέμα.

**5** Στο επόμενό μας θέμα τώρα. Με τη θερμοκρασία να ανεβαίνει την άλλη εβδομάδα και να φτάνει μέχρι και τους 40 βαθμούς Κελσίου η ΔΕΗ μάς προειδοποιεί για τον κίνδυνο μπλακάουτ. Ας δούμε λοιπόν τι μας προτείνουν οι ειδικοί για να αποφύγουμε αυτόν τον κίνδυνο, αλλά και να κάνουμε σημαντική οικονομία στο ρεύμα. Καλησπερίζουμε την κυρία Μάρκου, τεχνική σύμβουλο της Δημόσιας Επιχείρησης Ηλεκτρισμού.

Καλησπέρα σας. Κοιτάξτε. Υπάρχει ένας βασικός κανόνας, ιδιαίτερα για την εποχή αυτή: Αποφεύγουμε τη χρήση συσκευών που καταναλώνουν πολύ ηλεκτρικό ρεύμα, όπως είναι το κλιματιστικό ή ο θερμοσίφωνας από τις 11:00 το πρωί ως τις 3:00 το μεσημέρι, τις ώρες, δηλαδή, που υπάρχει γενικά η μεγαλύτερη κατανάλωση ενέργειας.

Μάλιστα. Αυτό είναι σίγουρα σημαντικό για να γλιτώσουμε τις διακοπές ρεύματος, όπως αυτές που είχαμε πέρυσι το καλοκαίρι. Είναι, όμως, αρκετό;

Όχι, βέβαια. Αν χρησιμοποιούμε κλιματιστικό, είναι σημαντικό να κλείνουμε τις πόρτες και τα παράθυρα στον χώρο που βρισκόμαστε. Ρυθμίζουμε τη θερμοκρασία στους 25-26 βαθμούς και όχι παρακάτω. Φροντίζουμε το σέρβις των κλιματιστικών, ώστε να λειτουργούν καλύτερα, πράγμα που σημαίνει ότι θα καταναλώνουν λιγότερο.

Πολύ ωραία. Ποιες άλλες συσκευές πρέπει να προσέξουμε ιδιαίτερα;

Οπωσδήποτε τον θερμοσίφωνα. Δεν τον αφήνουμε συνεχώς αναμμένο. Θυμόμαστε ότι το καλοκαίρι το νερό μένει ζεστό για αρκετή ώρα μετά το σβήσιμο του θερμοσίφωνα. Τον ανάβουμε, λοιπόν, πριν από τις 11:00 με 3:00, που είναι ώρες αιχμής. Ή ακόμα καλύτερα το βράδυ.

Πρέπει, επίσης, να γνωρίζουμε ότι το 80% του ρεύματος που χρησιμοποιούν τα πλυντήρια καταναλώνεται για να ζεστάνουν το νερό. Ρυθμίζουμε λοιπόν τη θερμοκρασία στους 30 βαθμούς και πλένουμε με το πλυντήριο γεμάτο, αν μπορούμε το βράδυ και οπωσδήποτε όχι τις μεσημεριανές ώρες.

Και με το μαγείρεμα τι γίνεται; Εδώ δεν μπορείτε να μας πείτε να το αποφεύγουμε από τις 11 ως τις 3. Ναι, έχετε δίκιο ότι αυτό δεν μπορούμε να το κάνουμε πάντα. Κι εδώ, όμως, μπορούμε να κάνουμε σημαντική οικονομία, αν, για παράδειγμα, δεν ανοίγουμε την πόρτα του φούρνου χωρίς λόγο, ή αν αποφεύγουμε να χρησιμοποιούμε τον φούρνο για

να ζεστάνουμε μόνο μία ή δύο μερίδες φαγητό. Και μια τελευταία κουβέντα, για το σιδέρωμα. Το ηλεκτρικό σίδερο όχι μόνο καταναλώνει πολύ ρεύμα, αλλά και ζεσταίνει τον χώρο. Γι' αυτό είναι λογικό να προγραμματίζουμε το σιδέρωμα τις λιγότερο ζεστές ώρες της ημέρας, νωρίς το πρωί ή το βραδάκι. Κυρία Μάρκου, σας ευχαριστούμε πολύ. Φίλοι ακροατές, θυμηθείτε ότι, αν ακολουθείτε συστηματικά αυτές τις συμβουλές, πρώτον, κάνετε οικονομία στον λογαριασμό της ΔΕΗ, δεύτερον, ωφελείτε το περιβάλλον και, τρίτον, βοηθάτε να αποφύγουμε τον κίνδυνο ενός μπλακάουτ στη μέση του καλοκαιριού.

## 11η ενότητα: Πάμε διακοπές;

**22** Υπεύθυνος: Περιβαλλοντικό Κέντρο «Αρκτούρου». Καλημέρα σας.
Αναστασία: Καλημέρα. Θα ήθελα ορισμένες πληροφορίες για την οργάνωσή σας.
Υπεύθυνος: Ευχαρίστως.
Αναστασία: Ξέρετε... Σκέφτομαι να δουλέψω εθελοντικά στον «Αρκτούρο» το καλοκαίρι.
Υπεύθυνος: Πολύ ωραία. Η οργάνωσή μας εργάζεται για τη σωτηρία της αρκούδας και του λύκου στην Ελλάδα. Μπορείτε να δουλέψετε στο Περιβαλλοντικό μας Κέντρο όλες τις εποχές του χρόνου.
Αναστασία: Τι δουλειές θα κάνουμε εκεί;
Υπεύθυνος: Οι εθελοντές μας συνήθως βοηθάνε στη λειτουργία του Κέντρου. Δηλαδή, καθαρίζουν τον χώρο, δίνουν τροφή στα ζώα, ενημερώνουν τους τουρίστες. Έτσι, θα μάθετε πολλά πράγματα για την αρκούδα, τον λύκο και τη ζωή στις ορεινές περιοχές.
Αναστασία: Μάλιστα... Πόσες ώρες την ημέρα θα δουλεύουμε;
Υπεύθυνος: 6-7 ώρες το πολύ.
Αναστασία: Και πού ακριβώς βρίσκεται το Κέντρο;
Υπεύθυνος: Στον Αετό του νομού Φλώρινας. Θα μείνετε σε ένα παραδοσιακό σπίτι της περιοχής, που διαθέτει θέρμανση –τζάκι και κλιματιστικό–, κουζίνα και ψυγείο και μπορεί να φιλοξενήσει μέχρι 8 άτομα.
Αναστασία: Πρέπει να πληρώσουμε κάτι για τη διαμονή;
Υπεύθυνος: Όχι, είναι δωρεάν. Ο «Αρκτούρος» σάς προσφέρει φαγητό και στέγη.
Αναστασία: Ωραία. Πόσες μέρες μπορούμε να μείνουμε;
Υπεύθυνος: Από δύο μέχρι δέκα ημέρες.
Αναστασία: Τι θα πρέπει να έχω μαζί μου;
Υπεύθυνος: Ζεστά ρούχα και παπούτσια, αδιάβροχο και έναν φακό.
Αναστασία: Μπορώ να φέρω και μια φίλη μου μαζί;
Υπεύθυνος: Βεβαίως! Στην αίτηση θα δηλώσετε ότι θέλετε να πάτε μαζί.
Αναστασία: Την αίτηση πού μπορούμε να τη βρούμε;
Υπεύθυνος: Στην ιστοσελίδα μας στο ίντερνετ και στα γραφεία της οργάνωσής μας σε Αθήνα και Θεσσαλονίκη.

**Αναστασία**: Σας ευχαριστώ πολύ.

**Υπεύθυνος**: Κι εγώ σας ευχαριστώ. Να σας ρωτήσω κάτι; Πόσων χρονών είστε;

**Αναστασία**: Είμαι 19 ετών.

**Υπεύθυνος**: Εντάξει. Γιατί δε δεχόμαστε άτομα κάτω των 18 ετών. Περιμένουμε την αίτησή σας λοιπόν.

**Αναστασία**: Βεβαίως. Θα μιλήσω με τη φίλη μου πρώτα για να κανονίσουμε. Γεια σας. Κι ευχαριστώ για τις πληροφορίες.

**Υπεύθυνος**: Καλή σας ημέρα.

## 12η ενότητα: Ένα ατύχημα στους δρόμους

**20** Και τώρα, μια είδηση που αφορά όλους τους οδηγούς. Αν είστε ένας από αυτούς ή μία από εκείνες που συνηθίζουν να περνούν με κόκκινο, να μη χρησιμοποιούν τη ζώνη ασφαλείας στο αυτοκίνητο ή να σταθμεύουν σε χώρους που δεν επιτρέπεται, πρέπει να το ξανασκεφτείτε. Από τον επόμενο μήνα μπορεί να πληρώνετε για καθεμιά από αυτές σας τις «συνήθειες» μέχρι και 330% περισσότερο από ό,τι πληρώνατε μέχρι σήμερα. Σύμφωνα με τον νέο Κώδικα Οδικής Κυκλοφορίας, ο οδηγός που περνά με κόκκινο θα πληρώνει 700 ευρώ, αντί για 167 ευρώ που πλήρωνε μέχρι σήμερα. Κάθε φορά που η τροχαία σάς σταματά, επειδή δε φοράτε κράνος στη μηχανή ή δεν έχετε βάλει τη ζώνη σας στο αυτοκίνητο, αντί για 83 ευρώ θα πληρώνετε 350 ευρώ. Και δεν είναι μόνο αυτό: στην περίπτωση που περάσατε με κόκκινο θα χάνετε την άδεια οδήγησης για δύο μήνες, ενώ αν οδηγείτε χωρίς ζώνη ή κράνος για δέκα ημέρες. Περάσατε με ΣΤΟΠ: θα πληρώσετε ό,τι ακριβώς και για το κόκκινο: 700 ευρώ, με τη διαφορά ότι δε σας παίρνουν την άδεια οδήγησης.

Ο κατάλογος δε σταματάει εδώ. Για να δούμε, λοιπόν. Μιλάτε στο κινητό σας την ώρα που οδηγείτε; Κρατάτε με το ένα χέρι το τιμόνι και με το άλλο γράφετε ένα μήνυμα; Θα σας κοστίσει 100 ευρώ. Μιλάμε, δηλαδή, για μια αύξηση πάνω από 300% σε σχέση με τα 33 ευρώ που έπρεπε να πληρώσετε μέχρι σήμερα. Η τροχαία δε θα σας πάρει το κινητό, αλλά θα σας πάρει το δίπλωμα για έναν μήνα.

Βγήκατε το βράδυ, ήπιατε τα ποτάκια σας και ήρθε η ώρα να γυρίσετε σπίτι. Η παρέα σας σας προτείνει να πάρετε ταξί, αλλά εσείς αισθάνεστε μια χαρά. Κάθεστε στη θέση του οδηγού, βάζετε και τη μουσική όσο πιο δυνατά μπορείτε και ξεκινάτε. Εντάξει, δε σκεφτήκατε ότι κινδυνεύει η ζωή σας, η ζωή των φίλων σας και των άλλων οδηγών ή πεζών. Μήπως θέλετε να ξέρετε πόσο μπορεί να σας κοστίσει αυτή η βραδιά, αν η τροχαία σάς σταματήσει; Έχουμε και λέμε: από 200 μέχρι 1.200 ευρώ, ανάλογα με το τι θα δείξει το αλκοτέστ, και 200 ευρώ για τη δυνατή μουσική. Χάνετε την άδειά σας μέχρι και έξι μήνες για το αλκοόλ και έναν μήνα για τη μουσική. Όχι και τόσο ευχάριστο, δε συμφωνείτε;

**Για τα καινούρια αυτά μέτρα ζητήσαμε τη γνώμη** του διευθυντή Τροχαίας Θεσσαλονίκης, κυρίου Παπαδήμα. Καλημέρα σας, κύριε Παπαδήμα.

Καλή σας μέρα.

Ξέρετε ποια είναι η βασική ερώτηση του κόσμου που ακούει για τα νέα αυτά μέτρα. Αλλάζει τίποτα ή υπάρχουν μόνο για να μαζεύει το κράτος πιο πολλά χρήματα από τους οδηγούς;

Ναι, αυτή είναι μια λογική ερώτηση. Αυτό που θέλουμε εμείς να αλλάξει είναι να έχουμε λιγότερα ατυχήματα στους δρόμους. Αυτό δε γίνεται από τη μια μέρα στην άλλη. Οι οδηγοί χρειάζονται, πρώτα από όλα, καλύτερη εκπαίδευση και να καταλάβουν ότι το αυτοκίνητο ή η μηχανή που οδηγούν δεν είναι ένα παιχνίδι. Είναι κάτι που μπορεί να γίνει πολύ επικίνδυνο, κάτι που μπορεί να σκοτώσει και που οδηγεί κάθε χρόνο στον θάνατο χιλιάδες συμπολίτες μας. Ξέρετε ότι μόνο το πρώτο εξάμηνο της περασμένης χρονιάς η τροχαία εντόπισε 67.000 οδηγούς χωρίς ζώνη και 62.000 μοτοσικλετιστές χωρίς κράνος, 30.000 που οδηγούσαν με υπερβολική ταχύτητα, 28.000 που είχαν καταναλώσει ποσότητες αλκοόλ, 14.000 που περνούσαν με κόκκινο...

## 13η ενότητα: Περιμένετε μισό λεπτό, παρακαλώ

**11**
### Διάλογος 1
**Κυρία**: Καλημέρα. Θα ήθελα ένα εισιτήριο για Θεσσαλονίκη.

**Υπάλληλος**: Μάλιστα. Σε μισή ώρα φεύγει το απλό τρένο. Και στις 11:00 το εξπρές.

**Κυρία**: Προτιμώ το εξπρές. Πόσο έχει το εισιτήριο;
### Διάλογος 2
**Κύριος**: Καλημέρα σας. Είχα αυτή την ειδοποίηση για ένα συστημένο.

**Υπάλληλος**: Μάλιστα. Δώστε μου την ταυτότητά σας.

**Κύριος**: Ορίστε.

**Υπάλληλος**: Περιμένετε μισό λεπτό να σας το φέρω.
### Διάλογος 3
**Αστυνομικός**: Τι είχατε μέσα;

**Κυρία**: 50 ευρώ περίπου. Και μια κάρτα ανάληψης μετρητών.

**Αστυνομικός**: Κάτι άλλο σημαντικό; Ταυτότητα, διαβατήριο;

**Κυρία**: Όχι. Δε νομίζω. Τα έχω στο σπίτι.

**Αστυνομικός**: Τηλεφωνήστε αμέσως στην τράπεζα και ακυρώστε την κάρτα σας.

**Κυρία**: Το έκανα ήδη.

**Αστυνομικός**: Ωραία. Συμπληρώστε και μια δήλωση απώλειας, παρακαλώ.
### Διάλογος 4
**Υπάλληλος**: Καλημέρα σας. Πώς μπορώ να σας εξυπηρετήσω;

**Κυρία**: Θα ήθελα να βγάλω κάρτα ανεργίας και να πάρω το επίδομα. Με απέλυσαν χτες από τη δουλειά.

**Υπάλληλος**: Έχετε μαζί σας τη βεβαίωση απόλυσης και τα ένσημα των δύο τελευταίων χρόνων;

**Κυρία:** Όχι. Δεν ήξερα τι ακριβώς έπρεπε να φέρω.
**Υπάλληλος:** Πάρτε αυτό το χαρτί και διαβάστε το προσεκτικά. Αναφέρει όλα τα απαραίτητα δικαιολογητικά. Συγκεντρώστε τα και ελάτε πάλι αύριο.

### Διάλογος 5

**Κυρία:** Σας τηλεφωνώ από το Μαρκόπουλο Αττικής. Στο οικόπεδο δίπλα από το σπίτι μας έπιασε φωτιά. Φυσάει δυνατός αέρας. Ελάτε γρήγορα, σας παρακαλώ!
**Υπάλληλος:** Μια διεύθυνση δώστε μου.
**Κυρία:** Φαίδρου 9. Είμαστε κοντά στις εγκαταστάσεις του Ιπποδρόμου. Βογιατζή Άννα λέγομαι.
**Υπάλληλος:** Εντάξει. Θα ειδοποιήσω αμέσως.

### Διάλογος 6

**Κυρία:** Καλημέρα σας. Νοίκιασα ένα διαμέρισμα και θα ήθελα να συνδέσω το ρεύμα.
**Υπάλληλος:** Ο ιδιοκτήτης σάς έδωσε κάποιον παλιό λογαριασμό;
**Κυρία:** Ναι. Ορίστε.
**Υπάλληλος:** Μου δίνετε και την ταυτότητά σας;
**Κυρία:** Βεβαίως.
**Υπάλληλος:** Ωραία. Πείτε μου και τον Αριθμό Φορολογικού σας Μητρώου.
**Κυρία:** Μισό λεπτό. Να τον βρω. Δεν τον θυμάμαι απ' έξω.

### Διάλογος 7

**Κύριος:** Γεια σας. Ένα πιστοποιητικό γέννησης θα ήθελα.
**Υπάλληλος:** Είστε δημότης Περιστερίου;
**Κύριος:** Μάλιστα.
**Υπάλληλος:** Την ταυτότητά σας μου δίνετε;
**Κύριος:** Δυστυχώς δεν την έχω μαζί μου. Έχω διαβατήριο. Κάνει;
**Υπάλληλος:** Βεβαίως. Δώστε τό μου. Ένα κινητό τηλέφωνο;

**30** **Υπάλληλος:** Υπηρεσία Βλαβών του Ο.Τ.Ε., καλημέρα σας. Λέγετε, παρακαλώ.
**Θοδωρής:** Καλημέρα. Εδώ και τέσσερις ημέρες δεν έχουμε τηλέφωνο στο σπίτι.
**Υπάλληλος:** Πληρώσατε κανονικά τον λογαριασμό σας;
**Θοδωρής:** Μάλιστα. Κρατάω στα χέρια μου την απόδειξη.
**Υπάλληλος:** Ωραία. Ποιος είναι ο αριθμός του τηλεφώνου σας;
**Θοδωρής:** 210-7744998.
**Υπάλληλος:** Η διεύθυνσή σας είναι...;
**Θοδωρής:** Λεωφόρος Εθνικής Αντιστάσεως 143, στην Καισαριανή.
**Υπάλληλος:** Το όνομά σας;
**Θοδωρής:** Θεόδωρος Μαραγκάκης.
**Υπάλληλος:** Μάλιστα, κύριε Μαραγκάκη. Από πότε είπατε ότι δεν έχετε τηλέφωνο;
**Θοδωρής:** Από τη Δευτέρα.
**Υπάλληλος:** Ακούστε. Τηλεφώνησαν πολλοί κάτοικοι της περιοχής σας. Η Δ.Ε.Η. έκανε κάποια έργα στην Καισαριανή και οι τεχνικοί της κατά λάθος έκοψαν πολλές τηλεφωνικές γραμμές. Οι αρμόδιοι της εταιρείας μας γνωρίζουν το πρόβλημα και προσπαθούν να το επιλύσουν.
**Θοδωρής:** Κοιτάξτε. Είναι η τρίτη φορά που τηλεφωνώ. Το τηλέφωνο και το ίντερνετ είναι απαραίτητα για τη δουλειά μου. Κάτι πρέπει να γίνει επιτέλους.
**Υπάλληλος:** Σας καταλαβαίνω. Όμως η ζημιά στο δίκτυο είναι μεγάλη. Οι τεχνικοί της εταιρείας μας προσπαθούν να την επιδιορθώσουν.
**Θοδωρής:** Μα πέρασαν τέσσερις μέρες και ακόμα τίποτα.
**Υπάλληλος:** Τι να σας πω; Αύριο πιστεύω ότι το τηλέφωνό σας θα λειτουργεί κανονικά. Αυτή την ενημέρωση έχω. Θα μεταφέρω το αίτημά σας. Δεν μπορώ να κάνω κάτι άλλο.
**Θοδωρής:** Πάντως αυτό που συμβαίνει είναι απαράδεκτο. Πληρώνουμε κανονικά και τηλέφωνο δεν έχουμε.
**Υπάλληλος:** Μου το είπατε. Το κατάλαβα. Σας είπα, έχετε δίκιο. Τι θέλετε να κάνω;
**Θοδωρής:** Μη φωνάζετε! Θέλω απλώς η εταιρεία σας να είναι πιο σοβαρή. Δεν μπορεί να μένει ο κόσμος χωρίς τηλέφωνο τόσες μέρες. Μπορώ να μιλήσω με τον διευθυντή ή κάποιον αρμόδιο για το πρόβλημα;
**Υπάλληλος:** Ο κύριος διευθυντής απουσιάζει εκτός Αθηνών. Θα σας δώσω το τηλέφωνο του αρμόδιου υπαλλήλου. Βρίσκεται αυτή τη στιγμή στην Καισαριανή για τη βλάβη. Σημειώνετε;
**Θοδωρής:** Μισό λεπτό. Να πάρω ένα μολύβι. Πείτε μου.
**Υπάλληλος:** Θα σας δώσω το κινητό του. 6973252431. Κύριος Παπαηλίας λέγεται.
**Θοδωρής:** Μάλιστα. Θα του τηλεφωνήσω αμέσως. Ελπίζω αυτός να ξέρει κάτι περισσότερο.
**Υπάλληλος:** Θέλετε κάτι άλλο;
**Θοδωρής:** Όχι, σας ευχαριστώ.
**Υπάλληλος:** Σας ευχαριστούμε που μας καλέσατε. Γεια σας.
**Θοδωρής:** Γεια σας.

## 14η ενότητα: Σήμερα γιορτάζουμε

**18** Αγαπητές μας ακροάτριες και αγαπητοί ακροατές, καλή σας μέρα και χρόνια πολλά. Αυτή είναι μια από τις τελευταίες μας εκπομπές για φέτος, γι' αυτό σκεφτήκαμε να σας δώσουμε μερικές πληροφορίες που ίσως δεν ξέρετε για τις μέρες αυτές. Έτσι, για να κάνετε τους έξυπνους στους συγγενείς και τους φίλους σας γύρω από το πρωτοχρονιάτικο τραπέζι.

Ο Δεκέμβριος, λοιπόν, τελειώνει σε λίγες μέρες και όλοι είμαστε έτοιμοι να τραγουδήσουμε «Πάει ο παλιός ο χρόνος...» και να καλωσορίσουμε την καινούρια χρονιά. Όλοι; Μάλλον όχι. Η πρώτη μέρα του χρόνου δεν είναι για όλους τους ανθρώπους η πρώτη Ιανουαρίου. Ούτε ξεκινούν όλοι οι πολιτισμοί να μετρούν τον χρόνο την ίδια στιγμή.

Για τους Ρωμαίους ο χρόνος αρχίζει με το χτίσιμο της Ρώμης. Για τους χριστιανούς με τη γέννηση του Χριστού. Για τους μουσουλμάνους με την Εγίρα, όταν ο Μωάμεθ φεύγει από τη Μέκκα για τη Μεδίνα. Για τους αρχαίους Αιγυπτίους ο χρόνος ξεκίνησε όταν ο θεός Όσιρις, με τη βάρκα του, έφερε στον κόσμο για πρώτη φορά τον ήλιο και στην αρχαία Αίγυπτο η Πρωτοχρονιά γιορταζόταν το καλοκαίρι, τον Ιούνιο, όταν ο Νείλος πότιζε τα διψασμένα χωράφια.

Είστε σίγουροι ότι ο Σεπτέμβριος είναι ο ένατος μήνας του χρόνου; Και όμως. Το όνομα Σεπτέμβριος σημαίνει τον έβδομο μήνα (από το λατινικό septem), όπως το όνομα Οκτώβριος σημαίνει τον όγδοο (octo), Νοέμβριος τον ένατο (novem), και Δεκέμβριος τον δέκατο (decem). Κι αυτό γιατί για τους αρχαίους Ρωμαίους η Πρωτοχρονιά ήταν τον Μάρτη, την άνοιξη... Αργότερα άλλαξε το ημερολόγιο και πρώτος μήνας έγινε ο Ιανουάριος, από το όνομα του θεού Ιανού. Ο Ιανός ήταν ο θεός του χρόνου και είχε δύο πρόσωπα: το ένα κοιτούσε μπροστά, στο μέλλον, και το άλλο πίσω, στο παρελθόν.

Από τα βυζαντινά χρόνια τα παιδιά πήγαιναν την παραμονή της Πρωτοχρονιάς επισκέψεις στα σπίτια των συγγενών και γνωστών τους. Τραγουδούσαν τα κάλαντα προσφέροντας φρούτα και μικρά δώρα και έπαιρναν, με τη σειρά τους, μεγαλύτερο δώρο και χρήματα. Επειδή πίστευαν ότι όπως θα περάσουν την πρώτη μέρα του νέου χρόνου έτσι θα περάσουν και τις υπόλοιπες, οι άνθρωποι προσπαθούσαν να διασκεδάσουν, να νιώσουν αγάπη και ζεστασιά, τρώγοντας, πίνοντας, προσφέροντας δώρα και χαρά ο ένας στον άλλο.

Οι Κινέζοι γιορτάζουν την Πρωτοχρονιά μεταξύ 21 Ιανουαρίου και 20 Φεβρουαρίου, για δεκαπέντε ολόκληρες μέρες με τελετές, χορούς και πολύ θόρυβο. Τα πυροτεχνήματα είναι απαραίτητα, αφού οι δυνατοί θόρυβοι διώχνουν τα κακά πνεύματα για όλη τη χρονιά. Ένας τεράστιος δράκοντας προχωρά στους δρόμους παρέα με μεγάλα τύμπανα. Αλλά το πιο ωραίο σημείο της κινέζικης Πρωτοχρονιάς είναι σίγουρα οι χιλιάδες χαρταετοί που ανεβαίνουν στον ουρανό, γεμάτοι ευχές και ελπίδες.

Στην Αιθιοπία έχουν Πρωτοχρονιά τον Σεπτέμβρη, τότε που αρχίζουν να μαζεύουν τους καρπούς. Την παραμονή, το απόγευμα, οι νεαροί άντρες ανάβουν μια μεγάλη φωτιά που καίει το κακό και, την επόμενη μέρα, τα κορίτσια, ντυμένα με τα καλά τους ρούχα, κρατώντας μπουκέτα με λουλούδια, γυρνάνε από σπίτι σε σπίτι τραγουδώντας.

Στην Περσία, η Πρωτοχρονιά είναι η αρχή της άνοιξης και τη γιορτάζουν με μουσικές και χορούς στους δρόμους, με φωτιές που πρέπει όλοι να πηδήξουν, για να έχουν υγεία και τύχη τον καινούριο χρόνο.

Θα σας άρεσε μια καλοκαιρινή Πρωτοχρονιά, με βόλτα στην παραλία ή μπάνιο στη θάλασσα; Μπορείτε να τη βρείτε στην Αυστραλία, στο Σίδνεϋ. Εδώ, η Όπερα και το σόου των πυροτεχνημάτων είναι μια από τις πιο όμορφες εικόνες της Πρωτοχρονιάς.

Οι Ισπανοί είναι γνωστοί για την πρωτοχρονιάτικη συνήθεια με τα σταφύλια. Τη στιγμή που αλλάζει ο χρόνος, τρώνε δώδεκα ρώγες σταφυλιού, που συμβολίζουν τους δώδεκα μήνες του χρόνου. Με αυτόν τον τρόπο φροντίζουν κάθε μήνας να είναι καλότυχος.

Οι Ιταλοί υποδέχονται την καινούρια χρονιά πετώντας από τα μπαλκόνια τα παλιά τους πράγματα, για να της κάνουν χώρο. Το παραδοσιακό φαγητό περιλαμβάνει χοιρινό λουκάνικο και φακές, καθώς οι δύο αυτές τροφές συμβολίζουν την αφθονία, τα χρήματα και την καλοτυχία.

Η γαλοπούλα, βλέπετε, δεν είναι το παραδοσιακό φαγητό της Πρωτοχρονιάς σε όλο τον κόσμο. Στην Αυστρία και την Ουγγαρία, μάλιστα, η γαλοπούλα και το κοτόπουλο «απαγορεύονται» εκείνη τη μέρα, γιατί έχουν φτερά, κι έτσι η τύχη μπορεί να πετάξει και να φύγει μακριά. Οι Πολωνοί, από την άλλη μεριά, οπωσδήποτε μαγειρεύουν για τη γιορτή της Πρωτοχρονιάς ακριβώς 12 φαγητά, ώστε κάθε μήνας του ερχόμενου έτους να είναι τυχερός.

Καλή μας χρονιά, λοιπόν, και καλή όρεξη. Μην ανησυχείτε για τίποτα. Στην πρώτη μας εκπομπή του νέου έτους θα δούμε μαζί πώς μπορούμε να χάσουμε τα κιλά που πήραμε αυτές τις μέρες.

## 15η ενότητα: Πάμε πάλι!

**3** **Αστυνομικός:** Ελάτε πιο 'δω, σας παρακαλώ. Μην κλείνετε τον δρόμο. Σταματήστε το αυτοκίνητο και σβήστε τη μηχανή.

**Γρηγόρης:** Μάλιστα.

**Αστυνομικός:** Δώστε μου δίπλωμα και άδεια κυκλοφορίας.

**Γρηγόρης:** Ορίστε.

**Αστυνομικός:** Και την ασφάλεια του αυτοκινήτου, παρακαλώ.

**Γρηγόρης:** Ασφαλώς. Μισό λεπτό. Ορίστε.

**Αστυνομικός:** Ξέρετε ότι παραβιάσατε το όριο ταχύτητας; Τρέχατε με 90 χιλιόμετρα, ενώ το όριο εδώ είναι 60. Επιπλέον, δε φοράτε ζώνη ασφαλείας.

**Γρηγόρης:** Ε... Είναι τέλος Ιουλίου και οι δρόμοι της Αθήνας είναι άδειοι. Έτρεχα, για να μην αργήσω στη δουλειά μου.

**Αστυνομικός:** Αυτό δεν είναι δικαιολογία, για να οδηγεί κάποιος επικίνδυνα.

**Γρηγόρης:** Έχετε δίκιο. Αλλά ήμουν λίγο αφηρημένος. Φταίει και η ζέστη.

**Αστυνομικός:** Καλά, καλά. Βγείτε τώρα από το αυτοκίνητο, για να γράψω τα στοιχεία σας. Ακολουθήστε με μέχρι το περιπολικό.

**Γρηγόρης:** Σας παρακαλώ, μη μου κόψετε κλήση. Πάντα είμαι προσεκτικός οδηγός. Ένα λάθος έκανα.

Δε θα το ξανακάνω.

**Αστυνομικός**: Όλοι τα ίδια λένε. Παρακαλώ, δώστε μου την ταυτότητά σας.

**Γρηγόρης**: Ορίστε. Πάρτε την. Αλλά δεν έκανα κάτι τόσο φοβερό. Ξεπέρασα λίγο το όριο ταχύτητας.

**Αστυνομικός**: Και δε φορούσατε ζώνη ασφαλείας. Λοιπόν... Όνομα: Γρηγόριος Οικονόμου. Τόπος γέννησης: Ερμούπολη. Είστε από τη Σύρο;

**Γρηγόρης**: Ναι, εκεί έζησα μέχρι τα δέκα μου χρόνια. Μετά φύγαμε και ήρθαμε στην Αθήνα. Τώρα μένω στον Πειραιά.

**Αστυνομικός**: Κι εγώ Συριανός είμαι. Το επίθετό σου κάτι μου θυμίζει... Ένας Βασίλης Οικονόμου συγγενής σου είναι;

**Γρηγόρης**: Ναι, ξάδερφός μου! Έχει ταβέρνα και ενοικιαζόμενα δωμάτια στο νησί.

**Αστυνομικός**: Μικρός που είναι ο κόσμος! Ο Βασίλης είναι φίλος μου.

**Γρηγόρης**: Σε λίγο θα βγούμε και συγγενείς.

**Αστυνομικός**: Άντε, αφού είμαστε από τα ίδια μέρη, δε θα σου κόψω κλήση. Πρόσεχε όμως πώς οδηγείς. Την επόμενη φορά...

**Γρηγόρης**: Εννοείται. Θα προσέχω.

**Αστυνομικός**: Ξέρεις πόσα τροχαία ατυχήματα γίνονται κάθε μέρα; Ειδικά τα Σαββατοκύριακα, γίνεται χαμός...

**Γρηγόρης**: Τα βλέπω στις ειδήσεις.

**Αστυνομικός**: Φόρα, λοιπόν, πάντα τη ζώνη σου, μην τρέχεις, μην κάνεις επικίνδυνες προσπεράσεις. Και το πιο σημαντικό, μην καταναλώνεις αλκοόλ όταν οδηγείς.

**Γρηγόρης**: Έτσι κι αλλιώς τις περισσότερες φορές, όταν βγαίνω βράδυ, πίνω ελάχιστα. Ένα δυο ποτά το πολύ.

**Αστυνομικός**: Εντάξει. Πήγαινε τώρα. Καλή σου μέρα.

**Γρηγόρης**: Καλημέρα! Κι ευχαριστώ πολύ!

**4** **Υπάλληλος**: Τράπεζα Λέσβου. Γραμμή 24, Δήμητρα Παρασχάκη. Πώς μπορώ να σας εξυπηρετήσω;

**Κυρία Παναγιώτου**: Καλησπέρα! Έχασα το πορτοφόλι μου. Μάλλον μου το έκλεψαν. Μέσα είχα την κάρτα αναλήψεων. Δεν ξέρω τι να κάνω!

**Υπάλληλος**: Καλησπέρα σας! Ηρεμήστε. Θα μπλοκάρουμε την κάρτα. Πότε τη χάσατε;

**Κυρία Παναγιώτου**: Μάλλον το πρωί που βγήκα για ψώνια. Αλλά το κατάλαβα τώρα.

**Υπάλληλος**: Ξέρετε τον αριθμό της κάρτας σας;

**Κυρία Παναγιώτου**: Τον έχω στην ατζέντα μου. Μισό λεπτό. Περιμένετε... Νομίζω ότι τον βρήκα...

**Υπάλληλος**: Ωραία! Διαβάστε μου προσεκτικά τα οκτώ τελευταία νούμερα.

**Κυρία Παναγιώτου**: Μάλιστα. 72644923.

**Υπάλληλος**: Έχει πολύ θόρυβο εκεί που βρίσκεστε. Δε σας άκουσα. Επαναλαμβάνετε, παρακαλώ;

**Κυρία Παναγιώτου**: 72644923.

**Υπάλληλος**: Πείτε μου το ονοματεπώνυμό σας, παρακαλώ.

**Κυρία Παναγιώτου**: Θεοδώρα Παναγιώτου.

**Υπάλληλος**: Η ημερομηνία γέννησής σας είναι...;

**Κυρία Παναγιώτου**: 23 Σεπτεμβρίου 1940.

**Υπάλληλος**: Μάλιστα, κυρία Παναγιώτου. Βρήκα την κίνηση του λογαριασμού σας. Πότε πήρατε χρήματα για τελευταία φορά;

**Κυρία Παναγιώτου**: Χτες το απόγευμα πήρα 40 ευρώ από το μηχάνημα της πλατείας Κυψέλης.

**Υπάλληλος**: Εδώ βλέπω ότι και σήμερα Δευτέρα στις 2 η ώρα το μεσημέρι έγινε μια ανάληψη από τον λογαριασμό σας. Αυτή ήταν η τελευταία.

**Κυρία Παναγιώτου**: Εγώ δεν έκανα καμία ανάληψη σήμερα! Πόσα χρήματα πήραν;

**Υπάλληλος**: 400 ευρώ. Από ένα Α.Τ.Μ. στην Ηλιούπολη.

**Κυρία Παναγιώτου**: Εγώ έχω χρόνια να πάω στην Ηλιούπολη.

**Υπάλληλος**: Δώσατε μήπως την κάρτα σας σε κάποιον συγγενή ή φίλο;

**Κυρία Παναγιώτου**: Όχι. Την κάρτα μου δεν τη δίνω ποτέ σε κανέναν.

**Υπάλληλος**: Μήπως είχατε κάπου στο πορτοφόλι σας το PIN σας; Τον μυστικό σας αριθμό;

**Κυρία Παναγιώτου**: Α, ναι. Τον είχα σε ένα μικρό χαρτάκι, γιατί τον ξεχνάω.

**Υπάλληλος**: Αυτό είναι πολύ σοβαρό λάθος! Βρήκαν τον αριθμό και σας πήραν τα 400 ευρώ.

**Κυρία Παναγιώτου**: Και τώρα τι κάνουμε; Θα τα πάρουν όλα!

**Υπάλληλος**: Μπλόκαρα ήδη τον λογαριασμό σας. Μην ανησυχείτε. Δεν μπορούν να σας πάρουν άλλα χρήματα. Αν προσπαθήσουν, το μηχάνημα θα κρατήσει την κάρτα σας.

**Κυρία Παναγιώτου**: Και με τα 400 ευρώ τι θα γίνει;

**Υπάλληλος**: Κοιτάξτε. Είχατε το PIN σας στο πορτοφόλι με την κάρτα. Είναι δικό σας λάθος. Η τράπεζα δεν έχει ευθύνη.

**Κυρία Παναγιώτου**: Έχασα δηλαδή 400 ευρώ;

**Υπάλληλος**: Τι να σας πω; Πηγαίνετε αύριο το πρωί στο κατάστημα της τράπεζάς μας στη γειτονιά σας και κάντε μια αίτηση.

**Κυρία Παναγιώτου**: Τι θα γράψω στην αίτηση;

**Υπάλληλος**: Θα εξηγείτε τι έγινε και θα ζητάτε να σας επιστρέψει η τράπεζα τα χρήματά σας. Αν έχετε απορίες, ρωτήστε τους υπαλλήλους της τράπεζας. Θα σας βοηθήσουν.

**Κυρία Παναγιώτου**: Υπάρχει ελπίδα να τα πάρω πίσω;

**Υπάλληλος**: Τι να σας πω κι εγώ; Δε νομίζω. Κάνατε σοβαρό λάθος.

**Κυρία Παναγιώτου**: Μα τι φταίω; Μου έκλεψαν το πορτοφόλι.

**Υπάλληλος**: Κάντε την αίτηση και θα δούμε. Ποτέ δεν ξέρετε. Η τράπεζα μπορεί να σας επιστρέψει τα χρήματα.

**Κυρία Παναγιώτου**: Καλά! Θα περάσω απόψε από την αστυνομία να δηλώσω την απώλεια του πορτοφολιού και αύριο το πρωί θα πάω στην τράπεζα. Σας ευχαριστώ για τη βοήθεια.

**Υπάλληλος:** Παρακαλώ. Χαίρετε.

## 16η ενότητα: Παρακολουθώ συχνά το κανάλι σας

**19** Καλημέρα σας, κυρίες και κύριοι. Τετάρτη σήμερα, 16 Δεκεμβρίου, και ακούτε το δελτίο ειδήσεων των 21:00 από το «Ράδιο Μπαμ». Στο μικρόφωνο η Σοφία Θεοδωροπούλου.

– Σεισμός έντασης 5,8 Ρίχτερ συγκλόνισε στις 4:18 το πρωί τη Λευκάδα. Ευτυχώς το επίκεντρο του σεισμού ήταν σε θαλάσσια περιοχή, μακριά από τις κατοικημένες περιοχές του νησιού. Σύμφωνα με τις μέχρι τώρα πληροφορίες, ζημιές έπαθαν αρκετά σπίτια –τα περισσότερα παλιά–, μαγαζιά, δύο εκκλησίες και ένα δημοτικό σχολείο, ενώ για αρκετές ώρες το νησί έμεινε χωρίς ηλεκτρικό ρεύμα. Ευτυχώς δεν υπήρξαν νεκροί ή σοβαρά τραυματίες. Οκτώ άτομα πήγαν στο νοσοκομείο με ελαφρά τραύματα, αλλά μετά τις πρώτες βοήθειες επέστρεψαν σπίτι τους.

– Οι σεισμολόγοι ζήτησαν από τους πολίτες να είναι ιδιαίτερα προσεκτικοί τα επόμενα εικοσιτετράωρα και να μην μπαίνουν στα σπίτια τους, ειδικά αν αυτά έχουν σοβαρές ζημιές. Από το πρωί μηχανικοί της νομαρχίας ελέγχουν όλα τα κτίρια του νησιού, ενώ υπάλληλοι του δήμου μοιράζουν στους πολίτες που έχουν ανάγκη τρόφιμα, νερό, σκηνές και κουβέρτες.

– Εικοσιτετράωρη απεργία πραγματοποιούν σήμερα οι εργαζόμενοι στα λεωφορεία και τα τρόλεϊ της Αττικής. Ζητούν αύξηση μισθών και καλύτερες συνθήκες εργασίας.

– Τις νέες τιμές των εισιτηρίων για τα τρένα του ΟΣΕ και τον προαστιακό, που είναι αυξημένες από 10 ως 15% ανάλογα με τον προορισμό, ανακοίνωσε χτες το Υπουργείο Μεταφορών. Οι νέες τιμές ισχύουν από την 1η Ιανουαρίου.

– Τη Γεωργία επισκέπτεται από σήμερα και για τρεις ημέρες ο Πρόεδρος της Δημοκρατίας, ύστερα από πρόσκληση του Γεωργιανού ομολόγου του. Θα έχει επαφές με την πολιτική ηγεσία της χώρας, ενώ θα συναντήσει Έλληνες που ζουν στη Γεωργία.

– Ληστεία είχαμε στις 9 το πρωί στο κατάστημα της «Τράπεζας Ρόδου» στο Ρέθυμνο της Κρήτης. Οι τρεις ληστές έφυγαν «σαν κύριοι» από το κατάστημα, αφού άρπαξαν από τα ταμεία της τράπεζας περίπου 120.000 ευρώ με την απειλή όπλων. Η αστυνομία αναζητεί τα ίχνη τους.

– Και δύο ειδήσεις από το εξωτερικό:

• Χιόνια και θερμοκρασίες που φτάνουν τους 10 βαθμούς Κελσίου κάτω από το μηδέν στην Ισπανία. Πολλές περιοχές της χώρας αντιμετωπίζουν σοβαρά προβλήματα από την κακοκαιρία και η κυβέρνηση παρακαλεί τους πολίτες να είναι ιδιαίτερα προσεκτικοί στις μετακινήσεις τους.

• Μικρό ιδιωτικό αεροπλάνο κατέπεσε τις πρώτες πρωινές ώρες κοντά στο αεροδρόμιο της Νέας Υόρκης. Νεκροί ο πιλότος και οι τρεις επιβάτες. Έρευνες κάνει η αστυνομία για τα αίτια του δυστυχήματος.

– Και τώρα οι αθλητικές μας ειδήσεις:

Η εθνική ομάδα μπάσκετ της χώρας μας νίκησε με σκορ 87-76 την εθνική ομάδα της Γερμανίας σε φιλικό αγώνα που έγινε χτες το βράδυ στο Ολυμπιακό Στάδιο.

Απόψε στις 20:00 το ντέρμπι του ποδοσφαίρου μεταξύ Ολυμπιακού και Παναθηναϊκού στο στάδιο Καραϊσκάκη. Ο αγώνας θα μεταδοθεί ζωντανά από την κρατική τηλεόραση.

Και ο καιρός:

Για αύριο προβλέπονται βροχές σε όλη τη χώρα και τοπικές καταιγίδες, ενώ η θερμοκρασία θα είναι χαμηλή και στην Αττική δε θα ξεπεράσει τους 6 βαθμούς Κελσίου. Οι άνεμοι στα πελάγη θα είναι ισχυροί και θα φτάσουν τα 7 και τοπικά τα 8 μποφόρ.

Ευχαριστούμε που μας παρακολουθήσατε. Επόμενο δελτίο ειδήσεων στις 23:00 με τον Ανδρέα Χαλβατζάκη. Καλή σας νύχτα!

**23** **Δημοσιογράφος:** Πλούσιο και σήμερα το αστυνομικό μας δελτίο. Ληστεία στις 8 το πρωί σε σούπερ μάρκετ στην Άνω Γλυφάδα. Οι ληστές ακινητοποίησαν υπαλλήλους και πελάτες και άρπαξαν περίπου 30.000 ευρώ από τα ταμεία. Έχουμε στην τηλεφωνική μας γραμμή τον κύριο Χαρίση, που ήταν αυτόπτης μάρτυρας του περιστατικού. Καλησπέρα σας, κύριε Χαρίση.

**κ. Χαρίσης:** Καλησπέρα σας.

**Δημοσιογράφος:** Κύριε Χαρίση, πείτε μας τι είδατε.

**κ. Χαρίσης:** Μάλιστα. Κάθε πρωί βγάζω βόλτα το σκυλάκι μου στο πάρκο που βρίσκεται κοντά στο σούπερ μάρκετ. Ξέρετε είμαι φιλόζωος και...

**Δημοσιογράφος:** Στο θέμα μας, κύριε Χαρίση. Όχι λεπτομέρειες, παρακαλώ.

**κ. Χαρίσης:** Μάλιστα. Έχετε δίκιο. Σήμερα, καθώς περνούσα μπροστά από το σούπερ μάρκετ, είδα έναν νεαρό γύρω στα 35 με τζιν παντελόνι, γυαλιά ηλίου και καπέλο να κοιτάζει δεξιά κι αριστερά. Δεν έδωσα σημασία. Ξέρετε, με τόσα που βλέπουμε κάθε μέρα ...

**Δημοσιογράφος:** Συνεχίστε, κύριε Χαρίση.

**κ. Χαρίσης:** Προχώρησα και σε λίγο –θα είχαν περάσει 3-4 λεπτά– άκουσα φωνές από το σούπερ μάρκετ. Τρέχω και τι να δω! Τρεις νεαροί με όπλα στα χέρια. Ο ένας μάλιστα πυροβόλησε τρεις φορές στον αέρα. Ήταν αυτός με τα γυαλιά ηλίου και το καπέλο. Τα 'χασα.

**Δημοσιογράφος:** Σας είδαν;

**κ. Χαρίσης:** Ναι. Ήρθαμε πρόσωπο με πρόσωπο. Ο ένας γύρισε προς το μέρος μου, μου έδειξε το όπλο του και είπε: «Μη μιλήσεις, γέρο, γιατί...». Μόλις τον άκουσα, πάγωσα. Παραλίγο να πάθω έμφραγμα.

**Δημοσιογράφος:** Είδατε κάποιον να τους κυνηγάει; Οι υπάλληλοι του σούπερ μάρκετ τι έκαναν;

# παράρτημα

**κ. Χαρίσης**: Τι να σας πω... Εγώ δεν είδα κανέναν. Άκουσα ότι ο φύλακας της τράπεζας που βρίσκεται απέναντι από το σούπερ μάρκετ είχε άδεια σήμερα.

**Δημοσιογράφος**: Και μετά;

**κ. Χαρίσης**: Μπήκαν γρήγορα σε ένα αυτοκίνητο λίγο παρακάτω. Ο οδηγός, που τους περίμενε, πάτησε γκάζι και τους έχασα από τα μάτια μου.

**Δημοσιογράφος**: Η αστυνομία έφτασε γρήγορα;

**κ. Χαρίσης**: Το πρώτο περιπολικό έφτασε μετά από μισή ώρα τουλάχιστον.

**Δημοσιογράφος**: Σας ευχαριστώ πολύ, κύριε Χαρίση. Η μαρτυρία σας ήταν σημαντική.

**κ. Χαρίσης**: Συγνώμη, θα ήθελα να πω κάτι ακόμα, αν μου επιτρέπετε.

**Δημοσιογράφος**: Δυστυχώς δεν έχουμε άλλο χρόνο στη διάθεσή μας. Καλό σας βράδυ.

**κ. Χαρίσης**: Γεια σας.

**Δημοσιογράφος**: Να αλλάξουμε τώρα θέμα. Αύξηση της ανεργίας είχαμε τον μήνα Μάιο...

## 17η ενότητα: Μάθε, παιδί μου, γράμματα

**1 8**   11 Σεπτεμβρίου σήμερα, φίλες και φίλοι, και τα σχολεία άνοιξαν και πάλι. Για τα περισσότερα παιδιά είναι μια μέρα γεμάτη άγχος. Οι διακοπές τελείωσαν, πίσω πάλι στη ρουτίνα: σχολείο, φροντιστήριο, διάβασμα, εξετάσεις, κι άλλο φροντιστήριο... Κάποιοι μαθητές ξεκινούν ήδη να μετράνε τις μέρες που μένουν μέχρι τις διακοπές των Χριστουγέννων. Οι γονείς, από την άλλη μεριά, αρχίζουν τους υπολογισμούς: Πόσο πιο ακριβά θα είναι φέτος τα σχολικά είδη; Τα φροντιστήρια; Ποιος θα παίρνει τα μικρά από το σχολείο, αφού και οι δύο δουλεύουμε; Σε μια μακρινή χώρα, στη Φινλανδία, αυτές τις μέρες οι μαθητές γιορτάζουν. Σας φαίνεται παράξενο; Γι' αυτό έχουμε μαζί μας σήμερα τον κύριο Κώστα Στεργίου, ειδικό σε θέματα εκπαιδευτικής πολιτικής. Κύριε Στεργίου, σας ευχαριστούμε που είστε μαζί μας.

Εγώ σας ευχαριστώ που με καλέσατε. Το θέμα σας είναι πραγματικά πολύ ενδιαφέρον.

**Είναι, λοιπόν, αλήθεια ότι υπάρχουν χώρες όπου οι μαθητές χαίρονται για την επιστροφή στο σχολείο;**

Βεβαίως. Είναι αλήθεια και, κατά τη γνώμη μου, είναι η φυσική κατάσταση όταν το σχολείο λειτουργεί σωστά. Ξέρετε ότι υπάρχουν χώρες, όπως η Κούβα, για παράδειγμα, όπου τα σχολεία είναι ανοιχτά δυο τρεις μέρες κάθε εβδομάδα όλο το καλοκαίρι; Και είναι γεμάτα από παιδιά που διαβάζουν στις βιβλιοθήκες, βλέπουν ταινίες, συζητούν, παίζουν και μαθαίνουν. Αισθάνονται το σχολείο σαν κάτι δικό τους, σαν έναν χώρο χαράς.

**Απίστευτο, αν σκεφτούμε πως στην Ελλάδα τα παιδιά γιορτάζουν μόνο τη μέρα που κλείνουν τα σχολεία.**

Και όμως. Ας πάρουμε το παράδειγμα της Φινλανδίας που λέγατε πριν. Τα παιδιά γιορτάζουν, γιατί

μετά από δύο μήνες διακοπών βρήκαν ξανά τους συμμαθητές τους και δασκάλους, που τους αισθάνονται φίλους στη μικρή κοινότητα του σχολείου τους. Αλλά και για τους γονείς η ζωή είναι πιο εύκολη. Όταν εργάζονται και οι δύο μπορούν να αφήσουν το 8 μηνών και άνω παιδί τους στο σχολείο μαζί με τα μεγαλύτερα αδερφάκια του, μέχρι το απόγευμα που τελειώνουν τη δουλειά. Τα σχολεία έχουν σύγχρονες βιβλιοθήκες, εργαστήρια υπολογιστών, κλειστά γυμναστήρια, εστιατόρια με δωρεάν φαγητό, αίθουσες χαλάρωσης. Και, βέβαια, όλη η δουλειά γίνεται μέσα στο σχολείο.

**Θέλετε να πείτε ότι τα παιδιά δεν έχουν διάβασμα για το σπίτι; Μπορείτε να μας εξηγήσετε πώς γίνεται αυτό;**

Μα είναι πολύ απλό. Ό,τι χρειάζεται να ξέρουν τα παιδιά το μαθαίνουν στο σχολείο. Και όσα έχουν ανάγκη για περισσότερη βοήθεια παρακολουθούν το μεσημέρι μια δυο ώρες βοηθητική διδασκαλία. Όταν το απόγευμα οι Φινλανδοί μαθητές πάνε στο σπίτι, αφήνουν την τσάντα με τα βιβλία στο σχολείο. Όλη η υπόλοιπη ημέρα είναι δική τους. Η λέξη «φροντιστήριο» δεν υπάρχει στο λεξιλόγιό τους. Είναι πρώτοι στην Ευρώπη στο διάβασμα εξωσχολικών βιβλίων και τελευταίοι στην τηλεθέαση. Αντίθετα, τα παιδιά στην Ελλάδα τρέχουν από φροντιστήριο σε φροντιστήριο σαν τρελά. Το μόνο που τους μένει μετά, είναι να καθίσουν κουρασμένα μπροστά στην τηλεόραση ή στον υπολογιστή μέχρι να τα πάρει ο ύπνος.

**Ναι, είναι τρομερό αυτό το άγχος, το τρέξιμο για τους βαθμούς...**

Κοιτάξτε. Στη Φινλανδία τα παιδιά έχουν τεστ και εξετάσεις, αλλά όχι για να πάρουν βαθμούς. Το σχολείο θέλει να δει ποιες είναι οι δυσκολίες τους, για να οργανώσει τη βοήθεια που χρειάζεται κάθε παιδί. Τα παιδιά στη Φινλανδία, αλλά και σε πολλές άλλες χώρες, όπως στην Ιαπωνία, στην Κορέα και στον Καναδά, όταν έχουν τεστ μπορούν να έχουν μαζί τους βοηθήματα και λεξικά. Οι παιδαγωγοί τους δεν έχουν κανέναν λόγο να ζητούν απ' τα παιδιά να μάθουν απ' έξω πράγματα που μετά από μερικές εβδομάδες δε θα τα θυμούνται. Αυτό που τους ενδιαφέρει είναι να μάθουν τα παιδιά τους να σκέφτονται, να αγαπήσουν το βιβλίο και να συνεχίσουν να μαθαίνουν μόνα τους.

**Γι' αυτό και έχουν καλύτερα αποτελέσματα, έτσι δεν είναι;**

Πρώτα απ' όλα σχεδόν κανένας μαθητής εκεί δε σταματά το σχολείο, ενώ στη χώρα μας υπάρχουν περιοχές όπου μέχρι και το 30% των μαθητών δεν τελειώνει το Γυμνάσιο. Πολλά από τα σχολεία μας μοιάζουν με γκαράζ αυτοκινήτων, με δασκάλους που βαριούνται τη ζωή τους και με μαθητές που πρέπει να μάθουν απ' έξω ολόκληρα βιβλία, ακόμα κι αν δεν καταλαβαίνουν τίποτα. Εδώ οι οικογένειες που έχουν χρήματα στέλνουν τα παιδιά τους σε πανάκριβα ιδιωτικά σχολεία. Στη Φινλανδία τα παιδιά της πρωθυπουργού, του προέδρου της ΝΟΚΙΑ, της κομμώτριας και του μανάβη της γειτονιάς πάνε στο ίδιο δημόσιο σχολείο. Ένα σχολείο για το οποίο το κράτος δίνει τα διπλάσια ακριβώς λεφτά σε σύγκριση με το δικό μας κράτος. Έτσι, οι Φινλανδοί 15χρονοι μαθητές βρίσκονται στην πρώτη θέση στον κόσμο στην ικανότητα να καταλαβαίνουν αυτό που διαβάζουν και στη δεύτερη θέση στα μαθηματικά, ενώ οι μαθητές στην Ελλάδα, με περισσότερες ώρες διδασκαλίας σε σχέση με τους Φινλανδούς, είναι στην τριακοστή θέση στην ανάγνωση και στην τριακοστή δεύτερη στα μαθηματικά.

**18η ενότητα: Δουλεύω σαν σκυλί...**

**2.4** Αγαπητοί μας ακροατές, καλημέρα σας. Είμαι ο Σταύρος Τσαγκαράκης και όπως κάθε Δευτέρα το «Πάμε για δουλειά» θα σας κρατήσει συντροφιά μέχρι το κεντρικό μεσημεριανό μας δελτίο στις 2:00. Έχουμε συζητήσει πολλές φορές στην εκπομπή μας το πρόβλημα του άγχους κατά τη διάρκεια μιας συνέντευξης για δουλειά. Και όμως, όσες συνεντεύξεις κι αν έχουμε δώσει, όσες προσπάθειες κι αν έχουμε κάνει να διορθώσουμε τα λάθη μας, το σφίξιμο στο στομάχι είναι πάντα το ίδιο.
**Καλωσορίζω, λοιπόν, τη σημερινή μας καλεσμένη, την κυρία Έλενα Αποστόλου, σύμβουλο εργασίας της γνωστής εταιρείας «ΠΛΑΝΟ». Καλημέρα σας, κυρία Αποστόλου.**
Καλή σας μέρα και σας ευχαριστώ για την πρόσκληση.
**Να μπούμε κατευθείαν στο θέμα μας. Μπορείτε να μας προτείνετε κάποιον τρόπο για να διώξουμε την αγωνία σε μια συνέντευξη για πρόσληψη;**
Κοιτάξτε να δείτε. Μαγικές λύσεις σε αυτά τα θέματα δεν υπάρχουν, το έχετε ήδη πει στην εισαγωγή σας. Η συνέντευξη είναι μια σημαντική στιγμή και κάποιο άγχος πάντοτε θα υπάρχει. Είναι απολύτως φυσιολογικό. Και συνήθως δε μας δημιουργεί ιδιαίτερα προβλήματα, αν έχουμε προετοιμάσει τον εαυτό μας για το πώς θα παίξουμε αυτό τον ρόλο.
**Μάλιστα. Εννοείτε ότι πρέπει να έχουμε προσέξει την εμφάνισή μας, για παράδειγμα.**
Φυσικά, αν και δεν είναι αυτό το πιο σημαντικό. Αλλά, ένας λεκές στο πουκάμισο μπορεί να είναι καταστροφικός. Ή μια πολύ νεανική σπορ εμφάνιση σε μια εταιρεία όπου όλοι φορούν κοστούμι ή ταγέρ. Όμως, η πρώτη εντύπωση δε βασίζεται μόνο στο ντύσιμο. Το χαμόγελο την ώρα που μπαίνουμε στην αίθουσα και ο τρόπος που θα χαιρετίσουμε είναι πολύ σημαντικά. Πρέπει να δείχνουν άνθρωπο με εμπιστοσύνη στον εαυτό του.
**Μήπως, όμως, μερικές φορές η πολλή εμπιστοσύνη στον εαυτό μας ενοχλεί αυτόν ή αυτήν που παίρνει τη συνέντευξη;**
Ακριβώς αυτό θα έλεγα. Η υπερβολική άνεση και φιλικότητα δεν κάνει συνήθως καλή εντύπωση. Ένα

απλό παράδειγμα: Μην καθίσετε, αν δε σας πουν να καθίσετε. Είναι σημαντικό, επίσης, να κοιτάτε τον άνθρωπο που έχετε απέναντί σας στα μάτια, αλλά μην το κάνετε σαν να είστε ερωτευμένοι μαζί του. Τονίστε, επίσης, τις ικανότητές σας και την εμπειρία σας, όταν σας κάνουν κάποια σχετική ερώτηση.
**Πολύ σημαντική η παρατήρησή σας. Μερικές φορές ξεκινάμε να μιλάμε για τον εαυτό μας και ξεχνάμε να σταματήσουμε.**
Αυτό είναι ένα σοβαρό λάθος. Να σας δώσω άλλο ένα παράδειγμα. Σας ρωτούν αν θέλετε να καπνίσετε ή σας προσφέρουν τσιγάρο. Καλύτερα να πείτε ένα ευγενικό «όχι, ευχαριστώ». Πρέπει να δείχνουμε ενθουσιασμό στη συνέντευξη, αλλά την ίδια στιγμή χρειάζεται και σοβαρότητα. Να μην ξεχνάμε ότι ο δικός μας ρόλος είναι να δώσουμε τις πληροφορίες που μας ζητούν, όχι να γίνουμε φίλοι, ούτε να πούμε την ιστορία της ζωής μας. Αν δεν είμαστε σίγουροι ότι καταλάβαμε μια ερώτηση, πρέπει να ζητήσουμε να την επαναλάβουν. Μπορούμε, επίσης, να κάνουμε κι εμείς ερωτήσεις σχετικά με τη θέση εργασίας, αλλά με προσοχή. Δε ρωτάμε σε αυτή τη χρονική στιγμή για τον μισθό, το ωράριο, τις διακοπές. Αυτά είναι θέματα που μπορούμε να συζητήσουμε σε μια επόμενη συνάντηση, αν μας επιλέξουν.
Από την άλλη μεριά, δεν πρέπει οι απαντήσεις μας να είναι μονολεκτικές, ένα «ναι», ή ένα «όχι». Φροντίζουμε να εξηγούμε τις απαντήσεις μας και να δίνουμε παραδείγματα για το πώς αντιμετωπίσαμε τη μία ή την άλλη δυσκολία, γιατί διαλέξαμε αυτό και όχι ένα άλλο επάγγελμα... Και πρέπει, τέλος, να θυμόμαστε ότι αυτός που παίρνει τη συνέντευξη είναι ένας έμπειρος επαγγελματίας, έχει πάρει δεκάδες άλλες συνεντεύξεις και μπορεί να καταλάβει πότε λέμε ψέματα...
**Μερικές φορές, επίσης, είναι ένας άνθρωπος επιθετικός, που μας φέρνει σε δύσκολη θέση...**
Βεβαίως. Πρέπει να γνωρίζουμε ότι αυτό δε σημαίνει ότι είναι εναντίον μας ή ότι θέλει να μας δείξει πως δεν είμαστε ικανοί γι' αυτή τη θέση. Τις περισσότερες φορές είναι απλώς μια τακτική, ώστε να δει αν μπορούμε να αντιμετωπίσουμε δύσκολα ζητήματα. Κάποιες συχνές ερωτήσεις είναι: «Γιατί αφήσατε την προηγούμενη δουλειά σας;» ή «Γιατί σας απέλυσαν;». Και φυσικά είναι πολύ σοβαρό λάθος να μιλήσει κανείς άσχημα για προηγούμενο εργοδότη σε μια συνέντευξη. Σε καμία περίπτωση δεν πρέπει να γίνουμε κι εμείς επιθετικοί. Ακόμα κι αν αισθανόμαστε ότι η συνέντευξη δεν πήγε καλά, πρέπει στο τέλος να μην ξεχάσουμε να ευχαριστήσουμε τον άνθρωπο που μας πήρε τη συνέντευξη για τον χρόνο που μας έδωσε.
**Πολύ ωραία. Μετά από ένα σύντομο διαφημιστικό διάλειμμα θα ζητήσουμε από την κυρία Αποστόλου να μας πει πώς θα απαντούσε η ίδια σε τρεις δύσκολες ερωτήσεις που μπορεί να γίνουν σε μια συνέντευξη. Μείνετε λοιπόν μαζί μας.**

# παράρτημα

## 19η ενότητα: Είναι πολύ της κουλτούρας

**2.3** **Γρηγόρης**: Καλησπέρα, αγαπητές φίλες και αγαπητοί φίλοι, και καλώς ήρθατε στις «Εικόνες». Όπως κάθε Τετάρτη, έτσι και σήμερα θα σας παρουσιάσουμε, μαζί με τη Μαριάννα Τζαφού, μερικές από τις πιο σημαντικές ταινίες που θα μπορείτε να παρακολουθήσετε από αύριο στους κινηματογράφους της Θεσσαλονίκης. Καλησπέρα, Μαριάννα.

**Μαριάννα**: Καλησπέρα, Γρηγόρη. Τι λες να ξεκινήσουμε με την καινούρια ταινία του Κώστα Γαβρά;

**Γρηγόρης**: Φυσικά. Ο *Παράδεισος στη Δύση* είναι μια ελληνογαλλική ταινία που περιμένουμε με ανυπομονησία να δούμε. Ποιο είναι, λοιπόν, το θέμα;

**Μαριάννα**: Πρόκειται για την οδύσσεια ενός μετανάστη, του Ηλία, που ονειρεύεται να φτάσει στο Παρίσι. Το πλοίο που μεταφέρει τον Ηλία, μαζί με πολλούς άλλους μετανάστες, πέφτει σε μπλόκο του λιμενικού. Εκείνος όμως βουτάει στη θάλασσα και καταφέρνει να βγει σε μια ακτή της Κρήτης. Έχει διάφορες περιπέτειες καθώς προσπαθεί να συνεχίσει το ταξίδι του προς το Παρίσι, τον δικό του «παράδεισο».

Ο Κώστας Γαβράς, που κάποτε είχε κάνει κι αυτός το μεγάλο ταξίδι ως μετανάστης από την Ελλάδα στο Παρίσι, βάζει τον ήρωα της ταινίας του να προσπαθεί να φτάσει ως εκεί: σε ένα Παρίσι που είναι η ελπίδα για μια καλύτερη ζωή.

**Γρηγόρης**: Και, εμένα προσωπικά, Μαριάννα, μου φάνηκε μια πολύ ξεχωριστή ταινία. Γιατί, μπορεί η μετανάστευση να έχει γίνει θέμα αρκετών ταινιών μέχρι σήμερα, όμως ο Γαβράς το βλέπει με μια ματιά διαφορετική. Μια ματιά που φυσικά εξακολουθεί να είναι κριτική και πολιτική, αλλά χωρίς τα συνηθισμένα κλισέ, χωρίς υπερβολικούς συναισθηματισμούς, γεμάτη χιούμορ, λεπτή ειρωνεία, μια ματιά ελπιδοφόρα. Το ταξίδι του Ηλία δεν είναι μόνο η διαδρομή του από τα παράλια της Ελλάδας στις όχθες του Σηκουάνα. Είναι περισσότερο η επαφή και οι σχέσεις του με τους ανθρώπους που βρίσκει στον δρόμο του, τα μικρά μαθήματα που δίνουν σ' εκείνον (αλλά και σ' εμάς) αυτές οι συναντήσεις.

**Μαριάννα**: Αυτό ακριβώς θα ήθελα να τονίσω κι εγώ. Η ταινία αυτή του Κώστα Γαβρά ρίχνει μια κωμική και κριτική ματιά στη σύγχρονη ευρωπαϊκή πραγματικότητα. Ο σκηνοθέτης, αν και παρουσιάζει τα άσχημα γυρίσματα της τύχης, δε θέλει να βαρύνει το κλίμα, δε θέλει να κάνει μελόδραμα. Μέσα από αρκετές αστείες στιγμές προσπαθεί να κάνει τους Ευρωπαίους να γελάσουν με τον κακό εαυτό τους. Είναι μια πολύ συγκινητική και δυνατή ταινία.

**Γρηγόρης**: Ας περάσουμε, λοιπόν, στη δεύτερη ταινία που έχουμε να σας παρουσιάσουμε απόψε: *Το κύμα*.

**Μαριάννα**: Βεβαίως. Να πούμε, για την ιστορία, ότι η ταινία του Ντένις Γκένσελ βασίζεται στο βιβλίο με τον ίδιο τίτλο που ο Μόρτον Ρου είχε γράψει το

1988. Ο Ράινερ Βένγκερ, καθηγητής Λυκείου με αναρχικό παρελθόν και μοντέρνες ιδέες για την εκπαίδευση, αναλαμβάνει, στο μάθημα της Πολιτικής Θεωρίας, να διδάξει τους μαθητές του για την τυραννία. Για να κάνει το μάθημα πιο ενδιαφέρον, ξεκινά με τα λόγια ενός μαθητή του, πως «δεν μπορεί σήμερα να υπάρξει ξανά φασισμός». Ο Ράινερ σκέφτεται ένα παιχνίδι ρόλων: αναλαμβάνει τον ρόλο του αρχηγού και οι μαθητές του τον ρόλο εκείνων που τον ακολουθούν. Οι τελευταίοι ενθουσιάζονται με την ιδέα του παιχνιδιού. Δίνουν στη μικρή κοινωνία τους το όνομα «Το κύμα», φορούν όλοι την ίδια στολή, δημιουργούν έναν κοινό χαιρετισμό και ένα σήμα που το ζωγραφίζουν σε όλη την πόλη. Όλοι ακολουθούν τους ίδιους κανόνες.

**Γρηγόρης**: Ναι, αυτό είναι το εντυπωσιακό. Τα παιδιά και ο καθηγητής, μέσα σε λίγες μόνο μέρες, δημιουργούν μια ελίτ αλλά και μια ομάδα ίσων. Ο Μάρκο, γιος διαλυμένης οικογένειας, είναι ίσος με τον πλούσιο συμμαθητή του. Η ντροπαλή Λίζα είναι ίση επιτέλους με τα άλλα κορίτσια. Ο Τιμ, που βρισκόταν πάντα στο περιθώριο, μπαίνει επιτέλους στο κέντρο και αισθάνεται χρήσιμος. Ο Ντένις, που ασχολείται με το θέατρο και ψάχνει ένα νόημα στη ζωή του, βρίσκει έναν καινούριο δρόμο. Ένας μαθητής τουρκικής καταγωγής είναι ίσος με τον Γερμανό. Μόνο που, αν για τα μέλη της ομάδας όλα φαίνονται σωστά, όσοι βρίσκονται απ' έξω βλέπουν αυτό το παιχνίδι με αγωνία και φόβο. Πρώτες πρώτες, η σύζυγος του Ράινερ, κι αυτή καθηγήτρια στο ίδιο σχολείο, αλλά και η νεαρή Κάρο, το κορίτσι του Μάρκο, που την έδιωξαν από την ομάδα, γιατί δε θέλησε να φορέσει το ίδιο λευκό πουκάμισο με τους υπόλοιπους. Η Κάρο παλεύει τώρα να δείξει στους συμμαθητές της πόσο επικίνδυνες είναι οι ιδέες τους. Κανείς όμως δεν μπορεί να σταματήσει το «Κύμα» και την καταστροφή που φέρνει μαζί του...

*(στοιχεία από Lifo, 13/11/2008 & 19/02/2009)*

## 20ή ενότητα: Πάμε πάλι!

**3** **Ιωάννα**: Το επόμενο θέμα μας αναφέρεται σε μια πρόσφατη έρευνα του Παιδαγωγικού Ινστιτούτου, σχετικά με τα αισθήματα των μαθητών για το σχολείο. Θα μας βοηθήσεις, Δημήτρη, να εντοπίσουμε τα πιο σημαντικά στοιχεία της έρευνας;

**Δημήτρης**: Θα προσπαθήσω. Είναι, πράγματι, πολύ ενδιαφέροντα, αλλά και πολύ ανησυχητικά αυτά που αισθάνονται και πιστεύουν τα παιδιά για το σχολείο τους. Πρώτ' απ' όλα, δηλώνουν ότι καθημερινά νιώθουν κουρασμένα εξαιτίας του προγράμματός τους, αφού μετά τα μαθήματα του σχολείου έχουν τα φροντιστήρια και τις ξένες γλώσσες, που διαρκούν συχνά μέχρι αργά το βράδυ. Μεγάλο ποσοστό μαθητών θεωρεί ιδιαίτερα βαρετό το σχολείο, το περιεχόμενο των μαθημάτων και τον τρόπο διδασκαλίας.

**Ιωάννα**: Θα σας διαβάσω τι ακριβώς λένε ορισμένοι από τους μαθητές που πήραν μέρος στην έρευνα: «Αισθάνομαι βαρεμάρα και πίεση. Αύριο είναι η πρώτη μέρα στο σχολείο, λένε. Ποια πρώτη μέρα; Εμείς δε σταματήσαμε το σχολείο καθόλου. Μέχρι τον Αύγουστο κάναμε φροντιστήρια» αναφέρει η Χαρά, μαθήτρια της Γ΄ τάξης του Λυκείου. Και η συμμαθήτριά της, η Ζωή, συμπληρώνει: «Βεβαίως. Έτσι μέχρι τον Φεβρουάριο θα έχουμε τελειώσει ό,τι χρειάζεται να διαβάσουμε και μετά θα αρχίσουμε επαναλήψεις. Πολλές επαναλήψεις. Θέλω να πέσει έκθεση με θέμα: "Η σημασία της επανάληψης". Θα γράψω μόνο μια λέξη: "βαριέμαι, βαριέμαι, βαριέμαι". 600 φορές "βαριέμαι". Στο φροντιστήριό μας είπαν ότι μια καλή έκθεση είναι περίπου 600 λέξεις».

**Δημήτρης**: Χαρακτηριστικά είναι και τα λόγια του Αντώνη για την πρώτη μέρα στο σχολείο: «Άντε, ν' αρχίσει το σχολείο, δεν υπάρχει τίποτα καλύτερο από τον ύπνο στο θρανίο – η φωνή του καθηγητή της Ιστορίας είναι καλύτερη κι από τα παραμύθια της γιαγιάς».

**Ιωάννα**: Εκτός από τη βαρεμάρα όμως, υπάρχει και το άγχος. Ακούστε τι λέει ο Τάκης: «Φέτος νιώθω τρομερό άγχος για την πρώτη μέρα. Οι γονείς μου μου είπαν ότι πρέπει να σταματήσω το μπάσκετ και να διαβάζω μέρα νύχτα. Το μπάσκετ είναι η μόνη μου διασκέδαση, δεν μπορώ να το κόψω. Είναι σαν να αναγκάζεις έναν καπνιστή να μην καπνίζει για εννιά μήνες. Τώρα που το σκέφτομαι προτιμώ να κόψω το τσιγάρο. Θα κάνω και οικονομία».

**Δημήτρης**: Αρκετοί μαθητές τονίζουν πως ο ανταγωνισμός είναι ένα από τα χειρότερα πράγματα στο σχολείο. Οχτώ στους δέκα πιστεύουν ότι οι καθηγητές τούς ξεχωρίζουν σε «καλούς» και «κακούς». «Με ενοχλεί το ότι το μόνο πράγμα που κάνουμε στο σχολείο είναι να κυνηγάμε τους βαθμούς. Να τα έχεις καλά με τους καθηγητές, για να πάρεις μισό βαθμό παραπάνω από τους άλλους. Γι' αυτό ζούμε» λέει ο Χρήστος. Και η Σοφία συμπληρώνει: «Εμένα ακόμα περισσότερο με πειράζουν οι συμμαθήτριές μου που συναγωνίζονται ποια θα έρθει πιο τρέντι, τι θα φορέσει η καθεμιά, πώς θα φτιάξει τα μαλλιά της, τι θα πει για τις διακοπές της. Αυτό δεν είναι σχολείο, είναι πασαρέλα. Πέρυσι, όλες οι φίλες μου ήταν στη Μύκονο και τις έδειξε το δελτίο ειδήσεων του STAR. Το συζητούσαν από τον Σεπτέμβριο μέχρι τα Χριστούγεννα. Τι να πω εγώ; Στη Σαλαμίνα δεν πατάει κανένα κανάλι...».

**Ιωάννα**: Η κατάσταση, όμως, δεν είναι καθόλου ευχάριστη και για τους ίδιους τους εκπαιδευτικούς, οι οποίοι νιώθουν ότι απλώς συμπληρώνουν τη δουλειά που κάνουν τα φροντιστήρια. «Έχουμε ένα σχολείο που προετοιμάζει για το Πανεπιστήμιο. Ούτε οι καθηγητές ούτε οι γονείς ενδιαφέρονται για το αν μαθαίνουν και τι μαθαίνουν τα παιδιά. Αρκεί να έχουν αύριο μια θέση στο Πανεπιστήμιο» λέει η κυρία Καραγιάννη, φιλόλογος στο 1ο Λύκειο Αλίμου. Οι γονείς, από την άλλη μεριά, συνεχίζουν να πιέζουν τα παιδιά τους για καλύτερους βαθμούς και να πληρώνουν ακριβά για την εκπαίδευσή τους. Και όλα αυτά, για ένα σχολείο όπου οι δύο στους τρεις μαθητές αισθάνονται κούραση, πίεση, άγχος και βαρεμάρα. Είναι χαρακτηριστικό ότι, σύμφωνα με τα στοιχεία του Παιδαγωγικού Ινστιτούτου, μόλις το 20% των μαθητών δηλώνει ότι αισθάνεται χαρά και δημιουργικότητα στο σημερινό ελληνικό σχολείο.

(στοιχεία από: *Μακεδονία*, 15-03-2009 και *Έψιλον*, 2-09-2007, με αλλαγές)

**4** **Απολύομαι και τρελαίνομαι**
Το επόμενο θέμα μας, αγαπητοί φίλοι, σχετίζεται με τη σημαντικότερη μάλλον συνέπεια της οικονομικής κρίσης. Μιλάμε, βέβαια, για την ανεργία, και ειδικά για τη γυναικεία ανεργία. Σε έναν κόσμο που βασίζεται στην απασχόληση, το να χάσεις την εργασία σου είναι κάτι περισσότερο από οικονομικό πρόβλημα. Σημαίνει συχνά ντροπή και συναισθηματικό αδιέξοδο.

Αρκετές από τις γυναίκες που συναντήσαμε γι' αυτό το ρεπορτάζ δε θέλησαν να δείξουν το πρόσωπό τους. Κι αυτό, γιατί η εργασία δημιουργεί την ταυτότητά μας στην κοινωνία. Έτσι, μια μητέρα μόνη με μια καλή δουλειά αποτελεί ένα θετικό πρότυπο. Αντίθετα, η μόνη άνεργη μητέρα ανήκει στις «προβληματικές περιπτώσεις».

Ωστόσο, όπως φαίνεται, μετά το πρώτο σοκ, πολλές γυναίκες, άτυχες στον επαγγελματικό τομέα, μέσα από την ανάγκη ανακάλυψαν πάλι τον εαυτό τους και την αξία των σχέσεων. Μια χαμένη δουλειά μπορεί να είναι η πόρτα που θα σε οδηγήσει σε ένα ξεχασμένο όνειρο, στο πραγματικό σου ταλέντο, στην επόμενη εργασία που επιλέγεις εσύ και όχι σε εκείνη που σε επιλέγει.

Η Εβίνα Πρεβερουδάκη, υπεύθυνη δημοσίων σχέσεων σε μια εταιρεία, έχασε τη δουλειά της στις 15 Νοεμβρίου. «Δούλευα επί τρία χρόνια στη συγκεκριμένη εταιρεία καλλυντικών με έναν καλό μισθό. Θεωρούσα ότι πήγαινε καλά, τουλάχιστον ως προς τα οικονομικά. Όταν έμαθα για την απόλυσή μου, έπεσα από τα σύννεφα. Δεν πίστευα ότι η εταιρεία θα αποφάσιζε κάτι τέτοιο, αφού ήμουν το μοναδικό άτομο στο συγκεκριμένο τμήμα. Μου είπαν ότι έπρεπε να προχωρήσουν σε μείωση προσωπικού, σε πρώτη φάση των ατόμων που έκριναν ότι ήταν τα λιγότερο απαραίτητα.

Ευτυχώς, οικονομικά δεν είχα κάνει σημαντικά ανοίγματα με δάνεια, πιστωτικές κάρτες κτλ. Επιπλέον, ζω με τον σύζυγό μου που μπορεί να με στηρίξει αυτή την περίοδο, χωρίς αυτό να σημαίνει ότι δεν αλλάζει το επίπεδο ποιότητας ζωής. Βέβαια, από την πρώτη μέρα βρίσκομαι σε αναζήτηση για το τι θα κάνω επαγγελματικά. Πάντως, αισθάνομαι ότι είναι μια πολύ καλή ευκαιρία να δουλέψω ανεξάρτητα, ως ελεύθερος επαγγελματίας».

Η Ειρήνη Βιντζηλαίου, 25 ετών, δούλευε σε μια εταιρεία στη Βαρκελώνη. Την έδιωξαν τον περασμένο Δεκέμβριο. «Έχασα τη δουλειά μου μέσω e-mail που έλεγε: "Θα ακολουθήσεις το όραμά μας στην Ινδία; Αν όχι, η σύμβασή σου λήγει στις 31 Δεκεμβρίου". Η απάντησή μου ήταν «όχι». Αρχικά μου είπαν ότι σχεδιάζουν να με κρατήσουν. Μου πρότειναν να πάω στο γραφείο της Ινδίας, χωρίς αύξηση μισθού, και να τους βοηθήσω με τα προγράμματά τους εκεί.

Αυτή τη στιγμή η εταιρεία, από εκατόν είκοσι άτομα που απασχολούσε όταν έγινε η πρόσληψή μου, έχει μείνει με περίπου δέκα!

Όταν με έδιωξαν, παρ' όλο που το περίμενα, ένιωσα άγχος. Έμεινα έναν μήνα χωρίς μισθό. Δεν είχα χρήματα ούτε για το ενοίκιο. Οι επιλογές μου ήταν συγκεκριμένες: ή να μείνω άστεγη ή να γυρίσω πίσω στην Ελλάδα ή να βρω μια προσωρινή δουλειά για να ζήσω και στην πορεία βλέπουμε. Αυτή τη στιγμή εργάζομαι ως πωλήτρια σε ένα μαγαζί με ρούχα στη Βαρκελώνη. Απίστευτα βαρετό και με πολύ πιο χαμηλό μισθό από πριν. Η θεωρία μου πλέον είναι ότι με όλα αυτά τα προβλήματα μαθαίνεις να ζεις με λιγότερα και να εκτιμάς και τα πιο μικρά πράγματα».

Η Βάσω Παπαθεοδώρου, 33 ετών, ήταν υπεύθυνη μάρκετινγκ στον χώρο του κινηματογράφου. Αρχικά της πρότειναν μείωση μισθού και όταν είπε όχι, της έδειξαν την πόρτα της εξόδου. «Μία εβδομάδα πριν από τα Χριστούγεννα έδιωξαν μια μεγάλη ομάδα εργαζομένων. Στη συνέχεια, μου ανακοίνωσαν ότι,

αν θέλω να συνεχίσω, πρέπει να εργάζομαι με λιγότερα χρήματα. Αλλά εγώ δε θέλησα ούτε να το συζητήσω έπειτα από οχτώ χρόνια στην εταιρεία. Κι έτσι, έπρεπε να αποχωρήσω. Ήταν μια πολύ δύσκολη κατάσταση. Ζήτησα τουλάχιστον να τακτοποιήσω πρώτα κάποια ανοιχτά θέματα, αλλά μου απάντησαν ότι θα φροντίσει κάποιος άλλος για αυτά.

Σε πρώτη φάση ένιωσα περίεργα. Τελικά, μάλλον μου έφυγε ένα βάρος. Είχα πάψει να βλέπω προοπτική και ήμουν κουρασμένη από τον ανταγωνισμό που υπάρχει στον χώρο. Για αυτό δεν άρχισα αμέσως να ψάχνω για άλλη δουλειά. Στο μέλλον θα ήθελα να κάνω κάτι ανάλογο. Μακάρι να είναι κάτι δικό μου. Σκέφτομαι ότι κάθε εμπόδιο είναι για καλό».

Η Άννα, 31 ετών, διακοσμήτρια, δε θέλησε να δώσει τα στοιχεία της. «Δούλευα περίπου δέκα χρόνια σε ένα αρχιτεκτονικό γραφείο, που αναλάμβανε τη διακόσμηση τραπεζών. Είμαι από τους πρώτους που έμειναν χωρίς δουλειά, πριν από τρεις μήνες, γιατί και οι τράπεζες περιόρισαν τις δραστηριότητες αυτού του είδους. Η αλήθεια είναι ότι το περίμενα. Είχαμε περάσει παρόμοια κρίση και κατά τη διάρκεια των Ολυμπιακών αγώνων. Μου έδωσαν έναν μήνα περιθώριο, για να μπορέσω να βρω κάποια άλλη δουλειά. Κακά τα ψέματα, όταν έχεις συνηθίσει σε ένα άλφα σταθερό εισόδημα, δύσκολα προσαρμόζεσαι στα λιγότερα. Αλλά τελικά αναγκάζεσαι. Τώρα πια ασχολούμαι με το κόσμημα. Περνάω πολλές ώρες στο εργαστήριό μου και νιώθω καλά».

(Το Βήμα της Κυριακής, 24/02/2009, με αλλαγές)

# Γ. Λύσεις ασκήσεων

## 1η ενότητα: Αφήστε το μήνυμά σας

**1** **Σωστό:** 1, 4, 5  **Λάθος:** 2, 3, 6, 7

**2** σπίτι, ετοιμάζει, τη Σοφία, λάθος, κινητό, το Σάββατο το βράδυ, καφενείο του πατέρα του, τηλεφωνεί, αφήνει μήνυμα, το πει στον Πάμπλο και στα άλλα παιδιά

**6** **Σωστό:** 1, 2, 4, 7, 10, 11, 13  **Λάθος:** 3, 5, 6, 8, 9, 12, 14, 15

**8** **Σωστό:** 1, 3, 4, 6, 8  **Λάθος:** 2, 5, 7

**10** 1β, 2α, 3α, 4α, 5α

**11** 1. ο παππούς μου, 2. ο θείος μου, 3. η γιαγιά μου, 4. τα εγγόνια μου, 5. ο ξάδερφός μου, 6. η ανιψιά μου

**14** Ο Φοίβος κάλεσε στο πάρτι τη Σοφία, την Όλγα, τον Αντρέα, τον Νίκο, τους μαθητές του Νίκου, τους φίλους του πατέρα του, τους θείους και τις θείες του, μερικούς φίλους και μερικές φίλες από τη Σχολή, δύο καθηγητές του, τους ξάδερφούς του και τις ξαδέρφες του.

**15** 1. Ο Παναγιώτης δε χαιρέτησε τη Σοφία.
2. Η Σοφία ήρθε με έναν φίλο της.
3. Η Όλγα μάλωσε με τον Αντρέα.
4. Ο ξάδερφός του δε βρήκε την οδό Μπότσαρη.
5. Ο Αντρέας έφυγε από το πάρτι χωρίς την Όλγα.
6. Ο Νίκος δεν κάλεσε τον Πάμπλο.
7. Η Αρλέτα έχασε την τσάντα της.
8. Η θεία του δεν έφερε την τούρτα
9. Οι γείτονες φώναξαν την αστυνομία.
10. Ο Παναγιώτης πήρε τηλέφωνο τη δικηγόρο του.

**16** 1.α, 2.γ, 3.β, 4.β, 5.γ, 6.α, 7.α, 8.β, 9.α, 10.γ, 11.β, 12.γ

**17** 1. οι φίλοι, 2. οδηγώ, 3. καλό, 4. λεωφορείο, οδηγό, 5. τηλέφωνο, Γράφεις, 6. καλώ, διεύθυνσή, όροφο, 7. αδερφοί, καιρός, ρωτάω, ταχυδρόμο, γράφω, ανιψιό.

**19** 1. Εσένα, 2. Εμένα, 3. εσένα, 4. αυτούς, 5. αυτόν, 6. αυτήν

**20** 1. εσένα, 2. αυτούς, 3. εμάς, αυτές, 4. εσάς, 5. αυτόν, 6. εμένα, εσάς, 7. αυτήν, εμένα, 8. αυτούς

**21** 1. Εμένα φώναξαν, όχι εσένα.
2. Αυτόν σκέφτομαι, όχι αυτήν.
3. Εσένα ακούω, όχι αυτούς.
4. Αυτήν κάλεσα, όχι αυτόν.
5. Θέλω να βοηθήσω εσάς, όχι αυτές.
6. Εμάς ρώτησαν, όχι εσάς.

**22** 1.β, 2.γ, 3.β, 4.α, 5.β, 6.α, 7.γ, 8.γ, 9.β, 10.α.

**23** α.11, β.1, γ.9, δ.19, ε.7, στ.3, ζ.16. η.4, θ.13, ι.18, ια.15, ιβ.6

**25** 1.β, 2.β, 3.β, 4.α, 5.α, 6.α

## 2η ενότητα: Σπίτι μου σπιτάκι μου

**1** ιδιοκτήτης, σπιτιού, Μελέκ, βγάζει, σωλήνας, κουζίνας, τη ζημιά, να φτιάξει τη ζημιά, με τον Σύλλογο Ενοικιαστών και θα τα πούνε ξανά

**5** 1. Το, –, 2. ένας, το, 3. Ο, –, 4.–, 5.–, 6.–, 7. Ο, 8. Ένα, 9. το, 10. ένα, 11. ο, 12.–

**6** 1.γ, 2.β, 3.β, γ, 4.γ, 5.β, 6.β, 7.γ, 8.α

**8**

| | 1ο | 2ο | 3ο | 4ο | 5ο |
|---|---|---|---|---|---|
| 1. | | | | | |
| 2. | | | ✓ | | |
| 3. | | | | | ✓ |
| 4. | ✓ | | | | |
| 5. | | ✓ | | ✓ | |
| 6. | | | | | ✓ |
| 7. | | | | | ✓ |
| 8. | | ✓ | | | |
| 9. | | | | | |

**9** 1.ε, 2.α, 3.θ, 4.β, 5.γ, 6.ι

**11** 1. Εμένα μου φωνάζει συνέχεια. Εσένα σου μιλάει ευγενικά.
2. Εμάς μας αρέσει αυτή η μουσική. Εσάς δε σας αρέσει;
3. Εμένα μου μίλησαν άσχημα. Εσένα;
4. Εμάς μας κόστισε ακριβά η μετακόμιση. Εσάς;
5. Αυτού του αρέσουν τα διαμερίσματα. Αυτής της αρέσουν οι μονοκατοικίες.
6. Αυτών τους αγόρασε δώρο. Εμάς όχι.
7. Αυτής της έδωσα το τηλέφωνό σου. Αυτού δεν του το έδωσα.
8. Εσένα σου χρειάζεται το αυτοκίνητο σήμερα. Εμάς όχι.

**12** **Σωστό:** 4, 5, 6, 7, 9  **Λάθος:** 1, 2, 3, 8, 10

**14** 1. δικά σας, δικά μου, 2. τα δικά της, τα δικά μας, 3. τα δικά μου, τα δικά σου, 4. το δικό μου, το δικό μου, το δικό σου, 5. τους δικούς του, 6. το δικό της

**15** το δικό του, το δικό της, τα δικά του, τα δικά της, το δικό μας, του Σαββατοκύριακου, της υπόλοιπης εβδομάδας, της αδερφής μου, της μαμάς, τα δικά μου, του μπαμπά, της καινούριας γυναίκας, τα δικά μας, του καινούριου άντρα

**16** 1. ποιανού, της Ειρήνης, 2. ποιανού, δικά μας, του Κώστα, του Πέτρου, 3. Ποιανού, του γείτονα, 4. ποιανού, του Καβάφη, 5. Ποιανού, Του γιου μου

**17** 1. Ο δικηγόρος μου, 2. στους δρόμους, της γειτονιάς, 3. τους γείτονές μας, τους γνώρισα. 4. το διαμέρισμά τους, τους ρώτησα, 5. χαιρετίσματα, τους βλέπω, 6. κουρασμένη

**18** 1, 9, 4, 12, 2, 5, 8, 15, 6, 14, 3, 10, 13, 7, 11

**20** 1. Άσ' τα, 2. πάντως, 3. Όπως νομίζεις, 4. δε νομίζεις; Έλα τώρα, 5. Τι να σας πω, Μα τι λέτε;

**22** 1.γ, 2.β, 3.β, 4.α, 5.γ, 6.γ.

## 3η ενότητα: Είχε τέτοια κίνηση!

**1** Σωστό: 2, 4, 6, 7 **Λάθος**: 1, 3, 5, 8, 9, 10

**3** 1. το ίδιο, άλλο, 2. μόνος/μόνη σας, το ίδιο, άλλα, 3. άλλο, 4. άλλο

**4** 1. – Θα έρθει ο Πέτρος μαζί σου;
– Όχι, θα πάω μόνος μου / μόνη μου.
2. – Θα σας πάρουν οι γονείς σας από το αεροδρόμιο;
– Όχι, θα έρθουμε μόνοι μας / μόνες μας.
3. – Θα ετοιμάσει η Αλίκη τις βαλίτσες των παιδιών;
– Όχι, θα τις ετοιμάσουν μόνα τους.
4. – Θα ταξιδέψεις κι εσύ με τις αδερφές σου;
– Όχι, θα ταξιδέψουν μόνες τους.
5. – Θα φύγουμε με τον Κώστα και τον Γιάννη για την Πάτρα;
– Όχι, αυτοί θα φύγουν μόνοι τους.

**5** το λεωφορείο, ρωτάει την οδηγό, θα της πει αυτή πότε είναι, τη στάση του 608, θα τη δει απέναντι, ότι έχασε τον δρόμο, έρθει να την πάρει από τη στάση.

**8** 1. παίρνω, 2. πέρασε, πέρασαν, 3. περνάμε, 4. παίρνεις, 5. περνούν/περνάνε, 6. περνάει, 7. Παίρνετε, 8. περάσω, πάρω, 9. παίρνεις

**9** 1. Γιατί είχε κι άλλον πελάτη μέσα και δεν ήξερε αν η διαδρομή βολεύει.
2. Γιατί τη ρώτησε πώς πάνε στο Σύνταγμα και για την Ντιάνα ήταν η πρώτη φορά στην Αθήνα.
3. Πιστεύει ότι τα έχει όλα, είναι κοντά στο Πανεπιστήμιο, έχει συχνές συγκοινωνίες και είναι πολύ ζωντανή περιοχή. Το αρνητικό είναι ότι δεν έχει κανένα πάρκο κοντά στο σπίτι της.

**11** 1. Τόσα, 2. Τέτοιο, 3. τόση, 4. τόσα, 5, Τέτοιες, 6. τόσες, τέτοια, 7. τέτοιους, τόσα, 8. τόσο

**12** 1. κανένα, 2. καμιά, 3. κανέναν, 4. τίποτα, 5. κανένα, καμία, 6. καμιά, καμιά

**13** 1. Γνώρισα κάποιους καινούριους φίλους.
2. Είδα κάποιες πολύ καλές ταινίες.
3. Διάβασα κάποια ωραία βιβλία.
4. Είχα πρόβλημα με κάποιον συνάδελφο.
5. Ταξίδεψα με κάποιες φίλες μου.
6. Κάποιοι γνωστοί μου έχασαν τη δουλειά τους.
7. Έκλεψαν το αυτοκίνητο κάποιων φίλων μου.
8. Πήρε φωτιά το σπίτι κάποιου γείτονα.

**16** α.11, β. 9, γ. 16, δ. 19, ε.2, στ.10, ζ.12, η.6, θ.18, ι.14

**19** Σωστό: 1, 3, 5, 9, 11 **Λάθος**: 2, 4, 6, 7, 8, 10, 12, 13, 14

**20** 1. μπανάνα – μπανανιά
2. πανί – πανιά
3. μανταρίνι – μανταρίνια
4. ένα – εννιά
5. χρόνοι – χρόνια
6. χαλί – χαλιά
7. γυαλί – γυαλιά

8. έλα – ελιά
9. γυάλα – γυαλιά
10. σκάλα – σκαλιά
11. σχολείο – σχολειό
12. γέλα – γέλια
13. σκύλοι – σκυλιά
14. καλά – κιάλια
15. άλλους – παλιούς
16. δουλεία – δουλειά
17. πορτοκάλι – πορτοκάλια
18. μήλα – μηλιά
19. φίλα – φιλιά
20. βιβλίο – βιβλία

**21**

| [i] | [x̄] | [j] | [ĩ] | [mñ] | [ñ] |
|---|---|---|---|---|---|
| μία | τέτοιος | γυαλιά | γυαλιά | μια | νιώθω |
| δρομολόγιο | κάποιος | ίδιος | ήλιος | καμιά | εννιά |
| δρομολόγια | σπίτια | μαγαζιά | ελιά | | σαλόνια |
| κτίριο | ίσια | γιατρός | | | |
| σχέδια | μάτια | άδειος | | | |
| βιβλία | αλήθεια | γιαγιά | | | |
| δύο | πιάνω | δυο | | | |
| | | παιδιά | | | |
| | | διώχνω | | | |
| | | βιάζομαι | | | |
| | | μεριά | | | |
| | | Ντιάνα | | | |
| | | διαδρομή | | | |
| | | πόδια | | | |

**23** 1.α, 2.β, 3.β, 4.α, 5.β

**24** μόνος, άλλο, Παίρνεις, κάποιες, τόση, το ίδιο, καμιά, καμιά, Η άλλη

## 4η ενότητα: Είναι πανάκριβα!

**1** Σωστό: 4, 5, 7 **Λάθος**: 1, 2, 3, 6, 8, 9

**5** 1. του πορτοκαλιού, 2. του χρυσού, 3. της σοκολάτας, 4. της θάλασσας, 5. του καφέ, 6. της κανέλας, 7. του βύσσινου

**6** 1. σοκολατί, 2. σταχτί, 3. λεμονί, 4. μουσταρδί, 5. μελί, 6. ασημί

**7** 1. Ο Φίλιππος φοράει συχνά τέτοιες φαρδιές μπλούζες.
2. Τα καλοκαίρια κολυμπάμε στα βαθιά, πεντακάθαρα νερά της Ιθάκης.
3. Η Δήμητρα αποφάσισε να κόψει τα ξανθά, μακριά μαλλιά της.
4. Στο πρόσωπό του είχε ένα πλατύ χαμόγελο.
5. Έβγαλε από την τσέπη της τον πορτοκαλί αναπτήρα.
6. Έφτιαξα ένα πολύ ελαφρύ γλυκό. Θέλεις να δοκιμάσεις;
7. Δεν ξαναείδα ποτέ έναν τόσο βαθύ ποταμό.
8. Τελείωσε η περίοδος των παχιών αγελάδων.

**8** 1. οι φαρδιές, 2. θαλασσί, 3. βαθιά, 4. τα ελαφριά, 5. μακρύ, 6. βαριές, 7. φαρδιά, 8. το σταχτί, 9. χρυσαφιά, 10. πλατύς, 11. βαριά, 12. κανελιές/κανελί.

# Γ. Λύσεις ασκήσεων

**11**
1. Η Μαρίνα βρίσκεται στο καφενείο του Παναγιώτη.
2. Όχι, η Μαρίνα είδε τον Παναγιώτη την περασμένη εβδομάδα.
3. Η Μαρίνα αγόρασε τα παπούτσια από το Μοναστηράκι και έδωσε εκατό ευρώ.
4. Όχι, η Μαρίνα πιστεύει ότι η τιμή των παπουτσιών δεν ήταν λογική, ήταν πολύ ακριβή.
5. Ο Παναγιώτης την προηγούμενη μέρα πήγε στο σούπερ μάρκετ και αγόρασε κάποια πράγματα.
6. Ο Παναγιώτης πλήρωσε για τα ψώνια του τριάντα ευρώ.
7. Η Μαρίνα είναι βιαστική, γιατί πρέπει να αγοράσει τροφή για το σκυλί της, την Κούκλα.

**13** Σωστό: 2,3, 8,11, 14, 16 **Λάθος:** 4, 6, 7, 9, 12, 13, 15
Δεν Αναφέρεται: 1, 5, 10

**14** ένα πολυκατάστημα, το κινητό, ελαττωματικό, την μπαταρία, (κάποιο) πρόβλημα, μοντέλο, καλά, τη δουλειά, στο ταμείο, την αλλαγή, εξυπηρετική

**18** Σωστό: 2, 5, 6, 7, 11, 12, 14, 15
**Λάθος:** 1, 3, 4, 8, 9, 10, 13

**20** φαρδιά, βυσσινιές, πορτοκαλιά, μακριές, παχιά, πλατιούς, βαριά

**21**

| [i] | [X] | [j] | [ΰ] | [mΰ] | [ΰ] |
|---|---|---|---|---|---|
| εισιτήρια εστιατόρια γυμναστήρια | μάτια βαθιά σπίτια πιάνω | διαβάζω μολύβια ποτήρια πόδια βαριά παιδιά κομπιούτερ τραπέζια | κανελιά πορτοκαλιές | καμιά | βυσσινιά |

**22** 1.α, 2.β, 3.α, 4.α, 5.α, 6.α, 7.β, 8.α, 9.α, 10.β

## 5η ενότητα: Πάμε πάλι!

**8** του Αγίου Παντελεήμονα, την ίδια, εργάτες, την ίδια, τους ίδιους, του λεωφορείου, γνωστοί, μακρύς, περιοχές, τόσες, τη διαφορά, του αφεντικού, δικό μου, όλες τις γλώσσες, των αυτοκινήτων, του σπιτιού, τον ουρανό, πλατιά, τον χειμώνα, καμία, η μόνη

**2** 12, 16, 4, 7, 3, 9, 1, 18, 11, 5, 14, 13, 6

**3** α.13, β.11, γ.16, δ.1, ε.10, στ.6, ζ.12, η.7, θ.17, ι.14, ια.9

**4** Σωστό: 3, 4, 8, 11, 12, 13, 14 **Λάθος:** 1, 5, 7, 9, 10
Δεν Αναφέρεται: 2, 6, 15

**5**
1. ξέρω τι μένει να κάνω.
2. τα πράγματα που δε χρειάζομαι.
3. οι τιμές έχουν μεγάλες διαφορές.
4. τους φίλους ή την οικογένειά μου.
5. ξέρω τι έχουν μέσα.
6. α. τα πράγματα που σπάνε. β. τα πράγματα που χρειάζομαι από τις πρώτες μέρες.
7. θα μπορώ να βρω τα πράγματά μου εύκολα.
8. έχω έναν χώρο έτοιμο, όπου θα μπορώ να χαλαρώσω.

9. την καινούρια μου διεύθυνση και το καινούριο μου τηλέφωνο.
10. την καινούρια μου γειτονιά.

## 6η ενότητα: Φάγαμε, ήπιαμε...

**1** Σαλάτες: χόρτα, σαλάτα χωριάτικη
Ορεκτικά: πατάτες τηγανητές, σαγανάκι, κολοκυθάκια τηγανητά
Κυρίως πιάτα: κοτόπουλο φούρνου με ρύζι, μπριζόλα χοιρινή με πατάτες φούρνου, κεφτέδες με κόκκινη σάλτσα και πατάτες τηγανητές, γεμιστά με κιμά
Ποτά/Αναψυκτικά: 1 κιλό κρασί κόκκινο χύμα, 1 μπουκάλι νερό, σόδα

**2** Σωστό: 2, 3, 9, 10 **Λάθος:** 1, 4, 5, 6, 7, 8

**6** 1. κρέας, 2. χασάπη, 3. ψαρά, 4. μανάβης, 5. μπακλαβά, 6. ψιλικατζή, 7. παππού, 8. γιαγιάς, 9. τσαγκάρη, 10. σπιτονοικοκύρηδες, 11. υπναράς

**7** 1. ταξιτζήδες, 2. ψαράδες, 3. παππού, 4. μεζέδες, 5. τσαγκάρη, 6. γάλατα, 7. κεφτέδες, 8. μπαμπά, 9. κρεάτων, 10. μπακάληδες, 11. καναπέ, 12. μαμάδες, 13. μαϊμούδες, αλεπούδες, 14. γάλακτος, 15. βοριάδες, 16. χαλβά.

**12** Νυχτερινό μπάνιο
πέρασες, Βγήκες, πήγα, Ήταν, Περάσαμε (Πέρασα), Ακούσαμε, χορέψαμε, ήπιαμε, φάγαμε, είπαμε, είχε, Πήραμε, κατεβήκαμε, βουτήξαμε, ήθελε, πετάξαμε, ήταν, παγώσατε, βγήκατε, Ανάψαμε, έφερε, έγινε
Πάλι σουβλάκια;
φάγατε, αγοράσατε, πέρασε, έφερε, είπα, βρήκα, είδατε, έπαθε, έκανε, έκοψε, μαγείρεψες, έφτιαξα, πήγα, φύλαξα, μαγείρεψα, έβρασα

**15** Ναι: 2, 4, 6, 9, 10, 15, 19, 20 **Όχι:** 1, 3, 5, 7, 8, 11, 12, 13, 14, 16, 17, 18,

**17** Σωστό: 2, 3, 6, 8 **Λάθος:** 1, 4, 5, 7

**19** 9, 1, 5, 4, 2, 8, 7, 3, 6.

**21**

| | | | | | |
|---|---|---|---|---|---|
| 1. | πήρα | | πήγα | ✓ |
| 2. | άρχισα | | άργησα | ✓ |
| 3. | άναψα | | άνοιξα | ✓ |
| 4. | έδωσα | ✓ | έδιωξα | |
| 5. | έχασα | ✓ | ξέχασα | |
| 6. | έκλεψα | | έκλεισα | ✓ |
| 7. | φύλαξα | ✓ | φίλησα | |
| 8. | έβγαλα | ✓ | έβαλα | |
| 9. | πήγα | | πήρα | ✓ |
| 10. | ήπια | ✓ | είπα | |
| 11. | έφαγα | | έφυγα | ✓ |
| 12. | βγήκα | ✓ | βρήκα | |

**22** 1.γ, 2.α, 3.γ, 4.γ, 5.β, 6.α, 7.α

## 7η ενότητα: Θυμάμαι ότι παίζαμε όλη μέρα...

**1** Σωστό: 2, 4, 6, 7, 8 **Λάθος:** 1, 3, 5,

**3** 1. έμεναν, 2. ταξίδευε, 3. δούλευαν, 4. περπατού-

σαν/περπάταγαν, 5. έβλεπαν, 6. αγόραζαν, 7. οδη-
γούσε, 8. έστελναν, 9. έτρωγαν, 10. έπαιζαν

**4** 1. Ο Φοίβος <u>σπούδαζε στο Πανεπιστήμιο.</u>
2. Ο Πάμπλο δούλευε στην Ισπανία.
3. Η Μελέκ ζούσε στην Τουρκία.
4. Η Αρλέτα μάθαινε ιταλικά.
5. Ο Ερβίν μιλούσε/μίλαγε μόνο αλβανικά.
6. Η Μαρίνα έπαιζε τένις.
7. Ο Παναγιώτης κάπνιζε.
8. Ο Νίκος έβγαινε έξω κάθε βράδυ.

**5** <u>Δεν ξυπνούσε/ξύπναγε ποτέ στην ώρα του,</u> δεν έπινε
το γάλα του, αργούσε στο σχολείο, δεν άκουγε τον
πατέρα του, μιλούσε/μίλαγε με τους φίλους του στο
μάθημα, γελούσε/γέλαγε με τους δασκάλους, δε
διάβαζε τα μαθήματα, έτρωγε μόνο πίτσες και σου-
βλάκια, έπαιζε για ώρες ηλεκτρονικά παιχνίδια,
έβλεπε πολλή ώρα τηλεόραση, συναντούσε τους φί-
λους του κάθε απόγευμα και σταματούσαν/σταμά-
ταγαν το παιχνίδι το βράδυ.

**7** 1. <u>κρατούσε/κράταγε στο στόμα του μια τσάντα.</u>
2. έτρεχε πίσω από έναν σκύλο.
3. χόρευε στη μέση του δρόμου.
4. έμπαινε στο λεωφορείο.
5. περπατούσε/περπάταγε και διάβαζε το βιβλίο του.
6. έψαχνε κάτι στα σκουπίδια.
7. μιλούσε/μίλαγε μόνη της.

**11** Καινούριες ελπίδες: 7, Η Αθήνα αδειάζει: 5, Επιτέ-
λους διακοπές: 6, Κάτι δεν πάει καλά: 3, <u>Επιστροφή
στην πρώτη μου αγάπη: 1</u>, Μόνοι στο καινούριο μας
σπίτι: 4, Μας έλεγαν τρελούς: 2

**13** έφτασα, καταλάβαινα, έλεγαν, διάβαζες, μπορούσα,
έβρισκα, έψαχνα, έμαθες, διάβασα, πήγαινα, έδει-
χνα, πήγα, φώναζαν, συνήθισα, πίστευα

**14** 1. <u>έβρεχε, έβρεξε</u>, 2. άκουγε, άκουσε, 3. φορούσε,
φόρεσε, 4. έπαιρνε, πήρε, 5. χτυπούσε, χτύπησε

**15** 1. <u>– Τι έγινε την ώρα που η Μαρίνα δούλευε;
– Το σκυλί της, η Κούκλα, ανέβηκε πάνω στο
κρεβάτι της.</u>
2. – Τι έγινε την ώρα που η Μελέκ πήγαινε στο
Πανεπιστήμιο;
– Το λεωφορείο χάλασε.
3. – Τι έγινε την ώρα που ο Πάμπλο γύριζε στο σπίτι;
– Ένας αστυνομικός τον σταμάτησε.
4. – Τι έγινε την ώρα που ο Βόιτσεκ άλλαζε τη λάμπα;
– Έπεσε από τη σκάλα.
5. – Τι έγινε την ώρα που η Αρλέτα έφευγε από τη
δουλειά;
– Βρήκε ένα γατάκι στον δρόμο.

**16** 1. <u>περίμενε</u>, κοίταζε, 2. μαγείρευε, έκαιγε, 3. πή-
γαινε, έκλεψε, 4. έκανε, άκουσε, 5. διάβαζε, έβλεπε,
6. πήγαινε, αργούσε, 7. έστελνε, έσβησε, 8. περπα-
τούσε/περπάταγε, συνάντησε

**17** 1. <u>πήγα</u>, 2. διάβαζα, 3. έβλεπε, 4. έφαγε, 5. μιλούσα/
μίλαγα, 6. έπλενα, έβλεπε

**18** α.5, β.12, γ.6, δ.15, ε.16, στ.9, ζ.13, η.11, θ.17

**19** Σωστό: 4, 5, 6, 9, 10 **Λάθος**: 1, 2, 3, 7, 8, 11, 12

**21** 1. φτάνω, 2. έψαχνα, 3. βδομάδα, 4. δρόμος, 5. βρά-
δια, 6. σπούδαζα, 7. φτιάχνω, 8. χτες, 9. φταις, 10.
σπάνια, 11. σχολείο, 12. χρόνια, 13. ψώνια, 14. αι-
σθάνομαι

**22** έφευγα → έφυγα, ένιωσα → ένιωθα, κατάλαβα →
καταλάβαινα, μίλησα → μιλούσα/μίλαγα, τηλεφώ-
νησα → τηλεφωνούσα, έκλαψα → έκλαιγα, έδειξε →
έδειχνε, πήγαινα → πήγα, γύριζα → γύρισα,
Έπαιρνα → Πήρα, έβρισκα → βρήκα

## 8η ενότητα: Έχει ο καιρός γυρίσματα

**1** Σωστό: 2, 3, 4, 7 **Λάθος**: 1, 5, 6, 8, 9, 10, 11

**4** /k/: <u>κακός</u>, κάτοικος, καθαρός, κουράζομαι, Δυτι-
κός, καταιγίδα, ακούω
[ǩ]: καιρός, Κυριακή, θα κοιτάξω, Δυτική, κεραυνός
/γ/: μετεωρολόγος, φεύγω, πήγα, αγώνας, βγάζω,
σίγουρος, παγωνιά
[ j ]: <u>γυμναστική</u>, φεύγεις, γελάω, απόγευμα,
βγαίνω, γήπεδο
/x/: χάλια, έχω, χαλάει, χαλάζι, ψιχαλίζει,
δυστυχώς, χαμηλή
[x̌]: χιόνι, βροχή, έχει, αρχίζω, συνεχίζω, χειμώνας,
σχέδιο, εποχή
/g/: γκαράζ, γκολ, ταγκό, φεγγάρι, παγκάκι
[g̃]: <u>Βαγγέλης</u>, Αγγελική, παραγγελία, ανάγκη

**5** Θα έρθεις, Θα κοιτάξω, θα φύγουμε, θα κάνουμε,
Θα περάσετε, Θα δούμε, θα σταματήσουμε, θα μεί-
νουμε, Θα ψάξουμε, θα βρείτε, θα είναι, θα κάνει, θα
ρίξει, θα ανέβει/ανεβεί, θα βρέξει

**6** θα αργήσω, Θα βγεις, θα καθίσω/κάτσω, θα χαλά-
σει, θα χιονίσει, Θα παίξω, θα πάθω, θα τηλεφω-
νήσω, θα καλέσω, θα μείνω, Θα παραγγείλουμε (Θα
παραγγείλω), θα δούμε, θα βρεις

**14** <u>Είσαι γκρινιάρης!</u> Είσαι ξεχασιάρα! Είστε ζηλιάρη-
δες! Είστε κουτσομπόληδες! Είσαι φοβητσιάρης!
Είσαι ναζιάρικο! Είστε παραπονιάρες!
<u>Είναι τεμπέλης.</u> Είναι πενηντάρηδες. Είναι σγουρο-
μάλλα. Είναι γκρινιάρικα. Είναι τριαντάρες. Είναι
ξανθομάλλα. Είναι παιχνιδιάρικο.

**15** 1. <u>πενηντάρηδες</u>, 2. γκρινιάρικο, 3. τσιγκούνηδες, 4.
παιχνιδιάρικο, 5. σγουρομάλληδες, 6. εξηντάρα, 7.
αρρωστιάρικο, 8. κουτσομπόληδες, 9. μικρούλα, 10.
ξεχασιάρα, 11. σαραντάρηδων, 12. τεμπέληδες

**17** Σωστό: 3, 7, 9, 10, 11, 12, 13 **Λάθος**: 2, 5, 6, 8 **Δεν
Αναφέρεται**: 1, 4, 14.

**18** <u>3</u>, 6, 9, 1, 4, 10, 5, 14, 11, 8, 12, 13, 7, 2

**20** 1<u>α</u>, 2β, 3γ, 4α, 5α, 6γ, 7β

## 9η ενότητα: Αλλάζουμε συνήθειες

**1** Σωστό: 1, 2, 3, 4, 7, 8 **Λάθος**: 5, 6

**3** 1. θα προσέχω, θα γυμνάζομαι, 2. θα μαγειρεύει, θα πλένει, θα πηγαίνει, θα ψωνίζει, θα καθαρίζει, 3. θα μιλάω, θα συναντάω 4. θα προσέχουμε, θα αφήνουμε, θα βάζουμε.

**4** 1. Από 'δώ και πέρα θα τρώει λιγότερο. 2. Από 'δώ και πέρα θα διαβάζει / θα μελετάει περισσότερο. 3. Από 'δώ και πέρα θα παίρνει τη συγκοινωνία. 4. Από 'δώ και πέρα θα τρώει σπιτικό φαγητό. 5. Από 'δώ και πέρα θα καθαρίζει το σπίτι πιο συχνά. 6. Από 'δώ και πέρα θα ακούει ειδήσεις. 7. Από 'δώ και πέρα θα προσέχει / θα φοράει πιο χοντρά ρούχα. 8. Από 'δώ και πέρα θα καπνίζει λιγότερο. 9. Από 'δώ και πέρα θα δουλεύει λιγότερο. 10. Από 'δώ και πέρα θα προσέχει σε ποιον μιλάει.

**6** *Θα προσέχεις*, θα λείπω, Θα έρχομαι, θα της βάζω, θα την πηγαίνω, Θα βλέπεις, Θα του βάζεις, θα το χαϊδεύεις, Θα ποτίζεις, θα φύγεις, θα πάρω, θα περάσω, Θα τα αφήσω, θα μιλήσουμε.

**7** 1. η Μαρίνα θα λείπει, ο Φοίβος θα προσέχει το σπίτι της.
2. η Αιμιλία θα ταξιδεύει, η Μελέκ θα μένει μόνη της.
3. η Αρλέτα θα πλένει τα πιάτα, ο Ερβίν θα σιδερώνει.
4. οι μαθητές θα γράφουν τεστ, ο καθηγητής θα διορθώνει ασκήσεις.
5. θα ψάχνω για δουλειά, θα αγοράζω εφημερίδα κάθε μέρα.

**8** 1. Θα τηλεφωνήσω, 2. Θα τηλεφωνώ, θα λέω 3. θα ξεχάσω, Θα θυμάμαι, 4. θα προσέχει, 5. θα μιλάνε, 6. θα κόψετε, θα περπατάτε, θα προσπαθήσετε, θα αποφεύγετε, Θα τρώτε, θα πίνετε.

**9** θα φύγω, Θα πάω, Θα πάρω, Θα αφήσω, θα δω, θα κάθομαι, θα κολυμπάω, θα διαβάζω, θα ακούω.

**12** θα αλλάξει, θα κάνει, θα βρέχει, θα χιονίζει, θα λιώσουν, θα ανέβει / θα ανεβεί, θα ψάχνουν, θα χρησιμοποιούν, θα υπάρχει, θα καταλάβει, θα βρει.

**14** 1. Αμάν! 2. Πώς είναι δυνατόν 3. Ξέρω 'γώ; 4. Μου φαίνεται ότι 5. Άσε που 6. Κι όμως

**15** Η Άννα με ρώτησε πώς πήρα αυτή την απόφαση.
Ο Αντώνης με ρώτησε τι θα κάνω ακριβώς.
Η Σοφία με ρώτησε πόσες φορές τον μήνα θα πηγαίνω.
Ο Σερίφ με ρώτησε αν είναι ενδιαφέρον αυτό που θα κάνω.
Η Αλίκη με ρώτησε πώς μπορεί να έρθει κι αυτή.
Η Βαλεντίνα με ρώτησε αν είναι συμπαθητικοί οι άλλοι εθελοντές.
Ο Χασάν με ρώτησε γιατί δεν του είπα να έρθει.
Η Κάτια με ρώτησε αν θα γίνουν σεμινάρια για τους νέους εθελοντές.
Η Μίρνα με ρώτησε πότε θα ξεκινήσω.

**16** 1. Πλήρωσε τον λογαριασμό; 2. Πλήρωσε τον λογαριασμό! 3. Είναι μια χαρά. 4. Είναι καλά; 5. Υπάρχει κανένας κάδος ανακύκλωσης εδώ κοντά; 6. Ανησυχεί για το περιβάλλον. 7. Κάνεις ανακύκλωση; 8. Πήρες κιλά. Μήπως πρέπει να κάνεις δίαιτα; 9. Τι λες; Πάμε βόλτα με τα ποδήλατα; 10. Τι λες! Δεν το πιστεύω!

**17** 1. είναι σημαντική για την ενημέρωση του κόσμου.
2. οι μπλε κάδοι
3. ανακυκλώνουν
4. μάθει ο κόσμος τα προβλήματα που υπάρχουν (ρύπανση, νέφος, φωτιές)
5. δεν κάνει πολλά πράγματα
6. β. πολύ λίγοι χρησιμοποιούν τα μέσα μαζικής μεταφοράς
7. κοιτάζουν πρώτα πώς θα κερδίσουν και μετά σκέφτονται το περιβάλλον
8. να βάλουμε στη ζωή μας άλλες μορφές ενέργειας, όπως την ηλιακή
9. η οικογένεια, το σχολείο
10. ανακύκλωση
11. είναι απασχολημένη όλη μέρα / δουλεύει πολύ / όλη μέρα τρέχει
12. παίρνει τον ηλεκτρικό
13. ο κόσμος αδιαφορεί

**19** 1, 4, 9, 6, 2, 12, 3, 19, 10, 15, 16, 5, 18, 11, 14, 8, 17, 13.

**21** θα σώσω, θα προσπαθήσω, δε θα χρησιμοποιώ, θα πηγαίνω, Θα πας, θα πάρω.

**22** 1.α, 2.β, 3.β, 4.α.

## 10η ενότητα: Πάμε πάλι!

**1** 1. σπούδαζα, 2. γάλακτος, 3. καφέδες, 4. Κοίταξες, 5. μιλούσα/μίλαγα, 6. βρέχει, 7. πετάξεις, 8. αρχίσει, 9. προσέχει, 10. Άκουγα

**2** 1. γάτα – γιατί
2. γυαλί – Γάλλοι
3. γιαγιά – γυαλιά
4. γάλα – γυάλα
5. χωνί – χιόνι
6. χάρη – χέρι
7. χαμός – χυμός
8. έχω – έχει
9. κόμμα – κι όμως
10. κουτί – κι ούτε
11. κακιά – κακά
12. κι άλλο – καλό
13. κιάλια – καλά

**3** 1.α, 2.β, 3.α, 4.β, 5.β, 6.β, 7.α, 8.β

**4** **Σωστό:** 3, 4, 5, 8, 12, 14, **Λάθος:** 1, 2, 6, 9, 11, **Δεν Αναφέρεται:** 7, 10, 13

**5** *αν ακολουθήσουμε τις συμβολές της εκπομπής*
1. Θα αποφύγουμε τον κίνδυνο μπλακάουτ.
2. Θα κάνουμε σημαντική οικονομία στο ρεύμα.
3. Θα βοηθήσουμε το περιβάλλον.
*τι προσέχουμε με τον θερμοσίφωνα*

1. Δεν τον αφήνουμε αναμμένο.
2. Δεν τον ανάβουμε 11:00 με 15:00.
*τι προσέχουμε με την κουζίνα*
1. Δεν ανοίγουμε την πόρτα του φούρνου χωρίς λόγο.
2. Δε χρησιμοποιούμε τον φούρνο για να ζεστάνουμε μόνο μία ή δύο μερίδες.
*τι προσέχουμε με το κλιματιστικό*
1. Κλείνουμε τις πόρτες και τα παράθυρα.
2. Ρυθμίζουμε τη θερμοκρασία όχι κάτω από τους 25 βαθμούς.
3. Κάνουμε σέρβις.
4. Δεν το ανάβουμε 11:00 με 15:00.
*τι προσέχουμε με το πλυντήριο*
1. Ρυθμίζουμε τη θερμοκρασία στους 30 βαθμούς.
2. Να είναι γεμάτο.
3. Δε βάζουμε πλυντήριο το μεσημέρι.
*τι προσέχουμε με το σίδερο*
Σιδερώνουμε νωρίς το πρωί ή το βράδυ.

**6** 9, 11, 1, 12, 5, 2, 8, 3, 7, 4, 6, 10, 13

**7**
1. Περπάτημα: κέρδος για τη ζωή μας.
2. Απλοί τρόποι για να μη χάσετε το ενδιαφέρον σας.
3. Προγραμματισμός και στόχοι.
4. Περπατήστε και γνωρίστε την Ελλάδα.
5. Προσοχή στα παπούτσια.
6. Πώς πρέπει να περπατάμε.
7. Συμβουλές για την κίνηση των χεριών.
8. Η στάση του σώματος.
9. Ρούχα κατάλληλα για περπάτημα.
10. Κατανάλωση υγρών.
11. Το λίγο είναι καλύτερο από το τίποτα.
12. Περπάτημα στη ζέστη.
13. Περπάτημα στο κρύο.

## 11η ενότητα: Πάμε διακοπές;

**2** Σωστό: 2, 3, 5, 7, 11 Λάθος: 1, 4, 6, 8, 9, 10

**4** 1.β, 2.α, 3.β, 4.β, 5.α

**5** 1. Να πάμε, να πούμε, να μην πάμε, 2. να πάρω, να αγοράσεις, 3. να κλείσεις, 4. Να παραγγείλουμε / Να παραγγείλω, να μαγειρέψουμε / να μαγειρέψω, φτιάξουμε / να φτιάξεις, 5. Να πάρω, να περάσω, να τηλεφωνήσεις

**7**
1. – Συμφωνείς να μείνουμε σε ξενοδοχείο;
   – Γιατί να μη μείνουμε σε κάμπινγκ;
2. – Θέλεις να ταξιδέψουμε με λεωφορείο;
   – Γιατί να μην πάμε με το τρένο;
3. – Σκέφτομαι να ψάξουμε εισιτήρια για Λατινική Αμερική.
   – Γιατί να μην ταξιδέψουμε στην Αφρική;
4. – Ας κανονίσουμε κάτι αυτό το Σαββατοκύριακο.
   – Γιατί να μην οργανώσουμε μια εκδρομή στο βουνό;
5. – Ας νοικιάσουμε αυτοκίνητο στις διακοπές.
   – Γιατί να μην πάρουμε ποδήλατα;

**8** να πάμε, να μείνετε, να επιστρέψει, να τηλεφωνήσω,

να βρω / να βρούμε, να κάνεις, να καθίσω / να κάτσω, να μελετήσω, να τελειώσω, να έρθεις, να φύγω

**9** να πιεις, Να σου φτιάξω, πιω, Να καθίσουμε (Να κάτσουμε), να τα πούμε, να πάει, να βοηθήσει, να μην αργήσει, να αφήσω, να βάλεις, να πιούμε, να φάμε

**11** Σωστό: 1, 2, 6, 7, 10, 12 Λάθος: 3, 4, 5, 8, 9, 11

**14**
1. Βρίσκονται στη Σαντορίνη για διακοπές.
2. Το προηγούμενο βράδυ είχαν σοβαρό πρόβλημα με το κλιματιστικό. (Δεν έβγαζε κρύο αέρα, έκανε έναν περίεργο θόρυβο και μετά σταμάτησε.)
3. Η παρέα του διπλανού δωματίου κάνει πολλή φασαρία (βάζουν δυνατά τη μουσική, τραγουδάνε κτλ.).
4. Προτείνει να πάνε σε ένα άλλο δωμάτιο στον δεύτερο όροφο.
5. Ναι, είναι ικανοποιημένες, περνάνε υπέροχα.

**18** 1. μείνουμε, 2. έρθετε, 3. φέρεις, 4. πάτε, 5. βρούμε, 6. ανεβεί / ανέβει, 7. χαλάσει, 8. μιλήσεις, 9. ψάξετε, 10. μάθω

**21** 1. Αν και, 2. Αν, 3. αν, 4. Αν και, 5. Αν, 6. αν και, 7. Αν, 8. αν και, 9. Αν και, 10. Αν

**22** Σωστό: 1, 2, 6, 10, 12 Λάθος: 4, 5, 8, 9, 11, 13, 14
Δεν Αναφέρεται: 3, 7, 15

**27** 1.α, 2.β, 3.β, 4.α, 5.α, 6.α

**28** 1.β, 2.γ, 3.α, 4.γ, 5.β, 6.γ, 7.α, 8.β

## 12η ενότητα: Ένα ατύχημα στους δρόμους

**1** Σωστό: 4, 5, 8, 9, 11 Λάθος: 1, 2, 10, 12 Δεν ξέρουμε: 3, 6, 7

**3** 1. μήπως δεν έρθει, 2. μήπως / μη σταματήσει, μείνει, 3. μήπως / μη χαλάσει, 4. μήπως / μην έπαθε, 5. μήπως / μη δε φτάσουν, 6. μήπως / μην έχασαν, 7. μήπως / μη χαλάσει

**4** 1. μήπως 2. ότι / πως, 3. μήπως / μην, 4. να, 5. ότι / πως, 6. μήπως / μη, 7. μήπως / μη, 8. να, 9. μήπως / μη, 10. ότι / πως, 11. να, 12. ότι / πως

**5** 1. ότι, 2. ότι, 3. να, 4. ότι, 5. να, να, 6. να, να

**7**
1. Είναι στο νοσοκομείο, στα επείγοντα περιστατικά.
2. Ζαλίζεται και πονάει το πόδι του.
3. α. Να μείνει στο κρεβάτι για λίγες μέρες.
   β. Να μην κουράζει το πόδι του.
   γ. Όταν πονάει πολύ, να βάζει πάγο και να παίρνει παυσίπονα.
   δ. Να τρώει ελαφρά φαγητά.

**9** 1. Πρέπει να μιλάω, 2. να κλείσει, 3. να αργήσει, 4. να τρώει, 5. να διαβάζει, 6. να πάρει

**10** 1. να βοηθήσεις, 2. να βοηθάς, 3. να το ψάξω, 4. να διαβάζει, 5. να μου τηλεφωνήσεις, 6. να ξαπλώσω, 7. να φύγω, 8. να ρωτάμε, 9. να μου λες, 10. να πιω, 11. να αγοράσεις, 12. να τελειώσουν, 13. να μιλάνε

**11** 1. Μου αρέσει να περπατάω στο βουνό.

Κάποια στιγμή θέλω να περπατήσω στο βουνό.

2. Κάποια στιγμή θέλω να ακούσω το καινούριο μου cd. Μου αρέσει να ακούω μουσική.

3. Κάποια στιγμή θέλω να ταξιδέψω σε εξωτικές χώρες. Μου αρέσει να ταξιδεύω σε όλη την Ελλάδα.

4. Μου αρέσει να τρώω γιαπωνέζικο φαγητό. Κάποια στιγμή θέλω να δοκιμάσω κινέζικο φαγητό.

5. Μου αρέσει να πίνω καφέ. Θέλω να πιω ένα καφεδάκι.

6. Μου αρέσει να μαγειρεύω ιταλικά πιάτα. Θέλω να μαγειρέψω κάτι για αύριο.

7. Μου αρέσει να μαθαίνω ξένες γλώσσες. Θέλω να μάθω περσικά.

8. Θέλω να γράψω ένα γράμμα στη φίλη μου. Μου αρέσει να γράφω γράμματα.

**12** να ξυπνάνε, να παίρνουν, να φεύγουν, να περπατάνε, να φωτογραφίζουν, να πηγαίνουν, να κάθονται, να συζητάνε

**14** α.8, β.16, γ.17, δ.2, ε.9, στ.3, ζ.7, η.12, θ.5, ι.15, ια.10

**15** να προσπερνάνε, να σταματάνε, να προσπεράσουν, να σταματάνε, να ανάβουν, να χρησιμοποιούν, να δείτε, να το καταλάβετε, να γνωρίζετε, να μείνετε, να περάσετε, να κοιτάτε, να προσέχετε, να περνάνε, να προσέχετε, να μην οδηγείτε, να τα δείτε, να γίνονται, να πούμε, να οδηγούν, να κρατάνε, να αλλάζουν, να μιλάνε, να πίνουν, να στρίβουν, να περνάνε, να μη σταματάνε, να μη δίνουν, να ζουν, να πεθάνουν, να βγαίνει

**16** 1. να φοράμε, 2. να προσπεράσουμε, να τρέξουμε, 3. να στρίψουμε, να αλλάξουμε, 4. να σταματήσει, 5. να μένουμε, 6. να χρησιμοποιούμε, να πάθουμε, 7. να κοιτάζουμε, 8. να φταίνε, να γνωρίζουμε,

**17** να έρθει → να έρχεται, να βλέπει και να σταματάει → να δει και να σταματήσει, να κρατάω → να κρατήσω, να μένω και να ηρεμώ → να μείνω και να ηρεμήσω, να μην οδηγώ → να μην οδηγήσω, να φορέσω και να προσέξω → να φοράω και να προσέχω

**18** 1. να κερδίζουν, να δίνουν, να ψωνίζουν, να γνωρίζουν, να μαθαίνουν, 2. να προσέχετε, 3. να φέρεις, 4. να μιλάτε, 5. να πάει, 6. να ανησυχώ, 7. να τρέχει, να οδηγεί, 8. να κλαις, να γελάς, 9. να χτυπάει, 10. να το φοράει, 11. να γυρίζει, 12. να τραγουδάει, 13. να γελάει, 14. να δανείζω, 15. να πονάει, να πάω, 16. να φέρω

**20** 1. τους οδηγούς.
2. α. περνάνε με κόκκινο,
β. περνάνε με στοπ.
3. 167 ευρώ.
4. α. δε φοράνε ζώνη, β. δε φοράνε κράνος.
5. οδηγείτε χωρίς ζώνη ή κράνος.
6. περάσετε με στοπ.
7. περάσετε με κόκκινο.
8. α. μιλάτε στο κινητό, β. ακούτε δυνατά μουσική όταν οδηγείτε.

9. πίνετε και οδηγείτε.
10. 33 ευρώ, 100 ευρώ.
11. ήπιε και οδηγεί.
12. ακούει δυνατή μουσική.
13. α. λιγότερα ατυχήματα,
β. καλύτερη εκπαίδευση των οδηγών.
14. οδηγούσαν με υπερβολική ταχύτητα.

**22** 1. σθ, 2. σφ, 3. αυ, 4. στ, 5. κτ, 6. αύ, 7. σπ, 8. εύ, 9. κρ, 10. στ

**23** 1.α, 2.β, 3.α, 4.β, 5.α, 6.β, 7.α, 8.α

## 13η ενότητα: Περιμένετε μισό λεπτό, παρακαλώ

**1** Σωστό: 2, 5, 7, 9, 10, 12  Λάθος: 1, 3, 4, 6, 8, 11

**5** Δώστε, Πηγαίνετε/Πηγαίντε, ελάτε, Μην περιμένετε, Πείτε/Πέστε, Ζητήστε, Ανεβείτε, στρίψτε, προχωρήστε

**6** 1. – Χρήστο, πάρε τηλέφωνο τον γιατρό ή το 166.
2. – Κυρία Αγγελική, πηγαίνετε/πηγαίντε στην αστυνομία.
3. – Σοφία, πάρε μια εφημερίδα και ψάξε στις μικρές αγγελίες.
4. – Κύριε Κώστα, ρωτήστε στο Κ.Ε.Π. τι δικαιολογητικά χρειάζονται.
5. – Κυρία Βασιλική, τηλεφωνήστε αμέσως στην τράπεζα.
6. – Στέφανε, μην πληρώσεις. Τηλεφώνησε στον Ο.Τ.Ε. και ρώτησε/ρώτα τι έγινε.
7. – Παιδιά, στείλτε την αίτηση ηλεκτρονικά.
8. – Κύριε Χάρη, καλέστε τον αριθμό 1535.

**7** 1. Συμπληρώστε αυτή την αίτηση.
2. Υπογράψτε εδώ.
3. Ρωτήστε στην εφορία.
4. Ζητήστε πληροφορίες στα Κ.Ε.Π.
5. Προτιμήστε να στείλετε τη φορολογική σας δήλωση ηλεκτρονικά.
6. Καταθέστε όλα τα απαραίτητα δικαιολογητικά.

**8** 1. πηγαίνετε και ρωτήστε, 2. Περάστε, 3. Μιλήστε, 4. Αφήστε, 5. Υπογράψτε, 6. Κλείστε, 7. Περιμένετε, 8. Δώστε

**9** Αυστηρός τόνος: 2, 3, 7, 9, 10
Ευγενικός τόνος: 1, 4, 5, 6, 8

**10** 1. Κλείσ' το, 2. Στείλ' την, 3. Πάρ' την, 4. Πλήρωσέ τον, 5. Φέρ' τα, 6. Τηλεφώνησέ της.

**11**

| στην αστυνομία | 3 | στη Δ.Ε.Η. | 6 |
|---|---|---|---|
| στην εφορία | | στο νοσοκομείο | |
| στον Ο.Τ.Ε. | | στην Ε.ΥΔ.Α.Π. | |
| στην πυροσβεστική | 5 | στο Ι.Κ.Α. | |
| στο Κ.Ε.Π. | 7 | στη Γραμματεία του Πανεπιστημίου | |
| στον Ο.Σ.Ε. | 1 | στον Ο.Α.Ε.Δ. | 4 |
| στο ταχυδρομείο | 2 | στην τράπεζα | |

# παράρτημα

**14** 1. Ο κύριος Ανδρέας βρίσκεται στην τράπεζα και μιλάει με έναν υπάλληλο.
2. Χρησιμοποίησε την κάρτα αναλήψεων για πρώτη φορά και το μηχάνημα την κράτησε.
3. Γιατί δε θα περιμένει πια στην ουρά για μια ανάληψη.
4. Γιατί πάτησε τρεις φορές λάθος αριθμό.
5. Του λέει να
   α. είναι πολύ προσεκτικός όταν χρησιμοποιεί την κάρτα του,
   β. μη δίνει ποτέ τον μυστικό προσωπικό του αριθμό σε κανέναν,
   γ. προσέχει όταν βάζει την κάρτα στο μηχάνημα (να πάρει την κάρτα του και να φύγει, αν δει κάτι ύποπτο),
   δ. ακολουθεί πιστά τις οδηγίες του μηχανήματος,
   ε. μην αγχώνεται,
   στ. μη ζητάει ποτέ βοήθεια από αγνώστους.

**17** 1. Διάβαζε πιο συχνά βιβλία. / Να διαβάζεις πιο συχνά βιβλία.
2. Μην πετάς σκουπίδια κάτω. / Να μην πετάς σκουπίδια κάτω.
3. Μίλα ευγενικά. / Να μιλάς ευγενικά.
4. Μη νευριάζεις εύκολα. / Να μη νευριάζεις εύκολα.
5. Ρώτα όταν δεν καταλαβαίνεις. / Να ρωτάς όταν δεν καταλαβαίνεις.

1. Οδηγείτε προσεκτικά. / Να οδηγείτε προσεκτικά.
2. Προσέχετε τι λέτε. / Να προσέχετε τι λέτε.
3. Μη βλέπετε πολύ τηλεόραση. / Να μη βλέπετε πολύ τηλεόραση.
4. Περιμένετε (περιμένετε) στην ουρά. / Να περιμένετε στην ουρά.
5. Μη μιλάτε πολύ δυνατά. / Να μη μιλάτε πολύ δυνατά.

**18** 1. Κλειδώνετε, 2. Μην ανοίγετε, 3. Μην αφήνετε, 4. Προσέχετε, 5. Περπατάτε, 6. Μη βάζετε

**19** 1.α, 2.β, 3.α, 4.α, 5.α, 6.α, 7.β, 8.β

**20** 1. ανοίξτε, 2. συμπληρώστε, αφήστε, 3. φόρα, 4. ειδοποιήστε, 5. άναψε, 6. μην πηγαίνεις, 7. μην πίνετε, 8. έλεγξε

**21** Σωστό: 3, 5, 7, 8, 10  Λάθος: 1, 2, 4, 6, 9

**24** 1. πες, 2. φωνάξτε, 3. συγχώρεσέ, 4. μην τρως, 5. ζήτα/ζήτησε, 6. τηλεφωνήστε, 7. ξύπνα/ξύπνησέ, 8. πέρνα/πέρασε, ρώτα/ρώτησε, 9. ανάψτε, 10. μην τρέχεις, 11. ρώτα/ρώτησε

**26** Σωστό: 1, 3, 6, 7, 9, 13  Λάθος: 2, 4, 5, 8,10, 11, 12, 14

**30** Σωστό: 1, 3, 5, 6, 9, 10, 11, 13, 14 Λάθος: 2, 7 Δεν Αναφέρεται: 4, 8, 12

**32** Πού θα βάλω τόνο;
1. Διάβασέ το.
2. Πάρτε αυτή την αίτηση.
3. Απάντησέ μου, σε παρακαλώ.

4. Πλήρωσε τον λογαριασμό.
5. Πλήρωσέ τους.
6. Ανοίξτε την πόρτα!
7. Ρώτησέ την, σε παρακαλώ.
8. Για δοκίμασέ το και πες μου.
9. Προσέξτε με καλά!
10. Σου αφήνω την τσάντα μου. Πρόσεχέ την.

**33** 1.β, 2.α, 3.γ, 4.β, 5.α, 6.α

## 14η ενότητα: Σήμερα γιορτάζουμε

**1** Σωστό: 3, 4, 6, 7, 8  Λάθος: 1, 2, 5

**3** 1.β, 2.α, 3.α, α, 4.β, 5.β, 6.β, 7.α

**4** 1. Όποια, 2. Αυτό που / Εκείνο που, 3. που, όσα, 4. ό,τι 5. όποια, 6. Εκείνος που / Αυτός που

**5** 1. Δε βρίσκω το δώρο που σου πήρα από την Πράγα.
2. Κάποιοι φίλοι που περίμενα στη γιορτή μου δεν μπόρεσαν να έρθουν.
3. Η καθηγήτρια που μας έκανε ιταλικά ήταν πολύ συμπαθητική.
4. Πρέπει να βρούμε ξεναγό που να μιλάει γερμανικά.
5. Το καρναβάλι που γίνεται στο Ρίο της Βραζιλίας είναι το πιο γνωστό στον κόσμο.

**6** 1. ότι, 2. Ό,τι, ό,τι, 3. Ό,τι, 4. ότι, 5. ότι, 6. ό,τι

**7** 1. Πού, 2. πού, 3. που, 4. πού, που 5. που, πού

**9** 1. τον Αύγουστο, 2. τη γνώμη μου, 3. της βροχής, 4. την οδό, 5. των συναδέλφων, 6. τις αλλαγές, 7. της πρότασης

**11** 1. από, 2. με, 3. για, 4. ως/μέχρι, 5. από, 6. για, από, 7. για, Σε, 8. χωρίς, 9. αντί, 10. από, κατά, 11. Μέχρι/Ως, κατά/εναντίον, 12. για, 13. με, για, 14. Για, για, για, 15. εκτός από, 16. λόγω/εξαιτίας, 17. ως/μέχρι, 18. Μετά, 19. μεταξύ, 20. χωρίς

**15** 1. πρώτη, 2. έβδομο, τρίτη, 3. εικοστού, 4. πρώτη, 5. εικοστή πέμπτη, 6. εκατοστή, 7. δέκατη ένατη, 8. τριακοστή δεύτερη

**16** 1. δεκάτη, 2. ογδόη, 3. εικοστή πρώτη, 4. εικοστή εβδόμη, 5. εικοστή τρίτη, 6. τετάρτη, 7. τριακοστή πρώτη, 8. πέμπτη, 9. δωδεκάτη, 10. εικοστή, 11. δεκάτη πέμπτη, 12. δεκάτη ογδόη, 13. πρώτη

**17** 1. ενδεκάτη, τρίτη 2. εικοστή ενάτη, 3. τετάρτη, δεκάτη ογδόη, 4. εικοστή ενάτη, 5. πρώτη, 6. δεκάτη εβδόμη, δευτέρα

**18** Σωστό: 3, 5, 10, 12, 15, 16, 18, 19  Λάθος: 1, 4, 6, 7, 8, 11, 13, 17  Δεν Αναφέρεται: 2, 9, 14, 20

**19** 13, 9, 16, 17, 7, 11, 10, 5, 12, 3, 8, 6

**22** /k/: κάρτες, καλώ, καρναβάλι, Καθαρά Δευτέρα, διακοπές
[k̃]: ευκαιρία, κερνάω
/γ/: αυγά, σίγουρα

# Γ. Λύσεις ασκήσεων

[ j ]: <u>οικογένεια</u>, γενέθλια, βγαίνω, γυμναστήριο, αργία, γιορτή

/x/: <u>σχολείο</u>, δέχομαι, εύχομαι, ξεχωριστός

[x̌]: <u>χαίρομαι</u>, αρχαία, χιόνια

**23** 1.β, 2.α, 3.α, 4.γ, 5.γ, 6.β, 7.γ, 8.β

## 15η ενότητα: Πάμε πάλι!

**1** 1.β, 2.α, 3.α, 4.β

**2** 1.β, 2.α, 3.γ, 4.β, 5.γ, 6.α, 7.α, 8.α, 9.β, 10.γ, 11.β, 12.β, 13.α, 14.β, 15.γ, 16.β, 17.α, 18.α, 19.β, 20.α

**3** Σωστό: 2, 5, 6, 7, 10, 12, 14  Λάθος: 3, 4, 11
Δεν Αναφέρεται: 1, 8, 9, 13

**4** 1. <u>Τράπεζα Λέσβου</u>, 2. κάρτα αναλήψεων, 3. οκτώ τελευταία νούμερα, 4. ονοματεπώνυμο ... ημερομηνία γέννησής της, 5. πλατείας Κυψέλης, 6. 2 η ώρα το μεσημέρι ... Ηλιούπολη, 7. 400 ευρώ, 8. κάποιον συγγενή ή φίλο, 9. είχε στο πορτοφόλι της, 10. στο κατάστημα της Τράπεζας (Λέσβου) στη γειτονιά της ... της επιστρέφει η Τράπεζα τα χρήματά της, 11. να δηλώσει την απώλεια του πορτοφολιού, 12. θα πάει στην τράπεζα

**5** <u>17</u>, 9, 18, 11, 7, 3, 10, 4, 1, 12, 2, 8, 14, 16, 5

**6** Σωστό: 2, 4, 6, 7, 8, 12  Λάθος: 1, 3, 5, 9, 10, 11

## 16η ενότητα: Παρακολουθώ συχνά το κανάλι σας

**1** Σωστό: 1, 2, 5, 6, 7, 8, 9, 10  Λάθος: 3, 4, 11

**5** 1.β, 2.δ, 3.ε, 4.στ, 5.η, 6.ζ, 7.γ, 8.α

**6** 1. <u>στενοχωριέται</u>, 2. χασμουριούνται, κοιμούνται, βαριούνται, 3. κουνιέσαι, 4. Κάθονται, 5. συναντιόμαστε, 6. γεννιούνται, 7. αναρωτιέσαι, 8. παραπονιέστε, ευχαριστιέστε, 9. χρησιμοποιείται, 10. Κρατιέστε

**7** 1. <u>θυμάστε</u>, 2. ασχολείστε, 3. έρχεσαι, 4. συνεννοούμαστε, σκέφτεται, 5. βαριέσαι, 6. κοιμάσαι, 7. περιποιείται, 8. αρνείσαι

**9** Σωστό: 1, 2, 5, 8, 9, 11  Λάθος: 3, 4, 6, 7, 10, 12

**12** 1.γ, 2.ζ, 3.α, 4.ε, 5.στ, 6.β, 7.δ

**13** 1. <u>κράτη</u>, μέλη, 2. άγχους, 3. δάσους, 4. λάθη, 5. γένους, 6. μέρη, 7. βάρη, 8. είδη, 9. Εθνών, 10. μεγεθών, 11. τέλος, 12. ετών

**14** 1.β, 2.α, 3.α, 4.β, 5.β, 6.α, 7.β, 8.α, 9.α, 10.β, 11.β, 12.α, 13.α, 14.β, 15.α, 16.β

**15** 1. <u>ότι/πως</u>, να, 2. ότι/πως, 3. να, να, 4. ότι/πως, να, 5. ότι/πως, να, 6. ότι/πως, να, να, 7. να, ότι/πως, 8. ότι/πως, ότι/πως, 9. να, ότι/πως, 10. να, να, 11. να, ότι/πως, 12. να, να, 13. να, να

**16** 1.α, 2.β, 3.β, 4.α, 5.α, 6.β, 7.α, 8.β

**19** 1. <u>4:18 το πρωί</u>, 2. εκκλησίες, 3. δημοτικό σχολείο, 4. Οκτώ άτομα, 5. μηχανικοί της νομαρχίας, 6. τρόφιμα, 7. νερό, 8. κουβέρτες, 9. λεωφορεία, 10. τρόλεϊ, 11.

Ιανουαρίου, 12. Γεωργία, 13. Τράπεζας Ρόδου, 14. 120.000, 15. Ισπανία, 16. στο αεροδρόμιο, 17. οι τρεις, 18. 76, 19. Γερμανίας, 20. την κρατική τηλεόραση, 21. τοπικές καταιγίδες, 22. 6 βαθμούς Κελσίου

**20** (1) **2**, (2) **7**, (3) **9**, (4) **6**, (5) **3**, (6) **4**, (7) **10**, (8) **5**, (9) **8**, (10) **1**

**21** <u>Μου</u> αρέσουν τα μπλογκ. Βλέπω, ή μάλλον διαβάζω, σκέψεις, ιδέες, προβληματισμούς. Αν και μου είναι άγνωστοι οι άνθρωποι που τα γράφουν, νιώθω ότι κάποιους τους ξέρω. Μερικές φορές μοιράζομαι μαζί τους αυτά που σκέφτομαι. Αλλά το πιο ενδιαφέρον είναι ότι διαβάζεις σχόλια ανθρώπων με πολύ διαφορετικές απόψεις. Απόψεις που ίσως δε θα ακούσεις ποτέ έξω από τα μπλογκ, γιατί δεν πιάνεις κουβέντα με έναν άγνωστο στον δρόμο.

**23** Σωστό: 2, 4, 5, 9, 14  Λάθος: 1, 6, 7, 10, 12  Δεν Αναφέρεται: 3, 8, 11, 13

**24** 1.γ, 2.α, 3.α, 4. β, 5.γ, 6.β, 7.β, 8.α, 9.α, 10.β, 11.β, 12.γ

## 17η ενότητα: Μάθε, παιδί μου, γράμματα

**1** Σωστό: 1, 2, 8  Λάθος: 3, 4, 5, 6, 7

**4** 1. <u>κύριε</u>, Θεόδωρε, 2. φίλε, 3. Παππού, 4. κυρία, 5. Γιώργο, 6. Θεέ

**5** 1. <u>Το μέλλον των παιδιών κρίνεται από τις εξετάσεις;</u>
2. Η κυρία Μαριάνθη ενοχλείται πολύ από τον θόρυβο των μαθητών.
3. Ετοιμάζεται ένας καινούριος νόμος από το Υπουργείο Παιδείας.
4. Αυτόν τον μήνα οργανώνονται πολλές εκδηλώσεις από τους φοιτητές της Φιλοσοφικής.
5. Οι μαθητές εξετάζονται από τους καθηγητές στην Ιστορία.
6. Πολλά λεφτά δίνονται από τους γονείς για την εκπαίδευση των παιδιών τους.
7. Η κυβέρνηση ενοχλείται από την κριτική των εφημερίδων για την εκπαιδευτική της πολιτική.
8. Κάποιοι καθηγητές δεν ικανοποιούνται από τα σχολικά βιβλία.

**6** 1. <u>δε μιλιέται πια</u>, 2. φτιάχνεται αυτό το γλυκό, 3. λέγεται Νίκος Προκοπίου, 4. χρησιμοποιούνται νέες παιδαγωγικές μέθοδοι από αρκετούς εκπαιδευτικούς, 5. πώς παίζεται αυτό το παιχνίδι, 6. Ενοικιάζεται κανένα διαμέρισμα στην περιοχή σου; 7. Ένας παράξενος θόρυβος ακούγεται στο μπαλκόνι. Τι μπορεί να είναι; 8. Αυτό το βιβλίο διαβάζεται πολύ ευχάριστα.

**7** 1. <u>βλέπεται</u>, 2. διαβάζεται, 3. λέγεται, 4. φοριέται, 5. πίνεται

**8** 1. <u>δεν πλένεται</u>, 2. δε λύνεται, 3. δε χρησιμοποιείται, 4. συζητάνε, 5. δε διαβάζονται, 6. Δεν ακούγεστε

**11** 1. <u>Είσαι με τα καλά σου;</u>, 2. έφαγε μεγάλη φρίκη, 3.

# παράρτημα

Έλεος! Αμάν πια!, 4. μου τη σπάει, 5. Μου τη δίνουν, και καλά, 6. είμαι στην πρίζα, το παίζεις άνετος

**13** 1. πλένεται, σκουπίζεται, 2. σηκώνεται, ντύνεται, 3. λούζεται, χτενίζεται, 4. βάφεται, 5. σηκώνεται, ετοιμάζεται, ξυρίζεται

**14** 1. γυμνάζεται, 2. στολίζουν, 3. Συναντιόμαστε, 4. να ξυρίζεται, 5. ντύνεσαι, 6. σηκώνομαι, 7. λούζεις, 8. χάνεις, 9. κουράζει, 10. κουνιέται

**15** 1. γράφεται, 2. ντύνετε, 3. χρησιμοποιείται, 4. βάφεται, 5. γράφετε, 6. ενοχλούμε, 7. σηκώνετε, 8. βάφουμε, Χρειάζεται, 9. ικανοποιούμαι, 10. ξυρίζεται, 11. Πλένετε, έρχεστε, 12. οδηγείτε

**16** 1.ε, 2.γ, 3.δ, 4.η, 5.α, 6.στ, 7.β

**17** 1. Εύχομαι όλα να πάνε καλά. 2. Τι ονειρεύεσαι να γίνεις όταν μεγαλώσεις; 3. Περίμενε, μη φύγεις ακόμα. Έρχομαι σε λίγο. 4. Η Μαρίνα είναι 46 χρονών, αλλά φαίνεται πιο νέα. 5. Βαριέμαι να δω αυτή την ταινία. 6. Λυπάμαι πολύ για αυτή την κατάσταση.

**18** 1. α. το πόσο ακριβά θα είναι τα σχολικά είδη β. το πόσο ακριβά θα είναι τα φροντιστήρια γ. το ποιος θα παίρνει τα παιδιά από το σχολείο
2. γιορτάζουν
3. κάτι δικό τους / έναν χώρο χαράς
4. στο σχολείο
5. α. σύγχρονες βιβλιοθήκες β. εργαστήρια υπολογιστών γ. κλειστά γυμναστήρια δ. εστιατόρια ε. αίθουσες χαλάρωσης
6. είναι πολύ κουρασμένα
7. να σκέφτονται, να αγαπήσουν το βιβλίο και να συνεχίσουν να μαθαίνουν μόνα τους.
8. δε σταματά το σχολείο
9. στέλνουν τα παιδιά τους σε ιδιωτικά σχολεία... πάνε στο δημόσιο σχολείο
10. καταλαβαίνουν αυτό που διαβάζουν

**21** 1. Πήραμε ταξί, γιατί/επειδή/αφού χάσαμε το λεωφορείο.
2. Ο καθηγητής έβγαλε έξω από την τάξη έναν μαθητή, γιατί/επειδή/αφού έκανε πολλή φασαρία.
3. Αφού ο καιρός δεν ήταν καλός, τα παιδιά δεν πήγαν εκδρομή. / Τα παιδιά δεν πήγαν εκδρομή, γιατί/επειδή ο καιρός δεν ήταν καλός.
4. Έκοψε το κάπνισμα, γιατί/επειδή/αφού έμαθε ότι περιμένει παιδί.
5. Αφού δεν είστε έτοιμοι, φεύγω.
6. Αφού δεν αισθάνεσαι καλά, καλύτερα να μείνεις στο σπίτι.

**23** 15, 8, 1, 13, 9, 2, 6, 11, 14, 3, 4, 12, 16, 7, 10, 5

**25**

| [i] ικανοποιώ | [χ] πιάνω | [j] διαβάζω | [ĭ] παλιώνω | [ñ] νιώθω |
|---|---|---|---|---|
| ικανοποιούμαι περιποιείται χρησιμοποιώ | αναρωτιέμαι | συναντιέμαι βαριέστε χασμουριέμαι | μιλιούνται πουλιέται | γεννιόμαστε κουνιέται |

**26** 1.β, 2.α, 3.α, 4.β, 5.β, 6.α, 7.α, 8.β, 9.β, 10.β

## 18η ενότητα: Δουλεύω σαν σκυλί...

**1** 1.β, 2.α, 3.β, 4.β, 5.β, 6.α, 7.β, 8.β

**5** 1. έχετε γράψει, 2. έχω διαβάσει, 3. Έχει στείλει, 4. Έχει αλλάξει, 5. Έχω πληρώσει, 6. έχει πάει, έχει ταξιδέψει, έχει γυρίσει

**7** 1. – Έχεις δοκιμάσει ποτέ γιαπωνέζικο φαγητό; – Ναι, έχω δοκιμάσει μία φορά.
2. Έχεις ανεβεί ποτέ στο Έβερεστ;
3. Έχεις μπει ποτέ στη φυλακή;
4. Έχεις πιει ποτέ ρούμι;
5. Έχεις κλάψει ποτέ από τα γέλια;
6. Έχεις δώσει ποτέ αίμα;
7. Έχεις πάρει ποτέ δάνειο;
8. Έχεις μαγειρέψει ποτέ μουσακά;
9. Έχεις φάει ποτέ κάτι παράξενο;
10. Έχεις ταξιδέψει ποτέ με ελικόπτερο;
11. Έχεις κερδίσει ποτέ το λαχείο;
12. Έχεις βγει ποτέ στην τηλεόραση;
13. Έχεις πάθει ποτέ ατύχημα;
14. Έχεις παίξει ποτέ στο θέατρο;
15. Έχεις δει ποτέ ελέφαντα από κοντά;
16. Έχεις κολυμπήσει ποτέ στη θάλασσα τον χειμώνα;
17. Έχεις κάνει ποτέ σκι;
18. Έχεις οδηγήσει ποτέ φορτηγό;
19. Έχεις πάρει ποτέ βραβείο;
20. Έχεις χτυπήσει ποτέ κάποιον άνθρωπο;

**9** 1. Της έχω ήδη τηλεφωνήσει. 2. έχω ήδη πιει, 3. Έχω ήδη φάει, 4. Το έχω ήδη στείλει, 5. Έχω ήδη κλείσει, 6. Έχω ήδη μαγειρέψει, 7. Την έχω ήδη δει, 8. Το έχω ήδη πληρώσει, 9. Έχω ήδη κάνει αίτηση, 10. Το έχω ήδη τακτοποιήσει

**12** 1. Δεν έχω μαγειρέψει τίποτα, 2. Δεν έχω διαβάσει, 3. Δεν έχω πληρώσει ακόμα τον λογαριασμό του τηλεφώνου, 4. Δεν έχω κλείσει εισιτήρια, 5. Δεν έχω πάρει ακόμα το χάπι μου

**13** 1.α, 2.α, 3.β, 4.β, α, 5.α, 6.β

**14** 1.β, 2.α, 3.α, 4.β, 5.β, 6.α, 7.β, 8.α, 9.α, 10.β, 11.β, 12.α, 13.α, 14.β, 15.α, 16.β

**16** 1. Η Μελέκ ήρθε στην Ελλάδα για να σπουδάσει / ώστε να σπουδάσει.
2. Ήταν τόσο καλή στη δουλειά της, που δεν την άφησαν να φύγει.
3. Ο Πάμπλο μαζεύει λεφτά για να αγοράσει μια μηχανή.
4. Δεν έκλεισε καλά την τσάντα της, με αποτέλεσμα να χάσει το πορτοφόλι της.
5. Δε σταμάτησε στο κόκκινο, με αποτέλεσμα να τρακάρει με ένα άλλο αυτοκίνητο.
6. Η Βέρα έμαθε ελληνικά, ώστε να / για να βρει καλύτερη δουλειά.
7. Υπάρχει τόσο μεγάλη ανεργία, που πολλοί νέοι μένουν χωρίς δουλειά.

8. Η Αρλέτα έμεινε στο σπίτι απόψε, για να πάει για ύπνο νωρίς.
9. Είναι τόσο καλός, που όλοι οι συνάδελφοι τον αγαπούν.
10. Δε διάβασε καλά για τις εξετάσεις, με αποτέλεσμα να μην περάσει στο Πανεπιστήμιο.
11. Ο Ερβίν έφυγε πιο νωρίς από τη δουλειά, για να πάει στον γιατρό.
12. Εξήγησε το πρόβλημά του τόσο καλά, που όλοι το καταλάβαμε.

**19** Σωστό: 2, 3, 8  **Λάθος:** 1, 4, 5, 6, 7

**22** α.4, β.10, γ.12, δ.5, ε.7, στ.3, ζ.19, η.15, θ.18, ι.14, ια.20, ιβ.9, ιγ.17, ιδ.2

**24** 1. κυρία Έλενα Αποστόλου, 2. «Πάμε για δουλειά», 3. το άγχος / η αγωνία κατά τη διάρκεια μιας συνέντευξης για δουλειά, 4. α. είναι φυσιολογικό να υπάρχει, β. συνήθως δε δημιουργεί προβλήματα, 5. είναι καλύτερο να μην προτιμήσουμε το νεανικό, σπορ ντύσιμο, 6. α. χαμογελάμε, β. χαιρετάμε, 7. δεν κάνει συνήθως καλή εντύπωση, 8. δε σας πουν να καθίσετε, 9. σας κάνουν σχετική ερώτηση, 10. δώσουμε τις πληροφορίες που μας ζητούν, να γίνουμε φίλοι, 11. τον μισθό, το ωράριο και τις διακοπές, 12. λέμε ψέματα, 13. να δει αν μπορούμε να αντιμετωπίσουμε δύσκολα ζητήματα, 14. σοβαρό λάθος, 15. να ευχαριστήσουμε τον άνθρωπο που μας πήρε τη συνέντευξη

**25** 1. αισθάνομαι, κουρασμένος, σκλάβος, 2. αύξηση, 3. ως, 4. προϊστάμενο, διευθύντρια, 5. απασχολήσω, στιγμή, 6. Ενδιαφέρομαι, αυτοκινήτων, 7. υπεύθυνη, προσλήψεων, συνέντευξη, 8. άδεια, άδεια, διακοπές

**26** 1.β, 2.β, 3.β, 4.α, 5.β, 6.β, 7.α, 8.α, 9.β, 10.α

## 19η ενότητα: Είναι πολύ της κουλτούρας

**1** Σωστό: 2, 6, 7, 8, 9  **Λάθος:** 1, 3, 4, 5, 10

**3** 1. Είχε σταματήσει η βροχή, όταν βγήκαμε από τον κινηματογράφο.
2. Είχε φύγει το τρένο, όταν φτάσαμε στον σταθμό.
3. Είχε αρχίσει η συναυλία, όταν μπήκαμε στο κλαμπ.
4. Η Τζίνα είχε μάθει τα νέα, όταν ο Κώστας της τηλεφώνησε.
5. Είχε τελειώσει η εκπομπή, όταν η Μαίρη άνοιξε την τηλεόραση.
6. Είχαν πουλήσει το παλιό αυτοκίνητο, όταν αγόρασαν το καινούριο.

**4** 1. Όταν έψαξα στο ίντερνετ, είχαν ήδη τελειώσει τα εισιτήρια για τη συναυλία.
2. Όταν ήρθε η αστυνομία, οι κλέφτες είχαν ήδη φύγει.
3. Όταν βγήκαμε από το μουσείο, είχε ήδη σκοτεινιάσει.
4. Όταν τα παιδιά ξύπνησαν, ο θείος είχε ήδη ετοιμάσει πρωινό.
5. Όταν η Δέσποινα ζήτησε τον λογαριασμό, η Νατάσσα είχε ήδη πληρώσει.

6. Όταν ο Τάκης έφυγε από την εταιρεία, είχε ήδη βρει άλλη δουλειά.

**6** είχαν πετάξει, είχαν πατήσει, είχαν ρίξει, είχαν γεμίσει, είχαν χύσει, είχαν σπάσει, είχαν χαλάσει, είχαν κλείσει

**8** 1. δεν είχα ταξιδέψει, 2. δεν είχα μελετήσει, 3. δεν είχα δει, 4. δεν είχα παρακολουθήσει, 5. είχα ήδη μάθει, 6. είχα ήδη πάει, 7. είχα ήδη παίξει, 8. είχα ήδη δοκιμάσει

**9** 1.δ, 2.στ, 3.α, 4.γ, 5.β, 6.ε

**10** 1. φτάσαμε, είχε αρχίσει, 2. αποφάσισα, είχαν τελειώσει, 3. μίλησα, είχε στείλει, 4. ήρθε, είχα τελειώσει, 5. είχα πει, 6. είχε μάθει, συνάντησα, 7. Είχαμε κανονίσει, είχα πει, 8. άλλαξε, είχε διαβάσει, 9. είδαμε, είχαν πάει, 10. Είχα προσπαθήσει, σταμάτησα

**11** 1. Όταν φτάσαμε στο χωριό και ανοίξαμε την πόρτα του σπιτιού, είδαμε ότι το παράθυρο είχε σπάσει και μια γάτα είχε γεννήσει μέσα στο σαλόνι.
2. Είχαν ήδη περπατήσει μισή ώρα, όταν κατάλαβαν ότι είχαν πάρει λάθος δρόμο.
3. Η Μελέκ είχε τελειώσει πια την εργασία της, όταν αποφάσισε να τηλεφωνήσει στους φίλους της και να κανονίσουν συνάντηση στο καφενείο.
4. Αν και είχαμε συμφωνήσει να βγούμε χτες, τελικά δεν κανονίσαμε τίποτα.
5. Όταν κατέβηκε από το τρένο και δεν είδε τη γυναίκα του να τον περιμένει, κατάλαβε πως είχε κατεβεί σε λάθος σταθμό.

**12** 1. έχω μιλήσει, είχα μιλήσει, μίλησα, 2. Έχει ανησυχήσει, είχαν ανησυχήσει, ανησύχησε, 3. έχασε, έχει χάσει, είχε χάσει, 4. έχει αποφασίσει, είχε αποφασίσει, αποφάσισε, 5. έχω φάει, έφαγα, είχε φάει, 6. είχαμε αγοράσει, έχω αγοράσει, αγόρασα

**13** 1. Μόλις μάθω τι έγινε, θα σου το πω. 2. Μόλις φτάσεις στο σπίτι, να με πάρεις / πάρε με τηλέφωνο. 3. Μόλις δεις ένα περίπτερο, στρίβεις / να στρίψεις / στρίψε δεξιά. 4. Μόλις τελειώσεις τη δουλειά σου, φεύγεις / φύγε / να φύγεις.

**14** 1. Φάε κάτι πριν πάρεις το φάρμακό σου. 2. Στείλε μήνυμα πριν φύγεις. 3. Δες τι καιρό κάνει πριν βγεις έξω. 4. Κλείσε τραπέζι πριν πας στο εστιατόριο.

**15** 1.α, 2.β, 3.γ, 4.β, 5.β, 6.β

**19** 1. Θα έχω μετακομίσει, 2. θα έχει γεννήσει, 3. θα έχει βρει, 4. θα έχει αποφασίσει, 5. θα έχουμε μάθει, 6. θα έχουν τελειώσει

**20** 1. Ώσπου να παρκάρεις, θα έχω βγάλει τα εισιτήρια.
2. Μέχρι να τελειώσεις τις δουλειές σου, θα έχω επιστρέψει.
3. Ώσπου να γίνει το φαγητό, θα έχεις πεινάσει.
4. Μέχρι να στείλεις τα γράμματα, θα έχω πληρώσει τους λογαριασμούς.
5. Πριν φύγω για διακοπές, θα έχω χάσει δυο τρία κιλά.

# παράρτημα

6. Θα έχουμε ετοιμάσει όλα τα πράγματα πριν έρθουν οι καλεσμένοι;

**23** **Σωστό:** 1, 4, 8, 10, 13, 16, 17 **Λάθος:** 2, 3, 7, 9, 12, 15 **Δεν Αναφέρεται:** 5, 6, 11, 14

**24** 4, 14, 10, 7, 1, 3, 19, 9, 6, 16, 12,18, 5, 2, 13, 17, 11, 15, 8

**28** 1. Σας έπαιρνα τηλέφωνο, αλλά δεν απαντούσε κανείς.
2. Πάρε τηλέφωνο στο θέατρο και, αν βρεις εισιτήρια, κλείσε για την Τετάρτη.
3. Υπάρχουν εισιτήρια για την παράσταση του Σαββάτου;
4. Ώσπου να βρούμε ταξί, το έργο είχε αρχίσει.
5. Σας πειράζει αν δεν καθίσετε μαζί;
6. Έχουν μείνει λίγες θέσεις στις πίσω σειρές.
7. Μας άρεσε πολύ η παράσταση.

**29** 1.α, 2.β, 3.β, 4.α, 5.α, 6.β, 7.α, 8.β, 9.β, 10.α

## 20ή ενότητα: Πάμε πάλι!

**1** κάθισε, να παίζει, πέρασαν, πήγαιναν, έπαιζε, κοίταξε, πήρε, πέταξε, περνούσε/πέρναγε, να σταματήσει, ακούμπησε, έφυγε, πρόσεξε, να ακούσει, τράβηξε, κοιτούσε/κοίταγε, έφευγαν, έριξαν, μάζεψε, έπαιζε, είχε παίξει, πληρώνεται, να καταλάβουμε

**2** 2, 4, 3, 6, 5, 7, 1, 10
1. να δουλεύω, 2. έπαιρνα, 3. κάποιο, 4. των αυτοκινήτων, 5. πήρε, 6. δείχνω, 7. χωρούσε, 8. άφησαν, 9. άνοιγαν, 10. έτρωγα, 11. έμπαινε

**3** **Σωστό:** 1, 3, 4, 8, 11, 15 **Λάθος:** 2, 5, 6, 7, 9, 10, 12, 13, 14

**4** 1.β, 2.γ, 3.β, 4.α, 5.γ, 6.β, 7.α, 8.γ, 9.β, 10.β, 11.α, 12.γ

**5** α.4, β.13, γ.6, δ.14, ε.1, στ.9, ζ.12, η.15, θ.7, ι.2, ια.19, ιβ.10

**6** 10, 13, 2, 14, 1, 7, 4, 8, 12, 11, 3, 15, 6, 9, 5